Standaard klein woordenboek

Engels-Nederlands/Nederlands-Engels

aanw. vnw.	aanwijzend voornaamwoord	*o.*	onzijdig
		o.s.	oneself (zich)
alg.	algemeen	*onbep. vnw.*	onbepaald voornaamwoord
Am.	Amerikaans		
anat.	anatomie	*onov. ww.*	onovergankelijk werkwoord
betr. vnw.	betrekkelijk voornaamwoord	*onp. ww.*	onpersoonlijk werkwoord
bez. vnw.	bezittelijk voornaamwoord	*ov. ww.*	overgankelijk werkwoord
bn.	bijvoeglijk voornaamwoord	*pers.*	persoon
bw.	bijwoord	*pers. vnw.*	persoonlijk voornaamwoord
dichterl.	dichterlijk		
dierk.	dierkunde	*plantk.*	plantkunde
eig.	eigenlijke betekenis	*sbd.*	somebody
elektr.	elektriciteit	*scheepv.*	scheepvaart
fam.	familiair	*scheik.*	scheikunde
gramm.	grammatica	*sl.*	slang
hand.	handel	*sp.*	sport en spel
iem.	iemand(s)	*sth.*	something
iron.	ironisch	*techn.*	techniek
jur.	rechtsterm	*ton.*	toneel
kaartsp.	kaartspel	*tussenw.*	tussenwerpsel
kath.	katholiek	*v.*	vrouwelijk
kerk.	kerk(elijk)	*vnw.*	voornaamwoord
m.	mannelijk	*voegw.*	voegwoord
med.	medische term	*voorz.*	voorzetsel
mil.	militaire term	*ww.*	werkwoord
muz.	muziek	*zn.*	zelfstandig naamwoord
mv.	meervoud		
natuurk.	natuurkunde		

Voorwoord

Voor u ligt een geheel nieuw Standaard klein woordenboek Engels-Nederlands/Nederlands-Engels. Alle Nederlandse woorden zijn aangepast aan de nieuwe spelling volgens de *Woordenlijst Nederlandse taal* ('het Groene Boekje'). Het genus van een Nederlands zelfstandig naamwoord wordt vermeld voorzover het een onzijdig zelfstandig naamwoord (*o.*) betreft. Het bijbehorende lidwoord is dan *het*. Ontbreekt deze *o.* dan betreft het een vrouwelijk of mannelijk zelfstandig naamwoord. Het bijbehorende lidwoord is dan *de*. De redactie heeft van de gelegenheid gebruikgemaakt om een groot aantal nieuwe trefwoorden te selecteren, die Nederlandstaligen nodig hebben als zij in contact komen met de Engelse taal. Mede dankzij de nieuwe, moderne typografie is er een actueel, gebruiksvriendelijk en handzaam woordenboek ontstaan voor een breed publiek.

a een.

A.A. (anti-aircraft artillery) luchtafweergeschut *o.;* Automobile Association, wegenwacht.

abandon laten varen, opgeven; in de steek laten, verlaten.

abandoned verlaten.

abase verlagen, vernederen.

abashed beschaamd; *(v. aard)* verlegen.

abate bedaren; *(v. ijver)* verflauwen.

abatement afslag, prijsverlaging.

abattoir slachthuis *o.,* abattoir *o.*

abbess abdis.

abbey abdij.

abbot abt.

abbreviate *(woord)* verkorten.

abbreviation afkorting.

abdicate afstand doen (van).

abdication troonsafstand, afstand.

abdomen onderlijf *o.; (insect)* achterlijf *o.*

abduce afvoeren.

abduct ontvoeren, wegvoeren, schaken.

abduction schaking.

abed te bed.

abet opstoken; steunen.

abhor verafschuwen.

abhorrence afgrijzen *o.,* afschuw.

abide *(abode, abode)* afwachten, verbeiden.

ability begaafdheid, bekwaamheid, capaciteit.

abject verworpen, laag.

abjure afzweren.

ablactate spenen.

ablaze in vlam.

able bekwaam; *be – to hold his ground,* zijn mannetje staan; *be – to,* kunnen.

abloom in volle bloei.

ablush blozend.

abnegate verloochenen.

abnormal abnormaal.

aboard aan boord.

abode verblijfplaats, woonplaats.

abolish afschaffen.

abolition afschaffing.

abominable afschuwelijk, verfoeilijk.

abortion miskraam; abortus.

abound overvloeien.

about omtrent, omstreeks; ongeveer; *– ten o'clock,* om een uur of tien.

above boven; *(meer dan)* over; *– all,* bovenal, vooral.

above-mentioned bovenvermeld, voormeld, voornoemd.

abrade afschuren.

abreast *be – of,* op de hoogte zijn van.

abridge verkorten.

abroad in, naar het buitenland, buitenlands.

abrogate afschaffen.

abrupt steil; plotseling.

abrogation afschaffing.

abscess abces *o.*

abscond zich verbergen; zich uit de voeten maken; er (stil) vandoor gaan.

absence afwezigheid; *in the – of,* bij ontstentenis van; *– of mind,* verstrooidheid.

absent afwezig, absent.

absent-minded *(fig.)* verstrooid.

absolute volstrekt.

absolutely beslist.

absolution absolutie, kwijtschelding.

absolve vrijspreken.

absorb opslorpen; *be –ed in one's work,* opgaan in zijn werk.

absorption absorptie, opslorping.

abstain, *– from,* zich onthouden van.

abstainer onthouder, *total –,* geheelonthouder.

abstemious matig, sober.

abstention onthouding.

abstergent bloedzuiverend.

abstinence onthouding.

abstract *zn. (v. rekening)* uittreksel *o.* ‖ *bn.* abstract.

abstruse verborgen.
absurd ongerijmd, absurd.
absurdity onzinnigheid.
abundance overvloed.
abundant overvloedig; rijkelijk.
abuse *zn.* misbruik *o.*, wantoestand.
    ‖ *ww.* uitschelden; misbruiken.
abusive verkeerd; – *language,*
    scheldwoorden; – *term,* scheldwoord *o.*
abut palen, grenzen.
abutment steunpilaar.
abyss afgrond.
academy academie, college *o.*
accede toetreden.
accelerate bespoedigen; versnellen.
acceleration versnelling.
accent accent *o.*, klemtoon.
accented beklemtoond.
accept aanvaarden, aannemen,
    accepteren; – *my thanks,* ontvang
    mijn dank.
acceptable aannemelijk.
acceptance aanneming; accept *o.;*
    present a bill for –, een wissel laten
    accepteren.
access toegang; opwelling; *(ziekte)*
    aanval.
accessible toegankelijk; – *to,*
    ontvankelijk voor.
accessories *mv.* toebehoren,
    onderdelen, accessoires.
accessory bijbehorend; medeplichtig.
accident ongeval *o.;* toeval *o.*
accidental bijkomstig; toevallig.
accidentally bij toeval, toevallig.
acclaim toejuichen.
acclimatize acclimatiseren.
acclivity helling.
accommodate aanpassen; schikken.
accommodating meegaand,
    toeschietelijk.
accommodation aanpassing; vergelijk
    o.; (in huis) ruimte.

accompaniment begeleiding.
accompany begeleiden, geleiden;
    vergezellen.
accomplice *(ongunstig)* handlanger.
accomplish volbrengen; volvoeren; – *a*
    task, zich van een taak kwijten.
accomplished talentvol; – *fact,*
    voldongen feit.
accomplishment voltooiing,
    voltrekking.
accord accorderen.
accordance *in – with,* overeenkomstig.
according, – *as,* naargelang; – *to,*
    naarmate.
accordingly overeenkomstig.
accordion harmonica.
accost aanspreken.
accouchement bevalling.
accoucheur verloskundige.
accoucheuse verloskundige,
    vroedvrouw.
account *zn.* rekening; verslag *o.; on – of,*
    wegens; *square up an –,* een schuld
    aanzuiveren. ‖ *ww.* rekenen; – *for,*
    rekenschap geven van.
account-current rekening-courant.
accountability verantwoording.
accountable toerekenbaar,
    verantwoordelijk.
accountant accountant.
accredit geloof schenken aan; – *to,*
    accrediteren.
accrescence aanwas, aangroei.
accretion aanwas, aanslibbing.
accrue aangroeien.
accumulate (zich) opstapelen.
accumulation opeenhoping, ophoping.
accumulator accumulator.
accurate nauwkeurig, nauwlettend,
    stipt.
accuracy nauwkeurigheid.
accusation aanklacht; beschuldiging.
accuse beschuldigen, betichten.

accused beklaagde.

accuser aanklager.

accustom gewennen, wennen.

accustomed gewoon.

ace aas *o.; – of diamonds*, ruitenaas *o.*

acerb bitter.

acetylene acetyleen *o.*

ache pijn, zeer *o.*

achieve verrichten, volbrengen; *– a good reputation*, een goede reputatie verwerven.

achievement verrichting; daad.

acid *zn.* zuur *o.; carbolic –*, carbolzuur *o.; carbolic –*, koolzuur *o.* || *bn.* wrang, zuur.

acknowledge bekennen; erkennen.

acknowledgment erkenning.

acme hoogtepunt *o.*

acne acne, jeugdpuistjes.

acock *(v. hoed)* scheef.

acolyte misdienaar, koorknaap; volgeling, aanhanger.

acorn eikel.

acoustics akoestiek.

acquaintance bekende; *(persoon)* kennis; *make a p.'s –*, met iem. kennismaken.

acquainted *be –*, kennen.

acquiesce *– in*, berusten in.

acquirable verkrijgbaar; aan te leren.

acquire verkrijgen, verwerven.

acquisition aankoop, aanwinst.

acquit vrijspreken; *– oneself of a task*, zich van een taak kwijten.

acquittal vrijspraak, ontheffing.

acquittance vrijspraak.

acrid wrang, bitter, bijtend.

acrimonious bits; wrang.

acrobat kunstenmaker.

across dwars, overheen; tussendoor.

act *zn.* daad, handeling. || *ww.* handelen; *take in the (very) –*, op heterdaad betrappen.

acting *zn.* doen *o.* || *bn.* waarnemend.

action daad; rechtsvordering; *joint –*, gezamenlijk optreden; *take –*, handelend optreden.

active bedrijvig, werkzaam, actief; *in – service*, actief.

activity bedrijvigheid; bezigheid; *...ties*, werkzaamheden.

actor acteur, toneelspeler.

actress actrice, toneelspeelster.

actual feitelijk, werkelijk, reëel.

actuality werkelijkheid.

actualization verwezenlijking.

actualize verwezenlijken.

actuary actuaris; secretaris.

actuate aanzetten; in beweging brengen.

acuity *(v. geest)* scherpzinnigheid; *(v. punt)* scherpheid; *(v. ziekte)* het acuut zijn.

acupuncture acupunctuur.

acute acuut, scherp, scherpzinnig

adage spreekwoord *o.*

Adam's apple adamsappel.

adapt, *– to*, aanpassen.

adaptability aanpassingsvermogen *o.*

adapter verdeelstekker.

add toevoegen, bijleggen; *– (up)*, optellen.

adder adder.

addicted, *– to*, *(drank)* verslaafd aan.

addition toegift, toevoegsel *o.*; optelling.

additional bijkomend; extra; *– charge*, toeslag; *– percentage*, opcenten.

addle *(v. ei)* bedorven; verward.

address *zn.* aanspraak; adres *o.* || *ww.* aanspreken; toespreken; *– to*, zich richten tot.

addressee geadresseerde.

adduce aanbrengen; voortbrengen; aanhalen.

adept ingewijde.

adequate gelijk (aan); evenredig.
adhere, – *to*, aankleven.
adherence aanhankelijkheid.
adherent aanhanger.
adit ingang; toegang.
adjacent aangrenzend, nabijgelegen.
adjective bijvoeglijk naamwoord.
adjectively bijvoeglijk.
adjoin grenzen; bijvoegen.
adjourn *(zitting)* schorsen; verdagen.
adjournment schorsing.
adjudge toewijzen.
adjudication toewijzing.
adjunct assistent.
adjuration bezwering.
adjure afsmeken; bezweren.
adjust *(instrument)* verstellen; *(rekening)* vereffenen.
adjustment aanpassing; vereffening.
adjutant adjudant.
administer toepassen; toedienen; – *justice*, rechtspreken.
administration administratie, beheer *o.*, bewind *o.*
administrator beheerder, administrateur, bewindvoerder.
admirable bewonderenswaardig.
admiral admiraal.
admiration bewondering.
admire bewonderen.
admissible geoorloofd.
admission toegang; toelating; erkenning.
admit aannemen, toelaten; erkennen.
admittance toegang; toelating.
admix vermengen.
admonish vermanen, waarschuwen.
admonition waarschuwing.
adnominal attributief.
ado ophef, drukte, omslag; *much – about nothing*, veel drukte om niets.
adolescence adolescentie; puberteit.
adolescent opgroeiend, puber-, puberteits-.

adopt aannemen, adopteren; – *from*, ontlenen aan.
adoptive aangenomen.
adorable aanbiddelijk.
adore aanbidden; vereren.
adorer aanbidder.
adorn opluisteren; versieren.
adornment versiering.
adrift drijvend, driftig.
adroit handig, behendig.
adulate vleien.
adult volwassen.
adulterate *(voedsel, drank)* vervalsen, versnijden.
adultery echtbreuk, overspel *o.*
adumbrate afschaduwen.
advance *zn.* voorsprong, voorschot *o.*, aantocht; – *bidding*, opbod *o.*; – *booking*, opbod *o.*; – *guard*, voorhoede; *in* –, vooruit. ‖ *ww.* vorderen, oprukken; *(geld)* voorschieten.
advanced verregaand; vergevorderd.
advancement bevordering, promotie.
advantage voordeel *o.*
advantageous voordelig.
advent advent.
adventure *zn.* avontuur *o.*, wedervaren *o.* ‖ *ww.* wagen.
adventurer gelukzoeker.
adverb bijwoord *o.*
adversary tegenpartij; tegenstander.
adverse tegenstrijdig.
adversity rampspoed, tegenspoed.
advert letten op.
advertise aankondigen.
advertisement advertentie, annonce.
advertising het adverteren *o.*; – *pillar*, aanplakzuil.
advice raad; bericht *o.*
advisable raadzaam, geraden.
advise aanraden; verwittigen; berichten.
adviser adviseur; raadsman.

advocate *zn.* voorstander; verdediger.
‖ *ww. (een mening)* voorstaan;
bepleiten.
aerial antenne.
aerodrome vliegterrein *o.*; vliegveld *o.*
aeroplane vliegtuig.
aerosol spuitbus.
aesthetic esthetisch.
afar ver.
affability voorkomendheid.
affable minzaam, vriendelijk.
affair aangelegenheid, zaak, *maritime
–s,* zeewezen *o.; state of –s,*
tijdsomstandigheden.
affect aantasten; aandoen; voorwenden.
affected gedwongen, gewild;
aangedaan.
affection aandoening; toegenegenheid.
affectionate aanhankelijk; toegenegen.
affidavit beëdigde verklaring.
affiliation *(fig.)* band; verwantschap;
filiaal.
affined verwant.
affinity *(v. bloed)* verwantschap.
affirm bevestigen.
affix *zn.* achtervoegsel *o.*; toevoeging.
‖ *ww.* aanhechten; plakken.
afflict teisteren; bedroeven.
affliction beproeving; bezoeking.
affluence weelde; toevloed.
afford *(hulp)* verlenen; geven; *I cannot –
it,* ik kan het niet betalen.
affray vrezen.
affront beledigen.
afield op het veld; *(mil.)* te velde.
afire in brand.
afloat drijvend, vlot.
afoot te voet.
aforesaid voornoemd, voorzegd.
afraid bang, angstig; *– of,* bevreesd
voor; *(bezorgd) – for,* bevreesd voor.
afresh opnieuw.
Africa Afrika.

after na, daarna; achter; *shortly –,* kort
daarna; *– that,* daarna.
afterbirth nageboorte, placenta.
aftermath *(fig.)* nasleep.
afternoon namiddag.
after-pains naweeën.
afterplay naspel *o.*
after-taste nasmaak.
afterward(s) naderhand, daarna.
again opnieuw, weer; *– and –,*
telkens.
against tegen.
agape met open mond.
agate *zn.* agaat *m. en o.* ‖ *bn.* agaten.
age ouderdom; *to declare of –,* mondig
verklaren; *the dark (the middle) –s,*
Middeleeuwen; *of –,* meerderjarig; *old
– pension,* ouderdomsrente; *under –,*
minderjarig.
agency agentschap *o.*, agentuur;
employment –, verhuurkantoor *o.;
general –,* hoofdagentschap *o.*
agent zaakgelastigde, agent;
tussenpersoon *sole –,*
alleenvertegenwoordiger.
agglomerate ophopen.
agglomeration agglomeratie.
agglutinate samenlijmen.
aggrandize vergroten.
aggravate verergeren; verzwaren.
aggregate verzamelen.
aggress aanvallen.
aggresive agressief.
aggresor aanvaller.
aggrieve bedroeven.
aghast ontzet.
agile vlug, gauw, behendig.
agio agio *o.*
agitated gejaagd.
agitation alteratie, opwinding.
agitator opruier, onruststoker.
ago geleden, voor; *a moment –,* zoeven; *not long –,* kortelings.

agog benieuwd.
agonize zieltogen.
agony doodsstrijd; doodsangst.
agree akkoord gaan, overeenstemmen;
  – upon, afspreken; *–d!* akkoord!
agreeable aangenaam, welgevallig,
  genoeglijk.
agreement overeenstemming; akkoord
  o.; afspraak; *by –*, volgens afspraak;
  collective –, collectieve
  arbeidsovereenkomst.
agriculture landbouw.
aground gestrand; *run –*, stranden,
  vastlopen.
ague *(malaria)* koorts.
ahead vooraan; halsoverkop; *be – of the
  times*, zijn tijd vooruit zijn.
aheap op een hoop.
aid *zn.* bijstand, hulp; tegemoetkoming;
  in – of, ten behoeve van. || *ww.*
  helpen.
ail schelen; *be –ing*, sukkelen.
aim *zn.* doel *o.*, oogmerk *o.*; *final –*,
  einddoel *o.* || *ww.* richten, mikken;
  – at, aanleggen op.
aimless doelloos.
air aria, melodie, wijs, air *o.*; lucht; *in
  the open –*, in de open lucht.
air bag airbag.
air-balloon luchtballon.
air-battle luchtgevecht *o.*
air conditioning airconditioning,
  klimaatregeling.
aircraft luchtvaartuig *o.*
air-force luchtmacht.
air hostess stewardess.
airless luchtledig, zonder lucht.
airliner lijntoestel, lijnvliegtuig *o.*
airmail luchtpost.
airman *(persoon)* vlieger.
air-mattress luchtmatras, luchtbed *o.*
air pollution luchtverontreiniging.
airport luchthaven.

air raid luchtaanval.
air raid shelter schuilkelder.
airsick luchtziek.
airstrip landingsstrook.
air-tight hermetisch, luchtdicht,
  potdicht.
air-traffic control luchtverkeersleiding.
aisle zijbeuk.
ajar op een kier.
alabaster albast *o.*
alarm *zn.* alarm *o.*; ontsteltenis. || *ww.*
  ontstellen; verontrusten.
alarm-signal alarmsignaal *o.*
alarm-clock wekker.
alarmed ontsteld; vervaard.
alarming onrustbarend; zorgwekkend.
alas helaas!
Albania Albanië.
album album *o.*
albumen eiwit *o.*
alchemy alchimie.
alcohol alcohol.
alcoholic liquors spiritualiën.
alcove nis; alkoof.
alder *(boom)* els.
alderman schepen, wethouder; *court of
  aldermen*, schepenbank.
ale *(licht bier)* ale *o.*
alert kwiek, wakker, waakzaam; *on the –*,
  op zijn hoede.
alga zeewier *o.*, alge.
alibi alibi *o.*
alien vreemd.
alienate *(goederen)* vervreemden.
alienation *mental –*, zinsverbijstering.
alight *bn.* aangestoken; in brand.
  || *ww.* uitstappen.
align themselves zich opstellen.
alignment rooilijn.
alike eender.
alimentation *(handeling)* voeding.
alimony alimentatie.
alive levendig.

all alles, gans, geheel; – *but*, schier; *one and –*, allen; – *round*, rondom; – *the time*, steeds.
allay *(pijn, strengheid)* temperen; lenigen.
allegation aanhaling; bewering.
allegoric(al) zinnebeeldig.
allergy allergie.
alleviate verlichten, verzachten.
alley dreef; steeg; *blind –*, slop o.
alliance bond; verbintenis, verbond o.
allied aangetrouwd, aanverwant, verwant.
alligator kaaiman.
all-in alles (allen) inbegrepen.
allocate aanwijzen, toewijzen.
allocution toespraak.
allot toedelen, toewijzen.
allotment toewijzing; aanwijzing; perceel o.
allow toestaan, veroorloven; – *a claim*, een vordering erkennen.
allowance vergunning; toelage; – *for damage*, refactie; *extra –, (ondersteuning)* toeslag; *make – for*, in aanmerking nemen.
allowed geoorloofd, veroorloofd; *be –*, mogen.
alloy *zn.* allooi o., gehalte o. ‖ *ww.* mengen.
all-rounder veelzijdig persoon.
All Saints' Day Allerheiligen.
All Souls' Day Allerzielen.
allude zinspelen.
allure verleiden, verlokken.
alluring aanlokkelijk.
allusion toespeling, zinspeling.
ally bondgenoot.
almanac almanak.
almighty almachtig; *the A–*, de Almachtige.
almond amandel.
almost bijna, nagenoeg, schier; – *never*, bijna nooit.

alms aalmoes.
aloft omhoog.
alone alleen.
along langs.
aloof verwijderd van.
aloud hardop.
alphabet alfabet o.
already al, reeds.
also eveneens, ook.
altar altaar o.
alter veranderen.
alterable veranderlijk.
alteration verandering, wijziging.
altercation woordenwisseling, twist.
alternate *bn.* afwisselend. ‖ *ww.* afwisselen, omwisselen.
alternately om de beurt.
alternating current wisselstroom.
alternation afwisseling.
although hoewel, ofschoon, alhoewel.
altitude hoogte.
alto alt.
altogether geheel en al, alles bij elkaar, allemaal.
alum aluin.
aluminium foil aluminiumfolie v./m. en o.
always altijd, steeds.
amalgamate samensmelten; *(v. maatschappijen)* versmelten.
amass ophopen.
amaze verbazen; *be –d*, verbaasd staan.
amazingly verbazend.
ambassador gezant, ambassadeur.
amber barnsteen o.
ambient rondom insluitend.
ambiguous dubbelzinnig.
ambition ambitie; eerzucht; streven o.
ambitious eergierig, eerzuchtig.
ambler telganger.
ambling horse telganger.
ambulance ziekenwagen, ambulance.
ambulate rondslenteren.

ambush hinderlaag.
ameer emir.
ameliorate verbeteren.
amelioration verbetering.
amenable, – *to,* ontvankelijk voor.
amend wijzigen.
amendment amendement *o.;*
  beterschap *v*
amenity bevallen *o.*
amerce straffen.
America Amerika.
American Amerikaan(s).
amiable aanminnig, beminnelijk.
amicable minnelijk; – *settlement,*
  minnelijke schikking.
amid(st) onder, te midden van.
amiss mis.
amity vriendschap.
ammoniac ammoniak.
ammunition munitie.
amnesty amnestie, kwijtschelding.
amniotic fluid vruchtwater *o.*
among(st) tussen, onder.
amorous verliefd.
amortization amortisatie.
amortize delgen.
amount bedrag *o.; the* – *still due,* het
  achterstallige bedrag.
amour minnarij.
amphibian amfibie.
ample royaal; wijd; breedvoerig.
amplify uitbreiden; uitweiden.
amply royaal; ruimschoots.
ampulla ampul.
amputate afzetten, amputeren.
amulet tovermiddel *o.,* talisman.
amuse verlustigen, vermaken.
amusement vermaak *o.,* amusement *o*
amusing plezierig, prettig, vermakelijk.
an *(voor klinker)* een, ene.
anabaptist wederdoper.
an(a)emia bloedarmoede.
anal anaal.

analyse ontleden, analyseren.
analysis ontleding; *(scheik.)* onderzoek
  o., analyse.
analyst scheikundige, analist.
anarchist anarchist.
anathema banvloek.
anatomize *(anat.)* ontleden.
anatomy ontleedkunde, anatomie.
ancestor stamvader, voorvader.
anchor *zn.* anker *o.* || *ww.* ankeren.
anchorite kluizenaar.
anchovy ansjovis *v*
ancient overoud.
and en; – *so on,* enz.
anecdote anekdote.
aneurysm slagadergezwel *o.*
anew opnieuw, weder, wederom.
angel engel; *guardian* –,
  beschermengel.
anger gramschap, toorn.
angle *zn.* hoek; hengel. || *ww.* hengelen,
  vissen.
angler visser.
angling-rod hengel.
angry boos, kwaad, verbolgen,
  vergramd.
anguish angst, smart.
angular hoekig.
animal *zn.* beest *o.,* dier *o.* || *bn.* dierlijk.
animate verlevendigen; aanmoedigen.
animated bezield.
animation bezieling.
animosity verbittering.
ankle enkel.
annals annalen.
annex *zn.* bijlage; bijgebouw *o.* || *ww.*
  inlijven, annexeren.
annexation annexatie.
annihilate vernietigen.
anniversary gedenkdag, verjaardag.
annotate aantekenen.
annotation aantekening.
announce aankondigen, aanmelden,

aanzeggen; – *oneself*, zich bekendmaken.

announcement aanzegging; advertentie; bekendmaking.

announcer omroeper.

annoy ergeren; kwellen; vervelen.

annoyance last, overlast.

annoying hinderlijk, vervelend.

annually jaarlijks.

annuity jaargeld *o.*

annul tenietdoen, opheffen, annuleren.

annunciate bekendmaken.

anodyne pijnstillend middel.

anoint smeren.

anon aanstonds.

anonymous naamloos, anoniem.

another nog een, een ander.

answer *zn.* antwoord *o.*, bescheid *o.*
‖ *ww.* antwoorden; – *for*, instaan voor; – *back*, tegenspreken; – *the bell*, de deur opendoen.

answerable aansprakelijk, verantwoordelijk.

ant mier.

antagonist tegenstander.

ant-eater miereneter.

antecedent antecedent *o.*

antedate vroeger dagtekenen; vooruitlopen op.

antenna (*mv.* antennae) antenne; (*v. insect*) spriet, voelhoorn.

anthem *national* –, volkslied *o.*

ant-hill mierenhoop.

anthology bloemlezing.

anthracite antraciet *o.*

anti-aircraft artillery luchtafweergeschut *o.*

anticipate voorkomen, voor zijn.

anticipation *joyful* – blijde verwachting.

antidote tegengif *o.*

anti-freeze antivries.

antipathy afkeer; tegenzin.

antiquarian *bn.* oudheidkundig. ‖ *zn.*

oudheidkundige; antiquair.

antiquity oudheid; ... *ies*, oudheden.

antiseptic bederfwerend.

antithesis tegenstelling.

antlers gewei *o.*

anus aars.

anvil aanbeeld *o.*

anxiety bangheid; zorg.

anxious bezorgd, ongerust; *be* – *about*, zich bekommeren over.

any wat, enig.

anybody iemand; ieder.

anyone ieder.

anything iets; alles; – *but*, allesbehalve.

anyway in elk geval.

anywhere ergens.

apace snel, rap.

apart apart.

apartment vertrek *o.*; appartement *o.*; (*Am.*) flat.

apathetic gevoelloos.

apathy onverschilligheid.

ape *zn.* aap zonder staart. ‖ *ww.* na-apen.

apeak loodrecht.

aperitif aperitief *m. en o.*

aperture opening.

apex (*driehoek*) top; (*meetkunde*) toppunt *o.*

aphorism spreuk, aforisme *o.*

apiarist bijenhouder, imker.

apiculture bijenteelt.

apogee (*fig.*) toppunt *o.*

apologize zich verontschuldigen.

apology verweerschrift *o.*; excuus *o.*, verontschuldiging.

apoplexy beroerte.

apostasy (*geloof*) afvalligheid.

apostate afvallige.

apostle apostel.

apostrophe afkappingsteken *o.*, weglatingsteken *o.*

appal doen schrikken.

appalling ijzingwekkend.

apparatus apparaat *o.*, toestel *o.*

apparent blijkbaar, ogenschijnlijk, schijnbaar; *become* –, voor de dag komen.

apparently schijnbaar; – *dead*, schijndood.

apparition *(v. geest)* verschijning.

appeal *zn.* appèl *o.*, beroep *o.; court of* –, hof van cassatie. ‖ *ww.* in beroep komen of gaan; – *to*, een beroep doen op, smeken.

appear verschijnen, uitkomen, blijken; – *in court*, *(jur.)* voorkomen; *as* –*s from*, blijkens.

appearance schijn, voorkomen *o.*, verschijning; –*s are deceptive*, schijn bedriegt.

appease bedaren, bevredigen; *(honger)* stillen.

appellant *(jur.)* appellant.

append aanhangen.

appendicitis blindedarmontsteking, appendicitis.

appendix aanhangsel *o.*, toevoegsel *o.*, bijlage.

appertain behoren tot.

appetite eetlust, zucht, begeerte; *ravenous* –, wolfshonger.

appetizing smakelijk.

applaud applaudisseren, toejuichen.

applause applaus *o.*, bijval.

apple appel.

apple-pie appeltaart.

apple-sauce appelmoes *o.*

appliance toestel *o.*

applicant adressant; sollicitant.

application sollicitatie; toepassing; *form of* –, *(v. lening)* inschrijvingsbiljet *o.*

apply toepassen, aanwenden; – *for*, solliciteren; – *to*, zich richten tot.

appoint aanstellen, benoemen; bepalen, vaststellen.

appointment aanstelling, benoeming;

rendez-vous *o.*

apposite toepasselijk.

appraise *(goederen, enz.)* schatten.

appraiser schatter.

appreciate appreciëren, waarderen.

appreciation waardering; waardevermeerdering.

apprehend bevatten; duchten, vrezen.

apprehension begrip *o.*; vrees.

apprehensive beducht.

apprentice leerjongen.

apprenticeship proeftijd; *serve one's* –, in de leer zijn.

apprise verwittigen.

apprize prijzen; schatten.

approach toenadering; aantocht. ‖ *ww.* naderen, naken.

approachable genaakbaar; toegankelijk.

approbation goedkeuring.

appropriate *bn.* toepasselijk; doelmatig. ‖ *ww.* zich toe-eigenen.

approval instemming, goedkeuring; *on* –, ter inzage; *goods sent on* –, zichtzending.

approve goedkeuren.

approved beproefd; probaat.

approximate *bn.* approximatief. ‖ *ww.* benaderen.

approximately bij benadering.

appurtenances toebehoren *o.*

apricot abrikoos.

April april.

April-fool day 1 april.

apron voorschoot, schort *v./m. en o.*, sloof.

apropos passend, geschikt; à propos.

apt geschikt; bekwaam.

aptitude aanleg.

aquarelle aquarel.

aqueduct aquaduct *o.*

Arab Arabier.

arable bebouwbaar; – *land*, *(v. landbouw)* bouwgrond.

arbiter scheidsrechter.
arbitrariness willekeur.
arbitrary arbitrair, eigenmachtig; willekeurig.
arborist boomkweker.
arbour prieel *o.*
arcade galerij, passage; winkelgalerij.
arch *zn.* gewelf *o.* ‖ *bn.* guitig, schalks.
archaeology archeologie.
archaic oud.
archangel aartsengel.
archbishop aartsbisschop.
archeacon aartsdeken.
archduke aartshertog.
archer boogschutter.
architect architect.
architecture architectuur, bouwkunde.
archive archief *o.*
archivist archivaris.
archway viaduct *m. en o.*
ardent vurig; ijverig.
ardour geestdrift, gloed; *(van zonnestralen)* hitte.
arduous steil; moeilijk.
are are.
area *(grootte)* oppervlakte.
argue redeneren, discussiëren; ruziemaken.
argument argument *o.; –s,* betoog *o.*
aria aria, lied *o.*
arid dor; droog.
aridity droogte.
aright juist.
arise *(arose, arisen)* ontstaan; rijzen; *(moeilijkh.)* voordoen; *– from,* voortspruiten.
aristocracy aristocratie.
aristocratic(al) aristocratisch.
arithmetical rekenkundig.
ark ark.
arm *zn.* arm; wapen *o.; lay down –s,* de wapens neerleggen. ‖ *ww.* wapenen.
armament bewapening; strijdmacht.

arm-chair leuningstoel, fauteuil.
armed gewapend; *– at all points,* van top tot teen gewapend.
arm-in-arm gearmd.
armistice wapenstilstand.
armory wapenkunde.
armour *zn.* harnas *o.,* wapenrusting. ‖ *ww. (beton)* wapenen; pantseren.
armour-clad gepantserd.
armoury arsenaal *o.;* wapenkamer.
armpit oksel.
army leger *o.*
around rondom.
arouse opwekken.
arow op een rij.
arraign aanklagen, beschuldigen.
arrange schikken, ordenen; regelen; afspreken.
arrangement regeling, schikking; overeenkomst.
arrant verstokt, doortrapt.
array *zn.* reeks, schaar. ‖ *ww.* ordenen, schikken.
arrear(s) achterstallige schulden, achterstand.
arrest *zn.* arrest *o.,* inhechtenisneming. ‖ *ww.* arresteren; tegenhouden.
arrival aankomst, komst; aanvoer.
arrive aankomen, aanlanden; *– at maturity, (v. wissel)* vervallen.
arrogant aanmatigend, onbescheiden; verwaand.
arrogate zich toe-eigenen.
arrow pijl.
arrow-head pijlpunt *o.*
arsenal arsenaal *o.,* wapenmagazijn *o.*
arsenic rattenkruid *o.,* arsenicum *o.*
art kunst; *– of war,* krijgskunde.
arterial road verkeersader, hoofdweg.
artery slagader.
artful slim; kunstig; slinks.
arthrosis artrose.
artichoke artisjok.

article artikel *o*.; voorwerp *o*.; lidwoord *o*.
articulate duidelijk uitspreken.
articulation articulatie.
artifice kunstgreep; streek.
artificial kunstmatig, gekunsteld;
  – *manure*, kunstmest; – *teeth*,
  kunstgebit *o*.
artillery artillerie, geschut *o*.
artisan ambachtsman.
artist artiest, kunstenaar.
artless naïef, ongekunsteld.
as *bw.* als, zoals, gelijk; – *this*, zodanig.
  || *voegw.* toen; aangezien; – *soon* –,
  zodra; – *such*, als zodanig; – *well*,
  zowel. || *vnw. such* –, zij, die.
ascend beklimmen, bestijgen, klimmen.
ascendancy overmacht.
ascension bestijging; hemelvaart.
Ascension Day Hemelvaartsdag.
ascent opklimming; opgang; oprit.
ascertain vaststellen, zich vergewissen.
ascetic asceet.
ascribe toeschrijven.
ascription toeschrijving.
asexual geslachtloos.
ash as; es.
ashamed beschaamd; *feel* (*be*) –, zich
  schamen.
ashen(-grey) asgrauw.
ashlar arduin *o*., hardsteen.
ashore aan land, aan wal; gestrand;
  run –, stranden.
ash-tray asbak.
ash-tree es.
ashy-pale doodsbleek.
Asia Azië *o*.
aside terzijde.
ask vragen; vergen, verzoeken;
  – *charity*, bedelen.
askew scheef.
asleep in slaap; *be* –, slapen; *fall* –,
  inslapen.
asp, asp-tree esp.

asparagus asperge.
aspect aanblik; voorkomen *o*.; kijk.
asperity ruwheid.
asperse belasteren; besprenkelen.
asphyxiate verstikken.
aspirate (*gramm.*) aanblazen.
aspiration streven *o*.
aspire streven, dingen.
aspirin aspirine.
ass ezel; –*'s milk*, ezelinnenmelk.
assail aanranden; bestormen.
assailant aanvaller.
assassinate vermoorden.
assassination sluipmoord.
assault *zn.* aanval, stormaanval. || *ww.*
  aanvallen.
assay *zn.* (*v. metalen*) toets; keuring.
  || *ww.* (*goud*) toetsen, keuren.
assemblage bijeenkomst.
assemble samenkomen, samenscholen,
  vergaderen; (*machine*) optuigen,
  monteren.
assembly bijeenkomst, samenkomst,
  vergadering.
assent *zn.* toestemming. || *ww.* toestaan.
assert beweren.
assertion bewering.
assess taxeren; (*goederen, enz.*) schatten;
  (*belasting*) aanslaan.
assessment (*belasting*) aanslag; *notice
  of* –, aanslagbiljet *o*.
assessor (*v. belasting*) schatter.
assets (*handel*) bezit *o*.; – *and liabilities*,
  actief en passief.
asseverate plechtig verzekeren.
assiduity ijver, vlijt.
assiduous naarstig, vlijtig.
assign toewijzen; bestemmen.
assignable aanwijsbaar.
assignee gevolmachtigde,
  procuratiehouder.
assignment aanwijzing, toewijzing;
  overdracht.

assimilate gelijkstellen.
assist helpen, bijstaan; – *at*, bijwonen.
assistance bijstand, hulp.
assistant assistent, helper.
associate *zn.* vennoot. ‖ *ww.* verenigen.
association genootschap *o.;* vereniging.
assort sorteren.
assume aanvaarden; op zich nemen;
– *habits*, gewoonten overnemen.
assuming pretentieus.
assumptive aangenomen.
assurance assurantie, verzekering;
brutaliteit.
assure verzekeren.
aster aster.
asterisk sterretje (*) *o.*
astern achteruit.
asthma astma *o.*
asthmatic(al) astmatisch, aamborstig.
astir in beweging.
astonish verbazen.
astonishing verbazend,
verbazingwekkend.
astonishment verbazing, verwondering.
astray verdwaald, van de weg af; *go* –,
verdwalen.
astride schrijlings.
astringe samenbinden.
astrologer astroloog, sterrenwichelaar.
astronomy sterrenkunde, astronomie.
astute sluw; scherpzinnig.
asunder afzonderlijk.
asylum asiel *o.,* schuilplaats;
toevluchtsoord *o.; lunatic* –,
krankzinnigengesticht *o.*
at op, te, aan, bij, om; – *last*, tenslotte;
– *that time*, toenmaals.
atheist atheïst, godloochenaar.
athletics atletiek.
atmosphere atmosfeer; dampkring.
atom atoom *o.;* zier.
atonable verzoenbaar.
atone goedmaken; boeten.

atonement boete; vergoeding,
verzoening.
atrocious gruwelijk.
atrocity gruweldaad, gruwel.
atrophy verschrompeling, atrofie.
attach aanhechten, vasthechten; –*ed to*,
gehecht aan.
attachment bijvoegsel *o.;* aanhechting;
gehechtheid.
attack *zn.* aanval. ‖ *ww.* aanranden,
aantasten, aangrijpen.
attain bereiken, raken.
attainable bereikbaar.
attainment bereik *o.; beyond one's* –,
boven iem. capaciteiten.
attempt *zn.* aanslag; poging. ‖ *ww.*
ondernemen; pogen, proberen,
trachten.
attend *(oversten)* vergezellen; *(school)*
bezoeken; oppassen; – *lectures*,
college lopen.
attendance bediening; zorg, geleide *o.;*
(v. vergadering) opkomst.
attendant *(v. dieren)* oppasser; *hospital* –,
(v. zieken) oppasser; *the* –*s*, de aan-
wezigen, het gevolg.
attention aandacht, oplettendheid,
attentie; *pay* –, opletten.
attentive oplettend, attent.
attentiveness oplettendheid.
attenuate verdunnen; verzachten.
attest betuigen; bevestigen.
attic vliering, vlieringkamertje *o.,*
zolderkamer.
attic-window dakvenster, koekoek.
attire *zn. (dichterl.)* kleding. ‖ *ww.*
optooien, uitdossen.
attitude houding, postuur *o.*
attitudinize een houding aannemen;
poseren.
attitudinizing *zn.* aanstellerij. ‖ *bn.*
aanstellerig.
attorney procureur; gevolmachtigde.

Attorney General procureur-generaal.
attract aantrekken, boeien.
attractive aanlokkelijk, aantrekkelijk;
– *power*, aantrekkingskracht.
attribute, – *to*, toeschrijven.
attrition wrijving; *war of –*,
uitputtingsoorlog.
attune stemmen.
auburn kastanjebruin.
auction zn. *(publieke)* veiling; verkoping;
– *sale*, verkoop bij opbod; *Dutch –*,
verkoop bij afslag. II *ww.* veilen.
auctioneer afslager.
auction-room verkoophuis *o.*
audacious(ly) vermetel.
audacity stoutheid.
audible hoorbaar.
audience audiëntie.
audit *(rekeningen)* verifiëren.
auditor toehoorder; verificateur.
auditory toehoorders, gehoor *o.*
augment aangroeien, vermeerderen.
augmentation vermeerdering.
August augustus.
august verheven.
aunt tante; *legacy –*, suikertante.
aureole stralenkrans.
auricle *(v. hart)* boezem.
aurora morgenrood *o.*
austere straf, streng.
Australia, Australasia Australië.
Austria Oostenrijk.
authentic echt.
author auteur, schrijver, dader.
authoress schrijfster, daderes.
authoritative gezaghebbend.
authority gezag *o.*; autoriteit;
bevoegdheid; *by –*, van hogerhand.
authorization machtiging, volmacht.
authorize machtigen.
autocracy alleenheerschappij.
autographic(al) eigenhandig.
automatic werktuiglijk, zelfwerkend,
automatisch.
automaton automaat.
automobile automobiel.
automobilist automobilist.
autonomy zelfbestuur *o.*, autonomie.
autopsy autopsie.
autumn herfst, najaar *o.*
auxiliary hulpwerkwoord *o.*
auxiliaries hulptroepen.
avail zn. baat. II *ww.* baten.
available beschikbaar, voorhanden.
avarice gierigheid, hebzucht,
vrekkigheid.
avaricious gierig.
avenge wreken.
avenger wreker.
aver beweren.
average zn. averij; gemiddelde. II *bn.*
gemiddeld.
averment bewering.
averse afkerig.
aversion afkeer, tegenzin.
avert afwenden, afweren; *(gevaar)*
voorkomen.
aviary volière.
aviate vliegen.
aviation vliegkunst, luchtvaart.
aviator aviateur, vlieger.
avid zeer verlangend, begerig.
avidity begerigheid.
avocations beslommeringen.
avocet kluit.
avoid mijden, ontlopen, ontwijken,
schuwen, vermijden.
avoidable vermijdbaar.
avoidless onvermijdbaar.
avow belijden, bekennen.
avowal bekentenis.
await (ver)wachten, tegemoetzien.
awake *bn.* wakker. II *ww. (awoke, awoke)*
opwekken, wekken.
awaken wekken.
award zn. *(gerecht)* toewijzen; uitspraak.

‖ *ww. (gerecht)* toewijzen, toekennen;
  – a prize to, bekronen.
aware ingelicht, op de hoogte.
away heen, weg; *be blown –*, verstuiven;
  go –, heengaan.
away game uitwedstrijd.
awe ontzag *o.*
awesome ontzagwekkend.
awful ontzaglijk; vreselijk.
awfully crimineel; ontzaglijk.
awhile (voor) een poos; *not yet –*,
  vooreerst nog niet.

awkward onbeholpen, onhandig.
awl els, priem *o.*
awning *(schip)* zuil *o.; (winkel)*
  zonnetent, *(v. kar)* huif.
awry scheef; verkeerd.
axe bijl.
axiom axioma *o.*
axis as, spil *o.; the – (Powers)*,
  asmogendheden.
axle as, spil.
azure *zn.* azuur *o.* ‖ *bn.* hemelsblauw.

B

babble babbelen; *(beek)* murmelen,
  kabbelen.
baby baby, zuigeling; *– talk*,
  kinderpraat; *– chair*, kinderstoel.
baby-sit babysitten, oppassen.
bachelor vrijgezel; *old –*, celibatair,
  oude vrijer.
bacillus bacil.
back *zn.* rug, rugleuning; *-s, (voetb.)*
  achterhoede; *– to –*, ruggelings; *at*
  the –, achterin; *go – on*, terugkrabbelen.
  ‖ *bw.* achterwaarts; terug. ‖ *ww. (wind)*
  krimpen; *(tegen de zon)* draaien; *– out*
  of, terugkrabbelen.
backbite achterklappen, roddelen.
backbone ruggengraat.
backdoor achterdeur; *(huis)*
  achteruitgang.
backfire *(motor)* terugslag.
backfront achtergevel.
background achtergrond.
backpack *(Am.)* rugzak.
backpedal terugtrappen,
  terugkrabbelen.
backside achterste *o.*
backslider afvallige; recidivist.

back-street clandestien, illegaal.
backward(s) *bn.* achterwaarts;
  achterlijk, traag. ‖ *bw.* achteruit,
  ruggelings.
back-yard achterplaats, *(Am.)*
  achtertuin.
bacon bacon *m. en o.;* spek *o.*
bad kwaad, erg, slecht; *it would be –*
  policy to..., het zou onverstandig zijn
  te...; *a – egg, lot, penny*, ongezonde
  zaak; *– grace*, onwilligheid; *– luck*,
  pech.
badge insigne *o.;* kenteken *o.*
badger *(zn, dier)* das. ‖ *ww.* lastigvallen,
  sarren.
badly erg, slecht; *have caught it –*, het
  geducht beethebben.
badness verdorvenheid.
baffle verbijsteren, in de war brengen;
  verhinderen.
bag zak; buidel; *with an empty –*,
  platzak; *– and baggage*, met pak en
  zak; *– of bones*, vel over been.
bagatelle bagatel *v./m. en o.*
baggage *(Am.)* bagage.
bagpipe doedelzak.

bail borg(stelling); *go – for, (gerecht)* zich borg stellen.
bailiff deurwaarder; *(Am.)* gerechtsdienaar; rentmeester.
bailment vrijstelling onder borgtocht.
bait *zn.* lokaas, aas *o.; – house,* pleisterplaats. ‖ *ww.* aanleggen; pleisteren.
bake bakken, braden.
bakehouse bakkerij.
baker bakker.
baker's dozen een boerendozijn; dertien.
bakery bakkerij.
baking baksel *o.*
baking-powder bakpoeder *o.*
balance *zn.* balans; evenwicht *o.; (batig)* saldo *o.,* restant *o.; free –,* reservekapitaal *o.; on –,* per saldo; *strike a –,* de balans opmaken. ‖ *ww. (boeken)* afsluiten; *(rekening)* vereffenen.
balance-sheet *(hand.)* balans.
balcony balkon *o.,* galerij.
bald *bn.* kaal; onopgesmukt. ‖ *bw. (enkel, maar)* bloot.
baldheaded kaalhoofdig.
bale *zn.* baal; pak *o.* ‖ *ww. (in balen)* inpakken.
baleen balein *v./m.* en *o.*
baleful noodlottig, verderfelijk.
balk balk.
ball bal *m.* en *o.;* bol; kogel; *– of the tumb, (v.d. hand)* muis.
ballad liedje *o.*
ballad-singer liedjeszanger.
ballast ballast.
balloon (lucht)ballon; tekstballon.
ballot *zn.* stembriefje *o.; second –,* herstemming. ‖ *ww.* balloteren, stemmen.
ballot-box stembus.
ballot-paper stembriefje *o.*
balm balsem.

balmy balsemachtig; zoet.
balsam balsem.
baluster *(leuning)* stijl.
balustrade balustrade; balie.
bamboo bamboe *o.*
ban *(kerk.)* (ban)vloek; ban; afkondiging.
banal banaal.
banana banaan; pisang.
band *zn.* band, windsel *o.;* bende; *(muz.)* orkest *o.* ‖ *ww.* verbinden, verenigen.
bandage *zn.* verband *o.,* windsel *o.;* blinddoek. ‖ *ww. (wonde)* verbinden.
bandit bandiet, boef.
bandmaster kapelmeester.
bandsman muzikant.
baneful verderfelijk.
bang *(met de platte hand)* slaan; *(deur)* toeslaan.
banish verbannen, toegang ontzeggen.
banishment ballingschap.
banister baluster; *–s, (v. trap)* balustrade.
bank bank; dijk; *(oever)* kant; *– of issue,* emissiebank.
bank-account bankrekening.
bank-book rekening-courant; kassiersboek.
bank card bankpas.
banker bankier, kassier.
bank-holiday officiële feestdag op een werkdag.
banknote biljet *o.;* bankbiljet *o.*
bank-rate disconto *o.*
bankrupt bankroetier.
bankrupt(cy) failliet, faillissement *o.,* bankroet *o.*
banner banier, vaan; spandoek *m.* en *o.*
banns huwelijksafkondiging; *publication of the –,* ondertrouw.
banquet feestmaal *o.*
banter gekscheren.

baptism doop; *certificate of –*, doopceel.
baptistry doopkapel; doopvont.
baptize dopen.
bar baar; sperboom; *(chocolade)* reep; *(jur.)* balie; bar; proeflokaal *o.*
barb baard *m.(ook van vis)*; weerhaak.
barbarian *zn.* barbaar. || *bn.* barbaars.
barbarous barbaars, wreed.
barbed wire prikkeldraad.
barber barbier.
bar code streepjescode.
bare bloot, naakt; *the – truth*, de naakte waarheid.
bareback ongezadeld.
barefaced schaamteloos; ongemaskerd.
barefoot(ed) barrevoets.
bareheaded blootshoofds.
barely amper; ternauwernood.
bareness naaktheid.
bargain *zn.* afspraak, akkoord; koopje; *strike a –*, een akkoord sluiten. || *ww.* onderhandelen, (af)dingen; overeenkomen.
barge schuit.
bark *zn.* bast, schors; run; bark; geblaf. || *ov. ww.* ontschorsen. || *onov. ww* blaffen.
barker klantenlokker.
barley gerst.
barm (bier)gist.
barmaid buffetjuffrouw.
barn schuur.
barometer barometer, weerglas *o.*
baron(ess) baron(es).
baroque barok.
barrack barak; *–s*, kazerne.
barrage stuwdam; spervuur *o.*
barred window tralievenster *o.*
barrel *zn.* vat *o.*, ton, kuip. || *ww.* (in)kuipen.
barrel-organ draaiorgel *o.*
barren dor, onvruchtbaar, steriel; dor, kaal.

barret baret.
barricade *zn.* versperring. || *ww. (straat)* versperren.
barrier barrière, slagboom; afsluiting.
barrister(-at-law) advocaat.
barrow berrie; kruiwagen; handkar.
barter *zn.* ruil, ruilhandel. || *ww.* kwanselen, ruilen, verruilen.
bascule bascule, weegbrug.
base *zn. (fig.)* grondslag, basis. || *bn.* snood, laag; onedel. || *ww.* baseren.
baseball honkbal *o.*
baseless ongegrond.
basement fundering, fundament *o.*; kelderverdieping, souterrain.
bashful schuw; schuchter, bedeesd.
basin bassin *o.*; kom; *(rivier)*, stroomgebied *o.*
basis basis.
bask zich koesteren; *– in the sun*, zich in de zon koesteren.
basket korf, mand; bak; *waste-paper –*, snippermand.
basketball basketbal *o.*
bass bas(stem); baars.
bast bast.
bastard bastaard.
baste rijgen; *(met vet enz.)* bevochtigen; *(met stok)* slaan.
bastion bolwerk *o.*
bat vleermuis; kolf, knuppel; *off his own –*, op eigen kracht.
batch baksel *o.; (groep, afdeling arbeiders)* ploeg.
bate verminderen; *with –d breath*, met ingehouden adem.
bath badkuip, bad *o.; ~s*, badplaats.
bathe baden.
bather bader, badgast.
bath foam badschuim *o.*
bathing-cap badmuts.
bathing-suit badpak *o.*
bathing-trunks zwembroek.

bathroom badkamer.
bathtub badkuip.
bating behalve, afgezien van.
baton stok, wapenstok, dirigeerstok.
battalion bataljon *o.*
batter *zn. (v. meel)* beslag *o.* || *ww.* beuken; aftuigen, havenen; rammeien.
battery batterij.
battle *zn.* gevecht *o.*, slag, strijd, veldslag. || *ww.* strijden.
battle-array slagorde.
battle-field slagveld *o.*
battlement tinne; trans.
battle-ship oorlogsschip *o.*
bauble snuisterij, prul *o.*
bawdy obsceen; ontuchtig.
bawl schreeuwen, tieren; – *out,* uitfoeteren.
bay *zn.* inham, baai; nis; laurier(boom); geblaf *o.; (paard)* vos. || *bn.* vaalbruin. || *ww.* blaffen.
bayonet bajonet.
baz(a)ar bazaar.
be *(was, been)* bestaan, zijn; – *left,* resten.
B/E *zie* bill of exchange.
beach strand *o.*, zeestrand.
beacon *zn.* baken *o.*, baak. || *ww.* bakenen.
bead kraal; *(v. geweer)* korrel; –*s, (kath.)* rozenkrans.
beadle pedel.
beagle brak *o.*
beak *(vogel)* bek; *(krom)* snavel.
beaker beker; bokaal.
beam *zn.* balk; stralende glimlach. || *ww.* uitstralen.
bean boon, boontje *o.*
bean-pole bonenstaak.
beanshoots, beansprouts sojascheuten, taugé.
bear *zn.* beer. || *ww. (bore, born)* baren,

voortbrengen; *(bore, borne)* dragen; dulden.
bearable duldbaar; verdraaglijk.
beard baard.
bearer drager; toonder; *cheque to* –, cheque aan toonder.
bearing houding; dragen *o.; take (find) one's* –*s,* zich oriënteren.
bearish onhebbelijk, lomp.
beast beest *o.*, dier *o.; (fig.)* kreng *o.; – of prey,* roofdier *o.*
beastly beestachtig.
beat *zn.* slag; polsslag; *(muz.)* maatslag; *out of* –, van slag. || *ww. (beat, beaten)* slaan, kloppen; verslaan; – *down,* *(prijs)* afdingen; – *out,* uitkloppen; – *time,* de maat slaan.
beaten verslagen.
beatification zaligmaking; zaligverklaring.
beatify zalig verklaren.
beating pak *o.* slaag, afstraffing.
beatitude zaligheid.
beau pronker.
beautiful schoon.
beautify verfraaiien, versieren.
beauty schoonheid; – *contest,* *competition,* schoonheidswedstrijd.
beauty parlour schoonheidsinstituut *o.*
beauty sleep schoonheidsslaapje *o.*
beauty-spot schoonheidsvlekje; *(pronkpleistertje)* moesje *o.*
beaver vilthoed; bever.
becalm bedaren.
because daar, omdat; – *of,* vanwege.
beck *(met hand of vinger)* teken *o.;* wenk; *be at sbd's* – *and call,* altijd klaarstaan voor iem.
become *(became, become)* worden; passen.
becoming betamelijk, voegzaam, welvoeglijk.
bed bed *o.; separated from* – *and board,*

gescheiden van tafel en bed.
bedabble bevochtigen.
bed-clothes beddengoed *o.*
bedding beddengoed *o.;* bedding.
bedevil mishandelen; treiteren; in de war sturen.
bedfellow bedgenoot.
bedim verduisteren.
bedlam gekkenhuis *o.*
bedpan steekpan.
bedraggle doorweken; toetakelen; besmeuren.
bedridden bedlegerig.
bedroom slaapkamer.
bedside sponde.
bedsore doorligging.
bedspread sprei.
bedtime bedtijd.
bee bij.
beech beuk.
beech-nut beukennoot.
bee-culture bijenteelt.
beef rundsvlees *o.; smoked –,* rookvlees.
beeftea bouillon.
beehive bijenkorf.
beekeeper, beemaster imker.
beer bier *o.; small –,* dun bier.
beeswax *zn.* bonwas *o.,* wrijfwas *o.* ‖ *ww.* boenen.
beet beet, biet.
beetle kever, tor.
beetroot beetwortel, kroot.
befall overkómen, wedervaren.
befool bedotten.
before *voorz.* vóór; boven. ‖ *bw.* te voren.
beforehand vooraf, vooruit, te voren.
beforetime eertijds.
beg bedelen; verzoeken.
beget *(begot, begotten, begot) (v. kinderen)* voortbrengen, verwekken.
beggar bedelaar, schooier.

beggarly armoedig.
begin *(began, begun)* beginnen.
beginner nieuweling(e), beginneling.
beginning begin *o.,* debuut *o.; (v. brief)* aanhef.
behalf, *in – of,* ten behoeve van; *on our –,* van onzentwege; *on – of,* namens.
behave oneself zich gedragen.
behaviour gedrag *o.*
behind achter, achteraan, achterna; *– one's back,* achterbaks; *– the times,* achterlijk.
behindhand niet bij; achterstallig; achterlijk.
behold *(beheld, beheld)* aanschouwen.
being bestaan *o.; come into –,* ontstaan; *in –,* aanwezig.
belch *zn.* oprisping, boer. ‖ *ww.* oprispen.
Belgium België.
Belgian Belg.
belie logenstraffen; niet beantwoorden aan; *it –s my expectations,* dat valt me tegen.
belief geloof *o.; popular –,* volksgeloof *o.*
believe geloven.
belittle kleineren, verkleinen.
bell bel, schel.
bellicose strijdlustig; oorlogzuchtig.
belligerent oorlogvoerend; strijdlustig.
bellow *zn.* gebrul *o.,* geloei *o.;* gebulder *o..* ‖ *ww.* brullen, loeien; bulderen.
bellows, *pair of –,* blaasbalg.
bell-push belknop.
bell-wether belhamel.
belly buik; onderdrijf *o.*
belly-ache buikpijn.
belong *(toe)*behoren; toekomen.
belongings bezittingen.
Belorussia Wit-Rusland.
beloved geliefd, dierbaar.
below onder, beneden; *from –,* van onder op, onderuit.

belt ceintuur, gordel, riem.
bench (zit)bank.
bend *zn.* kromming, bocht. || *ww. (bent; bent)* bukken, buigen; *(hoog)* spannen; *– or break*, buigen of barsten.
beneath onder; *from –*, onderuit.
benediction zegen.
benefaction schenking; weldaad.
benefactor weldoener.
beneficence weldadigheid.
beneficial heilzaam.
benefit voordeel *o.*; winst; benefiet *o.*
benevolence weldadigheid.
benevolent welwillend.
benighted overvallen door de nacht; *(fig.)* achterlijk, onwetend.
bent neiging. || *bn.* krom; gespannen.
benumb *(de geest)* verdoven; *–ed,* verkleumd, *(v. koude)* verstijfd.
benzine benzine.
bequeath legateren, vermaken, nalaten.
bequest legaat *o.*
bereave beroven.
bereavement verlies *o.*; beroving; *owing to –*, wegens sterfgeval.
berm *(v. een weg)* berm.
berry bes.
berth *(v. schip)* kooi; couchette.
beseech *(besought, besought)* vragen, bidden; afsmeken, smeken.
beside daarnaast, naast; *– (next to) it*, daarnaast.
besides daarenboven, benevens, daarbij, bovendien.
besiege belegeren; bestormen.
besmirch bevuilen, bekladden.
besom bezem.
besot dronken maken; bedwelmen.
bespatter bespatten.
best *zn.* puik *o.*; *I do my –*, ik doe mijn best; *have the – of*, 't voorrecht hebben. || *bn.* best.
bestial beestachtig; *(instinct)* dierlijk.

bestialize verdierlijken.
bestir oneself zich voortmaken.
bet wedden.
betimes bijtijds, tijdig.
betray verraden.
betrayal verraad *o.*; verleiding.
betrayer verrader.
betrothal ondertrouw, verloving.
betrothed verloofde.
better beter; *have the – hand*, de overhand hebben.
better half wederhelft.
betterment verbetering.
between tussen; *– hay and grass*, mossel noch vis; *– times*, tussentijds.
beverage drank.
bevy gezelschap; troep *(v. vogels, dieren).*
bewail bejammeren.
beware zich hoeden; zich wachten.
beweep bewenen.
bewildered verbijsterd.
bewitch begoochelen, betoveren.
beyond voorbij; aan gene zijde; *– all anticipation*, boven alle verwachting; *– words*, onbeschrijflijk.
bias vooroordeel *o.*
biassed partijdig, vooringenomen.
bib slabbetje *o.*; *best – and tucker*, op zijn paasbest.
bibacious verslaafd aan de drank.
bibber drinker.
bible bijbel.
bicker kibbelen.
bicycle fiets, rijwiel *o.*
bid *zn.* bod *o.*; *first –*, inzet. || *ww. (bid, bade; bid, bidden)* (ge)bieden.
biddable inschikkelijk, gehoorzaam; gewillig.
bidding gebod *o.*; bod *o.*; *advance –*, opbod *o.*
bide vertoeven, verblijven; *– one's time*, afwachten.
bier (lijk)baar; draagbaar.

bifurcation tweesprong, wegsplitsing.
big groot.
bigamy bigamie.
bigbellied zwaarlijvig.
bigboned sterk.
bigheaded verwaand.
bight bocht.
bigness grootte; dikte.
bigot kwezel.
bigotry dweperij; kwezelachtigheid.
bigwigs *the –*, de grote omes.
bike *zn. (fam.)* fiets. ‖ *ww.* fietsen.
bike-way *(Am.)* fietspad *o.*
bikini bikini.
bilberry bosbes.
bile gal.
bilge *(v. schip)* kim.
bilingual tweetalig.
bill rekening; wissel; bek, snavel;
wetsontwerp *o.; – of fare*, menu *o.;*
– of exchange, wissel; *– of lading*,
cognossement *o.*, vrachtbrief .
bill-broker wisselmakelaar.
billet briefje *o.; (brandhout)* blok *o.*
billhook snoeimes *o.*
billiard ball biljartbal.
billiards biljart *o.*
billiard table biljarttafel *o.*
billow baar; *(groter)* golf.
bill-poster, billsticker aanplakbiljet,
affiche.
billy goat (geiten)bok.
bin bak.
binary tweeledig.
bind *(bound, bound)* binden; *(boeken)*
inbinden; *– up, (wonde)* verbinden.
bindery boekbinderij.
binding *(boekdeel)* band.
biology biologie.
biplane tweedekker.
birch berk; *(strafwerktuig)* roede.
bird vogel; *– of ill omen*, ongeluksvogel.
birdcage vogelkooi.

birdie vogeltje *o.*
bird's-eye view vogelvlucht.
birth geboorte; afkomst.
birth certificate geboorteakte.
birth-control geboortebeperking.
birthday geboortedag, verjaardag.
birthmark moedervlek.
birthplace bakermat, geboorteplaats.
birth rate geboortecijfer *o.*
biscuit biscuit.
bisect in tweeën delen.
bisexual tweeslachtig.
bishop bisschop; *(schaakspel)* raadsheer.
bishopric bisdom *o.*
bison bizon.
bit hap, beet; *(v. tang)* bek.
bitch teef, wijfje.
bite *zn.* beet, hap. ‖ *ww. (bit; bitten, bit)*
bijten; toehappen; *– the dust*, in 't
zand bijten.
biter bijter; *the – bit*, de bedrieger
bedrogen.
biting bar, bits; vinnig.
bitter bitter; schrijnend.
bitterness verbittering, bitterheid.
bivouac bivak *o., (mil.)* nachtleger *o.*
B/L *zie* bill of lading.
blab zijn mond voorbijpraten; er
uitflappen.
black *zn.* zwartsel *o.* ‖ *bn.* zwart; *– out,*
(t. luchtaanvallen) verduisteren.
black-beetle kakkerlak.
blackberry braambes; kriek.
blackbird merel.
blackboard *(school)* bord *o.*
black-coat geestelijke.
black-cock korhaan.
blacken zwart maken.
blackguard gemene kerel; *(fig.)* smeerlap.
black-hearted verdorven.
blacking schoensmeer *o.*
blacklead *(poetsmiddel)* potlood *o.,*
zwartsel *o.*

blackleg *zn.* oplichter; stakingbreker. || *ww.* onderkruipen.

blackmail *zn.* chantage, (geld)afpersing. || *ww.* geld afpersen.

Black-shirts zwarthemden.

blacksmith hoefsmid.

bladder blaar; blaas.

blade *(v. gras)* spriet, halm; *(gilette)* mesje *o.*

blain blaar.

blamable berispelijk.

blame *zn.* blaam; verwijt *o.* || *ww.* afkeuren, misprijzen; verwijten.

blameless onberispelijk; *(gedrag)* onbesproken.

blameworthy afkeurenswaardig.

blank *zn.* blanco formulier; *(in de loterij)* niet. || *bn.* blank; oningevuld; rein.

blanket deken.

blare *(trompet)* schetteren.

blasphemer godslasteraar(ster).

blasphemy godslastering.

blast rukwind; *in –, in full –,* in werking.

blaze *zn.* vlam; gloed; bles. || *ww.* vlammen.

blazon *zn.* blazoen *o.* || *ww. – abroad,* uitbazuinen.

bleach bleken.

bleachery blekerij.

bleak guur, kil; *(wind)* schraal.

blear duister; saai.

bleat blaten.

bleating geblaat *o.*

bleed *(bled, bled)* bloeden.

bleeding bloeding, aderlating.

blemish bezoedelen.

blend *zn.* mengsel *o.* || *ww.* mengen.

bless zegenen.

blessed gelukzalig; gezegend.

blessing zegen; *ask a –,* (voor en na het eten) bidden.

blight *(plantenziekte)* meeldauw *m.* en *o.,* roest, brand.

blind *zn.* (rol)gordijn *o.,* jaloezie; voorwendsel *o.* || *bn.* blind; *(fig.)* zonder vooruitzichten. || *ww.* verblinden; *(mil.)* blinderen.

blindfold geblinddoekt; blindelings.

blinding verblindend, spectaculair.

blindly blindelings.

blindman's buff blindemannetje *o.*

blindness blindheid.

blink pinken.

blinker oogklep.

bliss (geluk)zaligheid.

blissful zalig.

blister blaar, trekpleister.

bloated gezwollen.

bloater bokking.

block *zn.* blok *o.;* cliché *o.* || *ww.* versperren.

blockade blokkeren; *run the –,* de blokkade verbreken.

block-calendar scheurkalender.

blockhead stommerik., domkop.

blond(e) *zn.* blondine. || *bn.* blond.

blood bloed *o.; spitting of –,* bloedspuwing.

blood bank bloedbank.

bloodbath bloedbad *o.*

blood-feud bloedvete.

blood group bloedgroep.

bloodhound speurhond.

blood-letting aderlating.

blood-poisoning bloedvergiftiging.

blood-relation bloedverwant.

bloodshed bloedvergieten *o.*

bloodshot met bloed belopen.

bloodstain bloedvlek.

bloodsucker bloedzuiger.

bloodthirsty bloeddorstig.

blood-vessels bloedvaten.

bloody bloedig.

bloom *zn.* bloei, bloesem. || *ww.* bloeien.

blossom bloesem, bloei.

blot *zn.* klad, vlek. || *ww.* kladden.

blotting-paper vloeipapier *o.*, kladpapier *o.*

blouse kiel, blouse.

blow *zn.* klap, slag. ‖ *ww. (blew, blown)* blazen, waaien; – *one's nose*, zijn neus snuiten.

blow-fly aasvlieg.

blow-hole *(ijs)* wak *o.*

blow-out klapband; *(elektr.)* doorsmelten *o.*

blow-pine blaaspijp; – *flame*, steekvlam.

blow-up explosie; uitbarsting; (uit)vergroting.

blowy winderig.

blubber huilen.

bludgeon knots.

blue *zn.* blauw *o.*; blauwsel *o.*; blauwtje *o.*; *out of the* –, plotseling, onverwacht. ‖ *bn.* blauw.

blue blood aristocraat.

bluebottle korenbloem.

bluff *zn.* grootspraak. ‖ *bn.* steil. ‖ *ww.* overbluffen.

blunder flater, stommigheid.

blunt *bn.* bot, stomp; stompzinnig. ‖ *ww.* verstompen.

bluntly botaf, botweg, plompweg.

blur *zn.* vlek; wazig beeld *o.* ‖ *ww.* bevlekken; verdoezelen, onscherp maken.

blush *zn.* blos. ‖ *ww.* blozen, rood worden.

bluster *zn.* gebulder *o.*, geraas *o.* ‖ *ww.* razen, tieren; snoeven.

blusterer snoever.

boa boa.

boar *(zwijn)* beer.

board *(schip)* boord; *(school)* bord *o.*; *(vereniging)* bestuur *o.*; kostgeld *o.*; – *of directors*, raad van beheer.

boarder kostganger.

boarding beschieting, beschot *o.*

boarding-house kosthuis *o.*, pension *o.*

boarding-school kostschool.

board-wages kostgeld *o.*

boarish brutaal.

boast *zn.* grootspraak. ‖ *ww.* bluffen, pochen.

boaster pocher; snoever, zwetser.

boast(ing) *zn.* gebluf *o.*, gesnoef *o.*, grootspraak. ‖ *bn.* blufferig.

boat boot, schuit, sloep.

boat-hook zethaak.

boatman schipper.

boat-race *(sp.)* roeiwedstrijd.

bob dobberen.

bobbin klos, spoel.

bobtail korte staart; bobtail.

bode voorspellen.

bodice lijfje *o.*

bodkin priem.

body lichaam *o.*; romp; *(mil.)* afdeling; *corporate* –, rechtspersoon.

bodyguard lijfwacht.

boer *(Transvaal)* boer.

bog moeras *o.*

boggle schrikken.

boggy moerassig, veenachtig.

bogus onecht, vals; – *company*, zwendelmaatschappij.

bogy spook *o.*, kabouter.

boil *zn.* steenpuist. ‖ *ww.* koken, zieden.

boiler ketel.

boiler-scale ketelsteen.

boiling-point kookpunt *o.*

boisterous *(persoon)* onstuimig.

bold koen, kordaat, onbeschroomd; vermetel.

bold-faced onbeschaamd, brutaal; vet gedrukt.

boldly stoutweg.

bole (boom)stam.

bolshevism bolsjewisme *o.*

bolster peluw, (onder)kussen; steun.

bolt *zn.* grendel. ‖ *bw.* – *upright*, rechtop. ‖ *ww.* grendelen.

bomb *zn.* bom. ‖ *ww.* bombarderen.
bombard beschieten; bombarderen.
bombardment beschieting;
bombardement *o.*
bombastic hoogdravend; *(fig.)*
gezwollen.
bomber bommenwerper.
bomb-proof bomvrij.
bombshell granaat.
bomb shelter schuilkelder, bunker.
bonbon bonbon *o.*
bond obligatie; band; *in –*, in entrepot.
bondage slavernij.
bonded *(in entrepot)* opgeslagen;
– debt, obligatieschuld; *– store*,
entrepot *o.*
bondholder obligatiehouder.
bondman slaaf.
bondwoman slavin.
bone been *o.*; bot *o.*; *– of contention*,
twistpunt *o.*
bones gebeente *o.*; *body and –*, alles
samengenomen.
bonfire vreugdevuur *o.*
bonnet muts; motorkap; *(dierk.)*
netmaag.
bonny aardig, mooi, lief.
bonus tantième *o.*; premie; toeslag.
bony benig.
boo jouwen.
booby knul.
book *zn.* boek *o.* ‖ *ww.* inschrijven;
– seats, plaatsen bespreken.
bookbinder boekbinder.
book-case boekenkast.
booking-office plaatsbureau *o.*
bookkeeper boekhouder,
rekenplichtige.
bookmark bladwijzer.
bookrack boekenrek.
bookseller boekhandelaar.
bookshelf boekenplank.
bookshop boekwinkel, boekhandel.

bookstore *(Am.)* boekwinkel,
boekhandel.
boom *zn.* *(v. haven)* sluitboom. ‖ *ww.*
(geschut) dreunen; *(kanon)* bulderen;
(effecten) opdrijven.
boom(ing) gebulder *o.*; *– (of guns)*
kanongebulder *o.*
boor *(fig.)* Kaffer, boer.
boorish boers.
boot laars; *(rijtuig)* bak; *– and saddle*,
(mil.) te paard!
boot-cream schoensmeer *o.*
booth kraam; kermistent, tent.
bootlace schoenveter.
boot-polish schoensmeer *o.*
booty buit.
booze *(pop.)* zuipen.
boracic water boorwater *o.*
border *zn.* rand; *(omslag, tuinbed)* rabat
o.; zoom. ‖ *ww.* grenzen; omzomen.
bore *zn.* *(v. kanon)* kern; zeurkous.
‖ *ww.* boren; vervelen.
boredom verveling.
borer boor.
boring vervelend.
born geboren; *– to*, bestemd voor.
borough kiesdistrict *o.*; stedelijke
gemeente.
borrow lenen van; overnemen.
bosh nonsens, onzin.
bosk bosschage.
Bosnia Bosnië.
Bosnia and Herzegovina Bosnië-
Herzegovina.
bosom boezem, borst; schoot.
bosom friend boezemvriend.
boss bult.
botany plantkunde.
botch verfomfaaien, verknoeien.
botching geknoei *o.*
both beide.
bother *onov. ww.* zich druk,ongerust
maken. ‖ *ov. ww.* lastigvallen,

hinderen.
bothersome vervelend.
bottle zn. fles; *stone* –, kruik. ‖ ww.
bottelen; – *up*, opkroppen.
bottle-cap *(v. fles)* capsule.
bottle-green donkergroen.
bottleneck nauwe doorgang,
flessenhals, knelpunt o.
bottle opener flesopener.
bottom bodem; achterste o.; *(v. stoel)*
zitting; – *up*, ondersteboven; *at the* –,
onderin.
bottomless bodemloos.
bough (dikke) tak.
bougie bougie.
bounce bonzen.
bound *(grens)* perk o.; sprong; *by leaps
and* –, uiterst snel.
boundary grens; – *quarrel*, grensgeschil
o.
boundless grenzeloos, onbeperkt.
bounty mildheid; gulheid.
bouquet ruiker, boeket o.
bourgeois burgerlijk.
bourse *(buiten Engeland)* beurs.
bow boog; strijkstok; *(groet)* buiging;
(das) strik. ‖ ww. buigen.
bowels ingewanden.
bower prieel o.
bowl kom, schaal; *(kegel)* bal.
bow-legs o-benen.
bowler deukhoed.
bowling-alley kegelbaan.
bowman boogschutter.
bownet fuik.
bowsprit boegspriet.
box zn. doos; koffer; kist; loge;
(m. hand) slag. ‖ ww. boksen.
box bed bedstee; opklapbed o.
boxing boksen o.
Boxing day tweede kerstdag.
box office *(schouwburg)*
bespreekbureau o., kassa; – *succes*,

kasstuk o.
box room rommelkamer, rommelzolder.
boy knaap, bengel.
boycott boycotten.
boyish jongensachtig.
boy scout padvinder.
bra beha.
brace *(patrijzen)* koppel o.; beugel;
bretel.
brace(-and-bit)drill boor.
bracelet armband.
bracken varen.
brackish brak, ziltig.
brag pochen, snoeven, bluffen.
braggart opschepper, opsnijder,
pocher.
bragging gebluf o., gesnoef o., bluf,
grootspraak.
braid zn. galon o.; vlecht. ‖ ww. *(haar)*
vlechten.
braille braille(schrift) o.
brain brein o.; *(orgaan)* hersenen;
concussion of the –, hersenschudding.
brainpan hersenpan.
braise *(vlees)* stoven.
brake zn. rem, remtoestel o.; varen;
back-pedalling –, terugtraprem. ‖ ww.
remmen.
bramble doornstruik; braamstruik.
bran zemelen.
branch *(v. studie)* vak o.; (zij)tak; filiaal.
branching vertakking.
brand zn. brandmerk o.; *(v. hetzelfde
merk)* soort. ‖ ww. brandmerken.
brandish zwaaien.
bran(d)-new splinternieuw.
brandy cognac, brandewijn.
brass geel koper o.; *(muz.)* het koper o.;
(sl.) duiten.
brassard armband.
brass band fanfarekorps.
brat kwajongen.
brave kloek, kranig; moedig, dapper.

bravery moed.
brawl ruzie.
brawn spierkracht, spieren.
bray *(v. trompet)* schetteren; *(fijn maken)* stampen.
braze solderen.
brazenly onbeschaamd.
brazier kopersmid; komfoor *o.*
breach doorbraak; bres; schending; *– of promise,* woordbreuk.
bread brood *o.; black –,* roggebrood *o.; eaten – is soon forgotten,* ondank is 's werelds loon; *bread and butter,* boterham.
bread crumb broodkruimel; *–s,* paneermeel *o.*
breadless brodeloos.
breadth breedte.
breadthways, breadthwise in de breedte.
breadwinner kostwinner.
break zn. breuk; onderbreking; rem. ‖ ww. *(broke, broken)* breken; *(takken)* afbreken; *(hennep)* braken; *– down, (onderhandelingen)* mislukken; *– up, (grond)* ontginnen.
breakable breekbaar.
breakdown in(een)storting, inzinking; storing, panne.
breakdown lorry, breakdown van kraanwagen; takelwagen.
breakers branding.
breakfast zn. ontbijt *o.* ‖ ww. ontbijten.
breakneck halsbrekend; *at (a) – speed,* in razende vaart.
breakthrough doorbraak.
break-up opheffing; scheiding; *(v. partij)* splitsing.
breakwater golfbreker.
bream brasem.
breast borst; boezem.
breastbone borstbeen *o.*
breast-stroke schoolslag.

breastwork borstwering.
breath adem, ademtocht.
breathe ademen; uitblazen; *('n zucht)* slaken.
breathing ademhaling.
breathless buiten adem.
breeches korte (rij)broek.
breed zn. *(v. dieren)* ras *o.* ‖ ww. *(bred, bred) (v. dieren)* telen; fokken.
breeding *(v. vee)* teelt; opvoeding; *good –,* goede manieren.
breeze bries, koelte.
breezy winderig.
breviary brevier *o.*
brevity kortheid.
brew brouwsel *o.* ‖ ww. brouwen.
brewage brouwsel *o.*
brewery, brewhouse brouwerij.
bribable omkoopbaar.
bribe zn. steekpenning, smeergeld *o.* ‖ ww. omkopen.
bribery omkoping, corruptie.
brick baksteen *m. en o.; (uit blokkendoos)* blok *o.*
bricklayer metselaar.
brickwork metselwerk *o.; –s,* steenbakkerij.
bride bruid.
bridecake bruidstaart.
bridegroom bruidegom.
bridge zn. brug, *(v. viool)* kam; *(v. neus)* rug; *temporary (flying) –* noodbrug. ‖ ww. een brug leggen.
bridge deck *(schip)* brug.
bridle zn. toom, teugel. ‖ ww. beteugelen.
brief beknopt; kort.
brief case aktetas.
briefless zonder praktijk *of* klanten.
briefly kortweg.
brigade brigade.
brigand rover.
bright opgewekt; helder; snugger.

brighten up *(v. weer)* ophelderen; *(v. weer, gezicht)* opklaren, opvrolijken.

brightness helderheid.

brilliant zn. briljant. ‖ bn. *(fig.)* schitterend.

brim rand.

brimful topvol.

brindle, brindled gestreept, gespikkeld.

brine pekel.

bring *(brought, brought)* brengen, aanbrengen; – *along (with one)*, meebrengen; – *in*, inbrengen, indienen; – *to light, (aan het licht brengen)* uitbrengen.

brink *(v. afgrond)* rand, kant.

briny zout.

brisk flink, monter; wakker, levendig.

brisket *(v. vogels)* borst.

bristle *(v. varken)* borstel.

brittle broos.

broach rijgnaald; priem.

broad breed, ruim.

broadaxe aks; strijdbijl *o.*; houweel *o.*

broadcast *(radio en tv)* uitzenden; –*ing*, zendtijd.

broadcasting uitzending; – *station*, radio- en tv-station *o.*

broaden verbreden.

broccoli broccoli.

brochure brochure.

broil zn. krakeel *o.* ‖ ww. roosteren.

broken kapot, stuk; *(weer)* onvast; – *in*, *(paard)* bereden.

broken-down kapot; bouwvallig.

broken-winded *(v. paard)* dampig.

broker makelaar.

brokerage makelaarsloon *o.*

bronze zn. brons *o.* ‖ bn. bronzen. ‖ ww. bronzen.

brooch broche.

brood zn. broedsel *o.* ‖ ww. tobben; *(v. kippen)* broeien.

brood-hen broedkip.

brook beek, vliet.

broom bezem; *(plant)* brem.

broth bouillon.

brothel bordeel *o.*

brother broeder; – *in arms*, spitsbroeder, wapenbroeder.

brotherhood broederschap.

brother-in-law schoonbroer, zwager.

brotherly broederlijk.

brow wenkbrauw.

brown bn. bruin; – *bread*, roggebrood *o.* ‖ ww. bruineren.

brownie goede fee; *(Am.)* chocoladecakeje.

browse grasduinen.

bruise zn. kneuzing. ‖ ww. kneuzen; *(fijn maken)* stampen.

brumal winters.

brush zn. borstel; kwispel; *(schilder)* kwast; *blacking –*, schoenborstel. ‖ ww. vegen, borstelen.

brushwood struikgewas *o.*, kreupelhout *o.*

brutal beestachtig, onmenselijk.

brutalize verdierlijken; wreed behandelen.

brute beest *o.*; ondier *o.*; beul.

brutish *(wellust)* dierlijk.

bubble zn: waterbel; *(zeep)* bel; boerenbedrog *o.* ‖ ww. borrelen, bobbelen.

buccaneer zeerover.

buck bok; *(konijn)* rammelaar; dollar.

bucket emmer.

buckle zn. gesp. ‖ ww. gespen.

buckler schild *o.*

buckwheat boekweit.

bud zn. *(v. bloem)* knop, bot; *in –*, in knop. ‖ ww. ontspruiten.

budge verroeren.

budget *(rijks)*begroting.

buff buffelleer *o.*, zeemleer *o.*; *in the –*, naakt.

buffalo buffel.
buffer state bufferstaat.
buffet buffet *o.*
buffoon paljas, harlekijn, grappenmaker.
bug wandluis.
bugbear boeman; schrikbeeld *o.*
bugle *(mil.)* bugel, hoorn *m. en o.*
build *(built, built)* bouwen; – *upon*, verlaten op.
builder, *master* –, aannemer.
building gebouw *o.*, bouw.
building permit bouwvergunning.
building-plot, -site bouwterrein *o.*
bulb *(plant)* bol; knol; *(elektr.)* peer.
Bulgaria Bulgarije.
bulge uitpuilen.
bulk volume *o.*
bulkhead *(waterdicht)* schot *o.*
bulky plomp, omvangrijk.
bull *zn.* stier; *(pauselijke)* bul. ‖ *ww. (effecten)* opdrijven.
bulldog buldog.
bullet kogel.
bullet-case *(v. patroon)* huls.
bullet-proof kogelvrij.
bullion *(goud)* staaf; muntmetaal *o.*
bullock os.
bull's-eye *(schietschijf)* roos.
bully grootspreker.
bulwark bolwerk *o.*; toeverlaat.
bummer *(Am.)* klaploper; teleurstelling, flop.
bump *zn.* plof; knobbel. ‖ *ww.* bonzen.
bumper bokaal; bumper, schokbreker.
bumpkin kinkel.
bumpy hobbelig; – *ice*, rulijs *o.*
bun broodje *o.*
bunch *zn. (sleutels)* bos; *(druiven)* tros. ‖ *ww.* – *up*, *(mouw)* poffen.
bundle bos, bundel, pak *o.*
bung *(v. een vat)* bom; prop.
bungle knoeien, verknoeien; – *up*, verfomfaaien.
bungler stumperd.
bungling *zn.* geknoei *o.* ‖ *bn.* stumperachtig.
bunk *(v. schip)* kooi.
bunny *(fam.)* konijn *o.*
buoy *(scheepv.)* boei.
burden *zn.* vracht; last; *(zang)* refrein *o.* ‖ *ww.* belasten; beladen.
burdened bezwaard.
burdensome drukkend, zwaar, bezwarend.
bureau schrijftafel; bureau.
bureaucracy bureaucratie.
burgess stedelijk burger.
burglar inbreker.
burglary inbraak.
burgomaster burgemeester.
burial begrafenis.
burial-ground begraafplaats.
burin graveernaald.
burke doen stikken; versmoren.
burn branden; *(v.d. zon)* verbranden; *(hout)* stoken.
burning *zn.* branding. ‖ *bn. (reuk, smaak)* branderig.
burnish bruineren; polijsten.
burnt *(reuk, smaak)* branderig.
burr, *speak with a* –, *(spreken)* brouwen.
burrow *zn.* hol *o.* ‖ *ww.* (een hol) graven; wroeten.
burst *zn.* barst; *(fig)* vlaag; – *of laughter*, schaterlach. ‖ *ww. (burst, burst)* barsten; openbreken.
bury begraven; – *the hatchet*, vergeven en vergeten.
bush struik; *beat about the* –, om de pot draaien.
bushel schepel *o.*
bushfighting guerrillaoorlog.
bushranger struikrover.
business handel, bedrijf *o.*; bezigheid; – *concern*, handelszaak.

business hours kantoortijd.
businessman zakenman.
busk *(corset)* balein *v./m.* en *o.*
bus stop bushalte.
bust borstbeeld *o.*, buste.
bustle *zn.* gewoel *o.*, drukte., opschudding. || *ww.* roezemoezen.
busy bezig, aan 't werk.
busybody bemoeial.
but *voegw.* maar. || *voorz.* behalve. || *bw.* slechts. || *ww. – me no buts*, geen tegenwerpingen maken.
butcher slachter; vleeshouwer.
butchery slachting; slagerij.
butler bottelier.
butt mikpunt *o.; (v. geweer)* kolf.
butt-end stompje *o.*, peukje *o.*
butter boter.
buttercup boterbloem.
butter-fingered onhandig.
butterfly vlinder.
buttermilk karnemelk.

buttock bil; *–s*, achterste *o.*
button *(v. kleren)* knoop; *(elektr. bel)* knop; *– up*, toeknopen.
buttonhole knoopsgat *o.*; bloemen in knoopsgat.
buttress schoor; *(techn.)* beer.
buy *(bought, bought)* kopen, aanschaffen; *– over*, omkopen.
buyer koper, afnemer.
buyer-up opkoper.
buzz *zn.* gegons *o.* || *ww.* gonzen, zoemen.
buzzard buizerd.
buzzer *(elektr.)* zoemer.
by bij; door; *(v. uur)* tegen; *– and –*, straks; *– the –(e)*, *– the way*, terloops.
bypass ringweg; *(med.)* bypass.
bypath zijweg.
by-product bijproduct *o.*
bystander omstander; toeschouwer.
by-street zijstraat.

C

cab rijtuig *o.*; taxi.
cabal complot *o.*, intrige, kliek.
cabaret cabaret *o.*
cabbage *(groente)* kool; *red –*, rodekool; *white –*, witte kool.
cabbage-lettuce kropsalade.
cabin kajuit; *(v. schip)* hut.
cabin-boy scheepsjongen.
cabinet kabinet *o.*; schrijn *m.* en *o.*
cabinet crisis kabinetscrisis.
cabinet-maker meubelmaker, schrijnwerker.
cable kabel; telegram *o.*
cablegram (kabel)telegram *o.*
cable-railway kabelspoorweg.
caboose kombuis, scheepskeuken.

cab-stand taxistaanplaats.
cachet capsule met geneesmiddel; stempel, opdruk.
cackle kakelen.
cacophony kakofonie.
cadastre kadaster *o.*
cadence maat, cadans.
caddish poenig, ploertig.
cadet kadet.
cadge klaploper.
caesarian birth, caesarian operation keizersnede.
café café *o.*; koffiehuis *o.*,
caffeine cafeïne.
cage hok *o.*, *(v. vogels, wilde dieren)* kooi; *– up*, opsluiten.

cajole vleien.
cake koek, taart, cake; *sell like hot –s*, verkopen als warme broodjes; *a piece of –*, een fluitje van een cent.
calabash kalebas.
calamity onheil *o.*
calcify verkalken.
calcine verkalken.
calculable berekenbaar.
calculate rekenen; berekenen.
calculation berekening.
calendar kalender.
calf kalf *o.*; kalfsleer *o.*; *(v. been)* kuit.
calf-love kalverliefde.
calibre kaliber *o.*, wijdte.
calico bedrukt katoen *o.*
call *zn.* bezoek *o.*; roep; roeping; *(handel)* optie. || *ww.* roepen; noemen; *– in*, inroepen; aangaan; *– over the names*, de naam afroepen; *– names*, schelden, uitschelden; *– up*, *(telef.)* opbellen; *– upon*, bezoeken.
call-bird lokvogel.
caller bezoeker; roeper.
calligraphy kalligrafie, schoonschrijven *o.*
calling beroep *o.*; roeping.
callosity eelt *o.*, weer *o.*
callous vereelt.
call-over *(leger)* appèl *o.*
calm *zn.* kalmte. || *bn.* bedaard, stil. || *ww.* bedaren.
calmly kalm, bedaard.
calmness kalmte.
calumniate belasteren.
calumny laster.
calve kalveren.
calyx *(v. bloem)* kelk.
camber *zn.* *(v. weg, dek)* ronding, welving. || *ww.* *(v. weg)* welven.
camel kameel.
camera (foto)toestel *o.*; filmcamera.
camomile kamille.
camouflage camoufleren, vermommen.

camp *zn.* kamp *o.* || *ww.* (zich) legeren; *– (out)*, kamperen.
campaign veldtocht.
camp-bed veldbed *o.*
camp-chair vouwstoel.
camp-fire kampvuur *o.*
camping ground, camping site kampeerterrein *o.*
camphor kamfer.
can *zn.* kan; blik. || *ww.* inblikken. || *hulpww.* kunnen; mogen.
Canada Canada.
Canadian Canadees.
canal kanaal *o.*, vaart; *– boat*, trekschuit.
canalize kanaliseren.
canary kanarie.
cancel *(order)* afschrijven; annuleren; tenietdoen; schrappen.
cancer kanker.
Cancer *(sterrenk.)* Kreeft.
cancerous kankerachtig.
candid oprecht, rondborstig.
candidate kandidaat; sollicitant.
candle kaars.
candlestick kandelaar.
candour oprechtheid.
candy kandij; *(Am.)* snoep *o.*
candy floss suikerspin.
cane riet *o.*; wandelstok; *– chair*, rieten stoel.
canister bus, trommel, blik *o.*
canker *(v. planten)* kanker.
canker-worm bladrups.
canned ingeblikt, in blik.
cannibal menseneter, kannibaal.
cannon kanon *o.*, geschut *o.*; kanunnik.
cannon-fodder kanonnenvlees *o.*
canoe kano.
canonize heilig verklaren.
canopy *(v. troon)* verhemelte *o.*
cant schijnheilige praat.
canteen kantine; veldfles.
canton kanton *o.*

cantonal kantonnaal; *– judge,* kantonrechter.
canvas *(schilder)* doek; zeildoek *o.*
canvass *(stemmen)* werven.
caoutchouc caoutchouc *o.*
cap muts, pet, kap.
capability bekwaamheid.
capable bekwaam.
capacious ruim, volumineus.
capacity bekwaamheid; ruimte; *(techn.)* vermogen *o.; in his – of,* in zijn functie van.
cape kaap; pelerine; kraag.
caper bokkensprong, capriool; *(plant)* kapper.
capital *zn.* kapitaal *o.;* hoofdstad; hoofdletter. ‖ *bn.* voornaamste, uitmuntend, kapitaal; *– punishment,* doodstraf; *– sin,* doodzonde.
capitalism kapitalism *o.*
capitulation capitulatie.
caprice gril, nuk.
capricious grillig, nukkig.
Capricorn *(sterrenk.)* Steenbok.
capsize *(v. schip)* kantelen.
capstan spil *o.;* kaapstander.
capsule capsule.
caption titel, opschrift *o.,* onderschrift *o.*
captain kapitein, gezagvoerder.
captious spitsvondig; listig.
captivate boeien; vangen.
captive *zn.* (krijgs)gevangene. ‖ *bn.* gevangen; *– balloon,* kabelballon.
captivity gevangenschap; gevangenis.
capture *zn.* inneming, verovering. ‖ *ww.* buit maken; vermeesteren, veroveren.
car auto.
carafe karaf.
carat karaat *o.*
caravan karavaan; kampeerwagen, caravan.
carbine karabijn.
carbon koolstof; *(element)* kool.

carbon copy doorslag.
carbuncle karbonkel.
carburettor carburateur.
carcass lijk *o.;* geraamte *o.;* karkas *o.*
card *zn.* kaart; *(v. kompas)* roos. ‖ *ww. (wol)* kammen.
cardboard karton *o.,* bordpapier *o.*
cardinal *zn.* kardinaal. ‖ *bn.* voornaamst; *– number,* hoofdtelwoord *o.*
cardphone kaarttelefoon.
card-sharper valsspeler.
care *zn.* zorg, beslommering; hoede; *(to the) – of, c/o,* per adres; *take –!,* pas op! ‖ *ww.* zorgen; *– for (about),* zich bekommeren om.
career *zn.* (loop)baan, carrière; vaart. ‖ *ww.* hollen.
care-free onbezorgd, zorgeloos.
careful achtzaam, voorzichtig; zorgvuldig.
careless zorgeloos, nalatig slordig.
caress *zn.* streling. ‖ *ww.* aaien, strelen.
caretaker huisbewaarder; concierge.
careworn afgetobd.
car ferry autoveerboot.
cargo scheepslading, vracht.
cargo-boat vrachtschip *o.*
caricature spotprent.
caricaturist karikatuurtekenaar.
carrier straps snelbinder.
caries cariës.
carillon klokkenspel *o.,* beiaard.
carmine karmijn *o.*
carnage bloedbad, slachting.
carnal vleselijk, zinnelijk.
carnation anjer.
carnival carnaval *o.*
carnivorous vleesetend.
carol kwelen.
carousal drinkgelag *o.;* slemppartij, brasserij.
carp karper.
car park parkeerterrein *o.;* parkeerplaats.

carpenter *zn.* timmerman. || *ww.*
   timmeren.
carpet tapijt *o.*, vloerkleed *o.*
carpet-bag valies *o.*
carpet-beater mattenklopper.
carriage wagen; *(v. wagen)* vracht;
   – *free, paid,* vrachtvrij; – *house,* remise.
carriage-door *(v. rijtuig)* portier *o.*
carrier *(fiets)* bak; vrachtrijder.
carrier-pigeon postduif.
carrion kreng *o.; (dood dier)* aas *o.*
carrot wortel, peen.
carry dragen; aanbrengen; (ver)voeren;
   – *on,* voortplanten.
carrying-capacity laadvermogen *o.*,
   draagkracht.
carrying-trade goederenvervoer *o.*
cart kar, wagen; *hooded* –, huifkar.
cartage vrachtloon *o.*
cartilage kraakbeen *o.*
cartload karrenvracht.
cartridge kardoes, patroon.
cartridge-case *(v. patroon)* huls.
cartwright wagenmaker.
carve kerven; *(graveren)* snijden.
carving snijwerk *o.;* beeldsnijkunst.
carving-knife voorsnijmes *o.*
cascade waterval.
case; doos; geval *o.; (jur.)* zaak;
   (gramm.) naamval.
casemate kazemat.
cash *(handel)* kas, contanten, (gereed)
   geld *o.;* – *on delivery,* onder rembours;
   – *payment,* cantant(e) betaling; *hard* –,
   klinkende munt.
cash account kasrekening.
cash-balance kassaldo *o.*
cash-book kasboek *o.*
cashdesk kassa.
cash dispenser geldautomaat.
cashier kassier.
cashmere kasjmier *o.*
casing overtreksel *o.*

casino casino *o.*
cask ton, vat *o.*
cassation cassatie.
cassock soutane.
cast *zn.* afgietsel *o.;* worp; rolverdeling.
   || *ww. (cast, cast)* gooien, smijten;
   (ijzer) gieten; – *off by God,* door God
   verstoten.
castaway schipbreukeling;
   verworpeling, paria.
caste kaste.
castellan kastelein.
castigate kastijden, straffen; zwaar
   bekritiseren.
casting-net werpnet *o.*
casting voice, casting vote beslissende
   stem.
cast-iron gietijzer *o.*
castle burcht, kasteel *o.*, slot *o.*
castor rolletje *o.;* vilthoed.
casual toevallig.
casually terloops.
casualty slachtoffer *o.;* ... *ies,* verliezen
   i.d. oorlog, slachtoffers; – *(ward),*
   afdeling eerste hulp.
cat kat; *rain –s and dogs,* stortregenen,
   gieten.
catalogue catalogus.
cataract waterval.
catastrophe ramp.
catcall uitfluiten.
catch *zn.* vangst; – *question,* strikvraag.
   || *ww. (caught, caught)* pakken;
   vangen; betrappen; – *a disease,* een
   ziekte opdoen.
catching aanstekelijk.
catchword trefwoord *o.;* wachtwoord *o.*
catechism catechismus.
category categorie; rubriek.
catterpillar rups.
catgut stramien *o.;* darmsnaar.
cathedra katheder.
cathedral kathedraal; dom.

catholic katholiek.
cat-nap dutje *o.*
cattish kattig.
cattle (rund)vee *o.*
cattle-breeding veeteelt.
cattle-fair veemarkt.
cauldron ketel.
cauliflower bloemkool.
caulk kalfateren.
causal oorzakelijk.
cause *zn.* reden, oorzaak. || *vb,*
teweegbrengen, veroorzaken,
aanrichten; – *a sensation,* opzien baren.
causeless ongegrond.
caustic brandend, bijtend; sarcastisch.
cauterize *(wonde)* (uit)branden.
caution *zn.* voorzichtigheid;
waarschuwing; – *money,* borgtocht,
waarborgsom. || *ww.* waarschuwen.
cautious behoedzaam, omzichtig,
voorzichtig.
cavalcade *(te paard)* optocht.
cavalry cavalerie, ruiterij; *light* –, lichte
cavalerie.
cave *zn.* hol *o.*; grot, spelonk. || *ww.*
– *in,* ineenstorten.
cave-dweller holbewoner.
cavern hol *o.,* spelonk.
caviar(e) kaviaar.
cavil haarkloven, vitten.
cavity holte, hol *o.*
caw *(v. vogels)* krassen.
cayman kaaiman.
cd player cd-speler.
cease ophouden, staken.
cease-fire staakt-het-vuren *o.*
ceaseless voortdurend.
cede afstaan.
ceiling plafond *o.*; zoldering.
celebrate vieren; – *Mass,* de mis
opdragen.
celebrity vermaardheid.
celery selderij.

celestial hemels.
celibacy celibaat *o.*
celibate, celibatarian celibatair.
cell kluis; cel.
cellar kelder.
cellular cellulair.
cement cement *o.*
cemetery begraafplaats; kerkhof *o.*
cense bewieroken.
censor censor.
censorship censuur.
censurable afkeurenswaardig.
censure *zn.* censuur. || *ww.* afkeuren.
census volkstelling.
cent cent.
centenarian honderdjarige.
centigramme centigram.
centilitre centiliter.
centimetre centimeter.
centipede duizendpoot.
central centraal; – *heating,* centrale
verwarming.
centralization centralisatie.
centre middelpunt *o.*; *(v. stad)* kom;
(voetb.) middenspeler.
century eeuw.
cereal *bn.* graan-. || *zn.* –*s,*
graangewassen, cornflakes.
cerebrospinal fever
hersenvliesontsteking, nekkramp.
ceremonial plechtig, ceremonieel.
ceremonious vormelijk, plechtig.
ceremony plechtigheid; plichtpleging.
certain gewis, zeker.
certainly voorzeker.
certainty zekerheid.
certificate getuigschrift *o.*, certificaat *o.*;
diploma *o.*; – *of issue,* *(post)* reçu *o.*
certify betuigen, verzekeren; verklaren;
–*fied by,* voor gezien getekend door.
certitude zekerheid.
cessation *(werk)* staking.
cession afstand (v. rechten).

chafe schuren, wrijven; (de huid) schaven; irriteren, ergeren.

chaff kaf *o.*; waardeloos spul *o.*

chaffer afdingen, sjacheren.

chain ketting; reeks.

chain-smoker kettingroker.

chair stoel; zetel; voorzittersstoel; leerstoel.

chairman president, voorzitter.

chalice kelk; beker.

chalk krijt *o.*

challenge *zn.* uitdaging. ‖ *ww.* tarten.

chamber kamer.

chamber-maid (*v. hotel*) kamermeid.

chamois-leather zeemleer *o.*

champagne champagne.

champion kampioen; voorstander.

championship kampioenschap *o.*

chance *zn.* kans; toeval *o.*; *by –*, toevallig. ‖ *ww.* gebeuren.

chancel (*plaats i.d. kerk*) koor *o.*

chancellery kanselarij.

chancellor kanselier; *imperial –*, rijkskanselier.

chancery (*Court of*) *–*, afdeling v.h. hooggerechtshof.

chancy onzeker, riskant.

chandelier (licht)kroon.

change verandering; pasgeld *o.* ‖ *ww.* veranderen; (*ambtenaar*) overplaatsen; (*trein*) overstappen, (*geld*) wisselen, omwisselen.

changeable veranderlijk, wankelbaar.

changeless onveranderlijk.

channel geul; (*v. natuur*) kanaal *o.*; *the Channel*, het Kanaal.

chant zingen.

chanterelle cantharel.

chap (*v. huid*) kloof; kerel, knaap.

chapel kapel.

chaplain kapelaan; (*mil.*) aalmoezenier.

chaplet (rozen)krans.

chapter hoofdstuk *o.*, kapittel *o.*

character karakter *o.*; inborst; *delineation of –*, karakterschets.

characteristic *zn.* (*fig.*) kenmerk. ‖ *bn.* karakteristiek.

characterize kenmerken, kenschetsen.

characterlessness karakterloosheid.

charcoal houtskool.

charge *zn.* lading; aanklacht; (*last*) opdracht; *–s*, onkosten. ‖ *ww.* laden; gelasten; aanrekenen; (*accu*) vullen; *– with*, betichten.

charge-sheet strafblad *o.*

chariot strijdwagen.

charitable barmhartig; *– institution*, liefdadigheidsinstelling.

charity liefdadigheid.

charlatan kwakzalver.

charm *zn.* bekoorlijkheid; bekoring; betovering. ‖ *ww.* betoveren, bekoren.

charmer tovenaar, tovenares.

charming bekoorlijk, verrukkelijk, charmant.

chart (*zee*) kaart.

charter *zn.* charter *o.*, oorkonde; voorrecht *o.*; octrooi *o.* ‖ *ww.* bevrachten.

charter flight chartervlucht.

charwoman werkster.

chase *zn.* jacht. ‖ *ww.* (na)jagen; vervolgen.

chaser jachtvliegtuig *o.*

chaste kuis, eerbaar, rein.

chastise kastijden; straffen; tuchtigen.

chastity reinheid.

chasuble kazuifel *m. en o.*

chat *zn.* praatje *o.*, kout. ‖ *ww.* praten, babbelen.

chattel goed *o.*; (*goods and*) *–s*, huisraad *o.*

chatter *zn.* gesnater *o.*, gekakel *o.* ‖ *ww.* (*fig.*) kakelen, snateren.

chatty babbelziek.

chauffeur chauffeur.

cheap goedkoop.
cheat zn. bedrog o.; bedrieger; *regular –*, aartsbedrieger. ‖ ww. bedriegen.
cheating bedrog o.
check zn. tegenspoed; reçu o.; test; schaak o.; *–s*, geruite stof(fen). ‖ ww. tegenhouden; beteugelen; controleren; *– in*, inchechken.
checkmate schaakmat.
cheek wang; *– by jowl*, zij aan zij.
cheek-tooth kies.
cheeky onbeschaamd.
cheep tjilpen.
cheer zn. opgeruimdheid; gejuich o.; onthaal o. ‖ ww. toejuichen; verheugen; *– up*, opvrolijken.
cheerful opgeruimd, vrolijk.
cheerless droevig; troosteloos, ongezellig.
cheers proost.
cheery levendig, opgewekt.
cheese kaas.
cheese-paring krenterigheid.
chemise (dames)hemd o.
chemist apotheker; chemist; *–'s (shop)*, apotheek.
chemistry scheikunde.
cheque cheque.
chequered geruit.
cherish koesteren; liefhebben.
cherry kers.
cherry-stone kersenpit.
chervil kervel.
chess schaakspel o.
chessboard schaakbord o.
chest kist, kas; borstkas; *(paard)* boeg; *throw a –*, een hoge borst zetten.
chestnut kastanje.
chew zn. *(tabak)* pruim. ‖ ww. kauwen; *(tabak)* pruimen; *– the cud*, herkauwen.
chewing gum kauwgom.
chicane zn. vitterij. ‖ ww. vitten.

chicken kieken o.; *(gerecht)* kip; *– run, (v. kippen)* ren.
chicken-breast kippenborst.
chicken broth kippenbouillon, kippensoep.
chicken-farm hoenderpark o.
chicken-hearted vreesachtig.
chicken-pox waterpokken.
chicory cichorei; andijvie.
chide *(chid; chidden, chid)* (be)knorren.
chief zn. chef, hoofdman. ‖ bn. voornaamste.
chiefly hoofdzakelijk, voornamelijk.
chieftain opperhoofd o.
chignon *(v. haar)* wrong.
chilblain *(aan handen)* winter; *–ed hands*, winterhanden.
child *(mv. children)* kind o., wicht o.; *with –*, zwanger.
childbed kraambed o.
childbirth bevalling.
childhood kinderjaren.
childish kinderachtig; kinderlijk; *– prattle, talk*, kinderpraat.
childless kinderloos.
childlike kinderlijk.
child's play kinderspel o.
chill zn. kilte. ‖ bn. koud, kil. ‖ ww. afkoelen.
chilly kil, kouwelijk.
chime (klok)gelui o.; klokkenspel o.; *(v. vat)* klim.
chimera hersenschim.
chimney schouw, schoorsteen.
chimney-piece schoorsteenmantel.
chimney-sweep(er) schoorsteenveger.
chin (onder)kin.
China China.
china(-ware) porselein o.
chine *(v. dieren)* ruggengraat.
chink zn. kier, spleet. ‖ ww. rinkelen.
chip spaander; chip; *–s*, friet.
chirp piepen, tjilpen.

chirpy vrolijk.
chirr krekelen.
chisel beitel.
chivalrous ridderlijk; ruiterlijk.
chloride chloor.
chock *(vliegt. en spoor)* blok *o.*
chock-full propvol, stampvol.
chocolate chocolade.
chocolate-drop flikje *o.*
choice zn. keus, keur; verkiezing. ‖ *bn.*
uitgelezen, uitgezocht.
choir *(zangers)* koor *o.*
choirboy koorknaap, koraal.
choke stikken; verstikken; – *oneself*, zich
verslikken.
cholera cholera.
cholesterol cholesterol.
choose *(chose, chosen)* kiezen; uitkiezen,
uitzoeken.
chop zn. kotelet, karbonade. ‖ *ww.*
hakken; kappen.
chop-house gaarkeuken; eethuis *o.*
chopper kapmes *o.*
chopping-block hakblok.
chopping-knife hakmes *o.*
choppy woelig.
choral song koraal *o.*
chord *(v. boog)* koord *v./m.* en *o.*; *(muz.)*
akkoord *o.*
chorister koorknaap.
chorus *(samenzang)* koor *o.*
Christian zn. christen. ‖ *bn.* christelijk.
Christianity christendom *o.*
Christmas Kerstmis.
Christmas-carol kerstlied *o.*
Christmas-day eerste kerstdag.
Christmas-present kerstgeschenk *o.*
Christmas-tree kerstboom.
chromolithography kleurensteendruk.
chromosome chromosoom *o.*
chronic chronisch.
chronicle kroniek.
chronicler kroniekschrijver.

chronology tijdrekening.
chrysanthemum chrysant.
chubby mollig, poezelig.
chuck zn. klapje *o.*, aai. ‖ ww. *(zacht)*
kloppen; gooien; – *(under the chin)*,
aaien.
chuckle grinniken; zich verkneuteren.
chum kameraad.
chummy kameraadschappelijk.
chump *(v. hout)* klomp; *off his* –, getikt.
chunk kluif, homp.
church kerk; – *council*, kerkenraad.
church-ceremony kerkplechtigheid.
church-goer kerkbezoeker.
church mouse arme stakker; *as poor as
a* –, straatarm.
churchyard kerkhof *o.*; begraafplaats.
churl *(fig.)* vlegel.
cicatrice litteken *o.*
cider cider.
cigar sigaar; *mild, strong* –, lichte, zware
sigaar.
cigarette sigaret.
cinder *(v. kolen)* sintel.
cinema bioscoop.
cinnamon kaneel *m. en o.*
cipher zn. nul, cijfer *o.* ‖ ww. rekenen.
cipher-writing cijferschrift *o.*
circa circa.
circle cirkel; kring; ring; *in leading
(influential)* –s, in gezaghebbende
kringen.
circuit omtrek; rondvlucht.
circuitous way omweg.
circular zn. circulaire. ‖ *bn.* rond; – *wall*,
ringmuur.
circulate circuleren; ... *ting capital*,
vlottend kapitaal *o.*
circulation circulatie; *to retire from* –,
aan de circulatie onttrekken.
circumcision besnijdenis.
circumference *(cirkel)* omtrek.
circumscribe omschrijven; beperken.

circumspect omzichtig.
circumstance omstandigheid; *in easy –s,* bemiddeld.
circumstantial omstandig, uitvoerig, breedvoerig.
circumvent bedriegen.
circus circus *m.* en *o.*
cistern regenbak; reservoir *o.*
citadel burcht, kasteel *o.*
citation aanhaling; dagvaarding.
cite citeren; dagvaarden.
cither(n) citer.
citizen burger; *–s,* burgerij.
citizenship burgerrecht *o.*
citron citroen.
city stad.
civic burgerlijk.
civil burgerlijk; beleefd.
civilization beschaving.
civilize beschaven, (zich) ontwikkelen.
clack *zn.* ratel. || *ww.* klapperen.
claim *zn. (schuld)* vordering; eis. || *ww.* vorderen; eisen.
claimant pretendent.
clair-voyant helderziend.
clamber klauteren.
clamminess klamheid, kleverigheid.
clammy klam.
clamorous schreeuwerig.
clamour misbaar *o.*; rumoer *o.*
clamp klamp.
clandestine heimelijk, clandestien.
clang klinken.
clank klinken; *(keten)* rammelen.
clap *zn.* klap; *(v. donder)* slag. || *ww.* klappen; applaudisseren.
clapper *zn. (v. molen)* klep; klepel; *(bel)* bengel. || *ww.* kleppen.
claret bordeaux(wijn); *tap the –,* bloedneus slaan.
clarify zuiveren.
clarinet klarinet.
clarity klaarheid.

clash *zn. (v. troepen)* botsing. || *ww. (v. wapens)* kletteren; *– with,* indruisen tegen.
clasp *(v. boek)* slot *o.*; gesp.
clasper rank.
clasp-knife knipmes *o.*
class *zn.* klas(se); *the higher (lower) –es,* de hogere (lagere) standen. || *ww.* indelen.
class-consciousness klassenbewustzijn *o.*
class-hatred klassenhaat.
classic(al) klassiek.
classification rangschikking, classificatie.
classify in klassen rangschikken.
classroom klas(lokaal).
class-struggle klassenstrijd.
clatter *(v. regen)* kletteren.
clause clausule.
clavicle sleutelbeen *o.*
claw *(v. roofdier)* klauw.
claw-hammer klauwhamer.
clay klei.
clay-pit kleiput.
clean *bn.* rein, zuiver, zindelijk; *– sweep,* grote opruiming. || *ww.* reinigen, zuiveren; *– out, (uitplunderen)* uitschudden.
cleaning schoonmaak, zuivering.
cleanly netjes, zindelijk.
cleanness reinheid, helderheid.
cleanse reinigen, zuiveren.
clean-shaven gladgeschoren.
cleansing zuivering.
clear *bn.* helder; duidelijk. || *ww. (tafel)* afnemen; zuiveren; *– out,* zijn biezen pakken.
clearance(-sale) *(hand.)* opruiming, uitverkoop.
clear-cut scherp omlijnd.
clear-headed verstandig.
clearing ontginning; *(hand.)* verrekening van vorderingen.

clearness helderheid, klaarheid.
clear-sighted helderziend.
cleat klamp.
cleave *(cleft, clove; cleft, cloven)* klieven, kloven, splijten.
cleaver kapmes *o.*
cleft kloof, scheur, spleet.
clement goedertieren.
clergy geestelijkheid.
clergyman geestelijke; dominee; predikant.
clerical klerikaal; *– error*, schrijffout.
clerk *(kantoor)* bediende; *(administratie)* commies; *head –*, kantoorchef.
clever snugger, schrander, bekwaam.
cleverness schranderheid.
clew kluwen *o.*
cliché cliché *o.*
click *(v.e. rad)* pal; getik *o.*
client klant.
clientèle cliëntèle, klantenkring.
cliff klip; rots.
climate klimaat *o.*
climax opklimming.
climb (be)klimmen, bestijgen; *– down,* 'n toontje lager zingen.
climbable beklimbaar.
climber slingerplant.
clinch *(metaal)* klinken.
cling *(clung, clung)* aankleven; (zich) vastklemmen.
clinic kliniek.
clink (doen) klinken.
clinker *(steen)* klinker.
clip *zn.* knijper; *(v. wol)* scheersel *o.*. ‖ *ww. (schapen)* afscheren; *(woorden)* inslikken.
clipper scheerder; schaar.
clipping snipper.
cloak *zn.* mantel. ‖ *ww.* bemantelen.
cloakroom vestiaire, garderobe.
clock klok, uurwerk *o.*
clock-face wijzerplaat.

clock-hand *(v. klok)* wijzer.
clockwise met de wijzers van de klok mee.
clod kluit.
clog *(aan 't been)* blok *o.; (schoeisel)* klomp.
cloister klooster *o.*
clone kloon.
close *zn.* besluit *o.; (einde)* slot *o.* ‖ *bn.* nauwsluitend; dicht; benauwd. ‖ *ww.* sluiten; *(boeken)* afsluiten.
close-fisted gierig.
closet kabinet *o.*
closet-bed bedstede; alkoof.
close-tongued stilzwijgend.
closing sluiting.
closing-time sluitingsuur *o.*
clot *zn.* klonter; klodder. ‖ *ww.* klonteren, stollen.
cloth doek; gewaad; *the –, (fam.)* de geestelijkheid.
clothe kleden; bekleden.
clothes kleding; *civilian, plain –,* burger-kleding; *ready-made –,* confectie *o.*
clothes-basket wasmand.
clothes-brush kleerborstel.
clothes-hanger klerenhanger.
clothes-horse droogrek *o.*
clothes-moth mot.
clothes-peg wasknijper.
cloud wolk.
cloud-burst wolkbreuk.
cloudless onbewolkt.
cloudy betrokken; bewolkt.
clough kloof.
clove kruidnagel.
clover klaver.
clown paljas; hansworst; *(fig.)* boer.
clownish boers.
club; *(v. personen)* kransje *o.*; knots; *–s, (kaartspel)* klaveren.
club-foot horrelvoet.
club-house club(gebouw) *o.*

cluck klokken.
clucker klokhen, kloek.
clump *(bomen, enz.)* groep; klomp.
clumsy onbeholpen, onhandig.
cluster *(bomen, enz.)* groep.
clutch greep, klauw; *(techn.)* koppeling, koppelingspedaal.
clutter stommelen.
clyster klisteer.
coach koets; bus; trainer, coach.
coachman koetsier.
coach-work koetswerk, carrosserie.
coact samenwerken.
coagulate stollen; *(stijf worden)* stremmen.
coal steenkolen; *glance –*, antraciet *o.*
coal-box kolenbak.
coal-dust kolengruis *o.*
coalition coalitie.
coal-mine, coal-pit kolenmijn.
coarse grof, ruw.
coarse-fibred grofdradig.
coast kust.
coaster kustvaarder.
coaster-brake *(fiets)* terugtraprem.
coasting-trade kustvaart.
coat mantel, jas.
coat hanger kleerhanger.
coat-stand *(gang)* kapstok.
coax flemen.
coaxer vleier.
cobble(-stone) kei.
cobbler schoenlapper.
cobweb spinnenweb *o.*
cock haan; *(v. vat)* kraan; *(hooi)* opper.
cockade kokarde.
cockchafer meikever.
cocker up vertroetelen.
cock-fight hanengevecht *o.*
Cockney Londenaar.
cockroach kakkerlak.
cocksure positief, gans zeker.
cocky neuswijs.

cocoa cacao; warme chocolade.
coco(a)-nut kokosnoot.
cod kabeljauw.
coddle vertroetelen.
code code; wetboek *o.*
codger vrek; oude vent.
cod-liver oil levertraan.
coefficient coëfficiënt.
coerce afdwingen.
coeval even oud.
coexist gelijktijdig bestaan.
coffee koffie.
coffee-grounds koffiedik *o.*
coffee-pot koffiepot.
coffer koffer.
coffin doodkist.
cog *(v. een rad)* tand.
cogent klemmend.
cogitate denken; verzinnen.
cognac cognac.
cognate aanverwant.
cognomen familienaam.
cog-wheel tandrad *o.*
cohabit *(man en vrouw)* samenwonen.
cohabitation samenleving.
cohier mede-erfgenaam.
coherence samenhang.
coherent samenhangend.
cohesion samenhang.
coif muts; *(hoofdd.)* huif.
coil *(techn.)* winding, spiraal; *(elektr.)* klos; spiraaltje *o.*
coin *zn.* geldstuk *o.*, munt; *– of the realm*, rijksmunt. || *ww. (nieuwe woorden)* smeden; munten.
coincide overeenstemmen; samenvallen.
coiner munter; valsemunter.
coke cokes; cola.
colander vergiet *o.*
cold *zn.* koude; verkoudheid; *he went – all over*, hij kreeg een rilling over 't lijf. || *bn.* koud.

cold-blooded *(fig.)* koelbloedig.
cold-hearted onverschillig.
cold-livered gevoelloos.
coldly koeltjes.
coldness *(fig.)* verkoeling.
cole-seed koolzaad *o.*
colibri kolibrie.
colic koliek *v. en o.*
collaboration samenwerking; collaboratie.
collapse *zn.* ineenstorting. || *ww.* invallen; instorten.
collar halsband; boord; kraag.
collar-bone sleutelbeen *o.*
collate collationeren.
colleague ambtgenoot, collega.
collect *zn. (kort gebed)* collecte. || *ww.* vergaren; innen; *(geld)* verzamelen; – *the rent,* de huishuur ophalen.
collecting-charges inningskosten.
collection inzameling; verzameling.
college college *o.*
colligate samenbinden.
collision aanvaring; aanrijding; botsing.
collude samenspannen.
Cologne Keulen.
colon dubbelpunt.
colonel kolonel.
colonial koloniaal; – *soldier,* koloniaal.
colony kolonie, volkplanting.
colossal kolossaal.
colossus reus.
colour *zn.* kleur; *(v. kunstschilder)* verf; –*s,* vaandel *o.; show one's* –*s, (fig.)* kleur bekennen. || *ww.* kleuren; – *up,* blozen.
colour-blind kleurenblind.
coloured gekleurd; – *man,* kleurling.
colour film kleurenfilm.
colporteur colporteur.
colt *(mannetje)* veulen *o.;* beginneling.
column kolom; pijler.
comb *zn.* kam. || *ww.* kammen.

combat *zn.* kamp, strijd; *naval* –, zeegevecht *o.* || *ww.* bestrijden; strijden.
combatant strijder.
combativeness strijdlust.
combination combinatie, verbinding; vereniging.
combine *(kleuren)* verbinden; verenigen.
combustible brandbaar.
combustion verbranding.
come *(came, come)* komen; – *down, (kousen)* afzakken; – *out, (boek)* verschijnen.
comedian toneelspeler; *low* –, komiek.
comedo mee-eter.
comedy blijspel *o.,* komedie.
comely bevallig, knap.
comet komeet.
comfit suikergoed *o.,* snoepje *o.*
comfort *zn.* troost; geriefelijkheid. || *ww.* opbeuren, troosten, verkwikken.
comfortable behaaglijk; gemakkelijk.
comforter fopspeen.
comic(al) grappig, koddig, komisch.
comic (strip) stripverhaal *o.*
coming komst; – *(on),* aankomst; – *(over)* overkomst.
comity minzaamheid; vriendelijkheid.
comma komma *v./m. en o.*
command *zn.* bevel *o.;* gebod *o.;* order. || *ww.* aanvoeren; gebieden; bevelen.
commandant *(mil.)* commandant.
commander aanvoerder, bevelhebber.
commander-in-chief (C. in c.) opperbevelhebber.
commanding bevelend; *(fig.)* indrukwekkend.
commandment bevel *o.*
commemorate herdenken.
commemoration herdenking.
commemorative medal gedenkpenning.

commencement begin *o.*
commend prijzen.
commendable prijzenswaardig.
commendation aanbeveling.
commensurate evenredig.
comment opmerking.
commerce handel.
commercial commercieel; – *report*, handelsbericht *o.;* – *traveller*, reiziger.
comminute vergruizen.
commiserate beklagen; zich ontfermen over.
commiseration medelijden *o.;* deernis.
commissary commissaris.
commission aanbrengpremie; *(last)* opdracht.
commissioner commissaris; zaakgelastigde; – *of police*, commissaris van politie.
commit begaan, plegen; *be –ted for trail*, terechtstaan.
committee comité *o.*
commode stilletje *o.;* ladetafel.
commodious ruim.
commodity gerief *o.;* koopwaar.
common gemeenschappelijk; algemeen.
commonalty burgerij.
commonplace banaal; alledaags.
commons burgerstand; *the House of –*, het Lagerhuis.
commonwealth gemenebest *o.*
commotion onrust; opschudding; opwinding.
communal gemeenschappelijk; – *management*, gemeenschappelijk beheer.
commune gemeente.
communicate meedelen.
communication mededeling; communicatie.
communicative aanstekelijk; mededeelzaam.

communion communie.
communism communisme *o.*
community gemeenschap; *religious –*, kerkgenootschap *o.*
commutable verwisselbaar.
commutation verandering.
commute verzachten; omwisselen; pendelen; – *between home and office*, pendelen tussen kantoor en huis.
compact gedrongen.
companion gezel; kameraad.
companionable kameraadschappelijk.
company maatschappij; gezelschap *o.;* compagnie.
comparable vergelijkbaar.
comparative betrekkelijk.
comparatively cheap betrekkelijk goedkoop.
compare monsteren; vergelijken; *beyond –*, onvergelijkelijk.
comparison vergelijking.
compartment compartiment *o.;* vak *o.;* coupé.
compass kompas *o.*
compass-card windroos.
compasses, *a pair of –*, passer.
compassion erbarming; medelijden *o.*
compassionate medelijdend; meewarig.
compass-saw cirkelzaag.
compatible verenigbaar.
compeer weerga, gelijke.
compel dwingen; noodzaken; – *by necessity*, noodgedwongen.
compendious beknopt.
compensate vergoeden.
compensation tegemoetkoming; vergoeding; *Workmen's – Act*, ongevallenwet.
compete (for) medingen.
competence, competency bevoegdheid.
competent competent; vakkundig.
competition concours *o.,* competitie;

concurrentie.
competitor mededinger, concurrent.
compilation bundeling, verzameling.
compile samenstellen; *(nota's)* verzamelen.
compiler samensteller.
complacency (zelf)voldoening, zelfvoldaanheid.
complain klagen, reclameren.
complaint klacht; beklag *o.*
complaint-book klachtenboek *o.*
complaisant toeschietelijk, voorkomend.
complement aanvulling; bijvoegsel *o.*
complete *bn.* voltallig; volledig; volslagen; geheel; volkomen. || *ww.* aanvullen; afmaken.
completely compleet.
completion voleindiging; voltooiing.
complex *zn.* geheel *o.*; complex *o.* || *bn.* samengesteld; – *fraction,* samengestelde breuk.
complexion gelaatskleur; tint.
compliance inschikkelijkheid; *in – with,* ingevolge.
compliant inschikkelijk.
complicacy ingewikkeldheid.
complicate *bn.* ingewikkeld. || *ww.* ingewikkeld maken.
complication verwikkeling.
complicity medeplichtigheid.
compliment compliment *o.*; plichtpleging.
comply with inwilligen; zich voegen naar.
component parts samenstellende delen.
comport oneself zich gedragen.
compose samenstellen; *(in drukkerij)* zetten.
composed kalm.
composer *(muz.)* componist; samensteller.

composing-machine zetmachine.
composing-stick *(in drukkerij)* zethaak.
composition opstel *o.*; samenstelling; *(in drukkerij)* zetten *o.*
composure kalmte.
compote compote.
compound samengesteld; *(med.)* gecompliceerd.
comprehend begrijpen, bevatten.
comprehensible begrijpelijk.
comprehension verstand *o.*; omvang.
comprehensive uitgebreid; veelomvattend.
compress *zn.* kompres *o.* || *ww.* samendrukken; samenpersen.
compression samendrukking.
comprise bevatten.
compromise *zn.* bemiddelingsvoorstel *o.*; vergelijk *o.* || *ww.* bijleggen; in opspraak brengen.
compulsion dwang.
compulsory *(leervak)* verplicht; – *labour,* dwangarbeid; – *service, (mil.)* dienstplicht.
compunction wroeging.
computable berekenbaar.
compute berekenen.
computer computer.
comrade makker; kameraad; – *in arms,* wapenbroeder.
comradely kameraadschappelijk.
concatenate aaneenschakelen.
concatenation aaneenschakeling.
concave hol.
concavity holte.
conceal verbergen; verhelen; verzwijgen.
concealable verbergbaar.
concede inwilligen; toegeven.
conceit verbeelding.
conceited neuswijs; verwaand.
conceitedness verbeelding.
conceivable begrijpelijk; dankbaar.

conceive begrijpen; zwanger worden, ontvangen.

concentrate *(troepen, de aandacht, enz.)* concentreren.

concentration concentratie, aandacht; samentrekking.

concentration camp concentratiekamp *o.*

concept begrip *o.*

conception opvatting; begrip *o.*

concern *zn.* firma; onderneming; aangelegenheid. || *ww.* aangaan; betreffen.

concerned bezorgd.

concerning aangaande, nopens.

concert concert *o.*

concession vergunning; concessie.

concessive toegevend.

conciliate verzoenen.

conciliator verzoener.

concise bondig, zakelijk.

conciseness bondigheid.

conclude *(koop, verdrag, vrede)* sluiten; besluiten; beëindigen.

conclusion gevolgtrekking; *(einde)* slot *o.*; besluit *o.*

conclusive doorslaand.

concoction brouwsel *o.*

concord eendracht.

concordat concordaat *o.*

concourse *(v. volk)* samenloop, toeloop.

concrete *bn.* concreet; betonnen. || *zn.* beton *o.*

concubine bijzit.

concur overeenstemmen.

concurrence overeenstemming; *(v. volk)* samenloop.

concussion *(bij botsing)* schok.

condemn afkeuren; veroordelen.

condemnable verwerpelijk.

condemnation veroordeling.

condense *(v. vloeistof)* verdikken; samenpersen; *–d milk,*

gecondenseerde melk.

condescend zich verwaardigen om.

condescending neerbuigend.

condign gerecht, juist, verdiend.

condiment toespijs.

condition voorwaarde; *(toestand)* staat.

conditional voorwaardelijk.

condole condoleren.

condolence rouwbeklag *o.*

condom condoom *o.*

condone kwijtschelden.

conducive bevorderlijk.

conduct *zn.* beleid *o.*; gedrag *o.*; bad –, wangedrag *o.* || *ww.* besturen; geleiden; zich gedragen.

conductor *(warmte)* geleider; *(tram, bus)* conducteur; dirigent.

cone kegel.

confectioner banketbakker; suikerbakker.

confederacy verbond *o.*

confederate bondgenoot.

confederation *(staten)* bond.

confer, – *with*, beraadslagen met.

conference conferentie; bijeenkomst.

confess belijden; (op)biechten.

confession biecht; bekentenis.

confessional, confession-box biechtstoel.

confessor biechtvader.

confidant(e) vertrouweling(e).

confidence vertrouwen *o.*

confident zelfbewust.

confidential vertrouwelijk.

confine grenzen, palen; opsluiten; beperken.

confined benepen; *be – (of)*, *(kind)* bevallen.

confinement bevalling; opsluiting; beperking.

confirm *(kerk.)* vormen; bekrachtigen; *– with an oath*, beëdigen.

confirmation bevestiging.

confiscable verbeurbaar.

confiscate verbeurd verklaren.
confiscation verbeurdverklaring.
conflagration brand.
conflict conflict *o.*; geschil *o.; come into – with*, in conflict komen met.
conflicting tegenstrijdig.
confluence *(v. rivieren)* samenloop.
confluent samenvloeiend.
conform, *– to*, zich richten naar, in overeenstemming brengen met.
conformable overeenkomstig.
conformity overeenkomst; overeenstemming.
confound *(twee termen)* verwisselen.
confounded *(v. aard)* verlegen.
confraternity broederschap.
confrontation vergelijking; confrontatie.
confuse verwarren; *–d*, verbouwereerd.
confusedly dooreen, verward.
confusion warboel; verwarring; *in –*, overhoop.
confutable weerlegbaar.
confute weerleggen.
congeal stollen; *(v. bloed)* stremmen.
congelation bevriezing.
congenial aanverwant; zielsverwant; sympathiek.
congenital aangeboren, aanverwant.
congest samenhopen.
congestion congestie; opeenhoping; opstopping.
conglomeration samenpakking.
congratulate feliciteren; gelukwensen.
congratulation felicitatie; *–s*, proficiat.
congregate vergaderen.
congress congres *o.*
congruent overeenstemmend.
conical kegelvormig.
conjoin bijeenvoegen, samenvoegen.
conjoint verenigd.
conjugal echtelijk.
conjugate vervoegen.
conjugation vervoeging.

conjunct gezamenlijk.
conjunction voegwoord *o.*; verbinding; *– of circumstances*, samenloop van omstandigheden.
conjuncture *(econ.)* conjunctuur, tijdsomstandigheden.
conjuration samenzwering.
conjure goochelen; toveren; bezweren.
conjurer goochelaar.
connate ingeboren.
connect aansluiten; verbinden.
connection verbinding, aansluiting; schakeling; samenhang; *extensive –s*, uitgebreide relaties.
connive, *– at*, oogluikend toelaten.
connoisseur fijnproever; kenner.
connote *(onrechtstreeks)* betekenen.
connubial echtelijk.
conquer overwinnen, veroveren.
conquerable overwinnelijk.
conqueror veroveraar.
conquest verovering.
consanguinity verwantschap.
conscience geweten *o.* || *in –*, in gemoede.
conscientious(ly) nauwgezet, scrupuleus.
conscious bewust.
consciousness bewustzijn *o.*, bezinning.
conscript milicien.
conscription *general –*, algemene dienstplicht.
consecrate inwijden, inzegenen.
consecration wijding.
consecutive opeenvolgend.
consent *zn.* toestemming. || *ww.* toestemmen.
consequence resultaat *o.*; uitvloeisel *o.; in –*, bijgevolg.
consequently bijgevolg; dientengevolge.
conservation instandhouding; behoud *o.*
conservative conservatief.

conservatory serre, broeikas; conservatorium.
conserve *zn.* –s, ingelegd fruit *o.* || *ww.* bewaren.
consider aanzien, beschouwen; overwegen, bedenken.
considerable aanzienlijk, belangrijk.
considerate kies; zorgzaam.
consideration beraad *o.*, bedenking; aanzien *o.*; aanmerking.
consign zenden.
consignee *(voor goederen)* geadresseerde; *(v. goed)* ontvanger.
consignment toezending; zending; – *on approval*, zichtzending.
consignment-note *(v. spoorweg)* vrachtbrief.
consignor afzender; zender.
consist bestaan.
consistory kerkenraad.
consolation troost.
console troosten, vertroosten.
consonant medeklinker.
consort gemalin; gemaal.
conspiracy complot *o.*; samenspanning.
conspire beramen; samenzweren.
constable politieagent.
constancy standvastigheid.
constant bestendig, gestadig, standvastig.
constellation gesternte *o.*; sterrenbeeld *o.*
consternation ontsteltenis.
constipate *(ingewanden)* verstoppen.
constipation hardlijvigheid, verstopping.
constituency kiesdistrict *o.*
constituent kiezer.
constitute samenstellen; oprichten, instellen; – *oneself*, zich opwerpen.
constitution grondwet; gestel *o.*; samenstelling.
constitutional grondwettig.
constrain bedwingen; noodzaken.
constrained gedwongen.

constraint dwang.
constrict samentrekken.
construct bouwen.
construction constructie; bouw.
constructor aanlegger.
consuetude gewoonte.
consul consul.
consular consulair.
consulate consulaat *o.*
consult *(dokter, boek)* raadplegen; overleg plegen.
consultation consult *o.*, consultatie.
consulting-room *(v. dokter)* spreekkamer.
consumable verteerbaar.
consume verbruiken; *(v. vuur)* verteren; *(geld)* verslinden.
consumer consument.
consummate vervolmaken.
consumption *(spijzen)* gebruik *o.*; *(in koffiehuis)* consumptie, verbruik *o.*
consumptive teringachtig.
contact contact *o.*
contact lens contactlens.
contagion besmetting.
contagious aanstekelijk, besmettelijk.
contain bevatten, inhouden.
container koker; container.
contaminate bevlekken, besmetten.
contemn verachten, versmaden.
contemplate overwegen.
contemplative bespiegelend.
contemporary *zn.* tijdgenoot. || *bn.* gelijktijdig.
contempt minachting.
contemptible, contemptuous verachtelijk.
content *bn.* tevreden, voldaan. || *ww.* tevredenstellen, vergenoegen.
contention twist.
contentment tevredenheid.
contents inhoud.
contest *zn.* bestrijding. || *ww.* betwisten.

contestable betwistbaar.
context tekst; context, (zins)verband *o.;*
in –, in samenhang.
contiguous aangrenzend.
continence kuisheid; onthouding.
continent vasteland *o.;* werelddeel *o.*
contingency toevalligheid;
mogelijkheid.
contingent contingent *o.*
continual gestadig; voortdurend.
continually steeds.
continuance voortzetting.
continuation vervolg *o.;* voortzetting.
continue aanhouden; voortgaan;
voortzetten.
continuous voortdurend, continu;
(programma, enz.) doorlopend.
contort verwringen.
contortionist slangenmens;
woordverdraaier.
contour omtrek.
contraband(goods) smokkelhandel,
contrabande.
contraceptive anticonceptiemiddel *o.*
contract *zn.* contract *o.;* overeenkomst;
labour –, arbeidscontract *o.* || *ww.*
inkrimpen; contracteren; – *out, (werk)*
uitbesteden.
contraction samentrekking.
contractor aannemer.
contradict tegenspreken.
contradiction tegenspraak;
tegenstrijdigheid.
contradictory tegenstrijdig.
contradistinction tegenstelling.
contraposition tegenstelling.
contrariety tegenslag.
contrary strijdig; tegenovergesteld; *on
the* –, integendeel.
contrast *zn.* contrast *o.;* tegenstelling.
|| *ww.* afsteken.
contravene overtreden; versperren;
tegenwerken.

contravention overtreding.
contribute *(in krant)* inzenden;
medewerken.
contribution bijdrage; medewerking;
(belast.) contributie; *(in krant)*
inzending.
contrite berouwvol; boetvaardig.
contrition berouw *o.;* wroeging.
contrivance verzinsel *o.*
contrive verzinnen.
control *zn.* controle. || *ww.* bedwingen.
controller controleur; penningmeester;
afdelingshoofd.
controversy polemiek, *beyond* –, buiten
kijf.
controvert betwisten.
contumacy weerspannigheid.
contumely smaad, hoon.
contusion kneuzing.
convalesce *(v. ziekte)* herstellen.
convalescence beterschap.
convalescent herstellend; – *home,*
herstellingsoord.
convene bijeenroepen; *(meeting)*
beleggen.
convenience geschiktheid.
convenient gerieflijk; gelegen.
convent (vrouwen)klooster *o.*
convention verdrag, overeenkomst.
conventional afgesproken,
overeengekomen.
converge in één punt samenlopen.
conversable spraakzaam.
conversation samenspraak; gesprek *o.*
converse *zn.* gesprek *o.;*
gemeenzaamheid. || *bn.* tegenover-
gesteld. || *ww.* zich onderhouden.
conversion omzetting; bekering.
convert bekeren; herleiden.
converter bekeerling.
convertible omzetbaar.
convex bol(rond).
convey afvoeren; vervoeren.

conveyance transport *o.*; vervoermiddel *o.*

conveyer vervoerder; transportband, – *belt*, lopende band.

convict veroordeelde, boef; dwangarbeider.

conviction veroordeling; (vaste) overtuiging.

convince overtuigen.

convincing klemmend, overtuigend.

conviviality feestelijkheid.

convocation oproeping.

convoke bijeenroepen; *(vergad.)* oproepen.

convoy *zn.* konvooi *o.* ‖ *ww.* begeleiden.

convulse schokken.

convulsion stuiptrekking; *(in de leden)* trekking.

convulsive krampachtig.

cook *zn.* kok; keukenmeid. ‖ *ww.* koken; *(fig.) (rekeningen)* vervalsen.

cookery kookkunst.

cookery-book kookboek *o.*

cool *bn.* koel. ‖ *ww. (dranken)* afkoelen.

cool-headed koelbloedig.

coolly koeltjes.

coolness frisheid; koelte.

coop kippenmand, kippenhok.

cooper *zn.* kuiper; – *'s trade*, kuiperij.

co-operate meewerken.

co-operation medewerking; samenwerking.

co-operative samenwerkend; coöperatieve winkel.

co-ordinate nevengeschikt.

co-ordination gelijkheid in rang.

coot (meer)koet.

copal kopal *o.*

cope *(v. priester)* koorkap.

copper *zn.* koper *o.* ‖ *bn.* koperen. ‖ *ww.* (ver)koperen.

copperplate kopergravure.

coppice, copse hakhout *o.*

copy *zn.* afschrift *o.*, kopie; afdruk; *(foto)* proef; *for* – *conform*, voor gelijkluidend afschrift. ‖ *ww.* afschrijven, kopiëren; namaken.

copy-book schrijfboek *o.*

copy-fee *(auteur)* honorarium *o.*

copyist *(op bureel)* schrijfster; schrijver.

copyright nadruk verboden.

coquettish(ly) koket, behaagziek.

coral *(kleur, stof)* koraal *o.*

coral(line) koralen.

coral-reef koraalrif *o.*

cord koord *v./m. en o.*; zeel *o.*; snaar.

cordial gulhartig; hartelijk.

core *(v.e. appel)* klokhuis *o.*

cork kurk *v./m. en o.*

corked gekurkt; *(v. wijn)* naar de kurk smakend.

corkscrew kurkentrekker.

corm knol.

corn graan *o.*, koren *o.*; eksteroog *o.*

corncob maïskolf.

cornea hoornvlies *o.*

corner *(in kamer, v. straat)* hoek.

corner-stone hoeksteen.

cornet kornet; puntzak; (ijsco)hoorn.

cornfield korenveld *o.*

cornflour maïzena.

cornflower korenbloem.

cornice kroonlijst.

corn-loft korenzolder.

coronation kroning.

coroner lijkschouwer.

corporal korporaal.

corporation gilde *o.*

corpulent gezet, zwaarlijvig.

corral kraal.

correct *bn.* juist. ‖ *ww.* verbeteren.

correction verbetering; afstraffing.

correctness juistheid.

correspondence briefwisseling.

corresponding overeenkomstig.

corridor gang.

corrigible verbeterlijk; strafbaar.

corrode invreten.

corrosive invretend middel.

corrugated *(ijzer, glas, papier, enz.)* gegolfd.

corrupt *bn.* bedorven, verdorven. ‖ *ww.* bederven, verderven; *(d. gedachten)* verpesten.

corruptible omkoopbaar, bederfelijk.

corruption bederf *o.*; omkoperij; *(v. woorden)* verbastering.

corsair zeerover.

corset korset *o.*

cortege stoet.

cosmetics cosmetica.

cosmopolitan kosmopoliet, wereldburger.

cosmos kosmos.

cost *zn.* prijs, *prime –*, kostende prijs. ‖ *ww. (cost, cost)* kosten.

costiveness hardlijvigheid.

costly duur, kostbaar, kostelijk.

costume kostuum *o.*

cosy *(vertrek)* gezellig.

cot krot *o.*; *(slaapplaats)* krib.

cot death wiegendood.

cottage hut.

cottager hutbewoner.

cotton *zn.* katoen *o.* ‖ *bn.* katoenen.

cotton-mill katoenfabriek.

cotton-wool watten.

couch rustbank, canapé.

couch-fellow, couch-mate slaapgenoot.

cough *zn.* kuch, hoest. ‖ *ww.* hoesten.

cough lozenge hoestpastille.

council *zn.* raad; *– of war*, krijgsraad.

councillor raadsheer; raadslid *o.*

counsel raad; *(jur.)* adviseur; advocaat.

counsellor raadgever.

count *zn.* graaf. ‖ *ww.* rekenen; tellen.

countenance gelaat *o.*; *out of –*, buiten trek, ontsteld, beschaamd.

counter fiche *o.*; teller; toonbank.

counter-attack tegenaanval.

counter-bid tegenbod *o.*

counter-charge tegenklacht.

counter-claim tegeneis.

counterfeit *zn.* namaak; namaaksel *o.* ‖ *bn.* nagemaakt, onecht. ‖ *ww.* namaken; *(geld)* vervalsen.

counterfoil *(v. postcheque)* strook, souche.

countermand afbestellen, afzeggen.

counter-offensive tegenoffensief *o.*

counter-offer tegenofferte.

counterpart *(jur.)* tegenpartij; tegenhanger.

counterpoise tegenwicht *o.*

counterpoison tegengif *o.*

counter-proposal tegenvoorstel *o.*

counter-revolution contrarevolutie.

counter-weight tegenwicht *o.*

countess gravin.

countless ontelbaar, talloos.

country platteland *o.*; *native –*, vaderland *o.*

countryman plattelander, boer; landgenoot.

county graafschap *o.*

couple *zn.* koppel *o.*, paar *o.* ‖ *ww.* paren; koppelen.

couplet *(v. twee regels)* vers *o.*

coupon coupon; bon.

courage moed.

courageous moedig.

courier koerier; renbode.

course koers; *(v. tijd, ziekte)* verloop *o.*; *(v. lessen)* cursus; *of –*, natuurlijk.

courser ros *o.*; jachthond.

court *zn.* gerechtshof *o.*; hof *o.*; *(tennis)* baan; *– of arbitration*, scheidsgerecht *o.* ‖ *ww. – (a girl)*, verkeren.

court-day zittingsdag.

court-dress staatsiekleed *o.*

courteous hoffelijk; wellevend.

courtesan, courtezan publieke vrouw.
courtesy wellevendheid, hoffelijkheid.
courtier hoveling.
court-lady hofdame.
courtly hoofs; hoffelijk.
court-martial krijgsraad.
court-room rechtszaal.
courtship verkering; vrijage.
court-yard binnenplaats.
cousin *(zoon van oom of tante)* neef;
(dochter van oom of tante) nicht.
covenant *(v. volkenbond)* statuut *o.*;
overeenkomst.
cover *zn.* dekkleed *o.; (v. korf, enz.)*
deksel *o.; (v. boek)* omslag; omhulsel *o.*
‖ *ww.* dekken; behangen; bestrijken;
bekleden.
covering belegsel *o.;* (be)dekking.
coverlet sprei.
covet begeren.
covetous begerig.
covey *(dieren)* vlucht, troep.
cow koe; rund. *o.*
coward lafaard.
cowardice laf(hartig)heid.
cowboy *(Am.)* cowboy.
cowl monnikspij; schoorsteenkap.
cow-pox koepokken.
cow-shed koeienstal.
coxcomb *(persoon)* kwast, dandy,
modegek.
coy schuchter.
crabbed kribbig, korzelig.
crab(fish) krab.
crack barst; knal. ‖ *ww.* barsten; knallen;
(noten) kraken.
cracked gebarsten; suf, getikt.
cracker *(vuurwerk)* klapper; *(noten)*
kraker.
crack-jaw onuitspreekbaar.
crackle *(sneeuw)* kraken; *(v. wapens,*
radio) knetteren.
cracknel krakeling.

cradle bakermat, wieg.
craft ambacht *o.;* vak *o.;* sluwheid.
craftiness arglist, sluwheid, vaartuig *o.*
craftsman ambachtsman, vakman.
crafty doortrapt, slim, sluw.
crag klip.
cram *(v. examen)* drillen; volstoppen.
cramfull bomvol.
cramp kramp.
crampon ijsspoor *o.*, klimijzer *o.*
crane *(vogel, ook hijswerktuig)* kraan;
lifting –, hefkraan.
crane-fly langpootmug.
crank *zn. (v. machine)* kruk; handvat *o.;*
– axle, trapas, krukas. ‖ *bn.* rank.
crank-shaft krukas.
cranky *(scheepv.)* wrak.
crape krip *o.;* rouwband.
crash *zn.* ineenstorting; debacle. ‖ *ww.*
verpletteren; *(v. donder)* knetteren.
crass dik, grof, lomp.
crate *(verpakking)* krat *o.*
crater krater; *(v. granaat)* trechter.
cravat das.
crave smeken om.
craving begeerte, zucht.
crawfish kreeft.
crawl kruipen; *– with,* krioelen.
crayfish kreeft.
crayon krijt *o.*
craze manie; passie.
crazy wrak; gek.
creak knarsen, piepen; *(v. deuren,*
schoenen) kraken.
cream room; crème.
cream-cheese roomkaas.
crease *zn.* plooi; *(in broek)* vouw. ‖ *ww.*
kreuk(el)en; plooien, vouwen.
create scheppen, creëren.
creation schepping; gewrocht *o.*
creator schepper.
creature schepsel *o.*
credentials geloofsbrieven.

credible geloofbaar; geloofwaardig.
credit *zn.* credit *o.;* geloof *o.; – balance,*
  een batig saldo; *buy on –,* op krediet
  kopen; *to pass, to place to one's –,* in
  het credit brengen; *unlimited –,*
  onbeperkt krediet. ‖ *ww.* crediteren;
  – sbd. for, crediteren; *open a –,*
  accrediteren; *– with,* toekennen.
credit card creditcard, betaalkaart.
credit note creditnota; tegoedbon.
creditor crediteur, schuldeiser.
credulous lichtgelovig.
creed geloofsbelijdenis.
creek kreek; inham.
creep *(crept, crept)* kruipen.
creepy griezelig.
cremation *(v. lijken)* verbranding.
crematory crematorium *o.*
crepitate knetteren.
crescent *zn.* wassende maan. ‖ *bn.*
  toenemend, halvemaanvormig.
cress tuinkers, waterkers.
crest *(v. haan)* kam; *(op helm)* pluim.
crevice spleet, scheur.
crew scheepsvolk *o.,* bemanning;
  manschap; bende; *passengers and –,*
  opvarenden.
crib *zn.* krib(be); spiekwerk. ‖ *ww.*
  spieken.
crib-biter kribbenbijter.
crier omroeper.
crime misdaad, misdrijf *o.*
criminal *zn.* booswicht, misdadiger.
  ‖ *bn.* crimineel, misdadig.
criminality misdadigheid.
crimp krullen; plooien.
cringe ineenkrimpen; *(fig.)* kruipen.
crinkle kronkelen.
cripple *zn.* kreupele; *a war –,* een
  oorlogsverminkte. ‖ *ww. (nijverh.)*
  verlammen.
crisis keerpunt *o.;* crisis.
crisp *bn.* bros; krokant. ‖ *ww.* krullen.

crisps chips *mv.*
criterion criterium *o.*
critic criticus; recensent.
critical benard, kritiek; bedenkelijk;
  kritisch.
criticism kritiek; boekbeoordeling;
  recensie.
criticize beoordelen; *(fig.)* hekelen.
croak kwaken; *(v. vogels)* krassen.
Croatia Kroatië.
crochet *zn.* haakwerk *o.* ‖ *ww.* haken.
crockery vaatwerk *o.*
crocodile krokodil.
crocus krokus.
crony boezemvriend.
crook *zn.* kromte; bocht. ‖ *ww.*
  krommen.
crook-back bochel.
crooked krom, scheef.
crop gewas *o.;* krop; *(jacht)zweep; *neck
  and –,* alles samengenomen.
croquette kroket(je).
cross *zn.* kruis *o.; way of the – (kerk)*
  kruisweg; *– or pile,* kruis of munt.
  ‖ *bn.* dwars; boos. ‖ *ww.* oversteken,
  overstappen; *(rivier)* overtrekken,
  dwarsbomen; kruisen.
cross-bar dwarshout *o.*
cross-beam dwarsbalk.
cross-breed gekruist ras *o.*
cross-country *(sp.)* veldloop.
cross-eyed scheel.
cross-examination *(jur.)* kruisverhoor *o.*
cross-fire kruisvuur *o.*
crossing *(v. spoorwegen)* kruispunt *o.;*
  overtocht; *level –,* (spoorw.) overweg.
cross-patch nijdigaard; dwarsdrijver.
cross-question scherp ondervragen.
crossroad kruisende weg; *–s*
  wegkruising.
crossways, crosswise kruiselings.
cross-word puzzle kruiswoordraadsel *o.*
croup *(v. dier)* kruis *o.;* kroep.

crow *zn.* kraai. ‖ *ww. (crew, crowed)* kraaien.
crow(-bar) breekijzer *o.*, koevoet.
crowd *zn.* drom, menigte; *in –s*, bij de vleet. ‖ *ww.* dringen; *– together*, bijeenscholen.
crowded stampvol.
crown *zn.* kroon; *(berg)* kruin; *(v. hoed)* bol. ‖ *ww.* kronen; bekronen.
crown cap kroonkurk.
crown-prince kroonprins.
crucial kritiek.
crucible *(smeltkroes)* kroes.
crucifix kruisbeeld *o.*
crucifixion kruisiging.
crucify kruisigen; kruisen.
crude rauw; ruw.
cruel wreed.
cruet-stand olie-en-azijnstelletje *o.*, peper-en-zoutstelletje *o.*
cruise *zn.* cruise *ww. (schip)* kruisen; een cruise maken.
cruiser kruiser.
crumb kruimel; kruim.
crumble kruim(el)en, verbrokkelen.
crumple verkreukelen.
crunch *(met tanden)* knarsen.
crupper *(v. dier)* kruis *o.*; staartriem.
crusade kruistocht.
crusader kruisvaarder.
crush *zn.* gedrang *o.* ‖ *ww.* pletten; vermorzelen.
crush-barrier dranghek *o.*
crust korst; schaal.
crustacea schaaldier *o.*
crusty korstig, korzelig, kribbig.
crutch *(v. kreupelen)* kruk.
cry *zn.* roep, kreet; *– of distress*, angstkreet. ‖ *ww.* roepen, schreeuwen; *– blue murder*, moord en brand schreeuwen.
cryish huilerig.
crypt crypt.

cryptography geheimschrift *o.*
crystal kristal *o.*
cub welp *o.*
cube kubus; bouillonblokje *o.; – root*, derdemachtswortel.
cubic(al) kubiek.
cuckoo koekoek.
cucumber komkommer.
cud herkauwde massa; *chew the –*, herkauwer, nadenken.
cuddle. knuffelen.
cudgel knots; knuppel.
cue keu; *(toneel)* wachtwoord *o.*
cuff *(m. hand)* slag; stomp; manchet.
cuirass harnas *o.*, pantser *o.*
cul-de-sac doodlopende straat.
culinary culinair.
culling(s) uitschot *o.*
culminating point *(sterrenk. en fig.)* toppunt *o.*
culmination hoogtepunt *o.*
culpable schuldig.
culprit *(schuldige)* dader.
cult eredienst; verering.
cultivate bewerken; bebouwen; *(planten)* aankweken; beschaven.
cultivation *(planten)* aanbouw; aanplant, cultuur.
culture cultuur, beschaving; *(dieren en planten)* teelt.
cumbersome hinderlijk.
cum(m)in seed cheese komijnekaas.
cumulate ophopen.
cunning *zn.* sluwheid. ‖ *bn.* geslepen, sluw, listig.
cup beker, *(schaal)* coupe; bokaal; *(v. drank)* kop; kelk; *a bitter –*, 'n zware vergelding, een bittere pil.
cupboard kast.
cupidity hebzucht.
cupola koepel.
cur *(mens en hond)* rekel.
curable geneeslijk.

curate kapelaan.
curative genezend.
curator curator, opzichter.
curb teugel; *(steen)* rand.
curdle stollen; stremmen.
curd(s) kwark.
cure zn. *(v. zieken)* kuur. ‖ ww. genezen, helen, verduurzamen.
cure-all wondermiddel *o.*
curfew avondklok.
curio rariteit.
curiosity bezienswaardigheid, rariteit.
curious nieuwsgierig, benieuwd; merkwaardig.
curl zn. *(v. haar, ook plantenziekte)* krul. ‖ ww. krullen.
curler krulijzer *o.*
curling-iron krulijzer *o.*
curly krullend, kroezend.
currant aalbes, krent.
currant-juice bessensap *o.*
currency pasgeld *o.*, gangbaar geld *o.*; deviezen.
current zn. *(elektr., lucht)* stroom, *alternating* –, wisselstroom; stroming. ‖ bn. gangbaar, actueel.
curriculum *(school)* cursus, programma *o.*
curry zn. kerrie, kerrieschotel. ‖ ww roskammen.
currycomb roskam.
curse zn. verwensing, vloek. ‖ ww. vervloeken, vloeken.
cursor cursor.
curtail inkorten, beknibbelen; – *the output*, de productie beperken.
curtailment besnoeiing.
curtain gordijn; *(toneel)* scherm *o.*; schuifgordijn *o.*
curtly kortaf.
curts(e)y buiging.
curvature kromming.

curve zn. bocht, buiging. ‖ ww. bekrommen.
cushion kussen *o.*; *(biljart)* band.
custard vla.
custodian bewaarder.
custody hechtenis, *take into* –, in verzekerde bewaring nemen.
custom gewoonte; *(belasting)* recht *o.*; –*s*, tol, douaneheffing.
customable tolplichtig.
customary gebruikelijk.
customer afnemer; klant.
customers clientèle, klandizie; *regular* –, vaste klanten.
custom-house douane; – *officer*, commies.
customs-treaty tolverdrag *o.*
cut zn. houw; *(snit)* coupe; snede. ‖ ww. **(cut, cut)** hakken; kerven; knippen; snijden; – *down*, inkrimpen; *(kleding-stuk)* verkleinen; *(lonen)* verlagen; – *off*, afsluiten; – *through*, banen.
cutlet kotelet, karbonade.
cutter coupeur; hakker.
cutting zn. snipper; *(v. stof)* coupon; *(v. plant)* stek. ‖ bn. vinnig.
cuttle-fish inktvis.
cycle zn. cyclus; kringloop; fiets. ‖ ww. ronddraaien; fietsen; motorrijden.
cycle track fietspad *o.*
cyclist wielrijder; motorrijder.
cyclo-cross veldrijden.
cyclone cycloon.
cylinder cilinder; wals.
cylindrical rolvormig.
cymbal *(muz.)* bekken *o.*
cynic(al) cynisch.
cypress cipres.
Cyprus Cyprus.
Czech Tsjech.
Czech Republic Tsjechië.

dab tikje *o.*, por; *(vis)* schar.
dabble plassen.
dachshund taks, teckel.
daffodil narcis.
dagger dolk; *(wapen)* priem.
daggle bemodderen.
daily *bn.* dagelijks. ‖ *bw.* dagelijks.
daintily net, sierlijk; – *shod*, keurig
  geschoeid.
dainty kieskeurig; fijn; aardig. ‖ *zn.*
  lekkernij.
dairy melkinrichting.
dairy-man melkboer.
dairy-produce (products) zuivel *m. en o.*
daisy madeliefje *o.*
dam dijk; (stuw)dam; *(v. dier, vooral
  paard)* moer.
damage *zn.* schade. ‖ *ww.* beschadigen;
  schenden.
damask *zn.* damast *o.* ‖ *bn.* damasten.
damn verdoemen.
damnation verdoemenis.
damp *zn.* vocht *o.* ‖ *bn.* nat; vochtig.
  ‖ *ww.* bevochtigen; *(licht, kleur, stem)*
  temperen.
damselfly waterjuffer.
dance *zn.* dans; bal *o.* ‖ *ww.* dansen.
dancer danser(es).
dancing-party danspartij.
dandelion paardebloem.
dandruff *(v. hoofdhuid)* roos.
dandy fat; modegek; pronker.
danger gevaar *o.*; onraad *o.*
dangerous gevaarlijk; hachelijk.
dangle slingeren, bengelen.
dapple bespikkelen.
dare durven; tarten.
daredevil waaghals.
darenought durf-niet.
daring *zn.* durf. ‖ *bn.* driest;
  stoutmoedig.
dark donker; duister; – *blue*,
  donkerblauw.

darken verdonkeren; *(donker maken)*
  verduisteren.
darkness duisternis.
darky *(fam.)* neger.
darling schat; snoes.
darn mazen; *(kous)* stoppen.
darning-needle stopnaald.
dart pijl; spies.
dash *zn.* smak; slag; *(water, enz.)* scheut.
  ‖ *ww.* kletsen; klotsen; smakken.
dashboard dashboard *o.*;
  instrumentenbord *o.*
dashpot buffer, schokdemper.
dashy zwierig.
data gegevens.
date *zn.* dadel; datum; jaartal *o.*; *due* –,
  vervaldag; *out of* –, verouderd. ‖ *ww.*
  dagtekenen, dateren.
dateless ongedateerd.
daub *zn.* pleister(werk) *o.* ‖ *ww.*
  bepleisteren, bekladden.
daughter dochter.
daughter-in-law schoonzuster.
daunt vrees aanjagen.
dauntless onvervaard, onbevreesd.
daw *(dierk.)* kauw.
dawdle treuzelen; zeuren.
dawdler treuzelkous.
dawn *zn.* dageraad. ‖ *ww.* licht worden.
day dag; *one of these* –*s*, vandaag of
  morgen; *by* –, overdag.
daybook dagboek *o.*
daybreak morgenrood *o.*; dageraad,
  ochtendgloren *o.*
daydream dagdromen.
daylight daglicht *o.*
day-nursery crèche, kinderdagverblijf *o.*
day-time, *in the* –, overdag.
daze verdoven; verblinden.
dazzle *zn.* verblinding. ‖ *ww.*
  verblinden.
deacon diaken.
dead dood; onbezield; – *drunk*,

smoordronken; – *beat*, doodop;
– *heat*, *(sp.)* kamp, gelijk aankomend.
dead-colour grondverf.
deaden *(geluid)* dempen.
dead-house lijkenhuis *o.*
dead march treurmars.
deaf doof.
deafen verdoven; overstemmen.
deaf-mute doofstom.
deal *zn.* hoeveelheid; *(kaartspel)* geven
o. ǁ *ww.* *(dealt, dealt)* handelen;
(kaartspel) geven; uitdelen.
dealer handelaar; koopman; dealer.
dean *(kerk.)* deken.
deanery dekenij.
dear duur; dierbaar.
dearness duurte.
death *(geld)* schaarste.
death dood; sterfgeval *o.*; – *duties*,
successiebelasting; *certificate of* –,
doodakte.
deathbed sterfbed *o.*
death-blow genadeslag.
death duties successierechten.
deathless onsterfelijk.
death-sentence doodstraf.
death-struggle doodstrijd.
debase *(zedelijk)* verlagen.
debasement vernedering.
debate debat *o.*; discussie.
debauchery braspartij; uitspatting.
debenture obligatie.
debilitate verzwakken.
debit debet *o.*
debouch, – *in*, uitkomen op,
uitmonden in.
debt *(in geld)* schuld *o.*; *bad* –*s*,
waardeloze vorderingen.
debtor schuldenaar.
decade tiental *o.*; decennium.
decalitre decaliter.
decametre decameter.
decanter karaf.

decapitation onthoofding.
decathlon. tienkamp.
decay *zn.* bederf *o.*; verrotting; verval *o.*
ǁ *ww.* rotten; vervallen.
decease afsterven *o.*
deceased overleden, wijlen, zaliger.
deceit bedrog *o.*
deceitful bedrieglijk.
deceive bedriegen, misleiden.
deceiver bedrieger.
December december.
decency fatsoen *o.*
decent behoorlijk, fatsoenlijk.
decently gevoeglijk.
decide beslissen, besluiten.
decided beslist.
decimal *(rekenk.)* tiendelig; decimaal.
decimate decimeren.
decimetre decimeter.
decipher ontcijferen.
decision beslissing.
decisive beslissend.
deck *(scheepst.)* dek *o.*; *all hands on* –,
iedereen aan dek.
deck chair ligstoel.
declaim declameren.
declaration aangifte; verklaring.
declare *(kaartspel)* vragen; – *nul and
void*, tenietdoen, vernietigen.
declension verval *o.*; *(gramm.)*
verbuiging.
declinable verbuigbaar.
decline *zn.* daling; verval *o.* ǁ *ww.*
achteruitgaan; *business* –, de zaken
nemen af; *(gramm.)* verbuigen;
afwijzen.
decoction afkooksel *o.*
decode ontcijferen.
decompose *(scheik.)* ontbinden;
scheiden.
decomposition ontbinding.
decorate tooien, versieren.
decoration decoratie; versiering.

decoy verlokken.
decrease zn. vermindering. ‖ ww. (ver)minderen.
decree decreet o.; (raads)besluit o.
decrepit afgeleefd.
decuple tienvoudig.
dedicate toewijden.
dedication opdracht; plechtige officiële opening; toewijding.
deduce afleiden.
deduct aftrekken.
deduction aftrek; korting; rabat o.
deed daad; feit o.
deem achten, oordelen.
deep-freeze diepvries.
deep(ly) diepzinnig; diep.
deep-laid diep doordacht.
deer hert o.
deface schenden, beschadigen; uitwissen.
defame smaden.
default verzuim o.; by –, (jur.) bij verstek; in – of, bij gebreke van.
defeat zn. nederlaag. ‖ ww. verslaan; ('n aanslag) verijdelen.
defective onvolledig; onvolmaakt.
defence verdediging, defensie; pleidooi o.; (voetb.) achterhoede.
defenceless weerloos.
defend verdedigen; (een mening) voorstaan.
defendant beklaagde.
defender verdediger; voorstander.
defensible weerbaar.
defer overdragen; uitstellen.
deficiency tekort o.; defect o.
deficit deficit o.; tekort o.
defile zn. bergpas, bergengte; defilé o. ‖ ww. bezoedelen.
define omschrijven; definiëren.
definite bepaald.
definition bepaling; omschrijving.
definitive definitief.

deflate (band) lucht uitlaten.
deflect afwijken.
deform misvormen.
deformed mismaakt; verdraaid.
defraud bedriegen.
defray (de kosten) bestrijden.
defunct overleden.
defy tarten, trotseren; uitdagen, uittarten.
degenerate bn. ontaard. ‖ ww. ontaarden; verbasteren.
degeneration verbastering.
degradation ontering; verlaging.
degrade (zedelijk) verlagen.
degree (hoeken, thermom. enz.) graad; trap; to a high –, in hoge mate.
degust zich laten smaken.
deify vergoddelijken.
deign zich verwaardigen.
deity godheid.
dejected bedrukt; mistroostig; moedeloos.
delay zn. uitstel o.; vertraging. ‖ ww. dralen; uitstellen.
delectable heerlijk, verrukkelijk.
delegate zn. afgevaardigde. ‖ ww. afvaardigen.
Delft ware Delfts blauw o.
deliberate beraadslagen; overleggen.
deliberately opzettelijk; (handelen) met voordacht.
deliberation beraad o., overleg o.
delicacy fijngevoeligheid.
delicate fijngevoelig, teder; kies.
delicious heerlijk; zalig.
delight zn. vermaak o.; wellust. ‖ ww. verheugen.
delightful verrukkelijk.
delimit (grenzen) vaststellen; (gebied) afbakenen.
delineate tekenen, schetsen.
delineation schets; tekening.
delinquent overtreder.

delirious ijlend.
deliver bezorgen; terhandstellen; uitreiken; verlossen.
deliverance redding; verlossing.
delivery aflevering; *(v. brieven)* bestelling; overgaaf; bevalling; *cash on – (C.o.D.)*, onder rembours.
delude begoochelen.
deluge zondvloed.
delusion waan; zinsbegoocheling.
demand *zn.* (aan)vraag; eis; *in –*, gevraagd; *on –*, op zicht; *– and supply*, vraag en aanbod. ‖ *ww.* vergen, vorderen, vragen.
demarcate afbakenen.
demean verlagen.
dement, demented waanzinnig, dement.
dementia dementie.
demerit tekortkoming.
demise overlijden *o.*
demobilization demobilisatie.
demobilize *(mil.)* afzwaaien.
democracy democratie.
demolish *(huis)* afbreken, slopen.
demolition afbraak.
demon boze geest.
demoniac(ally) demonisch.
demonstrable bewijsbaar.
demonstrate aantonen, bewijzen.
demonstration betoog *o.*; manifestatie.
demur aarzelen.
demure zedig.
den *(kamer)* hok *o.*
deniable loochenbaar.
denial verloochening; weigering.
denigrate zwart maken.
Denmark Denemarken.
denominate noemen.
denomination benaming; kerkgenootschap *o.*
denominator noemer.
denote aanduiden.

denounce verklikken, aanbrengen, aangeven; *(contract)* opzeggen.
dense dicht, compact, ondoordringbaar.
density dichtheid; compactheid.
dent deuk.
dentist tandarts.
denudate, denude ontbloten.
deny ontkennen; ontzeggen; weigeren.
deodorize ontsmetten.
depart vertrekken.
department departement *o.*; afdeling.
department store warenhuis *o.*
departure vertrek *o.*; *(v. schip)* afvaart.
depend afhangen.
dependent afhankelijk.
depict schilderen.
depilatory ontharingsmiddel *o.*
deplore betreuren; bewenen.
deploy *(mil.)* opstellen, inzetten.
depopulate ontvolken.
depose *(getuigen)* verklaren; afzetten.
deposit waarborgsom; bezinksel, neerslag *o.*
deposition *(v. 't gerecht)* verklaring; bezinking.
depository bergplaats; bewaarplaats.
depot depot *o.*; filiaal *o.*
depraved bedorven, verdorven.
depravity bederf *o.*
depreciate geringschatten.
depressed neerslachtig; zwaarmoedig.
depression neerslachtigheid, depressie; *(hand.)* malaise.
deprivation *(ambt)* ontzetting; beroving.
deprive beroven.
depth *(ook fig.)* diepte.
depute afvaardigen.
deputy afgevaardigde.
derail (doen) ontsporen.
derange storen.
derelict verlaten schip *o.*, wrak *o.*
deride bespotten.

derision hoon; spot.
derisive spottend.
derivable af te leiden.
derivation *(woord)* afkomst.
derive *(woord)* afleiden.
derogate geringschatten, verkleinen.
derogation afbreuk.
derrick *(scheepv)* kraan, laadboom;
   (techn.) boortoren.
descend (neer)dalen; afstammen.
descendant nakomeling(e); telg.
descent daling; afkomst.
describe beschrijven.
description aanduiding; beschrijving.
descry gewaarworden, ontwaren.
desecrate ontheiligen, ontwijden;
   schenden.
desecration schending.
desert *zn.* woestijn. ‖ *bn.* onbewoond.
   ‖ *ww.* weglopen.
deserter deserteur, overloper.
desertion desertie.
deserve *(lof, aandacht, enz.)* verdienen.
deserving(ly) verdienstelijk.
desiccate opdrogen, uitdrogen.
desiderate verlangen.
design ontwerp *o*, tekening; patroon *o.;*
   (fig.) bedoeling *o.*
designate aanwijzen.
designer tekenaar.
desirable begeerlijk; wenselijk.
desire *zn.* begeerte; wens. ‖ *ww.*
   begeren, verlangen.
desirous begerig; gretig.
desk (school)bank, balie.
desolate *(onbewoond)* woest.
despair *zn.* vertwijfeling; wanhoop.
   ‖ *ww.* wanhopen.
despairing wanhopig.
desperate hopeloos; radeloos.
desperation vertwijfeling.
despicable verachtelijk.
despise misachten; versmaden.

despite *(in) – of,* ondanks.
despoil uitplunderen; beroven.
despondent moedeloos.
despot despoot.
despotic despotisch.
dessert nagerecht *o.*
destination bestemming.
destine bestemmen.
destiny noodlot *o.*
destitute behoeftig; *– of,* verstoken van.
destroy vernielen, vernietigen.
destroyer vernieler; torpedojager.
destruction verdelging; verwoesting.
detach losmaken; ontbinden.
detached vrijstaand (huis).
detachment *(mil.)* afdeling.
detail detail *o.;* bijzonderheid.
detailed omstandig, uitvoerig.
detain *(afhouden v. bezigh.)* ophouden,
   vasthouden.
detect *(fout)* ontdekken.
detective detective.
detention oponthoud *o.;* hechtenis;
   – before trial, voorarrest *o.*
deter afschrikken.
detergent wasmiddel *o.*
deteriorate *(in hoedanigheid)*
   achteruitgaan; ontaarden.
deterioration bederf *o.;* achteruitgang.
determinable bepaalbaar.
determinate bepaald.
determination bepaling.
determine bepalen, vaststellen.
determined vastberaden.
deterrent afschrikwekkend.
detest verafschuwen.
detestable verfoeilijk.
dethroned onttroond.
detonate ontploffen.
detonation ontploffing.
detour omweg.
detract wegnemen (van); afbreuk doen
   (van).

detriment schade.
detrimental nadelig.
detrition afslijting.
deuce *(op kaart, dobbelsteen)* twee; *(tennis)* veertig gelijk.
devaluation devaluatie.
devastation verwoesting.
develop ontvouwen, ontwikkelen.
development ontwikkeling.
development aid ontwikkelingshulp.
development area ontwikkelingsgebied *o.*
deviate afwijken; *(fig.)* afdwalen.
device zinspreuk; middel *o.*
devil duivel; *give the – his due,* ieder het zijne.
devilish duivels; hels.
devious kronkelend; sluw, onoprecht.
devise verzinnen; beramen.
devisor erflater.
devoid *, – of,* zonder, beroofd van.
devolve doen overgaan, overdragen; *– upon,* neerkomen op.
devote toewijden.
devoted verknocht; gehecht aan.
devotion godsvrucht; wijding.
devour verslinden, verscheuren.
devout vroom.
devoutness vroomheid.
dew dauw.
dexterous behendig.
diabetes suikerziekte.
diabolic duivels.
diadem diadeem.
diagonal diagonaal.
diagram diagram, schema *o.*
dial wijzerplaat.
dialect dialect *o.;* tongval.
dialogue dialoog, samenspraak.
diameter middellijn, diameter.
diamond *(figuur)* ruit; diamant *m. en o.*
diamond-polisher diamantslijper.
diaphragm middelrif *o.*

diarrhoea diarree.
diary dagboek *o.;* agenda
dice *ww.* dobbelen. || *zn. mv.* dobbelstenen *(enkv.* dic).
dick detective; *(gemeenzaam voor)* penis.
dick(e)y *(v. hemd)* front *o.*
dictate *zn.* bevel. || *ww. (fig.)* voorschrijven; dicteren.
dictation dictee *o.;* bevel *o.*
diction voordracht.
dictionary woordenboek *o.*
diddle bedotten.
die *(mv.* dice) *zn.* dobbelsteen. || *ww.* sterven; *– out,* uitsterven.
die away wegsterven.
diesel engine dieselmotor.
diet dieet *o.;* rijksdag.
differ verschillen.
difference verschil *o.*
different verschillend.
difficult moeilijk.
difficulty moeilijkheid.
diffidence schroom.
diffident benepen; schroomvallig.
diffuse *bn.* breedsprakig; wijdlopig. || *ww.* verspreiden.
diffusion verspreiding.
dig *zn.* stomp. || *ww. (dug, dug),* graven, delven; *– up, (aardappelen)* rooien.
digest *(voedsel)* verteren.
digestible verteerbaar.
digestion spijsvertering.
digger graver.
digital digitaal.
dignified deftig, waardig.
dignitary waardigheidsbekleder.
dignity *(kerk.)* ambt *o.;* waardigheid.
digress uitweiden, afwijken.
dike dijk; dam.
dilapidated *(hoed)* versleten; *(v. gebouw)* vervallen; *(auto)* wrak.
dilapidation *(v. gebouw)* verval *o,*

verwaarlozing.
dilatable uitzetbaar.
dilatation *(het zwellen)* uitzetting.
dilate uitbreiden, doen uitzetten.
diligence ijver; vlijt.
diligent actief; naarstig; vlijtig.
dilute *(vloeistof)* verdunnen.
dim *bn.* dof, duister, schemerig. ‖ *ww.* *(duister maken)* verduisteren.
dimension afmeting.
diminish verminderen.
diminution vermindering.
diminutive *zn.* verkleinwoord *o.* ‖ *bn.* klein, gering.
dimple *(in wang)* kuiltje *o.*
din geraas *o.*; gekletter *o.*
dine dineren.
dingy duister, smerig.
dining-car restauratiewagen.
dining-room eetzaal.
dinky snoezig.
dinner middageten *o.*, diner *o.*
dinner-set eetservies *o.*
dinner-time etenstijd.
dinosaur dinosauriër.
diocese bisdom *o.*
dioxin dioxine.
dip *zn.* onderdompeling, wasbeurt. ‖ *ww.* duiken; indopen.
diphthong tweeklank.
diploma diploma *o.*
diplomat diplomaat.
dipper pollepel.
dire akelig.
direct *bn.* direct, onmiddelijk. ‖ *ww.* besturen.
direction bestuur *o.*; richting.
direction indicator richtingaanwijzer.
directive richtsnoer *o.*
directly aanstonds, terstond.
director *(theat.)* directeur; *(film.)* regisseur; leider.
directory adresboek *o.*; telefoongids.

dirigible bestuurbaar.
dirk dolk, ponjaard.
dirt slijk *o.*; vuilnis *v. en o.*
dirt-cheap spotgoedkoop.
dirty vuil, onzindelijk.
disability onvermogen *o.*, handicap.
disable ontredderen; ongeschikt maken.
disabled invalide.
disaccustom ontwennen.
disadvantage nadeel *o.*
disadvantageous nadelig.
disafforest ontbossen.
disagree het oneens zijn.
disagreeable onaangenaam.
disagreement meningsverschil *o.*, onenigheid.
disallow afwijzen, weigeren.
disappear verdwijnen.
disappoint teleurstellen.
disappointment tegenslag; teleurstelling.
disapproval afkeuring.
disapprove afkeuren; misprijzen.
disarm ontwapenen.
disarrange verwarren.
disarray verwarring; wanorde.
disaster ramp, onheil *o.*
disaster fund rampenfonds *o.*
disastrous rampzalig.
disavow ontkennen.
disband afdanken; ontbinden.
disbelief ongeloof *o.*
disbeliever ongelovige.
disburden ontlasten.
disburse (uit)betalen.
discard *(kleren)* afdanken.
discern onderscheiden.
discernment onderscheidingsvermogen *o.*
discharge *zn.* ontlasting; afdanking; vrijspraak; kwijting. ‖ *ww.* ontladen, ontslaan.
disciple volgeling(e).
discipline discipline, tucht.

disclaim ontkennen; afwijzen.
disclose aan het licht brengen, uitbrengen; *(fig.)* onthullen.
disclosure openbaarmaking.
disco discotheek.
discolour ontkleuren, verschieten.
discomfort malaise; ongemak *o*.
disconcerted ontdaan.
disconnect scheiden.
disconnected onsamenhangend.
disconsolate ontroostbaar.
discontent ontevreden.
discontented ontevreden.
discontinue ophouden, onderbreken.
discord onenigheid; tweedracht.
discordant onharmonisch; – *sound*, wanklank.
discount korting, disconto *o*.
discourage afschrikken; ontmoedigen.
discourse voordracht, reder.
discourteous onheus.
discourtesy onbeleefdheid.
discover *(land, enz.)* ontdekken; bespeuren.
discovery ontdekking.
discredit diskrediet *o*.
discreet onopvallend, tactvol.
discrepancy tegenstrijdigheid.
discrepant tegenstrijdig.
discretion oordeel *o*.
discrimination discriminatie; onderscheidingsvermogen *o*.
discuss bespreken; discussiëren.
discussion discussie; debat *o*.
disdain minachten, versmaden.
disease kwaal; ziekte.
diseased ziek.
disembark ontschepen.
disembarkation ontscheping.
disenchant ontgoochelen; *(fig.)* ontnuchteren.
disfavour minachting; ongenade.
disfiguration mismaking.

disfigure misvormen.
disfigurement schending, verminking.
disgorge uitbraken, ontlasten.
disgrace ongenade; schandaal *o*.
disgraceful schandalig, schandelijk.
disguise *zn.* masker *o*. || *ww.* verkleden, vermommen.
disgust walging.
disgusted, – *with*, beu; *be* – *at*, walgen.
disgusting *(onaangenaam)* misselijk; walglijk.
dish *zn.* gerecht *o*.; schotel. || *ww.* opscheppen; – *up*, opdienen.
dish-cloth vaatdoek.
dishearten ontmoedigen.
dishonest oneerlijk.
dishonour *zn.* oneer. || *ww.* onteren.
dishtowel vaatdoek.
dishwasher vaatwasmachine.
disillusion *zn.* ontgoocheling. || *ww.* ontgoochelen.
disinclined ongenegen.
disinfect desinfecteren, ontsmetten.
disinherit onterven.
disinterested belangeloos.
disjoin scheiden.
disjoint ontwrichten.
disjunct gescheiden.
disk schijf, (grammofoon)plaat.
disk drive diskettestation *o*.
diskette diskette.
dislike *zn.* afkeer; tegenzin. || *ww.* niet lusten.
dislocate ontwrichten.
dislodge *(vijand)* opjagen, verdrijven.
disloyal afvallig, ontrouw.
dismal akelig.
dismantle ontmantelen, demonteren.
dismay *zn.* ontsteltenis; *(schrik)* ontzetting. || *ww.* ontmoedigen.
dismember *(een land)* verbrokkelen.
dismiss ontslaan; *(beambte)* afzetten.
dismissal afdanking; ontslag *o*.

dismount afstijgen; demonteren.
disobedience ongehoorzaamheid.
disobedient ongehoorzaam.
disoblige onvriendelijk bejegenen; een slechte dienst bewijzen.
disorder *zn.* wanorde. || *ww.* verwarren.
disordered verward.
disorderly ordeloos, wanordelijk.
disorganization ontreddering.
disown *(zijn kind)* verstoten.
disparage kleineren.
disparagement miskenning.
disparate ongelijk.
dispatch *zn.* verzending. || *ww.* opzenden; verzenden.
dispensable ontbeerlijk
dispensary apotheek.
dispeople ontvolken.
disperse uiteenjagen, verstuiven.
dispirited ontmoedigd.
displace verplaatsen.
display *ww.* tonen, uitstallen. || *zn.* vertoon; beeldscherm.
displease mishagen.
displeased misnoegd.
displeasure misnoegdheid; ongenoegen *o.*
disposable *bn.* beschikbaar. || *zn.* wergwerpartikel *o.*
disposal beschikking.
dispose schikken, plaatsen.
disposed genegen.
disposition gezindheid; schikking; ligging.
dispossess onteigenen.
dispossession onteigening.
dispraise misprijzen.
disproportionate onevenredig.
dispute *zn.* geschil *o.*; twist; *beyond –*, buiten kijf. || *ww.* (be)twisten.
disqualify onbekwaam maken; diskwalificeren.
disquiet verontrusten.

disregard *zn.* geringschatting. || *ww.* veronachtzamen.
disrepair niet onderhouden, vervallen.
disrespectful oneerbiedig.
disroot ontwortelen.
disrupt verstoren.
dissatisfaction misnoegdheid; onvoldaanheid.
dissatisfied misnoegd; onvoldaan.
dissect *(anat.)* ontleden.
dissecting-knife ontleedmes *o.*
dissection ontleding; *(v. lijk)* sectie.
dissemble ontveinzen, verbergen.
dissembler huichelaar.
disseminate uitstrooien.
dissension tweedracht.
dissent van mening verschillen.
dissertation verhandeling.
dissidence onenigheid.
dissimilar ongelijksoortig.
dissimulation veinzerij.
dissipate verdrijven; verkwisten.
dissipation verdrijving; verkwisting.
dissoluble oplosbaar.
dissolute *(fig.)* ongebonden.
dissoluteness ongebondenheid.
dissolution ontbinding.
dissolvable oplosbaar.
dissolve *(scheik.)* oplossen.
dissonance wanklank.
dissuade afraden; *– from*, afbrengen van.
distance verte; afstand.
distant afgelegen, ver.
distaste tegenzin.
distend openspalken; opensperren.
distension *(v. de maag)* uitzetting.
distil *(st. dranken)* stoken; distilleren.
distiller *(jenever)* stoker.
distillery stokerij.
distinct verschillend; duidelijk.
distinction onderscheid *o.*
distinctive voornaam; kenmerkend.
distinguish onderscheiden.

distinguished aanzienlijk; voornaam.
distort verwringen.
distortion verdraaiing, vervorming.
distracted verward, verbijsterd.
distraction ontspanning.
distrain beslag leggen op.
distraint beslaglegging.
distress nood.
distribute verdelen; uitreiken.
distribution uitdeling, verdeling.
district district *o.*; wijk; arrondissement *o.*
district-nurse wijkverpleegster.
distrust *zn.* wantrouwen *o.* ‖ *ww.* misvertrouwen, wantrouwen.
disturb verontrusten, (ver)storen.
disturbance storing; opstootje *o.*
disturber rustverstoorder.
disunite scheiden.
disuse onbruik.
ditch gracht, sloot.
ditto dito, dezelfde, hetzelfde.
dive duiken.
dive-bomber duikbommenwerper.
diver duiker.
diverge afwijken; uiteenlopen.
diverse verscheiden.
diversify verschillend maken; wijzigen.
diversion afleiding, ontspanning.
diversity afwisseling.
divert *(aandacht)* afwenden; verlustigen, vermaken.
diverting vermakelijk.
divide (ver)delen; splitsen; *– and rule,* verdeel en heers.
dividend uitkering, dividend *o.*
divider verdeler.
divine goddelijk.
diving board duikplank.
divinity goddelijkheid; godheid.
divisible deelbaar.
division verdeling, indeling; scheiding.
divorce *zn.* echtscheiding. ‖ *ww.* scheiden.

divulgation verspreiding.
divulge bekendmaken.
dizzy duizelig; draaierig.
do *(did, done)* doen, verrichten; *– first,* voordoen; *how – you –?,* hoe maakt u het?; *– up,* in orde maken.
do. *ditto;* dito, dezelfde, hetzelfde.
docile handelbaar; volgzaam.
docility leerzaamheid; volgzaamheid.
dock zuring; dok *o.*
docker bootwerker; havenarbeider.
dockyard werf.
doctor geneesheer; doctor.
document document *o.*
documentary documentaire.
dodge *zn.* zijsprong; kunstje *o.* ‖ *ww.* ontduiken; uitwijken.
doe hinde.
doer dader.
dog hond.
dog-days hondsdagen.
dog-eared met ezelsoren.
dogged taai.
doggish honds.
dog-tired doodmoe.
doily vingerdoekje *o.*
doing *zn.* doen *o.* ‖ *bn.* doende.
dole werkloosheidsuitkering; *be on the –,* steun trekken.
doleful akelig, droevig.
doll modepop; pop.
dolour smart.
dolphin dolfijn.
dolt knul.
domain domein *o.*, gebied *o.*
dome koepel; domkerk.
domestic *zn.* dienstbode. ‖ *bn.* huiselijk, huishoudelijk.
domesticated tam.
domicile *(officieel)* woonplaats.
dominant overheersend.
dominate (be)heersen.
domination overheersing.

domineer – *over*, overheersen.
dominion gebied *o.*; heerschappij.
donation schenking.
done gedaan; gaar.
donkey ezel.
donor *(gever)* schenker; donor.
doom vonnis *o.*
doomed rampzalig.
doomsday het laatste oordeel.
door deur.
door-handle deurknop.
doorman portier.
door-post *(v. deur)* stijl.
doorstep drempel.
doorway poort.
dope *(sl.)* drugs.
dormer(-window) dakvenster *o.*
dormitory slaapzaal.
dose dosis.
dot punt *o.*, stip; –*ted line*, stippellijn.
doting kinds.
dotty getikt.
double *bn.* dubbel, tweeledig. ‖ *ww.*
   verdubbelen.
double-barrel *zn. (v. geweer)* tweeloop.
double-breasted *(v. kledingstuk)* met
   twee rijen knopen.
double-dealer huichelaar.
double-edged tweesnijdend.
double lock nachtslot *o.*
double room tweepersoonskamer.
doubt *zn.* twijfel. ‖ *ww.* betwijfelen;
   twijfelen.
doubtful onzeker, twijfelachtig.
doubtless ongetwijfeld.
dough deeg *o.*
doughnut oliekoek, oliebol.
doughty geducht.
dove duif.
dovecot duivenhok *o.*
dovetail *(bij timmerwerk)* zwaluwstaart.
dowager douairière.
down *zn.* dons *o.* ‖ *bw.* naar onder;

beneden; – *below*, omlaag.
downfall ondergang.
down-hearted neerslachtig.
downhill bergaf (waarts).
downpour stortregen, stortbui.
downstairs (naar) beneden.
downstream stroomaf.
downward(s) naar beneden.
downy donsachtig.
dowry bruidschat.
dowsing-rod wichelroede.
doze *zn.* dutje *o.*; sluimering. ‖ *ww.*
   soezen; *(dromen)* suffen.
dozen dozijn *o.*
drab vaal, kleurloos.
draft *zn.* ontwerp *o.*, concept *o.* ‖ *ww.*
   ontwerpen.
drag *zn.* dreg; egge; remschoen. ‖ *ww.*
   slepen, sleuren.
drag-net sleepnet *o.*
dragon draak.
dragon-fly *(insect)* glazenmaker,
   waterjuffer.
drain *zn.* goot; riool *o.* ‖ *ww.* draineren.
drainage-tube *(med.)* afvoerbuis.
drake *(eend)* woerd.
dram borrel.
drama drama *o.*
dramatize dramatiseren.
drape bekleden, behangen.
drapery draperie.
drastic radicaal, krachtig; – *measure*,
   paardenmiddel *o.*
draught trek tocht, slok, kladje.
draughtboard dambord.
draugts damspel *o.*
draughty tochtig.
draw *zn.* trekking, loterij; onbeslist spel
   o. ‖ *ww. (drew, drawn)* (af)tekenen;
   trekken; putten; *(boog)* spannen;
   – *from*, ontlenen aan; *(brug)* ophalen.
drawbridge ophaalbrug.
drawee *(handel)* betrokkene.

drawer tekenaar; *(handel)* trekker; lade; *a pair of –s*, onderbroek.

drawing tekening; *(ook v. loterij)* trekking.

drawing-board tekenbord.

drawing-pin punaise.

drawing-room salon *o*.

draw-knife trekmes *o*.

dread *zn.* schrik; schroom. ‖ *ww.* duchten, schromen.

dreadful vreselijk; schrikbarend.

dream *zn.* droom. ‖ *ww. (dreamt, dreamt)* dromen, mijmeren.

dreamer dromer.

dreamy dromerig.

dreary akelig; *– weather*, triest weer.

dredge (uit)baggeren; strooien.

dredger baggerman; strooier.

dregs bezinksel, moer; *(fig.)* schuim *o*.

drench *(grond)* drenken; doorweken.

dress *zn.* kleed *o.*; kleding; *in full –*, in groot tenue. ‖ *ww.* kleden; bereiden; *(wond)* verbinden.

dress circle *(schouwburg)* balkon *o*.

dress coat *(v. heren)* rok.

dresser aanrecht(bank).

dressing verband; (aan)kleding.

dressing-gown ochtendjas, kamerjas.

dressing-room kleedkamer.

dressing-table kaptafel; toilet *o*.

dressmaker kleermaakster.

dribble druppen; *(voetb.)* dribbelen.

drier droogmachine.

drift *zn. (schip)* drift; stroom. ‖ *ww.* drijven; *(ijs)* kruien; *– about*, zwalken.

drift-ice drijfijs *o*.

drill *zn. (boor)* dril. ‖ *ww.* boren; *(rekruten)* drillen.

drink *zn.* drank. ‖ *ww. (drank, drunk)* drinken; *– down, (verdriet)* verdrinken.

drinkable drinkbaar.

drinking-water drinkwater *o*.

drip *zn.* droppel. ‖ *ww.* druipen; druppelen.

drive *zn. (met rijtuig)* rit. ‖ *ww. (drove, driven)* rijden; *(auto)* sturen; drijven; *– on*, aanjagen.

drivel *zn.* zever. ‖ *ww.* bazelen; zeveren.

driveller kwijler, idioot.

driver voerman; *(v. auto, tram)* bestuurder.

driving-licence rijbewijs *o*.

driving-instructor rij-instructeur.

driving-test rijexamen *o*.

drizzle motregen.

drizzly *(weer)* miezerig.

droll *zn.* snaak. ‖ *bn.* grappig, koddig.

dromedary dromedaris.

drone *zn.* hommel. ‖ *ww. (v. machine)* snorren; gonzen; *(v. motor)* ronken.

droop *(v. plant)* kwijnen.

drop *zn.* droppel, borrel. ‖ *ww.* druppelen; achterwege laten; weglaten; *– in*, binnenlopen.

dropsy waterzucht.

dross *(v. metalen)* schuim *o*.

drought droogte.

drove *(kudde)* drift.

drown *(stem)* verdoven; verdrinken.

drowse *zn.* dommel, soes. ‖ *ww.* soezen.

drowsy slaperig, loom.

drubbing afrossing, rammeling; *a sound –*, een flink pak slaag.

drudge *zn. (persoon)* sloof. ‖ *ww. (zwaar werken)* sjouwen; afsloven.

drug geneesmiddel *o.*; drug.

drugstore drogisterij; apotheek.

drum *zn.* trommel. ‖ *ww. (v.'t bloed)* bonzen.

drum brake trommelrem.

drumhead trommelvlies *o*.

drummer tamboer.

drumstick trommelstok.

drunk dronken, beschonken.

drunkard dronkaard.

drunken dronken.
drunkenness dronkenschap.
dry *bn.* dor; droog. ‖ *ww.* afvegen;
drogen.
dry cleaner's stomerij.
dry-dock droogdok *o.*
dryness droogte.
dryshod droogvoets.
dual tweevoudig.
dubbin *(v. schoenen)* leervet *o.*
dubious twijfelachtig.
dubiousness twijfel.
dubitative twijfelachtig.
duchess hertogin.
duchy hertogdom *o.*
duck eend.
duck-weed eendenkroos *o.*
ducky snoes.
duct buis, leiding.
due behoorlijk; verschuldigd; *in – time,*
op tijd.
duel *zn.* tweegevecht *o.,* tweestrijd.
‖ *ww.* duelleren.
duet duet *o.,* tweezang, *play –s,* quatre-
mains spelen.
duffer knul.
duke hertog.
dukedom hertogdom *o.*
dull dom; saai; dof; *(markt)* stil; bot.
dullard domkop.
duly behoorlijk; op tijd.
dumb sprakeloos, stom; *struck –,*
verstomd.
dumb-bell halter.
dumbfound verbluffen.
dummy stomme; *(in kaartspel)* blinde;
(op toneel) figurant.
dumping-ground stortplaats.
dun *bn.* donkerbruin. ‖ *ww.* manen.
dune duin *v./m. en o.*
dung *zn.* mest. ‖ *ww.* (be)mesten.
dung-cart vuilniskar.
dungeon kerker.

dung-hill mesthoop.
dung-pit mestput.
duo duet *o.*
duologue tweespraak.
dupe dupe.
duplicate duplicaat *o.,* afschrift *o.*
durable duurzaam, onverslijtbaar.
duration duur.
duress gedwongenheid, dwang.
during gedurende; tijdens.
dusk schemering.
dusky schemerig.
dust *zn.* stof *o.* ‖ *ww.* stoffen.
dustbin vuilnisbak.
dustbrand *(v.h. koren)* brand.
dust-cart vuilniskar.
dust-cloud stofwolk.
duster stofdoek, stoffer.
dustpan *(huisgerief)* blik *o.*
dust-proof stofvrij.
dusty bestoven; stoffig.
Dutch Nederlands.
Dutchman Nederlander.
dutiable belastbaar.
dutiful plichtmatig.
duty ambt *o.;* plicht; recht *o.*
duty-free taxfree.
dwarf dwerg.
dwell *(dwelt, dwelt)* wonen.
dwelling woning.
dwelling-place woonplaats.
dwindle afnemen, verminderen,
achteruitgaan.
dye *zn. (kleurstoffen)* kleur; *(v. stoffen)*
verf. ‖ *ww. (stoffen)* verven.
dyer ververr.
dying stervend; *– bed,* sterfbed *o.*
dynamite dynamiet *o.*
dynamic dynamisch.
dynamo dynamo.
dynasty dynastie.
dysentery dysenterie.
dyslexic woordblind.

each ieder, elk.
eager graag; begeerlijk; gretig.
eagerness begeerte.
eagle adelaar, arend.
ear *(ook v. kruik, kopje)* oor *o.; (koren)* aar.
ear-ache oorpijn.
ear-drop *(v. 't oor)* bel, oorbel.
ear-drum trommelvlies *o.*
earl *(Eng.)* graaf.
earlobe oorlel.
earldom graafschap *o.*
earliness vroegheid.
early vroegtijdig.
earn *(zijn kost)* verdienen.
earnest ernstig.
earnings loon, verdienste.
earplug oordopje *o.*
earring oorring.
earth aarde; grond.
earthen aarden.
earthenware aardewerk *o.*
earthly aards; stoffelijk.
earthquake aardbeving.
earthwork grondwerk *o.*
earthworm worm, regenworm.
earthy *(smaak)* gronderig; aards.
earwax oorsmeer *o.*
earwig oorworm.
ease gemak *o.*
easel schildersezel.
easement servituut *o.*
East oosten *o.; the Far E–,* het Verre Oosten.
Easter Pasen.
easterly oostelijk.
eastern oostelijk; oosters.
eastward oostwaarts.
easy gerust; gemakkelijk.
easy chair zetel, leunstoel.
eat *(ate, eaten)* eten; – *into,* invreten.
eatable eetbaar.
eavesdropper luistervink, luisteraar.

ebb eb(be).
ebony *zn.* ebbenhout *o.* ‖ *bn.* ebbenhouten.
eccentric zonderling.
ecclesiastical kerkelijk; geestelijk.
echelon echelon, groep.
echo weergalm, weerklank.
eclipse verduistering; – *of the sun,* zonsverduistering.
eco-conscious milieubewust.
eco-friendly milieuvriendelijk.
ecology ecologie.
economic(al) economisch, spaarzaam.
economization besparing.
economize besparen, bezuinigen.
economy economie; *political –,* staathuishoudkunde.
ecstasy extase, vervoering; *(drug)* ecstasy.
ecu ecu.
eczema eczeem *o.*
edacity gulzigheid.
eddy draaikolk, maalstroom.
edge scherpte *(v. tafel)* rand *(mes)* scherp *o.*
edging rand, boordsel.
edible eetbaar.
edict edict *o.,* bevelschrift.
edification oprichting.
edify stichten.
edifying stichtelijk.
edit bezorgen, bewerken, redigeren.
edition editie; uitgave.
editor redacteur.
editorial, – *staff,* redactie.
editorship redactie.
educable opvoedbaar.
educate opvoeden.
education opleiding; opvoeding; onderwijs *o.; – committee,* schoolcommissie.
educational onderwijs-, educatief.
EEC EEG.

eel aal, paling.
efface uitwissen.
effect *zn.* effect *o.; (gevolg)* uitwerking. ‖ *ww.* teweegbrengen; verrichten.
effective doeltreffend; werkzaam.
effectual krachtig; gepast.
effectuate uitwerken, teweegbrengen; volbrengen.
effeminate verwijfd.
effervesce mousseren, (op)bruisen.
effervescence gebruis *o.*
effete versleten; uitgeput; krachteloos.
efficacious krachtdadig, probaat.
efficacy *(geneesk.)* kracht.
efficiency *(techn.)* rendement *o.*
efficient doeltreffend, efficiënt.
effigy beeltenis.
efflorescence *(op muur)* uitslag.
effluence uitvloeisel *o.*
effort poging.
effulgence schittering.
effuse uitgieten; uitzenden.
effusion ontboezeming.
e.g. *exempli gratia*, bijvoorbeeld, b.v.
egg ei *o.; fried* –, spiegelei *o.*
egg-cup eierdopje *o.*
eggnog advocatenborrel.
eggshell eierschaal.
egg-timer eierwekker, zandloper.
egoism egoïsme, zelfzucht.
Egyptian *zn.* Egyptenaar. ‖ *bn.* Egyptisch.
eiderdown dekbed *o.*
eight acht.
eighteen achttien.
eighth achtste.
eighty tachtig.
either... or... *(nevensch.)* hetzij... of.
ejaculation zaadlozing.
eject uitwerpen.
ejection uitwerping, uitstoting.
elaborate doorwrocht, uitgewerkt.
elaboration bewerking.

elapse verstrijken.
elastic *zn.* elastiek *o.* ‖ *bn.* rekbaar.
elasticity *(het rekken)* rek; veerkracht.
elated opgetogen, uitgelaten.
elbow elleboog.
elbow-room *(fig.)* armslag.
elder *zn.* vlier. ‖ *bn.* ouder.
elect *bn.* uitverkoren. ‖ *ww.* (ver)kiezen.
election keus; *(bij stemming)* verkiezing.
elector kiezer; keurvorst.
electrical elektrisch.
electricity elektriciteit.
electrify, electrize elektriseren.
electronics elektronica.
elegance sierlijkheid, elegantie.
elegy treurdicht *o.*
element bestanddeel *o.;* grondstof.
elephant olifant.
elevate opheffen; *(zijn stem, gedachten)* verheffen.
elevated verheven.
elevation verheffing; verhevenheid; hoogte.
eleven elf.
elf kabouter, fee, elf.
elicit uitlokken; aan het licht brengen.
eligible verkiesbaar.
eliminate elimineren, wegwerken; *(fig.)* uitschakelen.
ell el.
ellipsis ellips.
elm olm.
elope weglopen.
elopement schaking, vlucht.
eloquent welsprekend; – *evidence*, sprekend bewijs.
else *anybody* –, iem. anders.
elsewhere elders.
elucidate toelichten, verduidelijken.
elucidation opheldering, toelichting.
elude ontduiken, ontgaan.
elusive ontduikend.
emaciate vermageren.

emaciation vermagering.
emanation uitstraling, uitvloeiing.
emancipation emancipatie; vrijlating.
embalm balsemen.
embankment kade; dijk.
embargo *(v. schip)* inbeslagneming; embargo *o.; remove (lift, raise) the –,* het embargo opheffen.
embark inschepen.
embarrass generen; verlegen maken.
embassy gezantschap *o.;* ambassade.
embellish verfraaien; (ver)sieren.
embellishment versiering.
embezzle *(geld)* verduisteren.
embezzlement verduistering.
embitter *(fig.)* vergallen.
emblem symbool *o.,* zinnebeeld *o.*
emblematic symbolisch.
embodiment belichaming.
embody omvatten; belichamen.
emboss in reliëf maken.
embrace omarmen, omhelzen.
embroider borduren.
embroidery borduursel *o.*
embroil verwarren.
embryo embryo *o.*
emerald smaragd *m. en o.*
emerge oprijzen, opduiken.
emergency opduiking; noodtoestand.
emergency exit nooduitgang.
emergency landing noodlanding.
emergency ration noodrantsoen *o.*
emeritus rustend.
emery amaril.
emery-cloth, -paper schuurlinnen *o.*
emetic braakmiddel *o.*
emigrant emigrant, uitgewekene.
emigrate uitwijken.
emigration uitwijking, emigratie.
eminent uitmuntend, uitstekend.
emission uitstraling; uitgifte.
emit uitzenden; uitgeven; uitbrengen; *– sparks,* vonken spatten.

emolument salaris, honorarium.
emotion aandoening, ontroering.
emotional emotioneel.
emperor keizer.
emphasis nadruk.
emphatic(al) nadrukkelijk.
empire heerschappij; rijk *o.*
employ aanwenden, bezigen.
employee *(in zaak)* bediende.
employer patroon, werkgever; reder.
employment ambt *o.,* bezigheid.
empower machtigen.
empress keizerin; vorstin.
emptiness ledigheid.
empty *bn.* ledig; ijdel; *empty-handed,* met lege handen. || *ww.* ledigen, leegmaken.
emulate meedingen, wedijveren.
emulation naijver; wedijver.
enable in staat stellen.
enact *(wet)* uitvaardigen.
enamel *(v. tanden)* glazuur *o.;* email *o.*
enamelled geëmailleerd.
enamour bekoren; boeien.
enamoured verliefd; *– of,* verzot op.
encamp kamperen.
encampment kamp *o.*
encase steken in.
enchain ketenen.
enchant betoveren.
enchanting toverachtig, verrukkelijk.
enchantment bekoring; betovering.
encircle insluiten, omsingelen.
enclose insluiten; omringen; omvatten.
enclosure (om)heining; *(in een schrijven)* bijlage.
encore bis.
encounter ontmoeting, treffen *o.*
encourage bemoedigen.
encouragement aanmoediging.
encroach *– upon,* inbreuk maken op.
encumber belemmeren, hinderen.
encumbrance hindernis, beletsel *o.*

encyclopaedia encyclopedie.
end zn. einde o.; slot o.; *make –s meet,*
de eindjes aan elkaar knopen. || ww.
eindigen; – *in a deadlock,*
(onderhandelingen) vastlopen.
endanger in gevaar brengen.
endearing innemend.
endearment tederheid.
endeavour zn. poging. || ww.
beproeven, trachten.
ending (v. woord) uitgang.
endive andijvie.
endless eindeloos, oneindig.
endlong in de lengte.
endorse endosseren.
endorsee geëndosseerde.
endorsement endossement o.
endorser endossant, overdrager.
endow begiftigen, bedelen.
endowment gave.
endurance volhardingsvermogen o.
endure verduren; dulden.
enema klysma.
enemy vijand.
energetic doortastend, energiek.
energy wilskracht, energie.
enervate ontzenuwen.
enfeeble verzwakken.
enfeeblement verzwakking.
enfold wikkelen.
enforce versterken; in werking stellen.
engage verbinden, aannemen, in dienst
nemen; *be –d,* bezig, bezet zijn.
engagement verbintenis; verloving;
without –, vrijblijvend.
engaging innemend.
engender voortbrengen, telen.
engine motor; machine.
engine-driver *(spoor)* machinist.
engineer ingenieur.
engineering machinebouwkunde.
engird(le) omgorden.
England Engeland.

English Engels.
Englishman Engelsman.
engorge verslinden; opslokken.
engraft enten.
engrave graveren.
engraver graveur.
engraving gravure, prent.
engross geheel in beslag nemen.
enigma raadsel o.
enigmatical raadselachtig.
enjoy genieten, – *an excellent*
reputation, zeer gezien zijn.
enjoyable genoeglijk, prettig.
enjoyment genot o.
enkindle aansteken, ontsteken.
enlace ineenstrengelen.
enlarge uitbreiden, vergroten; – *one's*
knowledge, zijn kennis uitbreiden.
enlargement uitbreiding; uitzetting;
vergroting.
enlighten verlichten.
enlist werven.
enlistment aanwerving.
enliven opvrolijken, verlevendigen.
enlock insluiten.
enmity vijandschap; vete.
ennoble veredelen.
enormity gruwelijkheid.
enormous enorm, ontzaggelijk.
enough genoeg.
enounce uiten, aankondigen.
enraged vertoornd, verwoed.
enrich verrijken.
enrobe kleden.
enrol(l) inschrijven, registreren;
monsteren, werven.
enrolment inschrijving, registratie;
inlijving, werving.
ensconce oneself zich nestelen.
ensign vaandel o.
ensign-bearer vaandrig.
enslaved to verslaafd aan.
ensnare verstrikken.

ensure waarborgen, verzekeren.
entangle verwarren.
entanglement verwarring; verwikkeling.
enter binnengaan; inkomen; invoeren.
enterprise onderneming.
enterprising ondernemend.
entertain onderhouden; koesteren; vermaken.
entertaining vermakelijk.
entertainment onthaal *o.*; vermakelijkheid.
enthrone op de troon plaatsen; installeren.
enthusiasm geestdrift.
entice verlokken.
enticement verlokking.
entire onverdeeld, geheel.
entirely geheel en al.
entitled *(boek, enz.)* getiteld; – *to*, recht hebben op, het recht hebben om.
entomb begraven.
entrails ingewanden.
entrance ingang; toegang.
entrance fee toegangsprijs.
entrap verstrikken.
entreat smeken.
entreaty (smeek)bede.
entrenchment schans; verschansing.
entrust, – *sbd. with sth.*, iem. iets toevertrouwen.
entry intocht; ingang.
entry visa inreisvisum *o.*
entwine omstrengelen.
enumerate opnoemen, opsommen.
enunciate verkondigen, uiten.
envelop (in)wikkelen.
envelope *(brief)* omslag.
envenom vergiftigen.
envious nijdig; jaloers.
environment omgeving, milieu.
environmental pollution milieuverontreiniging.

environs omgeving; omstreken.
envoy gezant.
envy *zn.* afgunst; jaloezie. ‖ *ww.* benijden; misgunnen.
enwrap inwikkelen; omhullen.
epic *zn.* epos *o.* ‖ *bn.* episch, heldhaftig.
epidemic *zn.* epidemie. ‖ *bn.* epidemisch.
epigram puntdicht *o.*
epilepsy vallende ziekte, epilepsie.
epilogue narede.
epistle epistel; brief.
epitaph grafschrift *o.*
epitome samenvatting, kort overzicht *o.*
epoch tijdstip *o.*
epos epos *o.*
equable gelijkmatig.
equal *zn.* gelijke, weerga. ‖ *bn.* gelijk, eender. ‖ *ww.* evenaren.
equality gelijkheid.
equalize gelijkmaken.
equally gelijk.
equation *(wisk.)* vergelijking.
equator evenaar.
equilibrate in evenwicht houden, in evenwicht brengen.
equilibrium evenwicht *o.*
equip uitrusten, toerusten.
equipment toerusting, uitrusting.
equipoise evenwicht *o.*
equitable billijk, onpartijdig.
equitation paardrijkunst.
equivalent gelijkwaardig.
equivocal dubbelzinnig.
era tijdrekening; jaartelling.
eradiate uitstralen.
eradicate uitroeien.
erase doorhalen, uitschrappen.
eraser radeermesje *o.*
erasure doorhaling.
ere aleer.
erect *bn.* overeind; rechtop. ‖ *ww.* bouwen; *(standb.)* oprichten;

(barricade) opwerpen.
erection oprichting; erectie.
ermine *(wit)* hermelijn *o.*
erosion erosie, wegvreting.
erotic erotisch.
err dwalen; falen.
errand boodschap.
erroneous onjuist.
error vergissing; dwaling; fout.
erupt uitbarsten.
eruption uitbarsting; *(huidziekte)* brand, uitslag.
escalate escaleren, doen toenemen.
escape uitweg; ontsnapping. ‖ *ww.* ontkomen; ontsnappen.
eschalot sjalot.
escort *zn. (mil.)* geleide *o.*, escorte *o.* ‖ *ww.* (be)geleiden.
esophagus slokdarm.
especially inzonderheid, vooral.
essay *zn.* verhandeling, essay *o.*; proef. ‖ *ww.* proberen.
essence wezen *o.*, essentiële *o.*, essence.
essential onmisbaar; principieel, wezenlijk.
establish vestigen; stichten; vaststellen.
establishment inrichting, etablissement *o.*; *penal –*, strafinrichting.
estate staat; landgoed *o.*; plantage; *personal –*, roerende goederen; *real –*, onroerende goederen.
estate car stationcar.
estate duty successierecht.
esteem *zn.* achting, respect *o.* ‖ *ww.* achten, schatten.
estimable achtenswaardig.
estimate *zn.* schatting; waardering; *–s*, rijksbegroting. ‖ *ww.* schatten; waarderen.
estimation schatting, waardering.
Estonia Estland.
estrange vervreemden.
etch etsen.

etching ets.
eternal eeuwig.
eternity eeuwigheid.
eternize vereeuwigen.
ethics zedenleer.
Ethiopia Ethiopië *o.*
Eucharist eucharistie.
euphonious welluidend.
euphoria euforie.
Europe Europa.
European *zn.* Europeaan. ‖ *bn.* Europees.
euthanasia euthanasie.
evacuate ontruimen.
evacuation evacuatie; *(stoelgang)* ontlasting.
evade ontsnappen, ontwijken.
evaluation evaluatie.
evaporate uitdampen; *(bron)* uitdrogen; *(vloeistof)* vervliegen.
evaporation uitwaseming, verdamping.
evasion uitvlucht.
eve vooravond; *NewYear's –*, oudejaarsavond.
even *bn.* effen; *odd or –*, even of oneven. ‖ *bw.* zelfs.
even-handed onpartijdig.
evening avond.
evening-dress avondtoilet *o.*
evensong vesper.
event voorval *o.*; gebeurtenis; *in the – of*, ingeval.
eventful *(leven)* veelbewogen.
eventuality gebeurlijkheid.
eventually ten slotte, uiteindelijk.
ever altijd; ooit.
evergreen altijdgroen.
everlasting onverslijtbaar.
evermore voor altijd.
every ieder, elk, al; *– three days*, om de drie dagen.
everybody iedereen, alleman.
everyone iedereen, ieder.
everything alles.

everyway alleszins.
everywhere alom, overal.
evidence *zn.* bewijs *o.*; getuigenis *v. en o.* || *ww.* bewijzen.
evident kennelijk; blijkbaar, klaarblijkelijk.
evil *zn.* kwaad *o.*; onheil *o.*; *return – for good*, goed met kwaad vergelden. || *bn.* boos, kwaad.
evil-doer kwaaddoener.
evil-minded kwaadaardig.
evince aanduiden, aantonen.
evocate oproepen.
evoke *(ook fig.)* wekken.
evolution ontplooiing, ontwikkeling; evolutie.
evolve ontplooien.
ewe ooi.
ex gewezen.
exact juist, nauwgezet.
exactly juist.
exactness juistheid.
exaggerate overdrijven.
exalt verheffen, verheerlijken.
exaltation verheffing, verheerlijking.
exalted verheven.
exam *(fam.)* examen *o.*
examination examen *o.*, onderzoek *o.*
examine onderzoeken.
example voorbeeld *o.*
excavate uithollen.
exceed *(fig.)* overschrijden.
exceeding bovenmatig.
excel de kroon spannen, uitblinken.
excellency excellentie.
excellent excellent, uitnemend, uitstekend.
except uitgenomen, uitgezonderd.
exception uitzondering.
exceptional buitengewoon.
excerpt extract *o.*
excess overdaad, overmaat.
excessive buitenmatig, buitensporig; overdadig.

excessively uitermate.
exchange *zn.* omwisseling; wisselkoers; woordenwisseling, ruil. || *ww.* omruilen, (om)wisselen.
exchangeable verwisselbaar.
exchequer schatkist; fiscus.
excise accijns.
exciseman commies.
excision uitsnijding.
excitable prikkelbaar.
excite prikkelen; aanhitsen; opwekken.
excitement opwinding.
exclaim uitroepen.
exclamation uitroep.
exclude uitsluiten.
exclusion uitsluiting.
exclusive uitsluitend.
excogitate uitdenken.
excommunication (kerk)ban.
excrement uitwerpsel *o.*
excrescence uitwas *o.*
excreta uitwerpselen.
exculpate vrijpleiten.
excursion uitstapje *o.*
excusable vergeeflijk.
excuse *zn.* verontschuldiging. || *ww.* verontschuldigen.
execrate vervloeken.
execration verwensing.
executable uitvoerbaar.
execute *(orders)* uitvoeren; verrichten; terechtstellen.
execution uitvoering, voltrekking; terechtstelling.
executioner beul, scherprechter.
executive, *the –*, uitvoerende macht.
executor executeur.
exemplar voorbeeld *o.*
exemplary voorbeeldig.
exemplify ophelderen, toelichten door voorbeelden.
exempt ontheffen.
exemption vrijdom; vrijstelling.

exercise zn. oefening. ‖ ww. oefenen, uitoefenen.
exert inspannen, uitoefenen.
exertion inspanning.
exhalation uitademing.
exhale uitademen.
exhaust afmatten.
exhausted afgemat, uitgeput.
exhaustion uitputting.
exhaustive grondig.
exhaust-pipe uitlaatpijp.
exhaust-valve uitlaatklep.
exhibit zn. geëxposeerd stuk. ‖ ww. tentoonstellen.
exhibition *(film)* vertoning; tentoonstelling; *(v. studies)* beurs.
exhibitioner beursstudent.
exhort vermanen.
exhortation aanmaning.
exhorter aanmaner.
exhume opgraven.
exigent veeleisend, dringend.
exiguity geringheid.
exile zn. ballingschap. ‖ ww. (ver)bannen.
exist bestaan, zijn.
existence aanwezigheid; bestaan o.
exit vertrek; uitgang; uitrit.
exodus uittocht.
exonerate ontlasten, ontheffen.
exorbitant buitensporig.
exorcism bezwering.
exotic uitheems, vreemd.
expand uitspreiden.
expanse uitgestrektheid.
expansion uitbreiding; uitzetting.
expansive uitzetbaar; mededeelzaam.
expatiate, – *on*, uitweiden over.
expatriate uitwijken.
expect (ver)wachten.
expectance verwachting.
expectation verwachting.
expectorate spuwen.

expedience gepastheid.
expedient (red)middel o.; hulpmiddel o.
expedite vergemakkelijken, bespoedigen.
expedition tocht.
expeditious vaardig.
expel (ver)bannen; wegjagen.
expend uitgeven; – *care on*, zorg wijden aan.
expenditure *(geld)* uitgave; *(krachten)* verbruik o.
expense *(geld)* uitgave; –s, (on)kosten.
expensive kostbaar.
experience zn. ondervinding; ervaring. ‖ ww. beleven, ervaren, ondervinden.
experienced bedreven, ervaren.
experiment proef(neming).
experimental proefondervindelijk.
experimentation proefneming.
expert zn. deskundige. ‖ bn. deskundig; ervaren.
expertness bedrevenheid.
expiate boeten.
expiatory, – *sacrifice*, zoenoffer o.
expiration afloop, verloop o., verval o.
expire uitademen; sterven; *(contract)* vervallen.
explain uitleggen; verduidelijken.
explainable verklaarbaar.
explanation uitleg; verklaring.
expletive stopwoord o.
explicable verklaarbaar.
explicate verklaren.
explicit uitdrukkelijk.
explode ontploffen; barsten, springen.
exploit exploiteren; uitbuiten.
exploitation exploitatie; uitbuiting.
exploration nasporing; onderzoeking.
explore nasporen, onderzoeken.
explorer onderzoeker.
explosion ontploffing; uitbarsting.
explosive springstof.
exponent exponent; *(fig.)* vertolker.

export *zn.* export, uitvoer. || *ww.*
uitvoeren.
exportation uitvoer.
export-duties uitvoerrechten.
exporter exporteur.
export licence uitvoervergunning.
expose uitstallen; blootstellen; *(kaarten)*
openleggen.
exposition uitstalling; uiteenzetting.
exposure blootstelling; uitstalling.
expound verklaren.
express *zn.* sneltrein. || *bn.* nadrukkelijk.
|| *bw.* per expresse. || *ww.* uitdrukken.
expression gezegde *o.*; uitdrukking;
beyond –, onuitsprekelijk.
expressive veelzeggend, uitdrukkend.
expropriate onteigenen.
expropriation onteigening.
expulsion verbanning, uitzetting.
expunge uitwissen.
expurgate zuiveren.
expurgatory zuiverend.
exquisite uitgelezen, fijn, keurig.
extemporize voor de vuist spreken,
improviseren.
extend rekken; uitbreiden; uitstrekken.
extensible rekbaar.
extension uitbreiding.
extension cord verlengsnoer *o.*
extension ladder schuifladder.
extensive omvangrijk; uitgebreid;
uitgestrekt.
extent omvang.
extenuate *(misdaad)* vergoelijken; *–ting
circumstances*, verzachtende
omstandigheden.
exterior uitwendig.

extermination verdelging.
external uiterlijk, uitwendig.
extinct uitgestorven.
extinguish blussen, uitdoven.
extirpate uitroeien.
extirpation verdelging.
extol verheffen, verheerlijken.
extort afpersen, afdreigen; uitzuigen.
extortion afpersing, afzetterij.
extra *zn. no –s*, alles inbegrepen. || *bn.
en bw.* extra; *– pay*, toelage.
extract uittreksel *o.*
extradition uitlevering.
extraordinary buitengewoon,
ongemeen.
extravagance buitensporigheid;
verkwisting.
extravagant buitensporig; spilziek.
extreme bovenmatig; uiterst.
extremely uitermate.
extremity uiteinde *o.*
extricate losmaken, vrijmaken.
extrude wegjagen, verdrijven.
exuberance weelde.
exuberant uitbundig, overvloedig.
exude uitzweten.
exultant juichend, uitgelaten.
exultation gejuich *o.*
eye oog *o.*
eyeball oogappel.
eyebrow wenkbrauw.
eye-drops oogdruppels.
eyelash wimper, ooghaar *o.*
eyelid ooglid *o.*
eyeshadow oogschaduw.
eye-witness ooggetuige.

F

fable fabel.
fabricate fabriceren.
fabulous fabelachtig.
façade (voor)gevel.
face (aan)gezicht *o.*, gelaat *o.*
face value nominale waarde; *taken at –*, op het eerste gezicht.
facilitate vergemakkelijken.
facility gemak *o.*
fact feit *o.; in –*, inderdaad.
factious partijzuchtig.
factory fabriek.
facultative facultatief.
faculty faculteit; *intellectual –ties*, verstandelijke vermogens.
fade verwelken; *(v. kleuren)* verbleken.
fag sjouwen, zich afsloven.
fag-end stompje; *(v. sigaar)* peuk.
faggot takkenbos.
fail ontbreken; falen; mislukken; *(machine)* weigeren; *without –*, zonder mankeren.
failing *(fout)* gebrek *o.*; tekortkoming.
failure failliet; mislukking; *– of duty*, plichtverzuim *o.*
faint *zn.* flauwte; bezwijming. ‖ *bn.* flauw. ‖ *ww. (v. geluid, kleur)* verflauwen; *– (away)*, bezwijmen.
faint-hearted laf(hartig).
fair *zn.* jaarmarkt; kermis, jaarbeurs. ‖ *bn.* billijk; tamelijk; blond; blank.
fairly tamelijk, (vrij) wel; oprecht.
fairspoken beleefd, minzaam.
fairway vaarwater *o.*
fair-weather onbetrouwbaar.
fair-weather friends schijnvrienden.
fairy fee.
fairy-tale sprookje *o.*
faith geloof *o.*; vertrouwen *o.; my political –*, mijn politieke overtuiging.
faithful (ge)trouw; gelovig.
faithless ongelovig.
fake nep.

falcon valk.
fall *zn.* val; achteruitgang; *(rivier)* verval *o.* ‖ *ww. (fell, fallen)* vallen; *(barom. temper.)* dalen; sneuvelen; *– due, (v. wissel)* vervallen; *– out wrong*, misvallen.
fallacious misleidend, vals.
fallacy valse schijn, dwaalbegrip *o.*
fallible feilbaar.
fallow *zn.* braakland *o.* ‖ *bn.* braak.
false vals; *(geld)* onecht.
falsehood valsheid.
falsify *(documenten)* vervalsen.
falter haperen; stotteren.
fame faam, roep.
familiar familiair, vertrouwelijk.
familiarize bekendmaken, vertrouwd maken.
family familie; huisgezin *o.*
family allowance kinderbijslag.
family vault familiegraf *o.*
famine hongersnood.
famish uithongeren.
famous befaamd, beroemd.
fan *zn.* waaier; ventilator; bewonderaar, fan. ‖ *ww.* aanwakkeren; waaien.
fanatic(al) dweepziek, fanatiek.
fanaticism dweperij.
fancied ingebeeld, vermeend.
fanciful denkbeeldig, ingebeeld.
fancy *zn.* verbeelding; gril. ‖ *ww.* wanen.
fancy-dress balkostuum *o.*
fancy fair liefdadigheidsbazaar.
fancy price overdreven prijs.
fang slagtand, giftand.
far ver, veraf.
farce klucht.
fare prijs, tarief; *extra –*, toeslag.
farewell *zn.* afscheid *o.* ‖ *tussenw.* vaarwel!
farina zetmeel *o.*
farm (pacht)hoeve, boerderij.
farmer boer, pachter.
farmhouse boerderij.

farmstead boerderij, hoeve.
far-off ver, afgelegen.
far-reaching verstrekkend.
farrier hoefsmid.
far-sighted verziend, vooruitziend.
farther verder.
farthermost verst.
farthing penny, duit.
fascinate betoveren; boeien.
fascination bekoring, betovering.
fascism fascisme *o*.
fascist *zn.* fascist. || *bn.* fascistisch.
fashion mode; *the latest* –, de nieuwste mode.
fashion parade modeshow.
fast *bn.* snel; vast; *(kleur)* kleurvast. || *ww.* vasten.
fasten (vast)hechten, vastleggen, aandraaien.
fastidious kieskeurig; vies.
fastness vastheid, hechtheid.
fat *zn.* smeer *o.*, vet *o.* || *bn.* vet.
fatal ongelukkig, noodlottig.
fatalism fatalisme *o.*
fate noodlot *o.*
fateful noodlottig.
father vader.
fatherhood vaderschap *o.*
father-in-law schoonvader.
fatherland vaderland *o.*
fatherly vaderlijk.
fathom *zn.* vadem. || *ww.* doorgronden, peilen.
fathomless peilloos.
fatigue *zn.* vermoeidheid. || *ww.* afmatten.
fatten *(dier)* (vet)mesten.
fatuity dwaasheid.
fault fout.
fault-finder vitter.
faultless feilloos.
faulty defect.
favour *zn.* gunst, genegenheid. || *ww.* begunstigen.
favourable gunstig.
favourite *zn.* gunsteling. || *bn.* geliefkoosd.
favouritism vriendjespolitiek.
fear *zn.* angst. || *ww.* duchten, vrezen.
fearful vreesachtig.
fearless onbedeesd, onbevreesd.
fearsome vreesachtig; vreselijk.
feasible doenbaar, uitvoerbaar.
feast *zn.* feest *o.* || *ww.* smullen.
feat heldendaad; kunststuk *o.*
feather *zn.* pluim, veer. || *ww.* met veren versieren.
feather-bed veren bed *o.*
feather-covering dekbed *o.*
feather-duster plumeau.
feathered gevederd.
feature (gelaats)trek.
febrile koortsig.
February februari.
fecund vruchtbaar.
fecundate bevruchten.
federate *bn.* verbonden. || *ww.* tot een (staten)bond verbinden.
federation federatie.
fee loon *o.*, honorarium *o.*
feeble zwak.
feeble-minded zwakzinnig.
feed *(fed, fed)* spijzen, voeden; vetmesten.
feeder voeder.
feeding voeding; – *bottle*, zuigfles.
feel *(felt, felt)* (ge)voelen; tasten.
feeler *(v. insect)* spriet, voelhoorn.
feeling gevoel *o.*; gewaarwording.
feign huichelen, veinzen.
feint voorwendsel *o.*
felicity geluk *o.*
feline katachtig.
fell *zn.* huid, vacht. || *ww. (bomen)* vellen.
felloe velg.

fellow kerel, gast.
fellow-citizen medeburger.
fellowship gemeenschap, kameraadschap.
fellow townman stadgenoot.
felly velg.
felt vilt *o.*, vilthoed.
felt-tip, felt(-tip) pen viltstift.
female *(dier, plant, geslacht)* vrouwelijk.
feminine *(eigenschappen)* vrouwelijk.
feminist feminist; *– movement*, vrouwenbeweging.
fence *zn.* omheining, schutting. ‖ *ww.* (be)schermen, omheinen.
fencer schermer.
ferment *zn.* gist *o.*, ferment *o.* ‖ *ww.* gisten.
fern varen.
ferocious wreed.
ferret *zn.* fret *o.* ‖ *ww.* *(fig.)* snuffelen; *– into*, neuzen in.
ferriferous ijzerhoudend.
Ferris wheel reuzenrad *o.*
ferruginous ijzerhoudend.
ferry *zn.* pontveer *o.*, veer *o.* ‖ *ww.* overzetten.
ferry-boat overzetboot.
ferry-man veerman.
fertile vruchtbaar.
fertilize bevruchten; vruchtbaar maken.
fertilizer meststof.
fervency vurigheid.
fervent innig; *(bede)* vurig.
fervid *(wensen)* vurig.
fervour innigheid.
festal feestelijk.
fester veretteren; (ver)zweren.
festival feest *o.*
festivity feest *o.*
festoon guirlande.
fetch halen; *– up*, belanden.
fetter *zn.* *(aan de voeten)* boei. ‖ *ww.* boeien.

fettle voorwaarde, gesteldheid; *in good –*, in uitstekende conditie.
feud vete.
feudalism leenstelsel *o.*
fever koorts.
feverish koortsig.
few weinig.
fiancé(e) verloofde.
fib leugentje *o.* ‖ *ww.* jokken.
fibber leugenaar.
fibre vezel.
fibrous vezelachtig.
fickle wispelturig.
fiction fictie; verdichtsel *o.*
fictitious verzonnen, verdicht.
fiddle *(fam.)* viool.
fiddler vioolspeler.
fiddle-stick strijkstok.
fiddlesticks onzin!
fidelity trouw.
fidget zenuwachtige toestand/persoon.
fie foei!
field akker; veld *o.*
field-bed veldbed *o.*
field-glass(es) veldkijker.
fierce fel; woest.
fiery *(ogen)* vurig; *– red*, vuurrood.
fife *(muziekinstrument)* pijp.
fifteen vijftien.
fifth vijfde.
fifty vijftig.
fig vijg.
fight *zn.* gevecht *o.*, strijd; treffen *o.* ‖ *ww.* *(fought, fought)* strijden, vechten; *– a losing battle*, voor een verloren zaak strijden.
fighter jachtvliegtuig *o.*
figurative figuurlijk.
figure *zn.* beeld *o.*, figuur; cijfer *o.* ‖ *ww.* *– on, (op een lijst)* voorkomen; *– out*, uit rekenen.
filament vezel.
filbert hazelnoot.

file zn. file, dossier; *(comp.)* bestand; vijl.
‖ ww. rangschikken; vijlen.

filial kinderlijk.

filings vijlsel o.

fill ww. vullen; plomberen; – up, (kuil)
dempen, bijvullen. ‖ zn. have one's –,
zijn bekomst hebben.

fillet haarband; filet m. en o.; moot.

filling plombeersel o.

filling station tankstation o.

fillip knip; prikkel.

fill up vullen; tanken.

filly merrieveulen o.

film zn. film ‖ ww. filmen.

filmy doorzichtig, dun.

filter zn. filter m. en o. ‖ ww. zuiveren;
sijpelen.

filth vuiligheid.

filthy vies; *(fig.)* smerig.

filtrate zn. filtraat o. ‖ ww. filtreren.

fin *(v. vis)* vin.

final definitief; beslissend.

finally ten slotte.

finance financieren.

financial geldelijk, financieel.

finch vink.

find zn. vondst. ‖ ww. (found, found)
vinden; aantreffen, – fault, vitten.

findable vindbaar.

finder vinder.

finding bevinding.

fine zn. *(in geld)* boete. ‖ bn. fijn, mooi.
‖ ww. iem. beboeten; be fined, een
bekeuring krijgen.

finedraw mazen.

finery opschik, tooisel o.

finger zn. vinger. ‖ ww. peuteren.

fingerprint vingerafdruk.

finish zn. afwerking. ‖ ww. afmaken,
eindigen.

finished geëindigd; klaar;
volleerd.

Finland Finland o.

Finn Fin, Finse.

fir den.

fir-cone denappel.

fire zn. brand, vuur o. ‖ ww. *(geweer)*
schieten; *(in machine)* stoken;
ontsteken.

firearm vuurwapen o.

fire-ball vuurbol, meteoor.

firebrand brandend stuk.

fire-brigade brandweer.

firedamp mijngas o.

fire-engine brandspuit.

fire-escape noodtrap.

fire-extinguisher blusapparaat o.

fire-guard vuurscherm o.

fire-insurance brandverzekering.

fireman brandweerman.

fireplace stookplaats.

fireproof vuurvast.

fire-raiser brandstichter.

fire-screen vuurscherm o.

fireside haard.

fireworks vuurwerk o.

firing ontsteking.

firm zn. firma. ‖ bn. prijshoudend;
stevig; standvastig.

firmament hemel, uitspansel o.

firmly kordaat.

firmness standvastigheid.

first zn. eersteling; – of exchange, prima
wissel; – time of asking, (kerk.) eerste
roep. ‖ bn. eerst; at –, aanvankelijk.

first aid EHBO.

first-aid box verbanddoos.

first-aid station eerstehulppost.

firstborn zn. eerstgeborene. ‖ bn.
eerstgeboren.

first-class, first-rate uitstekend,
voortreffelijk.

first-hand uit de eerste hand.

fiscal fiscaal.

fish zn. vis. ‖ ww. vissen.

fish-bone graat.

fisherman visser.
fishery visserij.
fish-hook (vis)haak.
fishing-industry visserij.
fishing-rod hengel.
fish-market vismarkt.
fishmonger vishandelaar.
fish-pond visvijver.
fishwife visvrouw.
fissure kloof; reet.
fist vuist.
fistula fistel.
fit *zn.* beroerte, aanval; *–s, (v. kinderen)* stuipen. ‖ *bn.* bekwaam, geschikt. ‖ *ww. (machine)* monteren; passen.
fitchew bunzing.
fitful grillig; wankelbaar; krampachtig.
fitness bekwaamheid.
fitter monteur; passer.
fitting *–s,* onderdelen.
fitting-out uitrusting.
five vijf.
fix vastmaken; bepalen, vaststellen.
fixation *(datum)* bepaling.
fixed bepaald, vast.
fizz bruisen, mousseren.
fizzle sissen.
flag *zn.* vlag. ‖ *ww.* seinen; verflauwen.
flagellate geselen.
flagellator geselaar.
flagon grote fles.
flagship vlaggenschip *o.*
flagstaff vlaggenstok.
flail dorsvlegel.
flake vlok.
flaky vlokkig.
flame *zn.* vlam. ‖ *ww.* vlammen.
Flanders Vlaanderen *o.*
flank flank, zij(de).
flannel flanel *o.*; washandje *o.*
flap *zn.* klep, flap; *(v. jas)* slip. ‖ *ww. (v. zeil)* slaan; klapperen.
flapper bakvis.

flare flikkeren; *– up,* opvlammen.
flash flikkering, straal.
flashing light knipperlicht *o.*
flash-light flitslicht *o.*
flat *zn. (v. hand)* vlak *o.; (v. degen)* plat *o..* ‖ *bn.* plat; vlak.
flat-bottomed platboomd.
flat-foot platvoet.
flat-iron strijkijzer *o.*
flatly botweg, platweg.
flatness platheid.
flatten pletten; plat maken.
flatter vleien; *(fig.)* strelen.
flatterer vleier.
flattering vleiend.
flaunt *(ongunstig)* pralen, pronken.
flavour geur.
flavouring kruiderij, aroma.
flaw barst.
flax vlas *o.*
flaxy vlassig.
flay villen.
flayer vilder.
flea vlo.
fleck *zn.* vlek. ‖ *ww.* plekken.
fledged *(v. jonge vogels)* vlug.
flee *(fled, fled)* (ont)vluchten.
fleece *zn.* vacht; vlies *o.* ‖ *ww. (wol)* scheren.
fleet vloot.
Fleming Vlaming.
Flemish Vlaams.
flesh vlees *o.*
fleshpot bordeel.
fleshy vlezig.
flexible buigzaam, plooibaar.
flick tik.
flicker flikkeren.
flier *zie* flyer
flight vlucht; zwerm, troep – *of steps,* bordes.
flimsy broos, onbenullig.
flinch weifelen; terugdeinzen.

fling *(flung, flung)* gooien, smijten.
flintstone vuursteen.
flirt *zn.* flirt. || *ww.* flirten.
flit fladderen.
flitter fladderen.
float *zn.* vlot *o.; (hengel)* dobber; *–ing dock,* drijvend dok *o.* || *ww.* drijven; zweven.
floating drijvend, zwevend.
flock kudde; *(troep vogels)* vlucht; *(wol)* vlok.
flocky vlokkig.
floe ijsschots.
flog afranselen, slaan.
flogging *(slaag)* ransel.
flood *(v. tranen)* vloed; stortvloed, watersnood.
floodgate sluisdeur.
flood-tide vloed.
floor vloer; *(v. huis)* verdieping, etage.
floor-cloth dweil.
floor-covering vloerbedekking.
floppy disk diskette.
florescence bloeitijdperk *o.*
floriculturist bloemist.
florid *(fig.)* bloemrijk.
florin gulden.
florist bloemist.
floss flossen.
flotsam zeedrift.
flounce *(v. japon)* strook.
flounder *zn.* schar, bot. || *ww.* spartelen.
flour bloem; meel *o.*
flourish *zn.* zwier. || *ww.* bloeien; *(fig.)* tieren.
flout bespotten; beledigen.
flow *zn.* toevloed; *(gas, lucht)* toevoer; *(getij)* vloed; *(v. woorden, tranen)* stroom. || *ww.* stromen, vloeien.
flower bloem; *cut –,* snijbloem; bloesem.
flower-bed perk *o.*
flowering-time bloeitijdperk *o.*

flowerpot bloempot.
flowery bloemrijk.
fluctuate *(v. prijzen)* schommelen.
fluctuation schommeling.
flu(e) *(fam.)* griep.
fluent vloeiend, welbespraakt.
fluff dons, pluis;
fluid *zn.* vocht *o.* || *bn.* vloeibaar.
fluke ankerblad.
fluorine fluor *v./m.* en *o.*
flush *zn.* toevloed; blos. || *bn.* overvloedig, blozend. || *ww.* blozen; *(muren)* voegen.
flute fluit; *(in zuil)* groef.
flutter fladderen; *(v. licht)* trillen; wapperen.
flux vloed; voortdurende verandering.
fly *zn.* vlieg. || *ww. (flew, flown)* vliegen; vluchten.
fly-blown door vliegen bevuild.
fly-catcher vliegenvanger.
flyer vlieger.
flying-bridge noodbrug.
flying saucer vliegende schotel.
fly-over viaduct.
foal veulen *o.*
foam *zn.* schuim *o.* || *ww.* schuimen.
foam extinguisher schuimblusser.
focus *(mv.* foci, focuses) brandpunt *o.*
fodder voeder *o.*
foetus foetus.
fog mist; *(op foto)* sluier.
fog-bank mistbank.
foggy mistig, nevelachtig.
fog-horn misthoorn.
foil *zn.* schermdegen; folie, zilverpapier *o.*. || *ww.* verijdelen.
fold *zn. (v. schapen)* kooi; vouw, plooi. || *ww.* plooien, vouwen.
foldable opvouwbaar.
folder folder, vouwblad *o.*
folding-chair vouwstoel.
folding-doors dubbele deur.

foliage gebladerte *o.*
folk volk *o.*
folk custom volksgebruik *o.*
folk-song volkslied *o.*
follow nalopen, volgen.
follower aanhanger, volgeling(e).
folly dwaasheid.
fond, – *of*, verzot op.
fondle strelen.
fondling troetelkind *o.*
font doopvont.
food spijs, voedsel *o.*
food-hoarder hamsteraar.
fool dwaas, gek.
foolhardiness driestheid, roekeloosheid.
foolhardy driest, roekeloos.
foolish dwaas, gek.
foolishness dwaasheid.
foot (*mv.* feet) voet.
foot-board trede, voetplank.
foot-bridge loopbrug.
footlights voetlicht *o.*
footmark voetspoor *o.*
footnote voetnoot.
footpath voetpad *o.*
footprint voetspoor *o.*
footrest voetbankje *o.*
footstep voetstap.
footway voetpad *o.*
footwear schoeisel *o.*
fop modegek.
for *voegw.* want. || *voorz.* in plaats van, voor, gedurende.
forage foerage, voeder *o.*
forbear *(forbore, forborne)* zich onthouden van; geduldig zijn.
forbearance geduld *o.*
forbearing verdraagzaam.
forbid *(forbid, forbidden)* verbieden.
force *zn.* geweld *o.*; kracht. || *ww.* dwingen, noodzaken; *be in –,* v. kracht zijn, gelden.
forced *(arbeid)* verplicht; *(fig.)* gemaakt;

– *landing,* noodlanding.
forceful krachtvol.
forcemeat *(vlees)* vulsel *o.*
forceps *(med.)* tang; forceps.
force(s) troepen.
forcing-house broeikas.
ford *zn.* doorwaadbare plaats. || *ww.* doorwaden.
fordable doorwaadbaar, waadbaar.
forebode voorzeggen, voorspellen.
forecast (weers)voorspelling.
foreclosure executie.
forecourt voorhof, voorplein *o.*
forefathers voorouders.
forefinger wijsvinger.
forefront voorgevel.
foregoing voorafgaand.
foreground voorgrond.
forehead voorhoofd *o.*
foreign uitheems, vreemd; – *affairs,* buitenlandse zaken; – *legion,* vreemdelingenlegioen *o.*; – *office,* ministerie *o.* van Buitenlandse Zaken; – *worker,* gastarbeider.
foreigner buitenlander; allochtoon.
foreknowledge voorkennis.
foreleg voorpoot.
forelock haarlok, voorhaar.
foreman meesterknecht; *(jury)* president.
foremost voorste.
forenoon voormiddag.
forerunner voorbode, voorloper.
foresee voorzien.
foresight vooruitziende blik, overleg.
forest bos *o.*, woud *o.*
forestall voorkomen, verhinderen.
forestaller opkoper.
forester houtvester; boswachter.
foretaste voorproef; voorsmaak.
foretell voorspellen.
forethought voorbedachtheid.
foreword voorwoord.
forfeit *zn.* boete. || *ww.* verbeuren.

forge zn. smidse. || ww. smeden; *(documenten)* vervalsen.
forger vervalser; smeder.
forgery schriftvervalsing.
forget *(forgot, forgotten)* vergeten.
forgetfulness vergetelheid.
forget-me-not vergeet-mij-nietje.
forgive kwijtschelden, vergeven.
forgiveness vergiffenis.
forgiving vergevensgezind.
fork vork.
fork-lift vorkheftruck.
forlorn verlaten; hopeloos; hulpeloos; verloren.
form zn. vorm, gedaante; formulier; *for –'s sake*, pro forma. || ww. vormen.
formal formeel; uitdrukkelijk.
formality formaliteit
format formaat *o.*
formation vorming.
former gewezen, voormalig, vroeger.
formerly eertijds, voorheen.
formidable farmidabel.
formless vormloos.
formula *(mv. ook ...lae)* formule.
formulary formulier.
formulate formuleren.
forsake *(forsook, forsaken) (geloof)* verzaken.
forswear *(forswore, forsworn)* verzaken, afzweren.
fort *(mil.)* fort *o.*
forth vooruit.
forthcoming toeschietelijk; aanstaande.
forthwith aanstonds.
fortifiable versterkbaar.
fortify versterken.
fortitude zielskracht.
fortnight, *a –*, veertien dagen.
fortress vesting; citadel.
fortuitous toevallig.
fortunate gelukkig.
fortune fortuin *o.*; vermogen *o.*

fortune-hunter gelukzoeker.
fortune-teller kaartlegster; waarzegger.
forty veertig.
forward bn. voorwaarts; brutaal. || bw. vooruit. || ww. (af)zenden; bevorderen.
forwarding toezending, verzending.
forwards zn. *(voetb.)* voorhoede. || bw. voorwaarts.
fossilize verstenen.
foster voeden.
foster-child pleegkind *o.*
foster-mother pleegmoeder.
foster-sister pleegzuster.
foul zn. *(sp.)* fout; *through – and fair*, in voorspoed en tegenspoed. || bn. vuil. || ww. bevuilen.
found grondvesten, *(een zaak, enz.)* oprichten; *(well-)founded*, gegrond.
foundation fundament *o.*; stichting.
founder zn. stichter, grondlegger; *(pers.)* (metaal)gieter. || ww. instorten; mislukken; *(schip)* vergaan; *(vliegt.)* verongelukken.
foundling vondeling.
foundry gieterij.
fountain fontein; bron.
fountain-head bron.
fountain-pen vulpen(houder).
four vier.
foursome vier, viertal *o.*
fourteen veertien.
fourth vierde.
fowl kip; gevogelte *o.*
fox vos.
fox-hunt vossenjacht.
fraction *(rekenkunde)* breuk; onderdeel *o.*; *reduce a –*, een breuk vereenvoudigen.
fractious prikkelbaar, kribbig.
fracture zn. breuk. || ww. breken.
fragile breekbaar, broos.
fragment brok; *(v. glas)* scherf.
fragrant geurig, welriekend.

frail *zn.* (vijgen)mat. || *bn.* broos.
frame *zn.* kader *o.*, raam *o.* || *ww.* omlijsten.
frame-saw spanzaag.
framework kader *o.*, geraamte *o.*
France Frankrijk *o.*
franchise kiesrecht *o.*; concessie.
frank ronduit, rondborstig.
frankincense wierook.
frankly openhartig.
frantic gek.
fraternal broederlijk.
fraternity broederschap.
fraternize verbroederen.
fraud bedrog *o.*
fraudulent bedrieglijk.
fray (uit)rafelen.
freak gril, kuur.
freakish nukkig.
freaky grillig.
freckle sproet.
freckled sproeterig.
free kosteloos; vrij; – *of duty*, tolvrij.
freedom vrijheid; – *of speech*, vrijheid van meningsuiting.
free-handed royaal.
freehold volledige eigendom.
free-kick *(sp.)* vrije schop.
freely vrij.
freemason vrijmetselaar.
free-range chicken scharrelkip.
free-range egg scharrelei *o.*
freethinker vrijdenker.
free trade vrijhandel.
freeze *(froze, frozen)* (be)vriezen.
freezing point vriespunt *o.*
freight vrachtprijs.
freighter bevrachter.
freight-paid *(v. schip)* vrachtvrij.
freight-rates vrachttarief *o.*
French Frans.
french bean snijboon, sperzieboon.
French fries frites.

frenzied krankzinnig.
frenzy razernij; waanzin.
frequent *bn.* menigvuldig. || *ww.* omgaan, verkeren.
frequenter (geregeld) bezoeker.
frequently meermalen, vaak.
fresh vers.
freshen *(wind)* toenemen; *(kleuren)* verlevendigen; – *up*, verkwikken.
freshness frisheid.
fret kniezen; ergeren, ongerust maken.
friable bros.
friar monnik, (orde)broeder.
fribble beuzelaar.
friction wrijving.
Friday vrijdag.
fried gebakken.
friend vriend.
friendly minzaam; vriendelijk.
friendship vriendschap.
frieze fries, rand.
frigate fregat *o.*
fright schrik.
frighten verschrikken; schrik aanjagen.
frightful vervaarlijk; vreselijk.
fringe *zn.* franje. || *ww.* omzomen.
frisk huppelen, dartelen.
frisky dartel.
fritter *zn.* beignet. || *ww.* – *away, (tijd, krachten)* versnipperen.
frivolity wispelturigheid.
frivolous ijdel.
friz(zle) krullen.
fro, *to and* –, heen en weer.
frock jurk; *monk's* –, monnikspij.
frock-coat geklede jas.
frog kikker.
frog's leg kikkerbilletje.
from van, vanwege, uit.
front *(mil.)* front *o.*; voorgevel; *in* –, vooraan.
frontage gevel, voorzijde.
frontal frontaal; – *attack*, frontaanval.

frontbencher lid van de regering.
front-door voordeur.
frontier grens.
frontroom voorkamer.
frontwheel voorwiel *o.*
frost *(vriezen)* vorst; *glazed –*, ijzel.
frosted met rijp bedekt, mat.
frostwork ijsbloemen.
frosty vorstig, ijzig koud.
froth *zn. (op bier)* schuim *o.* || *ww.*
  schuimen.
frown fronsen.
fructify vrucht dragen.
frugal sober; karig.
frugality soberheid.
fruit fruit *o.,* vrucht.
fruitful vruchtbaar.
fruition vruchtgebruik *o.*
fruit juice vruchtensap *o.*
fruit knife vruchtenmesje *o.*
fruitless vergeefs, vruchteloos.
fruit pie vruchtentaart.
fruit shop fruitwinkel.
frustrate verijdelen; frustreren.
fry *zn. (vissen)* broedsel *o.; small –*, klein
  grut. || *ww.* bakken, braden.
frying-pan koekenpan.
fudge onzin; caramel.
fuel brandstof.
fugitive *zn.* vluchteling. || *bn.*
  voortvluchtig.
fulfil vervullen, volbrengen.
fulfilment naleving.
full vol; voltallig; *in –,* voluit;
  – particularrs, uitvoerige
  bijzonderheden.
full-blood(ed) volbloed(ig).
full-blown volleerd.
full-grown volwassen.
full-speed zeer snel.
full-stop punt.
fumble peuteren; *– along,* op de tast
  zoeken.

fumbler knoeier.
fume rook.
fun grap, scherts; *make – of a pers.,* met
  iem. de draak steken.
function ambt *o.,* functie
functionary beambte, ambtenaar.
fund fonds *o.; –s, (effecten)* fondsen.
fundament fundament *o.*
fundamental principieel; *– law,*
  grondwet.
funeral begrafenis, uitvaart.
fungus zwam *o.*
funnel schoorsteen, trechter.
funny aardig, grappig.
fur *zn.* pels; *(v. tong)* beslag *o.* || *bn.*
  bonten.
furious grimmig; razend.
furl oprollen, opvouwen.
furlough verlof.
furnace oven.
furnish verschaffen, bezorgen;
  inrichten, meubileren.
furniture meubilair *o.,* inboedel;
  uitrusting.
furrier bontwerker.
furrow rimpel, groef; voor.
furry bonten.
fur-stone ketelsteen *m. en o.*
further *bn. (afstand)* verder. || *bw.*
  vervolgens. || *ww.* bevorderen,
  behartigen.
furthermore verder.
furtive steels, heimelijk.
fury woede.
fuse *zn.* zekering, veiligheid; *(v. granaat)*
  buis. || *ww. (metaal)* (ver)smelten.
fuss drukte, omhaal.
fusty duf, muf.
futile beuzelachtig, nietig.
futility beuzeling.
future *zn.* toekomst; *–s,* termijnzaken.
  || *bn.* toekomstig.
fy! foei!

gabble rammelen, brabbelen; *(fig.)* kakelen.

gable puntgevel, gevelspits.

gadabout iem. die onrustig rondloopt.

gadfly horzel.

gag mondprop; grap.

gain *zn.* aanwinst, verdienste; *ill –s go apace*, onrechtvaardig goed gedijt niet. ‖ *ww.* winnen, verdienen.

gainer winner.

gainful voordelig, lonend.

gainless nutteloos, onvoordelig.

gait gang.

gaiter slobkous.

galaxy melkweg.

gall *zn.* gal. ‖ *ww.* ergeren, verbitteren.

gallant galant; dapper, fier.

gall-bladder galblaas.

gallery galerij; *(v. publiek)* tribune.

galley galei.

galloon galon *o.*

gallop *zn.* ren. ‖ *ww.* galopperen.

gallows galg.

gall-stone galsteen.

galosh overschoen.

gamble gokken, spelen, dobbelen; *– away, (geld)* verspelen.

gambling-house speelhuis *o.*

game *(volgens regels)* spel *o.; (biljart)* partij; wild *o.; the – is up*, de zaak is verloren.

gamebag weitas.

game-licence jachtakte.

gamut toonladder.

gang troep; bende, kliek.

gang-board loopplank.

gangrene koudvuur *o.*

gangster bendelid *o.*

gangway doorgang; brug.

gaoler cipier.

gap opening; bres.

gape gapen.

gap-toothed met spleetje tussen de tanden.

garage *zn.* garage. ‖ *ww. (fiets, auto)* stallen.

garb dracht, kostuum *o.*

garden *zn.* hof, tuin. ‖ *ww.* tuinieren.

gardener hovenier, tuinman.

gardenhose tuinslang.

gardenhouse tuinhuis *o.*

gardenshears tuinschaar.

gargle gorgelen.

garland guirlande, krans.

garlic knoflook *o.*

garment kledingstuk *o.*

garnet granaat.

garnish garneren.

garret zolder, zolderkamer.

garrison garnizoen *o.*

garrulous praatziek.

garter kousenband.

gas gas *o.*

gas-attack gasaanval.

gas-bag windbuil.

gas-bill gasrekening.

gas-burner gaspit.

gas-cock gaskraan.

gas cylinder gasfles.

gaseous gasvormig.

gash houw, jaap.

gas-mask gasmasker *o.*

gasmeter gasmeter.

gasp *zn.* snik. ‖ *ww.* hijgen; *– for breath*, naar adem snakken.

gas-ring gaskomfoor *o.*

gas station *(Am.)* benzinestation *o.*

gastronome smulbaard.

gate poort, deur, ingang.

gatekeeper poortwachter.

gather *(inlichtingen)* verzamelen; vergaderen; *– in*, binnenhalen, inhalen.

gathering samenkomst; verzameling.

gaudy opgesmukt, opzichtig.

gauge *zn.* peil *o.; (fig.)* maatstaf; spoorwijdte. ‖ *ww.* peilen.

gaunt schraal, mager.
gauntlet sporthandschoen, rijhandschoen.
gauze gaas *o*.
gawk sul.
gay vrolijk; *(fam.)* homofiel
gaze *zn*. blik. || *ww*. staren, turen.
GCE *General Certificate of Education*, diploma middelbare school.
gear uitrusting; versnelling; *top (lowest, variable)* –, hoogste (laagste, veranderlijke) versnelling.
gear-box, gear-case versnellingsbak.
gem kleinood *o*., juweel *o*.
gender geslacht *o*.
geneological – *register, (v. personen)* stamboek *o*.
general *zn*. generaal; veldheer; – *cargo*, stukgoed *o*. || *bn*. algemeen.
generally gewoonlijk.
generate *(v. kinderen)* telen.
generosity vrijgevigheid, mildheid.
generous vrijgevig; grootmoedig.
genesis wording.
genetics genetica.
genial opgeruimd, levendig.
geniality opgewektheid.
genius genie *o*.; vernuft *o*.
genocide genocide.
genteel welopgevoed, deftig.
gentile niet-joods.
gentle *(v. gemoed)* zacht; zachtmoedig.
gentleman (mijn)heer.
gentleness zachtheid.
gently zachtjes.
genuine echt, onvervalst.
geography aardrijkskunde.
geometry meetkunde.
germ *zn*. kiem. || *ww*. ontkiemen.
German Duits.
Germany Duitsland.
germicidal kiemdodend.
germinate ontkiemen.

gestation zwangerschap.
gesticulate gebaren maken.
gesture handgebaar *o*., gebaar *o*.
get *(got; got, gotten)* (ver)krijgen; halen; – *well (better) again*, genezen; *I can – on with him very well*, ik kan goed met hem overweg.
get-at-able toegankelijk.
get-up uitrusting, uitvoering.
ghastly (doods)bleek, verschrikkelijk.
gherkin augurk.
ghost schim, spook *o*.
ghostly doodsbleek; akelig.
ghoul lijken verslindend monster.
giant *zn*. reus. || *bn*. reusachtig.
gibberish koeterwaals *o*., wartaal.
gibe *zn*. schimpscheut. || *ww*. schimpen.
giddy duizelig, draaierig.
gift gift, geschenk *o*.
gifted begaafd.
gig sjees.
gigantic reusachtig.
giggle gichelen.
gild *(gilted, gilt)* vergulden.
gilding verguldsel *o*.
gill kieuw; *(vis)* kaak.
gillyflower anjer.
gilt verguldsel *o*.
gilt-edged verguld op snee.
gin jenever.
ginger gember.
gingerbread peperkoek.
gipsy zigeuner(in).
giraffe giraffe.
gird *(girt, girt)* omgorden.
girdle gordel, ceintuur.
girl meisje *o*.; deerne.
girlish meisjesachtig.
girl-like meisjesachtig.
girth *(v. boom)* omvang; *(v. paard)* singel.
gist kern, hoofdpunt.
give *(gave, given)* geven, schenken;

– *way to*, uitwijken.
glacier gletsjer.
glad blij; verheugd.
gladden verheugen.
gladiator zwaardvechter.
gladly gaarne, graag.
gladness blijdschap, vreugde.
glair eiwit *o*.
glance *zn*. blik, oogopslag. ‖ *ww*. blinken.
gland klier.
glandular klierachtig.
glare woest staren.
glaring helderblinkend; schril.
glass glas *o*.; spiegel.
glass bell stolp.
glass-blower glasblazer.
glass fibre glasvezel.
glass-paper schuurpapier *o*.
glassware glaswerk *o*.
glass-works glasblazerij.
glassy glazig; glazen.
glaze *zn*. (*v. aardewerk*) glazuur *o*. ‖ *ww*. (*v. buiten*) verglazen; glanzen.
glazier glazenmaker.
gleam *zn*. glimp. ‖ *ww*. blinken, glanzen.
glean (*korenaren*) rapen.
glib glad; rad van tong.
glibness radheid van tong.
glide glijden, zweven.
glider zeilvliegtuig *o*.
glimmer *zn*. schijn, schijnsel *o*. ‖ *ww*. glimmen, schijnen.
glimpse glimp.
glint glinsteren.
glitter *zn*. flikkering. ‖ *ww*. schitteren; flikkeren; glinsteren.
gloaming schemering.
globe aardbol; (*v. lamp*) ballon.
globe-trotter wereldreiziger.
globular bolvormig.
gloom duisterheid.

gloomy akelig, somber.
glorification verheerlijking.
glorious heerlijk, roemrijk.
glory *zn*. roem, glorie. ‖ *ww*. – *in*, bogen op.
gloss *zn*. (*haar*) glans. ‖ *ww*. glanzen.
glove handschoen.
glow *zn*. gloed. ‖ *ww*. gloeien.
glowing gloeiend.
glow-worm glimworm.
gloze verbloemen.
glue *zn*. lijm. ‖ *ww*. plakken.
glum donker, somber.
glut overladen; volstoppen.
glutinous kleverig.
glutton veelvraat.
gluttonous gulzig, vraatzuchtig.
gnash knarsen.
gnat mug.
gnaw knagen; – (*at*), kluiven.
gnome kabouter.
go (*went, gone*) gaan; (*zon*) dalen; – *downhill*, achteruitboeren; – *to blazes*, loop naar de duivel; *that will not – down with me*, dat wil er bij mij niet in.
goal (*voetb.*) doel *o*.
goal-keeper (*sp.*) doelwachter.
goal-kick (*sp.*) doelschop.
goat geit.
goatee (*v. man*) sik.
go-between bemiddelaar.
goblin kobold.
God God.
godchild petekind *o*.
goddess godin.
godfather peetoom.
god-fearing godvrezend.
godless goddeloos.
godmother meter.
godsend meevaller.
goggle (*v. oog*) uitpuilen.
goitre kropgezwel *o*.

go-kart skelter, gocart.
gold goud *o.; Dutch –,* klatergoud *o.; – dust,* stofgoud *o.*
gold-digger goudgraver.
golden gouden; *the – mean,* de gulden middenweg.
goldfish goudvis.
gold-leaf bladgoud *o.*
goldsmith goudsmid.
gold-tipped *(sigaret)* met gouden mondstuk.
golf *(sport)* golf.
gondola gondel.
good braaf, goed.
good-bye! dag! ; *(bij afscheid)* vaarwel!
good-for-nothing deugniet.
good-humoured goedgeluimd.
goodish goedig.
good-looking mooi.
goodly flink; knap.
good-natured goedhartig.
goodness goedheid.
goods goed *o.; – and chattels,* boedel.
goody lekkernij, bonbon *o.*
goody-goody sullig.
goose *(mv.* geese) gans.
gooseberry kruisbes.
goose-flesh *(fig.)* kippenvel *o.*
gorge opslokken, inslikken.
gorgeous prachtig.
gorilla gorilla.
gormandize gulzig eten; verslinden.
goshawk havik.
gospel evangelie *o.*
gossip kletspraatje *o.*
gothic gotiek.
goulash goulasj.
gourd kalebas.
gout jicht.
govern heersen, regeren.
governess gouvernante.
government gouvernement *o.,* regering; *– official,* rijksambtenaar.

governmental *– crisis,* regeringscrisis.
governor gouverneur; *(rijksbestuurder)* regent.
governor-general gouverneur-generaal.
gown japon; toga.
grabble grabbelen.
grace genade; respijt *o.;* charme.
graceful bevallig, gracieus.
gracious genadig.
gradation schakering, gradatie.
grade graad.
gradual geleidelijk.
gradually successievelijk, trapsgewijze.
graduation opklimming; *(tot doctor)* promotie.
graft enting, transplantatie. || *ww.* enten, transplanteren.
grain graan *o.;* korrel.
grammar spraakkunst, taalboek *o.*
grammatical spraakkunstig, taalkundig.
gram(me) gram *o.*
granary korenzolder.
grand groots, weids.
grandchild kleinkind *o.*
grand-cross grootkruis *o.*
grand-daughter kleindochter.
grand-duchy groothertogdom *o.*
grand duke groothertog, grootvorst.
grandfather grootvader.
grandmother grootmoeder.
grand-nephew achterneef.
grandparents grootouders.
grandson kleinzoon.
granite graniet *o.*
granny *(v. vrouw)* oudje *o.*
grant *zn.* schenking; subsidie; octrooi *o.* || *ww.* verlenen; inwilligen; gunnen.
granular korrelig.
granulate korrelen.
grape druif; *bunch of –s,* druiventros.
grapefruit pompelmoes, grapefruit.
grapeshot schroot *o.*
grape-stone druivenpit.

grape-vine wijnstok.
graphic aanschouwelijk.
grapnel dreg(anker).
grapple worstelen; vastklampen.
grasp *zn.* greep. || *ww.* grijpen.
grasping hebzuchtig.
grass gras *o.*
grass-blade grashalm.
grass court grasplein.
grasshopper sprinkhaan.
grass-land weiland *o.*
grass-plot grasperk *o.*
grass-widow onbestorven weduwe.
grate *zn.* rooster; tralie. || *ww. (wrijven)* schuren.
grateful erkentelijk; dankbaar.
grater rasp.
gratification toelage.
gratify bevredigen; voldoen aan.
grating afsluiting, traliewerk.
gratis kosteloos, gratis.
gratitude dankbaarheid.
gratuitous gratis, kosteloos.
gratuity fooi.
grave *zn.* graf *o.* || *bn.* deftig, stemmig.
grave-digger doodgraver.
gravel grind *o.*, kiezel *o.*
gravel-court grindbaan.
gravel-path, gravel-road grindweg.
gravestone grafzerk.
grave-yard kerkhof *o.*
gravitation zwaartekracht.
gravity ernst; zwaartekracht; *centre of –*, zwaartepunt *o.*
gravy jus, saus.
gray *zie* **grey.**
graze grazen, weiden.
grazing-shot schampschot *o.*
grease *zn.* smeer *o.*, vet *o.* || *ww.* (in)smeren.
greasy smerig; *(vuil)* vettig.
great groot.
great-aunt oudtante.

Great-Britain Groot-Brittannië.
greatcoat overjas.
great-grandfather overgrootvader.
great-grandmother overgrootmoeder.
great-grandchild achterkleinkind.
greatly grotelijks.
greatness grootheid.
great-uncle oudoom.
Greece Griekenland.
greed hebzucht.
greedy begeerlijk; gretig; *– of (for)*, begerig naar, belust op.
green groen; vers.
greenery *(plant)* groen *o.*
greengrocer groentenhandelaar.
green-sickness bleekzucht.
greet (be)groeten.
greeting groet, saluut *o.*
grenade handgranaat.
grewsome *zie* **gruesome.**
grey grauw, grijs.
greybeard grijsaard.
grey-haired grijs, vergrijsd.
greyhound hazewind, windhond.
grid rooster *o.*; netwerk *o.* (v. elektriciteit).
griddle rooster.
gridiron (braad)rooster *o.*
grief hartzeer *o.*, smart.
grievance grief.
grieve grieven, verdrieten.
grievous bitter, smartelijk, deerlijk.
grill *zn.* (braad)rooster *o.* || *ww.* braden, roosteren.
grill-room grillrestaurant *o.*
grim bars, grimmig.
grimace grimas.
grime vuil *o.*, roet *o.*
grimness verbolgenheid, grimmigheid.
grimy vuil, smerig.
grin *zn.* grijnslach. || *ww.* grijnzen; grinniken.
grind *(ground, ground)* knarsen; malen; slijpen; *– down, (ongunstig)* exploiteren.

grinder (scharen)slijper; kies.
grindstone slijpsteen.
grip *zn.* greep; handvat *o.*; macht.
   || *ww.* ingrijpen.
gripe grijpen.
griper grijper; afperser; verdrukker.
grisly akelig.
gristle kraakbeen *o.*
grit gruis *o.; –s*, grutten.
groan *zn.* zucht. || *ww.* kermen; zuchten.
groats grutten.
grocer kruidenier.
grocery-shop kruidenierswinkel.
groom stalknecht.
groove groef, gleuf.
grope op de tast zoeken.
gross *zn.* gros *o.* || *bn.* dik; bruto.
grotesque grotesk.
grotto grot; spelonk.
ground *zn.* grond, terrein *o.*; reden.
   || *ww.* grondvesten; *have a good –ing*,
   onderlegd in; *(well-)–ed*, gegrond.
ground-colour primaire kleur.
ground-floor benedenverdieping.
groundless ongegrond.
ground-plan plattegrond.
ground-rent grondpacht.
ground-tax grondbelasting.
group groep.
grouse mopperen.
grow *(grew, grown)* (aan)groeien,
   toenemen; *– worse*, verergeren.
growl *(hond, ook fig.)* knorren.
growler knorrepot.
grown-up volwassen.
growth (aan)groei, wasdom.
grub worm.
grubby slodderig; vuil.
grudge *zn.* wrok. || *ww.* misgunnen.
gruesome ijzingwekkend, griezelig.
gruff bars, stug.
grumble brommen, mopperen.
grumbler knorrepot.

grume fluim; *(v. bloed)* klonter.
grumpy nors, knorrig.
grunt *(varken)* knorren.
guarantee *zn.* borgtocht, waarborg.
   || *ww.* instaan voor, waarborgen.
guard *zn.* wacht; *(trein)* conducteur;
   (v. geweer) beugel; burgerwacht. || *ww.*
   bewaken; behoeden voor.
guardian voogd(es); bewaarder.
guardianship curatele, voogdij.
guardless onbeschermd.
guer(r)illa guerrilla.
guess gissen, raden.
guest gast.
guest-chamber logeerkamer.
guest-room logeerkamer.
guidable bestuurbaar.
guidance leiding.
guide *zn.* gids; wegwijzer. || *ww.*
   (ge)leiden.
guidebook reisgids.
guidedog geleidehond.
guidepost wegwijzer.
guild gilde *v./m. en o.*
guilder gulden.
guildhall gildenhuis *o.*
guile arglist, bedrog.
guilt schuld; *confession of –*,
   schuldbekentenis.
guiltless onschuldig.
guilty schuldig.
guinea-fowl parelhoen.
guinea-pig marmot, cavia; proefkonijn.
guitar gitaar.
gulf kolk, golf.
gullet keelgat *o.*; slokdarm.
gullible lichtgelovig.
gully goot; geul.
gulp slorpen, slurpen.
gum gom; *–s*, tandvlees *o.*
gummy gomachtig, kleverig.
gun *(jacht)* geweer *o.*; kanon *o.*
gun-carriage affuit.

gun-fire artillerievuur *o.*
gun-foundry kanongieterij.
gunpowder buskruit *o.*
gurgle gorgelen.
gush *zn.* opwelling. || *ww.* gutsen.
gust rukwind.
gut darm.

gutter goot; dakgoot.
guttural keel-.
guzzle slokken; zuipen.
gymnastic club gymnastiekvereniging.
gymnastic(s) gymnastiek.
gynaecologist gynaecoloog.

H

haberdashery garen-en-bandwinkel.
habit aanwensel *o.*, gewoonte; habijt *o.*
habitable bewoonbaar.
habitation woning, woonplaats.
habituate (ge)wennen.
habitude gewoonte.
hack *zn.* hakmes *o.* || *ww.* houwen, hakken.
hackney huurpaard *o.*
hackney-cab huurrijtuig, taxi.
hackneyed afgezaagd, banaal.
haddock schelvis.
haemorrhoids aambeien.
haft heft *o.*
hag heks.
haggard verwilderd, uitgeput.
haggle knibbelen; – *and bargain*, afdingen.
haggler sjacheraar.
hail *zn.* hagel. || *ww.* hagelen; aanroepen; – *from England*, uit Engeland afkomstig zijn.
hail-shower hagelbui.
hailstone hagelsteen.
hail-storm hagelbui.
hair haar *o.*
hairclippers tondeuse.
hairclipping haarknippen *o.*
haircomb haarkam.
haircurler krulijzer *o.*
hair-dress kapsel *o.*

hair-dresser kapper.
hair-drier föhn.
hairless onbehaard.
hairnet haarnet *o.*
hairpin haarspeld; – *bend*, haarspeldbocht.
hair-splitter muggenzifter.
hairy haren; behaard.
hake soort kabeljauw.
half *zn.* helft. || *bn.* half
half-baked halfgaar.
half-bred halfbloed.
half-brother halfbroer.
half-moon halvemaan.
half-pay *on* –, nonactief.
half-time *(sport)* rust.
half-way halverwege.
half-yearly halfjaarlijks, zesmaandelijks.
hall zaal; portaal *o.*; vestibule.
hall-mark *zn.* stempel, waarmerk. || *ww.* stempelen.
hallstand kapstok.
hallucination zinsbegoocheling, hallucinatie.
halo halo, kring, ring.
halt *zn.* stilstand. || *ww. (stilstaan)* stoppen, halt houden.
halter halster; strop.
ham ham.
hamlet gehucht *o.*
hammer *zn.* hamer. || *ww.* hameren.

hammock *(v. schip)* kooi; hangmat.
hamper *zn.* korf, mand. || *ww.* bemoeilijken.
hand *zn.* hand; *(klok)* wijzer; *at –*, ophanden; *on –*, voorradig. || *ww.* aanreiken, toereiken; *– down, on*, overleveren.
handbag (hand)tas.
handbill strooibiljet *o.*
handbook handboek *o.*
handbrake handrem.
handclapping handgeklap *o.*
handcuff boei.
handful greep.
handgrenade handgranaat.
handhold houvast.
handicap *zn.* handicap *o.; (fig.)* nadeel *o.* || *ww. (fig.)* belemmeren.
handicapped gehandicapt.
handicraft ambacht *o.;* handwerk *o.*
handkerchief zakdoek.
handle *zn.* handvat *o.; (v. deur)* knop; *(v. pomp)* slinger; kruk. || *ww. (goederen)* behandelen.
handlebar *(fiets)* stuur *o.*, stuurstang.
hand-luggage handbagage.
hand-made met (uit) de hand gemaakt; handwerk.
handrail trapleuning.
handsaw handzaag.
handshake handdruk.
handsome fraai, mooi.
hand-to-hand fight handgemeen *o.*
handwork *(teg.v. machinaal w.)* handwerk *o.*
handwriting handschrift *o.*
handy *(voorwerp)* handig; bijdehand.
hang *(hung, hung)* (be)hangen; *(hanged, hanged)* ophangen (als straf).
hangdog schuldig.
hanging hangend.
hangman beul.
hanker hunkeren.

happen voorkomen, gebeuren.
happiness geluk *o.*
happy gelukkig, blij.
harangue redevoering.
harass teisteren.
harbour haven.
hard hard; moeilijk; *– by*, vlak bij.
hard-earned zuurverdiend.
harden verharden; *(v. d. aders)* verkalken.
hardened gehard; *(zondaar)* verstokt.
hard-got(ten) met moeite bekomen.
hard-handed hardhandig.
hard-hearted hardvochtig.
hardly nauwelijks, amper.
hardness hardheid.
hardware ijzerwaar.
hardy gehard, stoer.
hare haas.
hare-brained onbezonnen; lichtzinnig.
hare-lip hazenlip.
harlequin harlekijn.
harm *zn.* schade; leed *o.* || *ww.* deren, schaden.
harmful schadelijk.
harmless argeloos; onschadelijk.
harmonious welluidend.
harmonize harmoniëren, overeenkomen.
harmony eendracht, overeenstemming.
harness *zn. (v. paarden)* tuig *o.* || *ww. (paard)* optuigen.
harp harp.
harpoon harpoen.
harrow *zn.* egge. || *ww.* eggen.
harvest *zn.* oogst; gewas *o.* || *ww.* oogsten; *(honing)* verzamelen.
hash *zn.* hachee *o.*, mengelmoes; hasj(iesj). || *ww.* hakken.
hasp beugel.
haste haast, spoed.
hasten zich haasten.
hastily ijlings.
hasty haastig.

hat hoed.
hat-box hoedendoos.
hatch *zn.* broedsel *o.; (schip)* luik *o.*
   || *ww.* uitbroeden; *(plannen)* smeden.
hatchet bijl.
hate haten.
hateful gehaat.
hater hater.
hat-rack kapstok.
hatred haat.
hauberk maliënkolder.
haughtiness hoogmoed.
haughty hovaardig, trots.
haul *zn.* vangst. || *ww.* slepen; – *down,*
   de vlag strijken.
haunch *(v. dieren)* heup.
haunt bezoeken; *(gedachten)* kwellen.
haunter bezoeker.
have *(had, had)* bezitten; hebben.
haversack knapzak.
haw hagendoorn.
hawk *zn.* havik, valk. || *ww.* venten.
hawker marskramer; valkenier.
hawser *(kabel)* tros.
hawthorn meidoorn.
hay hooi *o.*
haybarn hooischuur.
haycock hooiopper.
hay fever hooikoorts.
haymaker hooier.
hayrick, haystack hooimijt.
hazard toeval *o.,* gevaar *o.*
hazardous gewaagd.
haze nevel, waas *o.*
hazelnut hazelnoot.
hazy nevelachtig, dampig.
he hij.
head *zn. (lichaam)* hoofd *o.;*
   opperhoofd *o.; (v. bed)* hoofdeinde *o.*
   || *ww.* aanvoeren.
headache hoofdpijn.
headband hoofdband.
head-clerk chef; eerste bediende.

head-cold hoofdverkoudheid.
headdress hoofdtooi.
head-gear hoofddeksel *o.*
heading *(v. artikel)* rubriek, opschrift *o.;*
   (gedrukte brief) hoofd *o.*
headman hoofdman.
headmaster schoolhoofd *o.*
headmistress directrice.
head-office hoofdbureau *o.*
headphone koptelefoon.
headquarters hoofdkwartier *o.*
headshake hoofdschudden *o.*
headstrong koppig, stijfhoofdig,
   eigenzinnig.
head-teacher hoofdonderwijzer.
head wind tegenwind.
heady *(v. dranken)* koppig.
heal genezen, helen.
healable geneesbaar.
health gezondheid; welstand.
health care gezondheidszorg.
health resort herstellingsoord *o.*
healthy gezond, welvarend.
heap *zn.* stapel, tas. || *ww.* – *up,* tassen,
   opstapelen.
hear *(heard, heard)* horen; *(een bede)*
   verhoren.
hearing gehoor *o.;* verhoor *o.*
hearing aid hoorapparaat *o.*
heart hart *o.; (boom)* kern; –*s,*
   (kaartspel) harten; *by* –*, (les)* van
   buiten; *ease one's* –, zijn hart luchten;
   have at –, behartigen.
heartache hartzeer *o.*
heart-beat(ing) hartklopping.
heart-break hartenleed *o.,* zielensmart.
heartburn zuur *o.* in de maag.
heart-disease hartkwaal.
heart-failure hartverlamming.
heart-grief hartenleed *o.*
hearth haard; stookplaats.
heartless hardvochtig.
heart-rending hartverscheurend.

heart-sore hartenleed *o.*; grief.
heart-stirring hartroerend.
heart-throb hartslag.
heart-to-heart rondborstig, openhartig.
heart-whole onversaagd; oprecht; niet verliefd.
hearty hartelijk.
heat *zn.* hitte; *(huidziekte)* brand. ‖ *ww.* verwarmen.
heater verwarmer; verwarmingstoestel *o.*, boiler.
heath heide.
heathen *zn.* heiden, heidin. ‖ *bn.* heidens.
heath(er) *(plant)* heide.
heating verwarming; *central –*, centrale verwarming.
heat-wave hittegolf.
heave *zn. (zee)* deining. ‖ *ww.* (op)heffen; *(een zucht)* slaken.
heaven hemel.
heavenly goddelijk, hemels; *– body*, hemellichaam *o.*
heavenward(s) hemelwaarts.
heaviness zwaarte.
heavy zwaar; *(regen)* hevig; *(lucht)* drukkend.
heckle *(werkt.)* hekel.
hectare hectare.
hectolitre hectoliter.
hectometer hectometer.
hedge *zn.* heg. ‖ *ww. – in*, afsluiten.
hedgehog egel.
heedless onachtzaam, zorgeloos; *– of*, niet lettend op, niet gevend om.
heel hiel; *(v.d. voet, schoen)* hak.
heifer vaars.
height hoogte.
heighten ophogen, verhogen.
heinous snood, gruwelijk.
heir erfgenaam; troonopvolger.
helicopter helikopter.
hell hel.

hell-cat feeks, heks.
hell-fire hellevuur *o.*
hellish hels.
hello hallo.
helm *(v. schip)* stuur *o.*
helmet helm.
help *zn.* hulp, steun. ‖ *ww.* helpen.
helpful behulpzaam.
helping *(eten)* portie.
helpless hulpeloos, weerloos.
helve *(v. werktuigen)* steel.
hem *zn.* zoom. ‖ *ww.* omzomen, zomen.
hemisphere halfrond *o.*
hemp hennep.
hen hen, kip.
hence *(oorzaak)* vandaar.
henceforth voortaan.
henceforward voortaan.
hen-house kippenhok *o.*
hen-peck *(v. vrouw over man)* heersen, besturen.
her haar.
herald heraut.
herb kruid *o.*
herd kudde; herder.
herd-book *(vee)* stamboek *o.*
herdsman herder, veehoeder.
here hier; *past –*, hierlangs.
hereabouts hieromtrent.
hereafter hiernamaals; *the –*, het hiernamaals.
hereby hierbij.
hereditary erfelijk.
hereof hiervan.
heresy ketterij.
heretic ketter.
hereto tot hier.
heretofore voorheen; *as –*, als voren.
herewith hierbij.
heritable erfbaar.
heritage erfenis, nalatenschap.
hermetic hermetisch.
hermit kluizenaar.

hermitage kluis.
hernia breuk.
hero held.
heroic heldhaftig.
heroin heroïne.
heroine heldin.
heroism heldenmoed.
heron reiger.
herring haring; *red –, (gerookt)* bokking.
hesitate aarzelen; dralen.
hesitatingly weifelend, schoorvoetend.
hesitation weifeling.
heterogeneous ongelijksoortig.
hetrosexual heteroseksueel.
hew *(hewed; hewn, hewed)* houwen.
hiatus gaping.
hibernal winterachtig.
hibernation overwintering.
hiccough, hiccup *zn.* hik. ‖ *ww.* hikken.
hide *zn.* huid, vacht. ‖ *ww. (hid; hidden, hid)* verschuilen, verbergen.
hidebound bekrompen.
hideous afzichtelijk.
hiding-place schuilhoek, schuilplaats.
hierarchy hiërarchie.
hi-fi, high fidelity hifi.
higgle (af)dingen.
higgledy-piggledy ondersteboven, overhoop.
high hoog; *(v. wild)* adellijk.
high-born hooggeboren.
high-coloured met sterke kleuren.
high-handedness willekeur.
high-life de aristocratie.
high-minded nobel.
highness hoogheid.
high-pressure area; anticyclone hogedrukgebied *o.*
high-priest hogepriester, opperpriester.
high-risk group risicogroep.
highroad hoofdweg.
high-seasoned sterk gekruid of gesaust.
high-sounding hoogdravend.

high-speed train hogesnelheidstrein, TGV.
high-spirited fier.
high-strung hooggespannen.
high-treason hoogverraad *o.*
highway hoofdweg.
highwayman struikrover.
hilarious vrolijk.
hill heuvel.
hill-top bergtop.
hilly heuvelachtig.
hilt gevest *o.*, heft *o.*
him hem.
hind *zn.* hinde, ree. ‖ *bn.* achterste.
hinder (ver)hinderen, belemmeren.
hind-leg achterpoot.
hind-part achterlijf *o.*, achterste *o.*
hind-paw achterpoot.
hindrance beletsel *o.*; hindernis.
hinge hengsel *o.*, scharnier *o.*
hinny muilezel.
hint hint, vingerwijzing; wenk.
hinterland achterland *o.*
hip heup.
hip-bath zitbad *o.*
hip-bone heupbeen *o.*
hippopotamus nijlpaard *o.*
hire *zn.* huur. ‖ *ww.* huren.
hireling huurling.
hirer huurder.
hirsute ruig, harig.
his zijn.
hiss (uit)fluiten; *(slang)* sissen.
historic(al) historisch.
history geschiedenis.
hit *zn.* slag; *(mil.)* treffer. ‖ *ww. (hit, hit)* raken, treffen; slaan.
hit-and-run het doorrijden (na een aanrijding), vluchtmisdrijf *o.*
hitch *zn.* defect *o.* ‖ *ww.* liften.
hitch-hike liften.
hither herwaarts, hierheen.
hitherto tot dusver.

HIV positive seropositief.
hoard *zn.* voorraad. ‖ *ww.* vergaren;
– *(up) money, (sparen)* potten.
hoarding schutting.
hoar-frost rijm, rijp.
hoarse hees, schor.
hob kookplaat.
hobble strompelen.
hobby-horse hobbelpaard *o.*;
stokpaardje *o.*
hodgepodge mengelmoes *o.*; hutspot.
hodman handlanger; opperman.
hoe *(werktuig)* hak, schoffel.
hog *zn.* varken *o.* ‖ *ww. (schip)*
schrobben.
hoggish varkenachtig, brutaal; liederlijk.
hogshead okshoofd *o.*
hoist hijsen; *(vlag)* ophalen.
hold *zn.* houvast, vat. ‖ *ww. (held, held)*
houden; – *in,* inhouden,
tegenhouden; – *up,* aanhouden.
holder houder, bezitter.
holdfast *(instrument)* klem.
holding greep; houvast *o.*; pachthoeve.
hole hol *o.*, kuil.
holiday vakantiedag; *–s,* vakantie.
holiness heiligheid.
Holland Holland, Nederland.
hollow *zn.* holte. ‖ *bn.* hol. ‖ *ww.*
uithollen.
holly hulst.
holocaust holocaust.
holy heilig; – *Scripture,* de Heilige
Schrift.
homage hulde, eerbetoon *o.*
home tehuis *o.*; woonplaats; *a – thrust,*
een rake opmerking.
home-born inlands; aangeboren.
home-coming thuiskomst.
home game thuiswedstrijd.
homeless dakloos.
homely huiselijk.
home-made binnenlands, inlands.

homesickness heimwee *o.*
homeward(s) huiswaarts.
homework *(school)* huiswerk *o.*
homely huiselijk.
homily preek.
homing-pigeon postduif, reisduif.
homoeopathy homeopathie.
homogeneous homogeen.
homonymous gelijkluidend, gelijknamig.
homosexual homoseksueel.
homy huiselijk.
honest eerlijk, braaf, rechtschapen.
honey honi(n)g.
honey-comb honingraat.
honeyed poeslief, honingachtig.
honeymoon wittebroodsweken.
honeysuckle kamperfoelie.
honorary, – *member,* erelid *o.*
honour *zn.* eerbetoon *o.*, eer. ‖ *ww.*
eren, vereren.
honourable achtbaar, eervol,
rechtschapen.
hood kap; motorkap; afzuigkap.
hoof hoef.
hook *zn.* haak; *(vis)* angel. ‖ *ww.* haken.
hooliganism vandalisme *o.*;
hooliganisme *o.*
hoop hoepel; band.
hooping-cough kinkhoest.
hoop-iron bandijzer *o.*
hoot *zn.* gejouw *o.*; geschreeuw *o.*
‖ *ww.* jouwen; *(v. uil)* schreeuwen.
hooter *(auto)* hoorn.
hop *zn.* hop; *(vliegt.)* ruk. ‖ *ww.* hinken,
huppelen; – *off, (v. vliegt.)* opstijgen.
hope *zn.* hoop. ‖ *ww.* hopen.
hopeful hoopvol.
hopeless hopeloos.
hopper trechter.
horde horde.
horizon horizont, gezichtseinder.
horizontal horizontaal.
hormone hormoon *o.*

horn hoorn *m. en o.*; claxon.
horn-blower hoornblazer.
hornet horzel.
horny *(handen)* vereelt.
horrible huiveringwekkend, verschrikkelijk.
horrid afgrijselijk; akelig.
horrify met afschuw vervullen.
horror gruwel; afschuw.
horse paard *o.*
horseback, *on –,* te paard.
horse-breaker pikeur.
horse-fly horzel, paardenvlieg.
horse-hair paardenhaar *o.*
horseman ruiter.
horsemanship paardrijden *o.*
horse-power (H.P.) paardenkracht.
horse-race (paarden)wedren.
horse-riding paardrijden *o.*
horse-sense gezond verstand *o.*
horseshoe hoefijzer *o.*
horsewhip karwats, rijzweep.
hortation aansporing.
horticulture tuinbouw.
hose huls; schede; *– pipe, (v. brandspuit)* slang.
hospice verzorgingstehuis *o.*
hospitable gastvrij, herbergzaam.
hospital gasthuis *o.*, hospitaal *o.*
host leger *o.*; waard; hostie.
hostage gijzelaar.
hostess gastvrouw; hostess.
hostile *(v.d. vijand)* vijandelijk.
hostility vijandelijkheid.
hot heet.
hotbed broeibak.
hot-brained heethoofdig.
hotchpotch hutspot, samenraapsel *o.*
hotel-keeper hotelhouder.
hotfoot *(fam.)* vliegensvlug.
hot-headed heethoofdig, onbesuisd.
hothouse broeikas; *(v. planten)* serre.
hot-spurred driftig.

hot-tempered heetgebakerd.
hound *(jacht.)* hond.
hour uur *o.*; *–s,* de getijden.
hour-glass zandloper.
hourly om het uur.
house *zn.* huis *o.*; woning; *– of mourning,* sterfhuis *o.* ‖ *ww.* huizen; *(dieren)* stallen.
housebreaker inbreker.
housebreaking inbraak.
house-cricket krekel.
house-dog waakhond.
household *zn.* huisgezin *o.* ‖ *bn.* huiselijk, huishoudelijk.
housekeeper huishoudster; huisbewaarder.
housekeeping huishouden *o.*
housemaid werkmeid.
housemate huisgenoot.
house-rent huishuur.
house-search huiszoeking.
housewife huisvrouw.
housework huishoudelijk werk *o.*
hover zweven.
how hoe.
however evenwel, echter.
howitzer houwitser.
howl *zn.* gehuil *o.* ‖ *ww. (hond, wolf, wind)* huilen.
howler huiler; *(sl.)* flater.
howling gebrul *o.*, gehuil *o.*
hub naaf.
hubbub kabaal *o.*; herrie.
huckster sjacheraar.
huddle opeengooien.
hue kleur; tint.
huff *zn.* slechte bui. ‖ *ww.* snuiven, puffen, briesen.
huffy lichtgeraakt.
hug omhelzen, knuffelen; omknellen.
huge kolossaal.
hull *zn. (bot.)* huls; *(v. schip)* romp. ‖ *ww.* ontbolsteren, pellen.

hum *zn.* gebrom, gezoem *o.* ‖ *ww.*
  brommen, zoemen, gonzen.
human menselijk.
humane menslievend.
humanism humanisme *o.*
humanity mensheid.
humanize civiliseren.
humankind mensdom *o.*
humble *bn.* nederig; schamel. ‖ *ww.*
  vernederen.
humble-bee hommel.
humbleness ootmoed, nederigheid.
humbug huichelarij, bedrog *o.*
humid vochtig.
humidity vochtigheid.
humiliate vernederen.
humiliation vernedering.
humility ootmoed.
hummer brommer.
humming-bird kolibrie.
humorous grillig; grappig, geestig.
humour humeur *o.*
hump bochel.
humpback gebochelde.
humus teelaarde.
hunch *zn.* bochel. ‖ *ww.* krommen,
  buigen.
hundred honderd.
hundredweight centenaar.
Hungary Hongarije.
hunger honger; – *for*, reikhalzen naar.
hungerstrike hongerstaking.
hungry hongerig.
hunt jagen; – *down*, *(misdadigers)*
  achterhalen.
hunter jager.

hunting jacht.
hunting-field jachtgebied *o.*
hunting-season jachttijd.
hurdle *(vlechtwerk)* horde; – *race*,
  wedren met hindernissen.
hurl slingeren.
hurrah hoera.
hurricane orkaan.
hurried haastig.
hurry *zn.* haast; drukte. ‖ *ww.* (zich)
  haasten.
hurt *zn.* wond letsel *o.*; *easily* –, kleinzerig. ‖ *ww. (hurt, hurt)* kwetsen; deren.
hurtful nadelig, schadelijk.
husband echtgenoot.
hush stillen; sussen.
hushmoney steekpenning, zwijggeld.
husk *zn.* bast, peul; *(plantk.)* huls. ‖ *ww.*
  ontbolsteren.
husky hees, schor.
hussar huzaar.
hut hut, barak.
hyacinth hyacint.
hydraulics waterbouwkunde.
hydrogen waterstof.
hydrophobia watervrees.
hydrophobic waterschuw.
hydroplane watervliegtuig *o.*
hygiene hygiëne.
hyphen koppelteken *o.*
hypocrisy veinzerij.
hypocrite farizeeër, huichelaar.
hypocritical huichelachtig, schijnheilig.
hypothesis veronderstelling.
hysterical hysterisch.

I

I ik.
ice *zn.* ijs *o.* ‖ *ww. (van dranken)* koelen.
icebag ijszak.
iceberg ijsberg.
ice-bound ingevroren.
ice-breaker ijsbreker.
ice-cream (room)ijs *o.*
ice-cream parlour ijssalon.
ice-cube ijsblokje *o.*
ice-floe ijsschol.
icicle ijskegel.
Iceland IJsland.
icy *(koud)* ijzig.
idea opvatting, gedachte.
ideal *zn.* ideaal *o.* ‖ *bn.* ideaal.
identic volkomen gelijk.
identification vereenzelviging.
identity identiteit.
identity card identiteitsbewijs *o.*
idiot idioot.
idiotic idioot.
idle *bn.* ijdel, lui; werkloos. ‖ *ww.* luieren, slabakken.
idler nietsdoener.
idol afgod, idool.
idolater afgodendienaar.
idolize verafgoden.
idyl(l) idylle.
if indien; *(onderschikk.)* of; zo.
igloo iglo.
ignite ontsteken.
ignition ontsteking.
ignition key contactsleutel.
ignominious eerloos; onterend, schandelijk.
ignoramus, *an –*, een onwetende.
ignorance onkunde.
ignorant onwetend.
ignore *(zaak)* negeren; niet kennen.
ill kwaad; ziek; *take sth. – of a p.*, iem. iets kwalijk nemen.
ill-considered onbedacht.
ill-disposed kwaadwillig; ongenegen.

illegal onrechtmatig; onwettig.
illegible *(schrift)* onleesbaar.
illegitimate *(v. kind)* onecht.
illegitimize onecht verklaren.
ill-famed berucht.
ill-fated ongelukkig.
illicit ongeoorloofd.
illimitable grenzeloos.
illiterate ongeletterd.
ill-luck tegenslag, tegenspoed.
ill-mannered ongemanierd.
ill-natured kwaadaardig.
illness ziekte.
illogical onlogisch.
ill-omened onheilspellend.
ill-starred ongelukkig.
ill-tempered slechtgeluimd.
ill-treat mishandelen.
illuminate *(d. licht)* verlichten; *(fig.)* ophelderen.
illumination verlichting.
illusion zinsbegoocheling.
illusive denkbeeldig.
illustrate verduidelijken; opluisteren.
illustration toelichting; illustratie.
illustrious doorluchtig, roemrijk, vermaard.
ill-will kwaadwilligheid, wrok.
image beeld *o.*; evenbeeld *o.*
imaginable denkbaar.
imaginary ingebeeld.
imagination verbeelding.
imagine zich verbeelden.
imbecile idioot.
imbibe inzuigen.
imitable navolgbaar.
imitate namaken, navolgen.
imitation nabootsing; namaaksel *o.*
immaculate smetteloos, vlekkeloos.
immaterial onstoffelijk.
immature *(fig. ook)* onrijp.
immeasurable onmeetbaar.
immediate dadelijk, onmiddelijk; *(with)*

– *possession*, dadelijk te aanvaarden.
immediately dadelijk, terstond.
immemorial onheuglijk.
immense onmetelijk.
immensurable onmeetbaar.
immerse onderdompelen; –*d, (fig.)* verzonken.
immigration immigratie, landverhuizing.
imminent nakend, dreigend.
immitigable niet te vermurwen; onverzoenlijk.
immobile onbeweeglijk.
immoderate onmatig; overdreven.
immodest onbescheiden; oneerbaar.
immoral onzedelijk; zedeloos.
immortal onsterfelijk.
immortalize vereeuwigen.
immovable onbeweeglijk; onwrikbaar; –*s*, onroerende goederen.
immune, – *from, (tegen besmetting)* onvatbaar, immuun.
immunity immuniteit; onvatbaarheid.
immure insluiten.
immutable onveranderlijk.
imp deugnietje *o.*, rakker.
impact botsing, slag.
impair benadelen.
impalpable ontastbaar.
imparity onevenheid, ongelijkheid.
impart meedelen.
impartial onpartijdig.
impartible onverdeelbaar.
impassable onbegaanbaar, onberijdbaar; *(hoogte)* onoverkomelijk.
impassible gevoelloos.
impassioned hartstochtelijk.
impassive onbewogen, ongevoelig.
impatience ongeduld *o.*
impawn verpanden.
impeach beschuldigen.
impeachment beschuldiging.
impecunious zonder geld,

onbemiddeld.
impede hinderen.
impediment belemmering.
impend *(gevaar)* dreigen.
impenetrable ondoordringbaar.
imperator keizer.
imperceptible onmerkbaar.
imperfect onvolmaakt.
imperial keizerlijk.
imperious gebiedend, heerszuchtig.
imperishable onverslijtbaar; onvergankelijk.
impermeable ondoordringbaar; – *to water*, waterdicht.
impersonate voorstellen; verpersoonlijken.
impertinent ongepast; onbeschoft.
imperturbable onverstoorbaar.
impetuous heftig, onstuimig.
impiety goddeloosheid.
impingement inbreuk.
impious goddeloos.
implacable onverzoenlijk.
implicit impliciet; onvoorwaardelijk.
implore bidden, smeken.
impolite onbeleefd.
impoliteness onwellevendheid.
imponderable *zn.* onweegbare stof. ‖ *bn.* zeer licht; onweegbaar.
import *zn.* invoer; – *duties*, invoerrechten. ‖ *ww.* importeren, invoeren.
importable invoerbaar.
importance belang *o.*, betekenis.
important belangrijk.
importation invoer.
importunate opdringerig, lastig.
importune *bn.* ongelegen; opdringerig. ‖ *ww.* lastigvallen.
impose belasten met, opleggen; – *taxes*, belasten.
imposing eerbiedwekkend, imposant.
impossible onmogelijk.

impost belasting.
impostor bedrieger.
impotence onmacht; onvermogen *o.*
impotent krachteloos, machteloos.
impoverish verarmen.
impracticable ondoenlijk; onuitvoerbaar.
imprecation vervloeking, vloek.
impregnable onoverwinnelijk, onneembaar.
impregnate vruchtbaar maken, bevruchten.
impression indrukking, indruk; oplage, druk.
impressive indrukwekkend.
imprint *zn.* indruk. ‖ *ww.* inprenten.
imprisoned gevangen.
imprisonment gevangenschap.
improbable onwaarschijnlijk.
improbity oneerlijkheid.
improper onfatsoenlijk; ongeschikt; *(breuk)* onecht.
improve verbeteren; veredelen.
improvement beterschap; vooruitgang.
improvident zorgeloos.
improvise improviseren.
imprudent onvoorzichtig.
impudence brutaliteit.
impudent brutaal, onbeschoft.
impugn tegenspreken, betwisten.
impulse, impulsion (aan)drang, aandrift.
impunity *with* –, straffeloos.
impure onrein, onzuiver.
imputable toerekenbaar.
impute wijten aan, – *(a fault to a p.)*, aantijgen.
in in, bij; aan, naar, op.
inaccessible ongenaakbaar; ontoegankelijk.
inaccurate onjuist.
inactive werkloos.
inadequate ongenoegzaam; onevenredig; onvoldoende.

inadmissible onaannemelijk.
inadvertence onoplettendheid.
inanimate onbezield, levenloos.
inappropriate ondoelmatig; ongepast.
inapt ongeschikt.
inasmuch aangezien.
inattentive onachtzaam; onoplettend.
inaudible onhoorbaar.
inaugural inaugureel, openings-.
inaugurate inhuldigen, inwijden.
inauguration inhuldiging.
inauspicious onheilspellend.
inborn aangeboren.
incalculable onberekenbaar.
incandescent gloeiend, witgloeiend.
incapable onbekwaam.
incapacity onvermogen *o.*
incarcerate opsluiten.
incarnation belichaming, vleeswording.
incendiary brandstichter.
incense *zn.* wierook. ‖ *ww.* bewieroken.
incensory wierookvat *o.*
incentive aanhitsend, aansporend.
incessant aanhoudend, onophoudelijk.
inch inch *o.*, Engelse duim, $2^{1}/_{2}$ cm; – *by* –, stap voor stap.
incident incident *o.*, toeval *o.*, voorval *o.*
incidentally terloops; toevallig.
incinerate verassen.
incise insnijden.
incite aanhitsen, aansporen.
inclement bar, onguur; onbarmhartig.
inclinable geneigd.
inclination helling; neiging.
incline neigen, overhellen.
include bevatten; insluiten, meerekenen.
included inbegrepen, inclusief; *charges (costs)* –, onkosten inbegrepen.
including benevens; inbegrepen.
inclusive inbegrepen; ingesloten.
incoherent onsamenhangend.
incombustible onbrandbaar.

income inkomen *o.*
income-tax inkomstenbelasting.
incomparable onvergelijkelijk.
incompatible onverenigbaar; strijdig.
incompetent onbevoegd.
incomplete onvolledig; onvoltooid.
incomprehensible onbegrijpelijk.
inconceivable onverstaanbaar;
   ondenkbaar.
inconsequence inconsequentie,
   onsamenhangendheid.
inconsiderate onbezonnen;
   onoplettend.
inconsolable troosteloos, ontroostbaar.
inconstant veranderlijk, wispelturig.
incontestable onbetwistbaar,
   onloochenbaar.
incontrovertible onbetwistbaar.
inconvenience ongemak *o.*, ongerief *o.*
inconvenient ongelegen.
incorporate inlijven.
incorporation inlijving.
incorrect onjuist.
incorrigible onverbeterlijk.
incorruptible onomkoopbaar.
increase *zn.* aanwas, aangroei,
   vermeerdering; *set –s*, periodieke
   verhogingen. ǁ *ww.* vermeerderen;
   toenemen; vergroten.
incredible ongeloofbaar.
incredulous ongelovig.
increment *(v. belasting)*
   waardevermeerdering.
incriminate beschuldigen.
incrust omkorsten.
incubate broeien.
inculcate inprenten.
incur zich op de hals halen, oplopen.
incurable ongeneeslijk.
incursion inval.
indebted verschuldigd; *be greatly – to a
   p.*, iem. veel verschuldigd zijn.
indebtedness schuld.

indecent oneerbaar; onfatsoenlijk.
indecision besluiteloosheid; *(fig.)*
   tweestrijd.
indeed inderdaad; voorwaar; stellig.
indefatigable onvermoeibaar;
   onverdroten.
indefeasible onschendbaar;
   onvervreemdbaar.
indefinite onbepaald.
indelible onuitwisbaar.
indelicate onkies.
indemnification schadeloosstelling,
   schadevergoeding.
indemnify schadeloosstellen, vrijwaren.
indent inkepen.
indent(ation) inkeping.
independent onafhankelijk, zelfstandig.
indescribable onbeschrijflijk.
indeterminate onbepaald.
index wijsvinger; bladwijzer.
Indian Indiaan.
india-rubber gummi, caoutchouc *o.*
indicate aanduiden, aanwijzen.
indication aanduiding, aanwijzing.
indicator wijzer.
indict *(jur.)* beschuldigen.
indictment beschuldiging.
indifferent onverschillig.
indigence armoede.
indigene inboorling.
indigenous inheems.
indigent behoeftig, noodlijdend.
indignant verontwaardigd.
indignation verontwaardiging.
indirect middellijk, zijdelings.
indiscreet onverstandig; onvoorzichtig.
indiscriminate verward, door elkaar.
indisgestible onverteerbaar.
indispensable onmisbaar, onontbeerlijk.
indisposed ongesteld, onpasselijk.
indisposition ongesteldheid.
indisputable onbetwistbaar,
   onweerlegbaar.

indite opstellen.
individual *zn.* individu *o.* ‖ *bn.* afzonderlijk; persoonlijk.
indivisible ondeelbaar.
indolence traagheid, vadsigheid.
indolent traag, vadsig.
indomitable onbedwingbaar, ontembaar.
indoors binnenshuis.
indubitable ontwijfelbaar.
induce overhalen, bewegen, overreden.
inducement aanleiding.
induct inleiden; installeren.
induction gevolgtrekking; aanvoering.
indulge *(kinderen)* toegeven.
indulgence toegevendheid; aflaat.
indulgent toegeeflijk.
indurate verharden.
industrial industrieel; – *school*, nijverheidsschool.
industrious ijverig, naarstig; arbeidzaam.
industry nijverheid; *(exploitatie)* bedrijf *o.*
inebriate aangeschoten, dronken.
ineffectual vruchteloos.
inefficient ongeschikt, onbruikbaar.
ineluctable onontkoombaar.
inert log, loom.
inescapable onvermijdbaar.
inestimable onschatbaar.
inevitable onvermijdelijk.
inexcusable onvergeeflijk.
inexhaustible onuitputtelijk.
inexorable onverbiddelijk.
inexpedient ongepast, onvoordelig, onraadzaam.
inexperienced onervaren.
inexplicable onverklaarbaar.
inexpressible onuitsprekelijk, onnoemelijk.
infallible onfeilbaar.
infamous eerloos; schandelijk.
infamy schande.
infant *(fig.)* zuigeling.

infantile kinderachtig; – *paralysis*, kinderverlamming.
infant-mortality kindersterfte.
infantry voetvolk *o.*
infant school kleuterschool.
infatuate verdwazen, verblinden.
infatuation verblinding.
infect aansteken, infecteren; *(lucht)* verpesten.
infection besmetting, infectie.
infectious aanstekelijk; – *malady*, besmettelijke ziekte.
infelicity ellende, ongeluk.
infer besluiten; afleiden.
inference conclusie.
inferior minder, minderwaardig; ondergeschikt.
inferiority minderwaardigheid.
infernal hels.
infest teisteren.
infidel ongelovig.
infinite eindeloos, oneindig.
infirm zwak, gebrekkelijk.
infirmary ziekenhuis *o.*, hospitaal *o.*
inflame *(wond)* ontsteken; ontvlammen.
inflammable brandbaar.
inflammation ontsteking.
inflate opblazen; *(prijzen)* opdrijven; *(fietsb.)* oppompen.
inflation inflatie.
inflexible onbuigzaam.
inflict *(straf)* opleggen; – *damage on*, schade toebrengen.
influence invloed.
influential invloedrijk, vermogend.
influenza griep.
influx toevloed.
inform berichten, meedelen.
informant berichtgever, zegsman.
information mededeling; – *to be had at*, te bevragen bij.
informer aanklager.
infraction inbreuk.

infrangible onbreekbaar.
infra-red infrarood.
infringe overtreden, schenden.
infringement schending.
infuriate woedend maken.
infusion aftreksel *o.*
ingenious schrander, vindingrijk.
ingeniousness vindingrijkheid.
ingenuity vernuft *o.*
ingot *(goud)* staaf.
ingratitude ondank.
inhabit bewonen.
inhabitable bewoonbaar.
inhabitant inwoner.
inhale inademen; *(rook)* inhalen.
inhere inherent zijn.
inherit (over)erven.
inheritance erfenis, nalatenschap.
inhibition geremdheid.
inhospitable onherbergzaam.
inhuman onmenselijk.
inhume begraven.
inimical schadelijk, vijandig.
inimitable onnavolgbaar.
iniquity ongerechtigheid.
initial hoofdletter.
initiate inwijden.
initiative initiatief *o.*
injection inspuiting.
injure krenken; kwetsen; iem.
   benadelen.
injurious schadelijk.
injury verwonding, wond.
injustice ongerechtigheid, onrecht *o.*
ink inkt.
inkblot inktvlek.
ink-fish inktvis.
inkstand inktstel, inktpot.
inlaid ingelegd.
inland binnenlands.
inlet ingang, opening.
inmate patiënt, gevangene.
inn herberg.

innate ingeboren.
innavigable onbevaarbaar.
inner innerlijk; – *side*, binnenzijde.
innermost binnenste.
innkeeper herbergier.
innoncence onschuld.
innocent onbedorven, onschuldig.
innovation nieuwigheid.
innoxious onschadelijk.
innumerable ontelbaar.
innutrition gebrek *o.* aan voedsel.
inoculate enten.
inodorous reukeloos.
inoffensive onschadelijk.
inopportune ongelegen.
inquest onderzoek *o.*
inquire vragen; – *into*, onderzoeken.
inquiry (aan)vraag; onderzoek *o.*;
   enquête; *make ...ies about*,
   inlichtingen inwinnen.
inquiry office inlichtingenbureau *o.*
inquisitive nieuwsgierig.
inquisitiveness vraagzucht.
inroad inval; inbreuk.
insalubrious ongezond.
insane krankzinnig, zinneloos.
insanity waanzin.
insatiable, insatiate onverzadigbaar.
inscribe inschrijven.
inscription opschrift *o.*
inscrutable ondoorgrondelijk.
insect insect *o.*
insectpowder insectenpoeder *o.*
insecure onveilig.
insemination inseminatie.
insensate zinneloos.
insensible ongevoelig.
inseparable onafscheidelijk.
insert inlassen; *(bericht)* plaatsen.
insertion invoeging; *(artikel)* opname;
   (advertentie) plaatsing.
inside *zn.* binnenzijde. ǁ *bn.* binnen.
   ǁ *voorz.* in.

insidious verraderlijk.
insight inzicht *o*.
insignia insignes.
insignificant onbeduidend, onbetekenend.
insinuate insinueren.
insinuation toespeling, insinuering.
insipid flauw, onsmakelijk.
insist aandringen, aanhouden.
insolent onbeschaamd onbeschoft.
insoluble onoplosbaar.
inspect bezichtigen, in ogenschouw nemen; *(tickets, boek)* controleren.
inspection inspectie; inzage.
inspector inspecteur.
inspectorate inspecteurschap *o*.
inspiration bezieling; ingeving.
inspire inspireren, bezielen; *– with*, inboezemen.
inspired bezield.
install installeren.
instalment installatie; *(betaling)* termijn.
instance instantie; voorbeeld *o*.
instantaneous ogenblikkelijk.
instant coffee oploskoffie.
instantly ogenblikkelijk.
instate installeren.
instead, *– of*, in plaats van.
instep wreef.
instigate aanhitsen; opzwepen.
instigator aanstoker, opruier.
instinct aandrift, instinct *o*.
institute *zn*. instituut *o*. || *ww*. instellen.
institution instelling, instituut *o*.
instruct onderwijzen.
instruction onderwijs *o*.; voorschrift *o*.
instrument werktuig *o*.
insubordination weerspannigheid.
insufferable onduldbaar; onuitstaanbaar.
insufficient ontoereikend, onvoldoend(e).
insulator isolator.
insulin insuline.

insult *zn*. belediging. || *ww*. beledigen.
insulting beledigend.
insupportable ondraaglijk.
insurance verzekering.
insurance-policy verzekeringspolis.
insure verzekeren.
insurer verzekeraar.
insurgent *zn*. oproerling, opstandeling. || *bn*. oproerig.
insurmountable onoverkomelijk.
insurrection oproer *o*., opstand.
insusceptible, *– of*, onvatbaar voor.
intact ongeschonden.
intangibility ontastbaarheid.
integral volledig.
integration integratie.
intellect verstand *o*., brein *o*.
intellectual verstandelijk, intellectueel.
intelligence verstand *o*.
intelligence-service inlichtingendienst.
intelligent schrander, verstandig.
intelligible verstaanbaar.
intemperate onmatig, onbeheerst.
intend voornemens zijn; bedoelen.
intended voorgenomen; *her, his –*, haar, zijn, aanstaande.
intense *(hitte)* hevig; intens.
intensify verhogen, versterken.
intensive intensief.
intention bedoeling; voornemen *o*.
intentional opzettelijk.
inter begraven.
interaction wisselwerking.
intercalate inlassen.
intercalation invoeging.
intercede bemiddelen.
intercept onderscheppen.
intercession tussenkomst; voorspraak.
intercessor bemiddelaar.
interchange *zn*. (af)wisseling. || *ww*. (af)wisselen.
intercourse verkeer *o*.; (geslachts)gemeenschap.

interdict verbieden.
interdiction verbod *o.*
interest *zn.* belang *o.*; belangstelling; *(rente)* interest; *put out at* –, op rente zetten. || *ww.* belang inboezemen.
interesting belangwekkend.
interfere tussenbeide komen; belemmeren; – *with*, zich bemoeien met; – *in*, zich mengen in.
interference bemoeiing, inmenging; *(radio)* storing.
interim voorlopig, tijdelijk.
interior binnenste; binnenlands.
interjection tussenwerpsel *o.*
interline tussen de regels schrijven.
interlope zich indringen.
interlude rust, pauze.
intermeddle zich mengen in.
intermediary tussenpersoon.
intermediate tussenliggend.
interment begrafenis.
interminable zonder einde, eindeloos.
intermingle (ver)mengen.
intermission pauze, onderbreking.
intern interneren.
internal innerlijk, inwendig.
international internationaal; – *law*, volkenrecht *o.*
internee geïnterneerde.
internment internering.
interpellation interpellatie.
interplay wisselwerking; tussenspel *o.*
interpolation tussenvoegsel *o.*
interpose tussenplaatsen.
interpret vertolken.
interpretation uitleg, vertolking.
interpreter tolk, vertolker.
interrogate ondervragen.
interrogation ondervraging.
interrupt onderbreken, in de rede vallen.
intersection snijpunt *o.*
interspace tussenruimte.
interstice opening, tussenruimte.

intertwine invlechten.
interval tussenpoos; tussenruimte.
intervene ingrijpen.
intervention tussenkomst.
interview interview *o.*; gesprek *o.*, onderhoud *o.*
interviewee geïnterviewde.
interviewer interviewer.
intestine darm; –*s*, ingewanden.
intimate intiem; vertrouwelijk.
intimation aanduiding, wenk.
into in.
intolerable onuitstaanbaar.
intolerant onverdraagzaam.
intonation aanhef; intonatie.
intoxicated *(drank)* bedwelmd, beschonken.
intractable onhandelbaar.
intrepid onversaagd, onverschrokken.
intricate ingewikkeld.
intrigue intrige; *(fig.)* kuiperij.
intriguer intrigant, konkelaar.
intrinsic innerlijk.
introduce indienen; inleiden.
introduction inleiding, voorstelling.
intrude opdringen, indringen.
intruder indringer.
intrusive indringerig.
intuition intuïtie.
inundate onder water zetten; overstromen.
inundation overstroming; vloed.
inure gewennen; harden.
invade invallen.
invalid *zn.* invalide. || *bn.* ongeldig.
invalidate ongeldig maken; *(fig.)* ontzenuwen.
invalidity onwaarde.
invaluable onbetaalbaar, onschatbaar.
invariable onveranderlijk.
invasion inval.
inveigh schelden.
inveigle verleiden, lokken.

invent uitvinden; verzinnen.
invention uitvinding; verzinsel *o*.
inventive vindingrijk.
inventiveness vindingrijkheid.
inventory inventaris.
inverse omgekeerd.
inversion omzetting.
invert omkeren; *–ed comma*,
aanhalingsteken *o*.
invertebrate *(v. dier)* ongewerveld.
invest *(geld)* beleggen.
investigate nasnuffelen, onderzoeken.
investigation onderzoek *o*.
investment geldbelegging;
omsingeling.
inveterate ingeworteld; *(gewoonten)*
verouderd; onverbeterlijk.
invidious netelig.
invigilate toezicht houden.
invigorate sterkte of kracht bijzetten;
(fig.) aanmoedigen.
invincible onoverwinnelijk.
inviolable onschendbaar.
invisible onzichtbaar.
invitation uitnodiging.
invite uitnodigen; verzoeken.
invoice factuur.
invoke *(God)* aanroepen.
involuntary onvrijwillig, onwillekeurig.
involve inwikkelen, omvatten.
invulnerable onkwetsbaar.
inward innerlijk.
inwards binnenwaarts.
iodine jodium *o*.
irascible opvliegend.
Ireland Ierland.
iris *(v. oog, bloem)* iris.
iron *zn*. ijzer *o*.; strijkijzer *o*. || *ww*.
strijken.
iron-bound ijzeren.
ironclad gepantserd.
ironing-board strijkplank.
ironmonger handelaar in ijzerwaren.

iron-ore ijzererts *o*.
irony ironie.
irrational onredelijk.
irreclaimable onverbeterlijk.
irrecognizable onherkenbaar.
irreconcilable onverzoenlijk.
irrefutable onweerlegbaar.
irregular ongeregeld, onregelmatig.
irremediable onherstelbaar.
irreparable onherstelbaar.
irrepressible onbedwingbaar.
irreprochable onberispelijk.
irresistible onweerstaanbaar.
irresolute besluiteloos, onvast.
irresponsible onverantwoordelijk.
irretrievable reddeloos.
irreverent oneerbiedig.
irrevocable onherroepelijk.
irrigate besproeien.
irrigation besproeiing.
irritable prikkelbaar.
irritant prikkelend.
irritate prikkelen; tergen.
irruption inval.
Islam islam.
island eiland *o*.
islander eilandbewoner.
isle eiland *o*.; vluchtheuvel.
isolated alleenstaand.
isolation afzondering; isolatie.
issue *zn*. uitweg; nakomeling; uitkomst;
uitgifte; *(krant)* nummer *o*. || *ww*.
(hand.) uitgeven; uitstromen;
voortspruiten.
issueless zonder nakomelingen.
isthmus landengte.
it het.
italic *zn*. cursieve letter. || *bn*. cursief.
italicized cursief.
Italy Italië.
itch *zn*. jeuk, schurft *v./m. en o*. || *ww*.
jeuken.
itchy schurftig.

item artikel, nummer *o.;* (nieuws)bericht
o.
itinerant rondreizend.
itinerary reisplan *o.;* wegwijzer.

itself zich.
ivory *zn.* ivoor *o.* ‖ *bn.* ivoren.
ivy klimop *o.*

J

jab *zn.* steek. ‖ *ww.* steken.
jabber *(fig.)* snateren, kakelen.
jack *(kaartspel)* boer; hijstuig, krik;
dommekracht, vijzel.
jackal jakhals.
jackdaw kauw.
jacket jas(je), colbert *m. en o.;*
stofomslag *m. en o.;* vacht, pels; *boil
potatoes in their –s,* aardappelen met
de schil koken.
jade jade.
jail kerker.
jail-bird boef.
jailer cipier.
jam *zn.* jam; gedrang *o.* ‖ *ww.* drukken,
klemmen.
jamb *(v. deur)* post, stijl.
jamboree jamboree, *(Am. sl.)* fuif.
janitor portier.
January januari.
Japan Japan.
jar kruik, pot.
jasmine jasmijn.
jaundice geelzucht.
jaunt een uitstapje maken.
jaunty zwierig, parmantig.
javelin speer.
jaw *zn.* kaak. ‖ *ww.* zeuren.
jawbone kaakbeen *o.*
jaw-breaker moeilijk uit te spreken
woord.
jazz jazz.
jealous afgunstig, jaloers.
jealousy afgunst, jaloezie.

jeer spotten, schimpen.
jejune vervelend, saai.
jelly gelei.
jelly-fish kwal.
jemmy breekijzer *o.*
jeopardize in gevaar brengen.
jerk *zn.* schok, stoot. ‖ *ww.* rukken,
schokken.
jerkin *(kleding)* kolder; wambuis.
jerry-building revolutiebouw.
jersey trui.
jest *zn.* grap, scherts. ‖ *ww.* schertsen.
jester nar.
jet git *o.; (v. gas)* pit; *(water)* straal.
jet fighter straaljager.
jet lag jetlag.
jetsam strandgoed *o.*
jet stream straalstroom.
jettison overboord werpen.
jetty havenhoofd *o.,* steiger.
jetty-head havenhoofd *o.*
Jew jood.
jewel edelsteen, juweel *o.*
jeweller juwelier.
Jewess jodin.
Jewish joods.
jingle rammelen, rinkelen.
job karwei *v./m. en o.,* werk *o.;* zaakje.
jockey jockey.
jocular schertsend, vrolijk.
joggle schokken.
John Jan.
join *ww.* verbinden; verenigen;
samenvoegen; *to – party,* toetreden

tot een partij.|| *zn.* las.
joiner schrijnwerker.
joint *zn.* gewricht *o.*; voeg; verbinding. || *ww. (muren)* voegen.
joist balk.
joke *zn.* gekheid; grap. || *ww.* gekscheren.
joker grappenmaker; joker.
joking schertsend; *it's no – matter*, het is niet om mee te spotten.
jolly jolig.
jolly-boat jol.
jolt schok.
jostle stoten, duwen; dringen.
jot, *– down*, opschrijven, noteren.
journal dagblad *o.*; dagboek *o.*
journalist journalist.
journey *zn. (te land)* reis. || *ww.* reizen.
joust steekspel *o.*
Jove Jupiter.
joy blijdschap, vreugde.
joy-bells vreugdeklokken.
joyful blij, uitgelaten.
joyless treurig; somber.
joyride plezierritje *o.*
jubilate jubelen, juichen.
jubilee jubileum *o.*
Judaic joods.
judge *zn.* rechter; kenner. || *ww.* oordelen, beoordelen.
judge-avocate auditeur-militair.
judg(e)ment oordeel *o.*; (gerechtelijke) uitspraak.
judicature justitie.
judicial gerechtelijk, rechterlijk.

judicious oordeelkundig.
jug kan, kruik.
juggle goochelen.
juggler goochelaar.
juice sap *o.*
juicy sappig.
July juli.
jumble *zn.* mengelmoes *o.* || *ww.* dooreengooien.
jump *zn.* sprong. || *ww.* springen; overslaan.
junction verbinding; wegkruising;verkeersknooppunt *o.*
juncture voeg; naad; (kritiek) ogenblik *o.*
June juni.
jungle jungle, wildernis.
juniper jeneverbes.
junket feest, fuif.
juridical gerechtelijk.
jurisdiction rechtsgebied *o.*; rechtspraak.
jurisprudence rechtsgeleerdheid, rechtspraak.
jurist rechtsgeleerde.
juror gezworene.
jury jury.
just *bn.* juist. || *bw.* eventjes.
justice rechtvaardigheid; justitie; *in –*, van rechtswege.
justification rechtvaardiging, verantwoording.
justify rechtvaardigen; wettigen.
justness gegrondheid.
juvenescence jeugd.
juvenile jong, jeugdig.

kayak kajak.
keel *(v. schip)* kiel.
keen scherp, hevig.
keen-edged scherp.
keen-eyed scherpziend.
keenness scherpheid; bitsigheid.
keen-sighted scherpziend.
keen-witted scherpzinnig.
keep zn. bewaring; onderhoud o. ‖ ww.
(kept, kept) bewaren; (be)houden;
onderhouden; – *close*, zich
schuilhouden.
keeper bewaarder; *(v. dieren)* oppasser.
keeping bewaring; onderhoud o.
keepsake aandenken o.
keeve mengkuip.
kennel hondenhok o.
kernel *(v. noot)* kern; *(v. vruchten)* pit.
kettle ketel.
kettledrum pauk.
key sleutel; *(v. trombone)* klep; *(piano,
enz.)* toets.
keyboard toetsenbord o.
key-hole sleutelgat o.
key-ring sleutelring.
keystone sluitsteen.
kick zn. schop, trap. ‖ ww.
achteruitslaan; *(v. paard)* slaan;
(voetbal) trappen.
kick-off *(sport)* aftrap.
kid zn. jonge geit; geitenleer o.; kleuter.
kid glove glacéhandschoen.
kidnap ontvoeren.
kidnapper ontvoerder.
kidney nier.
kill doodslaan, vermoorden; *(doden)*
slachten.
kilogram(me) kilo(gram) o.
kilometre kilometer.
kin verwantschap.
kind zn. *(algemeen)* soort, slag. ‖ bn.
vriendelijk, welwillend.
kindergarten kleuterschool.

kind-hearted goedaardig, gemoedelijk.
kindle aansteken; ontsteken.
kindly vriendelijk.
kindred verwant.
kind turn vriendendienst.
king koning; *(kaartsp.)* heer.
kingdom koninkrijk o.
kingfisher ijsvogel.
kingly koninklijk.
kink *(in een touw)* slag.
kinless zonder familie.
kinsman bloedverwant.
kinswoman bloedverwante.
kiosk kiosk.
kipper gerookte haring.
kiss zn. kus, zoen. ‖ ww. kussen,
zoenen.
kit vaatje o.; gereedschapskist.
kitchen keuken.
kitchener fornuis o.
kitchen garden moestuin.
kite *(speelgoed)* vlieger; wouw.
knack handigheid; behendigheid.
knag knoest.
knapsack knapzak, ransel.
knave schurk; *(kaartspel)* boer.
knavish schurkachtig.
knead kneden; masseren.
knee knie.
kneel *(knelt, knelt)* knielen.
knell zn. doodsklok. ‖ ww. de doodsklok
luiden.
knickers broek.
knick-knack snuisterij.
knife mes o.
knight ridder; *(schaakspel)* paard o.
knighthood ridderschap o.
knightly ridderlijk.
knit *(knit, knit)* breien.
knitter breier, breister.
knitting-needle breinaald.
knitwear gebreide goederen.
knob knop; *(v. huid)* knobbel; *(boter)*

klontje *o.*
knock *zn.* slag. ‖ *ww.* slaan; kloppen;
– *down*, *(bij verkoop)* toewijzen; *he is*
–ed up, (afgemat) hij is op.
knocker klopper.
knot *(in hout)* kwast; *(v. schepen, in een*
touw) knoop; *(haar)* dot.
knotty in de knoop; netelig.
know *(knew, known)* kennen, weten;

make –, bekend maken; *let* –, berichten.
knowable kenbaar.
knowledge kennis, wetenschap; *full* –,
bewustzijn *o.*
knuckle kneukel.
knuckle-duster boksijzer *o.*
kobold kabouter.
kohlrabi koolrabi.
Koran Koran.

L

label etiket *o.*, strook; benaming.
laboratory laboratorium *o.*
laborious afmattend; *(vlijtig)* werkzaam.
labour arbeid; werk *o.*
labour-contract arbeidscontract *o.*
labourer werkman; *skilled –s*,
geschoolde arbeiders.
labour force arbeidskrachten.
labour-pains barensweeën,
barensnood.
laburnum goudenregen.
labyrinth doolhof.
lace *zn.* nestel, veter. ‖ *ww.* rijgen,
snoeren.
lacerate scheuren, verscheuren.
lachrymatory tranen verwekkend.
lack gemis *o.*, gebrek *o.*
lack-all arme stakkerd.
lacquer *ww.* lakken, vernissen. ‖ *zn.* lak,
vernis; haarlak.
lad jongeling.
lade *(laded, laden) (schip)* laden.
ladies’, ladies’ lavatory damestoilet *o.*
ladle *zn.* potlepel. ‖ *ww.* scheppen.
lady dame, mevrouw; *Our Lady*, Onze
Lieve Vrouw.
ladybird lieveheersbeestje *o.*
lady-killer onweerstaanbaar
vrouwenverleider.

laggard achterblijver.
laid-up bedlegerig.
lake meer *o.*
lake-settlement paaldorp *o.*
lam lam *o.*
lame kreupel, mank.
lament *zn.* weeklacht. ‖ *ww.*
bejammeren, beklagen.
lamentable beklagenswaardig.
lamentation weeklacht; klaaglied *o.*
lamp lamp.
lampoon schotschrift *o.*, smaadschrift *o.*
lamp-post lantaarnpaal.
lance lans.
land *zn.* land *o.*; bodem. ‖ *ww.*
aanlanden.
land-agent rentmeester.
land-force landmacht.
landing landing; *(v. trap)* portaal *o.*;
forced (emergency) –, noodlanding.
landing-net schepnet *o.*
landing-stage aanlegsteiger.
landlady waardin, hospita.
landlord landheer; herbergier.
land-owner grondeigenaar.
land registry kadaster *o.*
landscape landschap *o.*
landslide aardverschuiving.
land tax grondbelasting.

lane steeg; dreef.
language spraak, taal; – *boundary*, taalgrens.
languet (*orgel*) tong.
languid kwijnend; uitgeput.
languish kwijnen; smachten.
lank (*v. haar*) sluik; slank.
lantern lantaarn; *Chinese* –, lampion; *dark* –, dievenlantaarn; *magic* –, toverlantaarn.
lap *zn.* schoot; (*sport*) ronde. ‖ *ww.* slurpen; inwikkelen.
lap-dog schoothondje *o.*
lapidate stenigen.
lappet slip.
lapse *zn.* (*v. tijd*) verloop *o.*; verval *o.* ‖ *ww.* (*rechten*) vervallen.
larboard bakboord *o.*
lard reuzel; larderen, opvullen.
larder provisiekamer.
large groot, ruim, wijd; *at* –, vrij.
largely grotelijks, ruimschoots.
largeness grootte.
lark leeuwerik.
larva (*mv.* larvae) larve.
larynx strottenhoofd *o.*
lascivious wulps.
lash *zn.* gesel; (*m. zweep*) slag; wimper. ‖ *ww.* geselen; striemen.
lass deerne.
last *bn.* verleden; laatst; – *but one*, voorlaatst; *be on one's* – *legs*, op zijn laatste benen lopen. ‖ *ww.* duren.
lasting duurzaam, permanent.
lastly ten slotte.
latch klink; *off the* –, op een kier.
late laat; gewezen, wijlen.
lately kortelings, onlangs.
lateness laatheid.
lateral zijwaarts.
latest laatste; *at the* –, op zijn laatst, uiterlijk.
lath lat.

lathe draaibank.
lather *zn.* (*v. zeep*) schuim *o.* ‖ *ww.* schuimen.
lather-brush scheerkwast.
latitude (*aardrijksk.*) breedte; *degree of* –, breedtegraad; (*fig.*) speelruimte; *find one's* –, zich oriënteren.
lattice hek *o.*; traliewerk *o.*
lattice window venster *o.* met glas-in-lood.
lattice-work rasterwerk *o.*
Latvia Letland.
laud prijzen; loven.
laudable prijzenswaardig.
laugh *zn.* lach; gelach *o.* ‖ *ww.* lachen.
laughable belachelijk; bespottelijk.
laughter gelach *o.*
launch *zn.* tewaterlating; lancering. ‖ *ww.* werpen; te water laten; lanceren.
launder wassen en strijken; witwassen.
laundress wasvrouw.
laundry was; wasinrichting.
laurel laurier, lauwerkrans; *rest on one's* –*s*, op zijn lauweren rusten.
lavatory toilet *o.*
lavender lavendel.
lavish kwistig.
law recht *o.*, wet, recht, justitie; – *and order*, orde en gezag; *by* –, voor de wet.
lawful wettelijk; rechtmatig.
lawless wetteloos, bandeloos.
lawn graspark *o.*
lawsuit proces *o.*; (*jur.*) zaak.
lawyer advocaat, rechtsgeleerde.
lax (*tucht*) slap.
lay *zn.* ligging; (*eieren*) leggen *o.*; leek. ‖ *ww.* (*laid, laid*) leggen; zetten; temperen; – *in*, (*voorraad*) opdoen, – *the guilt at another man's door*, de schuld op een ander schuiven; – *heads together*, de koppen bij elkaar steken.
lay-brother lekenbroeder.

lay-days *(hand.)* ligdagen.
layer *(v. gesteenten)* bedding; laag.
layout aanleg, ontwerp, lay-out.
lay-sister lekenzuster.
laziness vadsigheid.
lazy sloom, vadsig.
lazybones luierik.
lead *zn.* lood *o.;* leiding; *–s,* platdak *o.* ‖ *ww.* (ver)loden; *(led, led)* leiden; *(kaartsp.)* uitkomen.
leader *(v. zaak, gezin)* hoofd *o.;* aanvoerder.
leading *zn.* leiding; loodwerk *o.* ‖ *bn.* gezaghebbend; *in – circles,* in gezaghebbende kringen.
lead-pencil potlood *o.*
leaf blad *o.; (v. deur)* vleugel.
leaf-gold bladgoud *o.*
leaflet blaadje *o.,* strooibiljet *o.*
leaf-metal klatergoud *o.*
league verbond *o.;* bond; mijl; *– of Nations,* volkenbond.
leak *zn.* lek. ‖ *ww.* lekken.
lean *bn.* mager. ‖ *ww.* steunen; overhellen.
leanness magerheid.
leap *zn.* sprong; *a – in the dark,* een sprong in het duister. ‖ *ww.* springen.
leap-frog. haasje-over *o.*
leap-year schrikkeljaar *o.*
learn aanleren, vernemen.
learned geleerd; *– man, (woman)* geleerde.
learning kunde.
lease *zn.* huurcontract *o.,* pacht. ‖ *ww. – out, (land)* verhuren.
lease-holder pachter.
leash *(v. honden)* koppel.
least minste; minstens.
leather leder *o.*
leathern lederen.
leave *zn. (vrijaf)* verlof *o.;* toelating; afscheid *o.; take French –,* een

slippertje maken. ‖ *ww. (left, left)* heen-, weggaan; achter-, nalaten; *– by will,* legateren, vermaken; *– much to be desired,* veel te wensen overlaten.
leave-man verlofganger.
leaven zuurdeeg.
leavings afval *m.* en *o.*
lecherous geil; wulps.
lecture verhandeling; voordracht.
lecturer lector.
ledge richel.
ledger grootboek *o.*
leech bloedzuiger.
leek prei.
lees bezinksel *o.*
leeway *(schip)* drift.
left links; *to the –,* linksaf.
left-handed linkshandig.
left luggage bagagedepot *o.*
left-off afgelegd.
leg been *o.; (v. broek)* pijp; *(v. meubels)* poot.
legacy erfenis.
legacy-hunter erfenisjager.
legal wettelijk; rechterlijk.
legal assistance rechtsbijstand.
legalize wettigen.
legally gerechtelijk; *– stamped measures,* geijkte maten.
legal security rechtszekerheid.
legation gezantschap *o.*
legend sage; *(v. munt)* opschrift *o.*
legislation wetgeving.
legitimate *bn.* gewettigd, rechtmatig. ‖ *ww.* wettigen.
legitimatize *(v. kind)* wettigen.
leisure vrije tijd.
lemon citroen.
lemonade limonade.
lemon-squash *(drank)* kwast.
lend lenen; *(bijstand)* verlenen.
lending-library uitleenbibliotheek.
length lengte.

lengthen verlengen.
lengthening-piece verlengstuk *o*.
lengthwise overlangs, in de lengte.
leniency zachtheid.
lenient *(tegenst.v. streng)* zacht.
Lent vasten(tijd).
leprosy lepra.
leprous melaats.
lesbian lesbienne.
less min, minder.
lessee pachter.
lessen verminderen, verkleinen.
lesson les.
lest opdat niet.
let (let, let) laten; *(huis)* verhuren.
letter brief; letter; *– of credit*, kredietbrief.
letter-box brievenbus.
letterpress bijschrift, tekst.
levee dijk, steiger.
level *zn.* waterpas *o.*; peil *o.*; vlakte; *– crossing, (spoorw.)* overweg. || *bn.* plat, vlak. || *ww.* gelijkmaken.
levelling-instrument waterpas *o.*
lever hefboom.
levitate verlichten.
levy *zn. (belasting)* heffing. || *ww.* heffen.
lewd onzedig.
liability verantwoordelijkheid; (geldelijke) schuld; *assets and liabilities,* actief en passief; *meet one's liabilities,* zijn verplichtingen nakomen.
liable aansprakelijk; onderhevig aan.
liar leugenaar.
libation plengoffer *o.*
libel *zn.* schotschrift *o.*, smaadschrift *o.* || *ww.* verguizen.
libellous lasterlijk.
liberal vrijgevig; vrijzinnig.
liberate bevrijden.
liberation vrijlating.

liberator verlosser.
liberty vrijheid.
Libra *(dierenriem)* Weegschaal.
librarian bibliothecaris.
library bibliotheek.
librate in evenwicht houden.
licence vergunning; akte.
licensee licentiehouder.
licenser vergunningverleender.
licentious bandeloos.
licentiousness ongebondenheid.
lick likken.
lid deksel *o.*
lie *zn.* leugen. || *ww.* liegen; *(lay, lain)* rusten, liggen.
lie-a-bed langslaper.
Liechtenstein Liechtenstein.
lieutenant luitenant.
life leven *o.; depart this –,* overlijden.
life-boat redding(s)boot.
lifeless onbezield, ontzield.
liferent lijfrente.
lift *zn.* lift; opheffing. || *ww.* tillen; *(z. hoofd)* verheffen.
lifter hefkraan.
lift-pump zuigpomp.
ligate afbinden.
ligature band, verband *o.*
light *zn.* licht *o.* || *bn.* klaar; blond; licht. || *ww. (vuur)* aanmaken; aan-, opsteken; (ver)lichten.
lighten verlichten.
lighter aansteker.
light-fingered met lange vingers.
light-foot vlug.
light-hearted onbezorgd; opgewekt.
lighthouse vuurtoren.
lighting verlichting.
lightning bliksem; *– flash,* bliksemstraal.
lightning-conductor, lightning-rod bliksemafleider.
light-tower vuurtoren.
ligneous houtachtig.

lignite bruinkool.
like *zn.* weerga, gelijke. || *bn.* gelijk. || *voorz. (zo)* als. || *ww.* beminnen; houden van.
likely denkelijk, waarschijnlijk.
likeness evenbeeld *o.*; gelijkenis.
likewise insgelijks, ook.
liking gading, smaak; *against one's –*, tegen heug en meug.
lilac *zn.* sering. || *bn.* paars.
lily lelie.
lily-livered laf.
limb lid *o.*
limber *(v. affuit)* voorwagen.
lime kalk; lijm; lindeboom; *slaked, quick –*, gebluste, ongebluste kalk.
limit *zn.* grens. || *ww.* begrenzen.
limitation beperking.
limited beperkt; *– liability company*, naamloze vennootschap.
limitless grenzeloos.
limp *bn.* zacht; slap. || *ww.* hinken.
limpid klaar, helder.
line *zn. (druk, geschrift)* regel; streep; *(handel)* branche; *– of action*, gedragslijn, koers. || *ww.* strepen; *– off, (met soldaten)* afzetten.
linen linnen *o.*
linesman lijnrechter.
linger talmen; kwijnen.
lingering getalm *o.*
linguistic taalkundig.
liniment zalf.
lining voering.
link *zn.* schakel; flambouw. || *ww.* aaneenschakelen.
linseed lijnzaad *o.*
lint pluksel *o.*
lion leeuw; *the –'s share*, het grootste gedeelte.
lip lip.
liquefy smelten, vloeibaar maken.
liquid *zn.* vloeistof || *bn.* vloeibaar, vloeiend.
liquidate vereffenen.
liquor vocht *o.; alcoholic –s*, sterke drank.
liquorice zoethout *o.*
list lijst; rol; rooster.
listen luisteren.
listener toehoorder, luisteraar.
listless zorgeloos.
litany litanie.
literal woordelijk.
literary letterkundig.
literate geletterd.
literature literatuur.
lithography steendruk.
Lithuania Litouwen *o.*
litigate betwisten.
litiqious betwistbaar.
litre liter.
litter draagbaar; *(v. dier)* worp; rommel, zwerfvuil.
little klein, weinig; *– by –*, geleidelijk.
little-minded kleinzielig.
live leven; wonen.
livelihood kostwinning.
lively levendig, dartel.
liver lever.
living *zn. (betrekking)* plaats. || *bn.* woonachtig.
living-room woonkamer.
lizard hagedis.
load *zn.* lading, vracht. || *ww.* (be)laden, bevrachten.
loading-bolt *(geweer)* grendel.
loaf brood *o.*
loam leem *o.*
loan *zn.* lening. || *ww.* lenen.
loan-office leenbank.
loathe verafschuwen; walgen.
loathing walging.
loathsome walgelijk.
lobby portaal *o.*
lobe oorlel; kwab.

lobster zeekreeft.
lob-worm zeepier.
local plaatselijk.
locate plaatsen; *(door opzoeking)* vaststellen.
loch *(Schotl.)* meer *o.*
lock *zn. (v. deur)* slot *o.*, sluis; *double –*, nachtslot *o.* || *ww. (op slot doen)* sluiten.
lock-bolt grendel.
lock-chamber (sluis)kolk.
lockjaw mondklem.
lock-keeper sluiswachter.
lockout uitsluiting.
locksmith slotenmaker.
locust sprinkhaan.
lodge *zn.* huisje *o.; (dier)* hol *o.; (vrijmetselaars)* loge. || *ww.* huizen.
lodger *(v. huis)* inwoner; *(slaapgast)* slaper.
lodging huisvesting, onderkomen *o.; –s,* kwartier *o.*
lodging-place nachtverblijf *o.*
loft vliering; zolder.
lofty *(dak)* hoog.
log *(hout)* blok *o.*
loggerhead knul; *be at –s,* het aan de stok hebben.
logical logisch.
loin lende.
loin-cloth lendendoek.
loiter dralen, talmen.
loiterer treuzelkous.
lollipop, lolly lolly.
lonely eenzaam; afgelegen, verlaten.
long *bn.* lang. || *ww.* smachten; *– for,* reikhalzen naar, verlangen naar.
long-ago, *the –,* het verre verleden *o.*
long-boat sloep.
longing (for) belust (op).
longingly reikhalzend.
longitude aardrijkskundige lengte.
long-sighted vérziend; vooruitziend.
long-winded breedsprakerig.

looby lomperd.
look *zn.* blik; voorkomen *o.* || *ww.* zien; aankijken; *(lijken)* schijnen.
looker kijker.
looking-glass spiegel.
look-out uitkijkpost.
loom *zn.* weefgetouw *o.* || *ww. – (up),* opdoemen.
loop *(oogje)* trens.
loop-hole schietgat *o.; (fig.)* achterdeurtje *o.,* uitvlucht.
loose *bn.* los; mul. || *ww.* losmaken.
loosen ontspannen, verslappen; losmaken.
loot buit.
lop *(v. bomen)* snoeien; slap neerhangen.
loppings snoeihout *o.*
loquacious praatziek, spraakzaam.
lord heer.
lordly vorstelijk; voornaam.
lordschip heerschappij.
lorry vrachtauto.
lose *(lost, lost)* kwijtraken, verliezen; verspelen.
loss verlies *o.;* vergaan *o.;* schadepost.
lot *zn.* lot *o.;* kapel; *(op verkoop)* nummer *o.; (goederen)* partij. || *ww.* kavelen.
lottery verloting.
loud luid; *(kleuren)* schreeuwerig.
lounge *zn.* rustbank; wandeling. || *ww.* slenteren.
louse *(mv. lice)* luis.
lout lomperd, knul.
lovable beminnelijk.
love *zn.* liefde. || *ww.* beminnen.
love affair liefdesverhouding.
loveliness aanvalligheid.
lovely aanvallig, aanminnig.
lover beminde, minnaar.
loving teder.
low *bn.* laag; gemeen. || *ww.* loeien.

lower *(stem)* dalen; nederlaten; *(ook zedelijk)* verlagen.
lower-most laagst.
low-grade van minder gehalte.
lowland laagland *o.*
lowly gering.
low-minded gemeen.
lown rustig, stil.
low-rated veracht.
loyal getrouw.
loyalty trouw.
lozenge pastille; ruit.
lubricant glijmiddel *o.*
lubricate smeren.
lucid doorzichtig; *(zaak)* bevattelijk.
luck geluk *o.*
luckless ongelukkig.
lucky gelukkig.
lucrative winstgevend.
ludicrous potsierlijk.
ludo mens-erger-je-niet.
lug sleuren, sjouwen.
luggage bagage.
lugubrious akelig.
lukewarm lauw.
lumbago spit *o.* (in de rug)
lumber rommel.

lumber-room rommelkamer.
luminous lichtgevend.
lump klomp; bult; brok; *a – sum,* een ronde som; *in the –,* alles samengenomen.
lunacy krankzinnigheid.
lunatic *zn.* krankzinnige, gek. II *bn.* krankzinnig.
lunch(eon) lunch.
lung long.
lupine lupine.
lurch slingeren.
lurk op de loer liggen.
luscious heerlijk, lekker.
lush mals.
lust wellust, begeerte.
lustful wellustig.
lustrate zuiveren, reinigen.
lustre glorie; glans; (licht)kroon.
Luxembourg, Luxemburg Luxemburg.
luxuriance weelde.
luxuriant *(v. groei)* weelderig.
luxurious weelderig.
luxury weelde.
lying-in woman kraamvrouw.
lyrical lyrisch.

mace staf.
mace-bearer pedel.
Macedonia Macedonië.
macerate weken; vermageren.
machinate beramen, overleggen, plannen maken.
machination intrige; *(fig.)* kuiperij.
machinator intrigant.
machine *(werkt.)* machine; toestel *o.*
machine-gun mitrailleur.
mackerel makreel.
mackerel-sky lucht met schapenwolkjes.
mackle misdruk.
mad gek, krankzinnig; *stark –,* stapelgek.
madam mevrouw, mejuffrouw.
madder (mee)krap.
madhouse krankzinnigengesticht *o.*
madman krankzinnige, gek.
madness gekheid; waanzin, razernij.
maffled verward.
mafia maffia.
magazine magazijn *o.*; tijdschrift *o.*
maggot made, worm.
magic *zn.* toverkracht. ‖ *bn.* toverachtig.
magical toverachtig.
magician tovenaar.
magistrate magistraat.
magnanimous grootmoedig.
magnet magneet.
magnificence praal, pracht.
magnificent prachtig.
magnifying-glass vergrootglas *o.*
magpie ekster.
mahogany mahoniehout *o.*
maid meid.
maiden meisje, maagd.
maidenhood maagdelijkheid.
maidenly maagdelijk.
maid-servant dienstmeid.
mail mail, post.
maim verminken.
main voornaamste.

mainland vasteland *o.*
mainly hoofdzakelijk, voornamelijk.
mainstay *(fig.)* steun.
maintain behouden, handhaven, volhouden.
maintainable houdbaar.
maintenance instandhouding; *(verzorging)* onderhoud *o.*; onderstand.
maize maïs.
majestic majestueus, statig.
majesty majesteit.
major majoor; meerderjarige.
majority meerderheid; meerderjarigheid.
make *zn.* maaksel *o.* ‖ *ww. (made, made)* maken, vervaardigen; – *up the number,* voltallig maken; – *head against difficulties,* tegen moeilijkheden optornen; – *dispositions,* schikkingen treffen.
makepeace vredestichter.
maker schepper, maker.
makeshift hulpmiddel *o.; (zaak)* noodhulp.
makeweight toegift.
making aanmaak.
malady kwaal.
male mannelijk.
malediction verwensing; vervloeking.
malefactor kwaaddoener, misdadiger.
maleficent schadelijk, nadelig.
malevolent kwaadwillig.
malice kwaadaardigheid; *with – aforethought,* met voorbedachten rade.
malicious boosaardig, kwaadaardig.
malign *zn.* verderfelijk; boos. ‖ *ww.* kwaadspreken van iem.
malignant boosaardig, kwaadaardig.
malleable smeedbaar.
mallet (houten) hamer.
malt mout *o.*
Malta Malta.
maltreat mishandelen.

maltster mouter.
mammal zoogdier *o.*
mammoth mammoet.
mammy moedertje *o.*
man (*mv.* men) mens; man.
manacle handboei.
manage beheren, besturen.
manageable handelbaar.
management beheer *o.*, management *o.*; administratie.
manager beheerder, bestuurder.
manageress directrice.
mandarin mandarijntje *o.*
mandate mandaat *o.*, *(last)* opdracht.
mane *(v. paard)* manen.
man-eater menseneter.
manege manege.
manful moedig.
mange schurft *v./m.* en *o.*
manger krib.
mangle *zn.* mangel. || *ww.* mangelen.
mangy schurftig.
mania manie.
maniac maniak.
manifest *zn.* manifest *o.* || *bn.* klaarblijkelijk; zichtbaar. || *ww.* betonen; blijken, tonen.
manifestation betoging, manifestatie.
manifold menigvuldig, veelvuldig.
manikin mannetje *o.*
manipulate hanteren; manipuleren.
manipulation bewerking.
mankind mensdom *o.*, mensheid.
manner manier, wijze; *–s,* omgangsvormen.
mannerless onbeleefd, ongemanierd.
mannerly gemanierd.
mannish manachtig.
manorial heerlijk.
man-servant knecht.
mansion herenhuis *o.*
manslaughter doodslag.
mantelpiece schoorsteenmantel.

mantelshelf schoorsteenrand.
mantle mantel.
mantrap val, klem.
manual *zn.* handboek *o.*, handleiding. || *bn.* met de hand.
manufacture *zn.* aanmaak; vervaardiging. || *ww.* aanmaken; vervaardigen.
manure *zn.* mest. || *ww.* bemesten.
manuscript handschrift *o.*, manuscript *o.*
many menig, veel.
many-coloured veelkleurig.
many-headed veelhoofdig.
many-sided veelzijdig.
map (land)kaart.
mar bederven; mismaken.
maraud stropen.
marauder stroper.
marauding-expedition strooptocht.
marble *zn.* marmer *o.*; knikker. || *bn.* marmeren.
marble-hearted hardvochtig.
marbly marmeren.
March maart.
march *zn.* tocht; mars. || *ww.* marcheren.
marchpane marsepein *m.* en *o.*
march past defileren.
mare merrie; *–'s nest,* waardeloze vondst.
margin rand, kant; winst; *(fig.)* speelruimte.
marginal marginaal; *– note,* kanttekening; *– line,* kantlijn.
marijuana, marihuana marihuana.
marine marinier.
mariner zeeman.
mark *zn.* kenteken, merk *o.*; teken *o.*; blijk *o.*; schietschijf; *hit one's –,* zijn doel treffen. || *ww.* kenmerken; stempelen; opmerken.
markedly opvallend.
market markt, afzetgebied *o.*; *find a ready –,* een groot debiet hebben.

marketable verkoopbaar; courant.
market-day marktdag.
market-dues marktgeld *o.*
market-share marktaandeel *o.*
market-stall marktkraam.
marking tekening.
marksman schutter.
marl mergel.
marmalade marmelade.
marmot marmot.
marquee paviljoen *o.*; tent.
marquetry ingelegd werk *o.*
marquis markies.
marriage huwelijk *o.*
marriageable huwbaar.
marrow merg *o.*
marrowbone mergpijp.
marry huwen, trouwen.
marsh moeras *o.*
marshal maarschalk.
marsh-fire dwaallichtje *o.*
marshy moerassig, drassig.
mart stapelplaats; markt.
marten marter.
martial krijgshaftig.
martyr martelaar.
marvel wonder *o.*
marvellous wonderbaar.
marzipan marsepein *m. en o.*
masculine mannelijk.
mash *zn.* moes *o.* ‖ *ww.* fijnstampen.
mask *zn.* masker *o.* ‖ *ww.* vermommen.
mason vrijmetselaar.
masonry vrijmetselarij; metselwerk *o.*
masquerade maskerade.
mass mis; massa.
massage masseren.
massive fors, massief.
mast mast.
master *zn.* meester, baas, gezagvoerder; heer; *(opdrachtgever)* principaal. ‖ *ww.* beheersen, meester worden.

master builder hoofdaannemer.
master-hand vakman, expert.
master-key passepartout.
masterly meesterlijk.
master-piece meesterstuk *o.*; kunststuk *o.*
mastery heerschappij.
mast-head top van de mast.
masticate kauwen.
masturbation masturbatie, zelfbevrediging.
mat *zn.* mat. ‖ *bn.* dof, mat.
match *zn.* match, wedstrijd; weerga; lucifer. ‖ *ww.* evenaren.
matchless zonder weerga, weergaloos.
matchmaker koppelaar.
mate gezel, kameraad, makker.
material *zn.* materiaal *o.*; old –s, afbraak; *raw* –, grondstof. ‖ *bn.* stoffelijk.
materialism materialisme *o.*
maternal moederlijk.
maternity moederschap *o.*
maternity leave zwangerschapsverlof *o.*
maternity ward kraaminrichting.
mathematics wiskunde.
matricide moedermoord.
matriculate inschrijven.
matrimony echt, huwelijk *o.*
matrix *(mv. –es of matrices)* matrijs; matrix.
matron *(v. weeshuis)* moeder, directrice.
matter stof; aangelegenheid, zaak.
matterful zakelijk.
matter-of-course natuurlijk.
mattock houweel *o.*
mattress matras.
mature *bn.* rijp; volgroeid; *(wissel)* vervallen. ‖ *ww.* rijpen; vervallen.
maturely rijpelijk.
maturity rijpheid; *(v. wissel)* verval *o.*
maul *zn.* moker. ‖ *ww.* toetakelen.
Maundy Thursday Witte Donderdag.
mausoleum praalgraf *o.*

maw *(dieren)* maag; *(vogels)* krop.
mawkish walgelijk.
maxim spreuk, stelregel.
maximize maximaliseren.
May mei.
may kunnen; mogen.
maybe misschien.
maybug meikever.
mayonnaise mayonaise.
mayor burgemeester.
maypole meiboom.
maze doolhof.
mazy verward.
me mij.
mead mede.
meadow weide.
meagre mager; *(spijs)* schraal.
meal maaltijd; meel *o.*
mealy meelachtig.
mealy-mouthed schijnheilig.
mean *zn.* middenweg; gemiddelde *o.;*
–*s*, middelen; *bij all* –*s*, zeker,
ongetwijfeld; *bij no* –*s*, geenszins.
|| *bn.* gemiddeld; gemeen; pover.
|| *ww.* beduiden; menen.
meander *zn.* kronkeling. || *ww.*
kronkelen.
meaning bedoeling, betekenis.
meaningless zinledig.
meanness geringheid.
meantime inmiddels, intussen.
meanwhile ondertussen.
measles mazelen.
measly miezerig.
measurable meetbaar.
measure *zn.* maat; maatregel; *coercive* –,
dwangmiddel *o.; precautionary* –,
veiligheidsmaatregel. || *ww.* meten;
(woorden) wegen.
measurement afmeting.
measurer *(pers.)* meter.
measuring-rod maatstaf.
meat vlees *o.*

meaty vlezig.
mechanic handarbeider;
werktuigkundige; –*s*, werktuigkunde.
mechanical werktuiglijk.
mechanism mechanisme *o.*
mechanist werktuigkundige.
medal medaille; gedenkpenning.
meddle zich bemoeien.
meddler bemoeial.
meddlesome bemoeiziek.
mediate *bn.* indirect, middellijk. || *ww.*
bemiddelen.
mediation bemiddeling, tussenkomst.
mediatize afhankelijk maken.
mediator bemiddelaar, tussenpersoon.
mediatory bemiddelend.
medical medisch.
medicaster kwakzalver.
medicate geneeskundig behandelen;
geneeskundig bereiden.
medicinable geneeskundig.
medicine geneeskunde; geneesmiddel *o.*
medieval middeleeuws.
meditate peinzen, zinnen.
meditation overdenking, overpeinzing.
medium tussenpersoon; middel *o.;*
middelsoort; medium *o.*
medlar mispel.
medley mengelmoes *m./v. en o.*
meek gedwee, zachtmoedig.
meekness deemoed, ootmoed.
meet *(met, met)* ontmoeten; afhalen,
samenkomen.
meeting ontmoeting, samenkomst,
vergadering.
megalomania grootheidswaanzin.
melancholy *zn.* melancholie. || *bn.*
bedrukt, zwaarmoedig.
meliorate verbeteren.
melioration verbetering.
mellifluous zoetvloeiend, honingzoet.
mellow mals, rijp; *(lichtelijk)*
aangeschoten.

mellowness rijpheid.
melodious melodieus, welluidend.
melody melodie, wijs.
melon meloen.
melt smelten, – *into air, (v. hoop, enz.)* vervliegen.
melting-point smeltpunt *o.*
melting-pot smeltkroes.
member lid *o.*
membership lidmaatschap *o.*
membrane *(v. oog, op wond, enz.)* vlies *o.; mucous* –, slijmvlies *o.; tympanic* –, trommelvlies.
membranous vliezig.
memento aandenken *o.*
meningitis hersenvliesontsteking.
memorable gedenkwaardig; heuglijk.
memorandum aantekenboek(je) *o.,* memorandum *o.*
memorial gedenkteken *o.; (geschrift)* memorie; petitie.
memorize herdenken, gedenken.
memory aandenken *o.;* geheugen *o.*
menace *zn.* bedreiging. || *ww.* bedreigen.
mend verbeteren; – *one's ways,* zich verbeteren; herstellen; *(kleren)* verstellen.
mendable verstelbaar.
mendacious leugenachtig.
mender versteller.
menial dienstbaar; oninteressant, saai.
menopause menopauze.
menstruation maandstonden, menstruatie.
mensurable meetbaar.
mental geestelijk; – *illness,* geesteziekte.
mentally deficient debiel, zwakzinnig.
mention *zn.* melding; gewag *o.* || *ww.* (ver)melden, gewagen van, reppen.
mentionable noembaar.
menu menu *m. en o.,* spijskaart.
mercantile handels-.

mercenary *bn.* geldzuchtig. || *zn.* huurling.
merchandise koopwaar.
merchant handelaar, koopman.
merchant-fleet koopvaardijvloot.
merchantman koopvaarder.
merchant-service handelsvloot.
merchant-vessel koopvaarder.
merciful barmhartig, goedertieren.
merciless ongenadig, onmeedogend.
mercury kwik *o.*
mercy gratie; barmhartigheid; *have – on,* zich ontfermen over; *at the – of,* totaal afhankelijk van.
mere enkel, louter.
merely alleen, enkel.
merge samenvloeien, doen opgaan.
merger fusie.
meridian meridiaan.
merit *zn.* verdienste. || *ww.* verdienen.
meritorious verdienstelijk.
mermaid zeemeermin.
merriment vrolijkheid.
merry jolig, vrolijk.
merry-go-round draaimolen.
merry-making feestvreugde.
mesh maas; *(v. breien)* steek.
mess knoeiboel, troep; militaire kantine; veevoer.
message boodschap; *get the* –, de boodschap begrijpen.
messenger bode.
messing huishouding.
messmate tafelgenoot.
metabolism stofwisseling.
metal *zn.* metaal *o.* || *bn.* metalen.
metamorphosis gedaanteverwisseling.
metaphor beeldspraak.
mete meten.
meteor meteoor.
meteorological weerkundig.
method handelwijze, methode, systeem *o.*

methodical methodisch.
methodize methodisch behandelen.
meticulous nauwgezet; peuterig.
meticulousness nauwgezetheid.
metre meter.
metropolis grootstad.
metropolitan *zn.* aartsbisschop;
  metropolitaan. || *bn.*
  aartsbisschoppelijk; van de grootstad
  (meestal London).
mettle fut, moed.
mew *zn.* meeuw. || *ww.* miauwen.
miaow, miaul miauwen.
mica mica *o.*
microphone microfoon.
microscope microscoop.
midday middag.
midday-meal middageten *o.*
middle *zn. (van het lichaam)* middel *o.*,
  midden *o.* || *bn.* middelbaar,
  middelste.
middle class burgerklasse.
middleman tussenpersoon.
middlemost middelste.
middlesized middelbaar, middelmatig.
middling middelmatig, redelijk.
midge mug.
midnight middernacht.
midriff middenrif *o.*
mid-sea volle zee.
midshipman adelborst.
midst midden *o.*
midstream het midden van de stroom;
  (fig.) halverwege.
midway *zn.* middenweg. || *bw.*
  halverwege.
midwife vroedvrouw.
miff onbeduidende ruzie.
might macht.
mighty machtig.
migrate verhuizen, migreren, trekken.
migration verhuizing, migratie, trek.
milch melkgevend.

mild *(v. gemoed)* zacht; *(sigaar)* licht.
mildew schimmel.
mildewed beschimmeld.
mildness zachtheid.
mile mijl.
milestone mijlpaal.
military militair.
milk *zn.* melk; *condensed, skimmed,*
  sterilized –, gecondenseerde,
  afgeroomde, gesteriliseerde melk.
  || *ww.* melken; afzetten, plukken.
milk-cow melkkoe.
milkman melkman, melkboer.
milk-powder melkpoeder *o.*
milk-tooth melktand.
milky melkachtig; *Milky Way,* Melkweg.
mill *zn.* molen. || *ww.* malen;
  (v. munten) kartelen.
miller molenaar.
millimetre millimeter.
milliner hoedenmaakster,
  modemaakster.
million miljoen *o.*
millionaire miljonair.
millipede duizendpoot.
millstone molensteen.
milt milt, hom.
mimic na-apen; nabootsen.
mimicry mimiek.
minacious, minatory dreigend.
mince *(vlees)* kappen; *– d meat,* gehakt *o.*
mincing-machine vleesmolen.
mind *zn.* verstand *o.*; gemoed *o.*;
  mening; *speak one's –,* voor zijn mening
  uitkomen. || *ww.* oppassen; bedenken.
minder oppasmoeder, onthaalmoeder.
mindful indachtig.
mindless geesteloos.
mine *zn.* mijn. || *vnw.* mijn. || *ww.*
  ondermijnen.
mine-layer mijnlegger.
miner mijnwerker.
mineral delfstof.

mine-sweeper mijnenveger.
mingle mengen.
miniature miniatuur.
minimize tot een minimum
terugbrengen.
minimum minimum; – *income*,
minimuminkomen *o*.
mining mijnbouw.
mining-engineer mijningenieur.
minister predikant; minister.
ministry ministerie *o*.
mink nerts *o*.
minor minderjarig, onmondig.
minority minderheid.
mint *zn*. *(plant; geslagen geld)* munt; *the
(Royal) Mint, (gebouw)* rijksmunt.
|| *ww*. munten.
minuet menuet *o*.
minute *zn*. minuut. || *bn*. gering, klein.
minute-book notulenboekje *o*.
minute-hand minuutwijzer.
miracle wonder *o*.
miraculous wonderbaar.
mirage luchtspiegeling.
mire modder.
mirror *zn*. spiegel. || *ww*. afspiegelen.
mirth vrolijkheid.
mirthful vrolijk.
miry modderig.
misadventure tegenspoed.
misalliance mesalliance.
misanthrope mensenhater.
misappreciation miskenning.
misbehave zich misdragen.
miscalculation misrekening.
miscall verkeerd noemen.
miscarriage miskraam; mislukking.
miscarry mislukken; *(v. zaak)*
verongelukken.
miscellaneous gemengd.
mischance ongeluk *o*.
mischief kattekwaad *o*., ondeugd,
onheil *o*.

mischief-maker kwaadstoker.
mischievous ondeugend.
misconception wanbegrip *o*.
misconduct *zn*. overspel *o*.; wangedrag
o. || *ww*. misleiden; misdragen.
miscount misrekenen.
miscreant onverlaat; ongelovige.
miscreed vals geloof.
misdeal *(misdealt, misdealt) (kaartspel)*
vergeven.
misdemeanour wangedrag *o*.
miser vrek.
miserable armzalig; beroerd, ellendig.
miserliness vrekkigheid.
misery ellende.
misfire *(vuurwapen)* weigeren, ketsen.
misfortune ongeluk *o*.
misgiving angstig voorgevoel *o*.
misguide misleiden.
mishap ongeluk *o*., ongeval *o*.
mishmash mengelmoes *m./v. en o*.
misjudge miskennen.
mislead *(misled, misled)* misleiden.
misogynist vrouwenhater.
misplaced misplaatst.
misprint misdruk.
misrepresent, – *things*, de zaken scheef
voorstellen.
miss *zn*. juffrouw; misslag. || *ww*.
missen, falen.
missay *(missaid, missaid)* miszeggen.
misshapen mismaakt, wanstaltig.
mission mandaat *o*.; zending, missie.
missionary zendeling, missionaris.
missish nuffig.
missive zendbrief.
mist mist, nevel.
mistake *zn*. abuis *o*.; misgreep;
vergissing. || *ww*. *(mistook, mistaken)*
zich vergissen.
mistaken verkeerd begrepen,
misplaatst; *be greatly* –, zich deerlijk
vergissen.

mistakenly verkeerdelijk.
mister, Mr mijnheer.
mistletoe marentak.
mistress, Mrs. meesteres; mevrouw; minnares.
mistrust *zn.* argwaan, mistrouwen *o.* || *ww.* mistrouwen.
misty mistig.
misunderstanding misverstand *o.*
misuse *zn.* misbruik *o.* || *ww.* misbruiken.
mite mijt; kleinigheid; peuter.
mitigate matigen; verzachten, lenigen.
mitre mijter; *(timmerw.)* verstek *o.*
mitten *(handschoen)* want; *get the –,* een blauwtje lopen.
mix brouwen, mengen.
mixable mengbaar.
mixture mengsel *o.*
mizzle motregenen.
moan jammeren, kermen, kreunen.
moat *(rond kasteel)* gracht.
mob *zn.* gemeen *o.*, gepeupel *o.* || *ww.* samenscholen.
mobile beweeglijk.
mobile phone gsm, zaktelefoon.
mobilization mobilisatie.
mocha mokka.
mock bespotten, spotten.
mocker spotter; *(fig.)* spotvogel.
mockery spot.
mocking-bird spotvogel.
mode mode.
model *zn.* model *o.*, patroon *o.*, voorbeeld *o.*, mal. || *ww.* boetseren, vormen.
moderate *bn. (prijs)* gematigd, billijk. || *ww.* matigen.
modern hedendaags, modern.
modest bescheiden, ingetogen.
modesty bescheidenheid.
modification wijziging.
modifier wijziger.

modify wijzigen.
modish naar de mode.
modist modegek.
modulate regelen; *(muz.)* moduleren.
moil sloven; *toil and –,* afsloven.
moist nat, vochtig.
moisten bevochtigen.
moisture *(op muur)* uitslag; *(vloeistof)* vocht *o.*
molar maaltand.
molasses *(v. suiker)* stroop.
Moldavia Moldavië.
mole *(dier)* mol; havenhoofd *o.*; moedervlek.
molecule molecule.
mole-hill molshoop.
moleskin mollenvel *o.*
molest storen, lastig vallen.
mollify vertederen; *(de wet)* verzachten.
mollusc weekdier *o.*
mollycoddle vertroetelen.
moment moment *o.*; ogenblik *o.*
momentary kortstondig, een ogenblik.
momentous gewichtig.
Monaco Monaco.
monarch vorst, vorstin.
monarchical vorstelijk.
monarchy monarchie.
monastery (mannen)klooster *o.*
Monday maandag.
monetary geldelijk, monetair;
    – standaard, muntstandaard;
    – system, muntstelsel *o.*
money geld *o.*, munt; *ready –,* baar geld.
money-affair geldzaak.
money-box spaarpot.
money-grubber geldwolf.
money-order postwissel.
mongrel *(dier, plant)* bastaard.
monk kloosterling, monnik.
monkey aap; *get or put one's – up,* kwaad zijn of razend worden.

monkey-spanner Engelse sleutel.
monocle monocle.
monologue alleenspraak.
monopoly alleenhandel, monopolie *o.*
monotonous eentonig.
monsoon moesson.
monster gedrocht *o.*, monster *o.*
monstrosity gedrocht *o.*
monstrous monsterachtig.
Montenegro Montenegro.
month maand.
monthly maandelijks.
monument gedenkteken *o.*,
  monument *o.*
mood humeur *o.*, stemming; *(gramm.)*
  wijs.
moon *zn.* maan; *new, half, full* –, nieuwe,
  halve, volle maan; *the waxing* –, de
  wassende maan. || *ww. (dromen)* suffen.
mooncalf domkop.
moonlight maneschijn.
moonshiner jeneverstoker; smokkelaar
  in sterkedranken.
moon-struck maanziek.
moor *zn.* heide. || *ww. (schip)*
  vastleggen, meren.
moot betwistbaar; – *point*, twistpunt.
mop *zn.* stokdweil. || *ww.* zwabberen,
  dweilen; – *up*, *(m. doek, enz)*
  opnemen.
mope kniezen.
moped bromfiets.
mope-eyed bijziend; kortzichtig.
moral *zn.* moraal. || *bn.* moreel, zedelijk.
morality zedelijkheid, zedenleer.
morass moeras *o.*
morbid ziekelijk, somber.
morbific ziekteveroorzakend.
mordacious vinnig, bijtend.
mordacity vinnigheid.
mordant *zn.* bijtmiddel *o.* || *bn.* bijtend.
more meer, meerder.
morello (zure) kers, morel.

moreover daarbij, daarenboven.
morning morgen; voormiddag.
morning-after pill morning-afterpil.
morning-edition ochtendeditie.
morning-gown ochtendjas.
Morocco Marokko.
morocco(-leather) marokijn *o.*
morose misnoegd.
morphia, morphine morfine.
morrow volgende dag, morgen.
morsel hap.
mortal *zn.* sterveling. || *bn.* dodelijk,
  sterfelijk; – *fear (agony)*, doodsangst.
mortality sterfte.
mortar mortel; *(mil.)* mortier; vijzel.
mortgage *zn.* hypotheek. || *ww.*
  belenen.
mortgage bond pandbrief.
mortify vernederen.
mosaic mozaïek *o.*
mosque moskee.
mosquito muskiet.
mosquito-blind, mosquito-screen
  vliegenraam *o.*
mosquito net klamboe.
moss mos *o.*;
moss-clad, moss-grown met mos
  begroeid.
moss-litter turfstrooisel *o.*
most meest; *at (the)* –, hoogstens.
mostly merendeels, meestal.
moth mot.
mother moeder.
motherhood moederschap *o.*
mother-in-law schoonmoeder.
motherland moederland *o.*
mother language, mother tongue
  moedertaal.
motherly moederlijk.
mortgage hypotheek.
mother-of-pearl parelmoer *o.*
motif motief *o.*
motion beweging; motie; –*(s)*,

stoelgang.
motionless roerloos.
motivate met redenen omkleden.
motive *zn.* oorzaak; beweeggreden. || *ww.* motiveren.
motley *bn.* bont. || *zn.* narrenpak.
motor motor.
motorbike motorfiets.
motorbus autobus.
motorcar auto.
motorist automobilist.
motorway autosnelweg.
motto zinspreuk; devies *o.*, motto *o.*
mould *zn.* teelaarde; gietmal, vorm; molm *m. en o* || *ww.* beschimmelen; vormen.
moulder *zn.* vormer. || *ww.* – *(away)*, vermolmen.
mouldy beschimmeld; vermolmd.
moult ruien.
mount *zn.* berg. || *ww. be –*, opklimmen; *(machine)* monteren.
mountable beklimbaar.
mountain berg.
mountaineer bergbewoner, bergbeklimmer.
mountainous bergachtig.
mountain refuge berghut.
mountebank kwakzalver.
mounted bereden.
mounter monteur.
mounting montering; montuur, beslag *o.*
mourn rouwen, (be)treuren.
mournful droefgeestig, treurig.
mourning rouw; droefheid; *in –*, in de rouw.
mourning-song klaaglied *o.*
mouse *(mv.* mice) *zn.* muis. || *ww. (fig.)* snuffelen.
mousetrap muizenval.
moustache knevel, snor.
mouth mond, monding; *(v. vuurwapen)* tromp, bek.

mouthful hap, mondvol.
mouthpiece mondstuk *o.; (fig.)* spreekbuis.
mouth-to-mouth resuscitation mond-op-mondbeademing.
mouthwash mondspoeling.
mouthy praatziek; bombastisch.
movable beweegbaar; –*s*, roerende goederen.
move *zn.* beweging; verhuizing; *(fig.)* zet. || *ww. (troepen, enz.)* (zich) verplaatsen; verhuizen; – *heaven and earth*, hemel en aarde bewegen.
moved aangedaan, bewogen.
movement beweging.
movies bioscoop.
moving aandoenlijk, roerend; beweegbaar.
moving-spring drijfveer.
mow *zn.* opper, hooiberg. || *ww. (mowed, mown)* maaien.
mower maaier.
much *bn.* veel. || *bw.* zeer; – *of a muchness*, vrij wel hetzelfde.
mucid beschimmeld.
muck mest, beer.
mucous slijmerig.
mucus *(uit neus)* snot *o.*
mud modder, slib *o.*, slijk *o.*
mud-bath modderbad *o.*
muddle *zn.* verwarring, warboel. || *ww.* verwarren; *(half dronken)* benevelen; – *away, (geld)* verknoeien.
muddle-head wargeest.
muddy modderig; met grondsmaak.
mudflat wad *o.*
mud-guard, **mud-wing** slijkbord *o.*
muff mof.
muffle toedekken; dempen.
muffler omslagdoek, sluier.
mufti *in –*, in burger(kleren).
mug kan, kroes, pot.
muggy *(v. weer)* broeierig, zwoel.

mulberry moerbei.
mulct *zn.* boete. ‖ *ww.* beboeten.
mule muildier *o.; (fig.)* stijfkop.
mullein *(plantk.)* toorts.
multifarious veelvuldig.
multilateral veelzijdig.
multiple *zn.* veelvoud *o.* ‖ *bn.* veelvuldig.
multiple sclerosis mutiple sclerose.
multiple-choice question. meerkeuzevraag.
multiplication vermenigvuldiging.
multitude drom, menigte.
mumble mompelen.
mumbler mompelaar.
mummy mama.
mumps *(med.)* de bof.
munch knabbelen, peuzelen.
mundane werelds.
municipal stedelijk; gemeentelijk; – *council,* gemeenteraad.
municipality gemeente-, stadsbestuur *o.*
munificent vrijgevig.
munition munitie.
murder *zn.* moord. ‖ *ww.* vermoorden.
murderer moordenaar.
murderous moorddadig.
mure ommuren.
muriatic zout-; – *acid,* zoutzuur *o.*
murky donker; triestig.
murmur *zn.* gebrom *o.;* gemompel *o.;* gemurmel *o.* ‖ *ww.* morren; *(v. beekje)* ruisen, murmelen.
murmurer mopperaar.
muscle spier.
muscular gespierd.
muse *zn.* muze. ‖ *ww.* mijmeren, zinnen.
museum museum *o.*
mush moes *m./v. en o.,* hutspot.

mushroom paddestoel, champignon.
music muziek; *set to –,* toonzetten.
musical muzikaal.
musician muzikant, toonkunstenaar.
musk muskus.
mussel mossel.
mussy slordig.
must moeten.
mustard mosterd.
muster *zn.* monstering. ‖ *ww.* monsteren.
musty duf, muffig, vunzig.
mutable veranderlijk.
mutate veranderen.
mute stom; *(gramm.)* toonloos.
muteness, mutism stomheid.
mutilate verminken; schenden.
mutilation schending.
mutineer muiter, rebel.
mutinous oproerig.
mutiny *zn.* muiterij. ‖ *ww.* muiten.
mutter mompelen, prevelen.
mutton schapenvlees *o.; leg of –,* schapenbout.
mutton-head *(fig.)* stommeling.
mutual onderling, wederkerig; wederzijds.
muzzle muil; muilband; *(v. vuurwapen)* tromp.
muzzy suf, saai.
my mijn(e).
myopic bijziend.
myrrh mirre.
myself mij zelf.
mysterious geheimzinnig.
mystery geheim *o.,* verborgenheid.
mystic(al) mystiek.
mysticism mystiek.
mystify verbijsteren; foppen; misleiden.
mythology godenleer.

N

nag zn. *(paard)* hit. ‖ ww. zeuren, zaniken.

naiad waternimf.

nail zn. nagel, spijker; *on the –,* onmiddellijk, contant. ‖ ww. spijkeren.

nail varnish nagellak *m. en o.*

naïve naïef.

naked bloot, naakt; *stark –,* spiernaakt.

name zn. naam, benaming; *Christian –,* voornaam; *her maiden –,* haar eigen naam. ‖ ww. heten; noemen.

nameable noembaar.

nameless naamloos.

namely namelijk, te weten.

name-plate naambord *o.*

namesake naamgenoot.

nap dutje *o.*

nape, *– of the neck,* nek.

napkin *(tafel)* servet *o.*

narcissus narcis.

narcotic verdovingsmiddel *o.*

narrate vertellen.

narration verhaal *o.,* vertelling.

narrow zn. (zee-)engte. ‖ bn. bekrompen, nauw, eng. ‖ ww. vernauwen; *(breien)* minderen.

narrow-minded kleingeestig.

nasty goor, vies.

nation natie, volk *o.*

national nationaal; *(geschied.)* vaderlands; *– anthem,* volkslied *o.*

nationality nationaliteit.

native zn. inboorling, inlander. ‖ bn. ingeboren, inlands; *(planten)* inheems.

natural natuurlijk; ongekunsteld.

natural calamity natuurramp.

natural gas aardgas *o.*

naturalize naturaliseren.

nature aard, inborst, natuur; *of a temporary –,* van voorbijgaande aard.

nature reserve natuurreservaat *o.*

naturism naturisme *o.*

naught niet *o.; set at –,*

veronachtzamen, negeren.

naughty ondeugend; *(v. kind)* stout.

nauseate walgen.

nauseous walgelijk.

nautical zeevaartkundig; *– college,* zeevaartschool.

naval vloot-; zee-; *– forces,* zeemacht.

nave naaf; *(v. kerk)* schip *o.*

navel navel.

navigable bevaarbaar.

navigate varen.

navigation scheepvaart; *coastal –,* kustvaart.

navigator zeevaarder.

navy oorlogsvloot, vloot.

navy-blue marineblauw.

Nazi nazi.

near nabij; dichtbij.

nearby naburig; nabij.

nearly bijna, haast.

near-sighted bijziend.

neat net; zindelijk; *(v. drank)* puur.

neatness netheid.

neb bek.

necessary zn. behoefte. ‖ bn. nodig, noodzakelijk.

necessitate noodzaken.

necessitous noodlijdend.

necessity nood; *– has no law,* nood breekt wet.

neck hals; *a stiff –,* hardnekkigheid; *– or nothing,* alles of niets.

neck-tie das.

need zn. behoefte, nood; *if – be,* desnoods. ‖ ww. (be)hoeven.

needful nodig.

needle naald.

needle-case naaldenkoker.

needless onnodig.

needle-woman naaister.

needy behoeftig, hulpbehoevend.

nefarious afschuwelijk, snood.

negate krachteloos maken, ontkennen.

negation weigering; ontkenning.
negative negatief.
neglect *zn.* verzaking, verzuim *o.* || *ww.* nalaten; verwaarlozen; verzaken.
neglectful nalatig.
negligent achteloos, nalatig.
negligible te verwaarlozen.
negotiable verhandelbaar.
negotiate onderhandelen; verhandelen.
negotiation onderhandeling.
negress negerin.
negro neger.
neigh hinniken.
neighbour buurman.
neighbourhood nabijheid, omstreken.
neighbouring nabijgelegen, naburig.
neither *bn., vnw.* geen van beide. || *bw.* ook... niet.
nephew neef.
nerve zenuw.
nerve-racking zenuwslopend.
nervous nerveus, zenuwachtig.
nervous breakdown zenuwinzinking.
nervy zenuwachtig, geïrriteerd.
nest *zn.* nest *o.* || *ww.* nestelen.
nestle zich nestelen; – *down,* zich neervlijen.
net *zn.* net *o.* || *bn.* netto.
Netherlands (the) Nederland.
netting gaas *o.*; netwerk *o.*
nettle *zn.* netel. || *ww.* netelen.
nettle-rash netelkoorts.
neurotic zenuwziek.
neuter *(gramm.)* onzijdig.
neutral neutraal; onzijdig.
never nimmer, nooit.
nevertheless niettemin, nochtans.
new nieuw; vers
new-born pasgeboren; wedergeboren.
new-comer nieuweling(e).
newel *(v. wenteltrap)* spil.
new-fashioned nieuwerwets.
new-laid *(eieren)* vers.

newly pas, onlangs.
news boodschap, tijding; nieuws *o.*
news agency nieuwsagentschap *o.*
newsboy krantenjongen.
newspaper krant.
New Year nieuwjaar *o.*
next *bn.* naast; volgend. || *bw.* naast, daarna.
nib *(v. pen)* punt, snavel.
nibble *zn. (vis)* beet. || *ww.* knabbelen.
nibbler knabbelaar.
nice fraai, keurig; lief; lekker.
niceness aardigheid; fijnheid.
nicety nauwkeurigheid.
niche nis.
nick *zn.* inkeping. || *ww.* inkepen.
nickel *zn.* nikkel *o* || *bn.* nikkelen. || *ww.* vernikkelen.
nickname *zn.* bijnaam. || *ww.* bijnaam geven.
niece *(dochter v. zuster of broer)* nicht.
niggard vrek.
nigger neger.
niggle peuteren.
niggling peuterig.
night nacht; *first* –, première; *by* –, 's nachts; *last* –, vannacht.
night-cap nachtmuts; slaapmutsje.
night-club nachtclub.
night-dog waakhond.
night-gown nachtjapon.
nightingale nachtegaal.
nightly nachtelijk.
nightmare nachtmerrie.
night-soil mest, beer.
night-stand nachttafeltje *o.*
night-watchman nachtwaker.
nimble behendig, vlug.
nimbleness vlugheid.
nimbus stralenkrans.
nine negen.
ninepins kegelspel *o.*
nineteen negentien.

ninety negentig.
ninny uilskuiken *o*.
ninth negende.
nip *zn*. borrel. ‖ *ww. (v. koude)* bijten.
nippers nijptang; *(v. kreeft)* schaar.
nipple tepel.
nitrate *zn*. nitraat *o*. ‖ *ww*. met nitraat behandelen.
nitre salpeter *o*.
nitric acid salpeterzuur *o*.
nitrogen stikstof.
no geen; neen; – *man's land*, niemandsland *o*.
nobiliary adellijk.
nobility adel.
noble adellijk, nobel.
noble-minded edelmoedig.
nobody geen mens, niemand.
nock *(scheepv.)* nok.
nocturnal nachtelijk.
nod *zn. (met het hoofd)* knik; *land of* –, slaap. ‖ *ww. (groeten)* knikken.
node *(plantkunde)* knoop.
noise geluid *o*., geraas *o*.
noiseless stil.
noise pollution geluidsoverlast.
noisome schadelijk.
noisy luidruchtig.
nomad zwerver.
nominal nominaal; – *price*, spotprijs.
nominate (be)noemen; *(kandidaat)* voordragen.
nomination aanstelling, *(v. kandidaten)* voordracht.
non-aggressionspact niet-aanvalspact *o*.
non-alcoholic alcoholvrij.
non-attendance *(op school)* verzuim *o*.
nonchalant nonchalant.
non-commissioned officer *(N.C.O.)* onderofficier.
none geen, niemand.
non-entity onding *o*.
nonsense onzin, gekheid, nonsens.

non-skid chain sneeuwketting.
noodle sul, uilskuiken *o*.
nook hoek.
noon middag.
noose lus, strik.
normal normaal.
north noorden *o*.
north-east noordoost *o*.
northern noordelijk.
Northern Ireland Noord-Ierland.
northlight noorderlicht *o*.
North Pole noordpool.
north-west noordwest *o*.
Norway Noorwegen.
nose *zn*. neus. ‖ *ww*. neuzen, *(fig.)* snuffelen.
nose-bleed neusbloeding.
nosegay ruiker.
nostalgia heimwee *o*.
nostril neusgat *o*.
not niet; – *once or twice*, dikwijls.
notability notabele.
notable aanmerkelijk, aanzienlijk.
notarial notarieel.
notary notaris.
notch *zn*. inkeping, sleuf. ‖ *ww*. inkepen, kerven.
note *zn*. aantekening; *(muz.)* noot; *promissory* –, schuldbekentenis. ‖ *ww*. optekenen.
notebook aantekenboek(je) *o*.
note-case portefeuille.
noted bekend, welbekend.
notepaper postpapier *o*.
noteworthy opmerkelijk, opmerkenswaard(ig).
nothing *zn*. niet *o*.; *next to* –, bijna niets. ‖ *vnw*. niets.
notice *zn*. bericht *o*., kennisgeving; notitie; *at a month's* –, met een maand opzegging; – *of withdrawal*, opzegging *o*. ‖ *ww*. opmerken, vermelden.

noticeable merkbaar.
notification aanschrijving, aanzegging.
notify aanschrijven, verwittigen.
notion denkbeeld *o.*, begrip *o.*
notorious *(ongunstig)* befaamd, berucht, overbekend.
notwithstanding niettegenstaande, ongeacht.
nougat noga.
nought niet *o.*, nul.
noun naamwoord *o.*
nourish voeden; zogen.
nourisher voeder.
nourishing voedzaam.
nourishment voedsel, voeding.
novel *zn.* roman. ‖ *ww.* nieuw.
novelty nieuwigheid; *the latest –*, het laatste snufje *o.*
November november.
novice nieuweling(e).
noviciate *(klooster)* proeftijd.
now nu; thans.
nowadays hedendaags.
nowhere nergens.
noxious schadelijk.
nozzle tuit; mondstuk *o.*
nubile huwbaar.
nuclear nucleair.
nuclear power kernreactor.
nuclear power station kerncentrale.
nuclear weapon kernwapen *o.*
nude naakt.
nudge *zn.* stoot. ‖ *ww.* stoten.
nuisance overlast, plaag.
null nietig, ongeldig.

nullify vernietigen.
nullity onwaarde.
number *zn.* getal *o.*, nummer *o.* ‖ *ww.* tellen.
numberless ontelbaar.
numbness verdoving.
numeral telwoord *o.*
numerator *(v. breuk)* teller.
numerical numeriek.
numerous talrijk.
nun non.
nuncio pauselijk gezant, nuntius.
nunnery nonnenklooster *o.*
nuptials bruiloft.
nurse *zn.* kindermeid; *(v. zieken)* oppasser; voedster. ‖ *ww.* verplegen; *(een kind)* voeden.
nursery kinderkamer.
nursery-maid kindermeid.
nursery-man boomkweker.
nursery-school peuterklas.
nursery-tale sprookje *o.*
nurture opvoeding.
nut *(vrucht)* noot; *(schroef)* moer; *(v. geweer)* tuimelaar; *a hard – to crack*, een harde noot.
nutcrackers notenkraker.
nutmeg nootmuskaat.
nutriment voedsel *o.*
nutrition voeding.
nutritious, nutritive voedzaam.
nutshell notendop.
nuzzle met de neus wrijven (tegen), wroeten.
nymph nimf.

O

oak eik.
oaken eiken.
oakum geplozen touw *o.*

oar roeiriem; *put in one's –*, zich met iets bemoeien.
oasis *(mv.* oases) oase.

oat haver; *rolled –s*, havermout *o.*
oath eed; vloekwoord, vloek.
oatmeal havermeel *o.*
obduracy verstoktheid.
obdurate verstokt, halsstarrig.
obedience gehoorzaamheid.
obedient gehoorzaam.
obediently gehoorzaam; *yours –*, uw dienstwillige dienaar.
obese zwaarlijvig.
obey gehoorzamen.
obfuscate verduisteren, verbijsteren.
obituary sterflijst; *– notice, (bij overlijden)* korte levensbeschrijving.
object *zn.* doel *o.*; voorwerp *o.* ‖ *ww.* tegenwerpen.
objection tegenwerping, objectie.
objectionable blootgesteld aan tegenwerpingen; betwistbaar.
objective objectief.
obligation plicht, verplichting.
obligatory verplicht.
oblige verplichten, noodzaken.
obliging dienstvaardig; voorkomend.
obligingness voorkomendheid, dienstvaardigheid.
oblique scheef, schuin; zijdelings.
obliterate uitwissen.
oblivion vergetelheid.
oblivious vergeetachtig.
oblong langwerpig.
oboe hobo.
obscene onzedelijk; gemeen.
obscure *bn.* duister, donker. ‖ *ww. (donker maken)* verduisteren.
obscurity duisternis.
obsequies uitvaart.
observant opmerkzaam.
observation waarneming.
observatory observatorium *o.*
observe bemerken, opmerken, naleven.
observer waarnemer.
obsess *(v. gedachten)* achtervolgen,

kwellen.
obsolete verouderd.
obstacle beletsel *o.*; hindernis.
obstetric verloskundig.
obstinacy onwil; koppigheid.
obstinate halsstarrig, hardnekkig; koppig.
obstruct versperren; belemmeren.
obstruction versperring; belemmering; tegenwerking.
obtain bekomen; verkrijgen; verwerven.
obtainable verkrijgbaar.
obtrude indringen.
obtruder indringer.
obtuse bot; stompzinnig.
obverse *(v. medaille, enz.)* voorzijde.
obviate beletten, voorkomen.
obvious klaarblijkelijk, zeer duidelijk.
occasion *zn.* aanleiding; gelegenheid. ‖ *ww.* veroorzaken.
occasionally af en toe een enkele keer.
occidental westers.
occupant bewoner.
occupation bezigheid; *(mil.)* bezetting.
occupier bezetter.
occupy *(mil.)* bezetten; *(v. plaats)* beslaan; *– o.s. with*, zich onledig houden met.
occur vóórkomen; gebeuren; *(moeilijkheid)* voordoen.
occurence gebeurtenis, voorval *o.; of rare –*, zelden voorkomend.
ocean oceaan, zee.
Oceania Oceanië *o.*
ochre oker; *yellow –*, okergeel *o.*
octave octaaf *v./m. en o.*
October oktober.
oculist oogarts.
odd oneven; zonderling.
oddments restanten.
odious afschuwelijk, gehaat.
odorous geurig.
odour geur, reuk.

odourless reukloos.
of van.
off *bw.* af; weg; – *and on*, af en toe.
 ǁ *voorz.* van; verwijderd van.
offal afval *m. en o.*
off-chance mogelijkheid.
offence belediging; aanstoot; vergrijp *o.*
offend beledigen, krenken, kwetsen.
offender belediger.
offensive *zn.* offensief *o.* ǁ *bn.*
 aanstotelijk.
offer *zn.* aanbieding, bod *o.* ǁ *ww.*
 (aan)bieden, offreren.
offering offer *o.*
off-hand voor de vuist.
office ambt *o.*; (kerk)dienst; kantoor *o.*
officer ambtenaar; officier.
official *zn.* beambte. ǁ *bn.* ambtelijk,
 officieel.
offing *in the* –, in het verschiet.
off-print overdruk.
offspring kroost *o.*
often veelal; dikwijls, menigmaal.
oil *zn.* olie, petroleum; *burn the*
 midnight –, tot diep in de nacht
 studeren. ǁ *ww.* insmeren, smeren.
oil-colour olieverf.
oil-field petroleumveld *o.*
oil-stove petroleumstel *o.*
oil-well petroleumbron.
ointment zalf, smeersel *o.*
old oud; – *sin*, pekelzonde; *of* –
 standing, lang bestaand.
old-age – ouderdomspensioen, AOW.
old-fangled, oldfashioned ouderwets.
old-timer oudgediende.
oleander *(plant)* oleander.
olive olijf.
olive-branch olijftak.
olive-tree olijfboom.
olympic olympisch; *O– Games*,
 Olympische Spelen.
omelet(te) omelet.

omen voorteken *o.*
ominous onheilspellend.
omission uitlating; verzuim *o.*
omit achterwege laten; nalaten;
 verzuimen; weglaten.
omnipotent almachtig.
omniscient alwetend.
on aan, op, met, van, bij, om; *in a book*
 – *England*, in een boek over Engeland.
once eens, eenmaal; *all at* –, opeens;
 – *in a while*, een enkele keer, zeer
 zeldzaam.
one *telw.* een; ; – *and all*, allen
 (gezamenlijk); – *after another*, de een
 na de ander. ǁ *onbep. vnw.* men.
one-eyed eenogig.
onerous *(lasten)* drukkend; bezwaarlijk.
oneself zich; *by* –, alleen.
one-sided eenzijdig.
one-way traffic eenrichtingsverkeer *o.*
onion ui.
onion-sauce uiensaus.
only *bn.* enig; *bw.* alleen.
onset aanval.
onward voorwaarts.
ooze *zn.* modder, slib *o.* ǁ *ww.* sijpelen.
oozy modderig.
opaque ondoorschijnend.
open *bn.* open, openlijk, onverholen;
 – *question*, strijdvraag. ǁ *ww.* openen,
 ontsluiten; *(onderhandelingen)*
 aanknopen.
open-handed gul, royaal.
open-hearted openhartig, rondborstig.
opening opening; *(rede)* aanhef;
 afzetgebied *o.*
openly openlijk.
open-minded onbevangen.
opera opera.
opera-glass (toneel)kijker.
operate opereren; uitwerking hebben,
 werken; – *(up) on a person*, iem.
 opereren.

operation handeling; werking; operatie, ingreep.
operetta operette.
opinion opinie, opvatting, zienswijze.
opinionated koppig.
opium den opiumkroeg.
opium smoker opiumschuiver.
opponent tegenpartij.
opportunity gelegenheid, kans.
oppose tegenoverstellen; weerstaan; *(fig.)* tegengaan.
opposer tegenstander.
opposite *zn.* tegendeel *o.* || *bn.* tegenovergesteld; – *neighbour*, overbuur. || *bw.*, *voorz.* tegenover, over.
opposition oppositie, tegenstand; tegenstelling.
oppress beknellen; verdrukken.
opprobrious smadelijk, beledigend.
optician opticien.
optimism optimisme *o.*
option voorkeur.
optional facultatief.
opulence overvloed, weelde.
opulent weelderig.
or *(nevenschikk.)* of.
oracle orakel *o.*
oral mondeling.
orange *zn.* sinaasappel. || *bn.* oranje.
oration redevoering.
orator redenaar, spreker.
orbit oogholte; *(hemellichaam)* baan.
orchard boomgaard.
orchestra orkest *o.*
orchid orchidee.
ordain *(priester)* wijden; aanstellen.
order *zn.* bestelling; bevel *o.*; volgorde; *maintain law and* –, orde en gezag handhaven; *out of* –, stuk, defect. || *ww.* regelen, schikken; bevelen, gebieden; bestellen.
orderbook orderbook *o.*
orderly *zn.* ordonnans; hospitaalsoldaat.

|| *bn.* ordelijk.
ordinal rangschikkend.
ordinance raadsbesluit *o.*, verordening.
ordinary alledaags, gewoon.
ordination wijding; aanstelling; rangschikking.
ordure vuil *o.*
ore erts *o.*
organ orgel *o.*; orgaan *o.*; *grind an* –, orgel draaien.
organ-blower orgeltrapper.
organ-grinder orgeldraaier.
organic organisch.
organism organisme *o.*
organist organist.
organization organisatie.
organize inrichten.
organ-player organist.
orgasm orgasme *o.*
orgy braspartij; orgie; – *of colours*, kleurenpracht.
orient *zn.* oosten *o.* || *ww.* – *oneself* zich oriënteren.
oriental oosters.
orifice *(v. maag, buis, enz.)* mond.
origin afkomst; bron; oorsprong; oorzaak.
original *zn.* origineel *o.* || *bn.* oorspronkelijk; – *sin*, erfzonde.
originate ontstaan.
originator ontwerper.
ornament *zn.* sieraad *o.* || *ww.* sieren.
ornate versierd.
orphan wees.
orphanage weeshuis *o.*
orthodox rechtgelovig, conventioneel.
orthography orthografie, spelling.
oscillate schommelen, slingeren.
oscillation schommeling, slingering.
osier wilg; teen.
osseous beenachtig.
ossify verbenen.
ostensible ogenschijnlijk.

ostentation praalvertoon o.
ostentatious praalziek, pronkerig.
ostrich struisvogel.
other ander; anders.
otherwhere elders.
otherwhile op een andere tijd.
otherwise anderszins; anders.
otter otter.
ought moeten.
ounce *(Eng.)* ons o.(+ 28 gr.).
our ons, onze.
out uit; – *and* –, door en door.
outburst opwelling; uitbarsting.
outcast verschoppeling(e),
verstoteling(e).
outcome resultaat o.; uitvloeisel o.
outdated verouderd.
outdo overtreffen.
outdoor buiten-; in de open lucht.
outdoors buiten.
outfit uitrusting.
outflank *(mil.)* overvleugelen.
outgrowth uitwas o.
outing uitstapje o.
outlandish uitheems.
outlaw balling; vogelvrijverklaarde.
outlay uitgave.
outlet uitweg; uitloop; afzetgebied o.;
(fig.) uitlaatklep.
outlet-pipe afvoerbuis.
outline *zn.* omtrek; schema o. || *ww.*
schetsen; *be –d against*, afsteken
tegen, bij.
outlive overleven.
outlook uitzicht o.; vooruitzicht o.
outlying afgelegen.
outness uitwendigheid.
out-of-date verouderd.
out-of-work werkloos.
outpost *(mil.)* voorpost.
output opbrengst, productie.
outrage *zn.* aanslag; *(sterker)* vergrijp o.;
smaad. || *ww.* beledigen.

outrageous beledigend.
outrun voorkomen.
outset begin o.
outside *zn.* buitenzijde. || *bw.*
daarbuiten, buiten.
outsider buitenstaander.
outskirts *(fig.) (v. stad)* zelfkant; *(fig.)*
zoom.
outspoken openhartig.
outspread uitgespreid.
outstanding markant, kenmerkend;
– debts, achterstallige schulden.
outstrip voorbijstreven.
outturn *(productie)* opbrengst; *(handel)*
uitval.
outvote overstemmen.
outward uiterlijk, uitwendig.
outwit verschalken.
outwork buitenwerk o.
outworn versleten; uitgeput.
oval ovaal.
ovation ovatie.
oven oven.
over *bw.* over; voorbij. || *voorz.* boven,
over, overheen.
overall werkjas, overall.
overarch overwelven.
overboard overboord.
overboldness overmoed.
overburden overladen.
overbusy overdruk.
overcare te grote zorg.
overcast verduisteren; overschatten;
become –, bewolken.
overcharge overvragen; overladen.
overcloud bewolken.
overcoat overjas.
overcome overwinnen.
overcrowded overvol.
overdo overdrijven.
overdone overdreven.
overdose overdosis.
overdrive afbeulen.

overdue te laat; *(schulden)* achterstallig.
overestimate overschatten.
overfeed overvoeden.
overflow overstromen.
overfull al te vol.
overgrown *(v. tuin)* verwilderd; opgeschoten.
overhaul *zn.* revisie. || *ww.* inhalen; inspecteren.
overhear bij toeval opvangen; afluisteren.
overlap overlappen.
overload overladen.
overlook overzien; door de vingers kijken.
overmanned met te grote bemanning.
overmaster overmeesteren.
overpay te veel betalen.
overpopulated overbevolkt.
overpopulation overbevolking.
overpower overmannen, overmeesteren; overweldigen.
overprint overdruk.
overproduction overproductie.
overrate overschatten.
overreach – *oneself*, te veel hooi op zijn vork nemen.
override opzijzetten.
overripe beurs.
oversea(s) overzees.
overseer opzichter, surveillant.
oversensitive overgevoelig.
overshadow beschaduwen.
overshoe overschoen.
oversight onoplettendheid.

oversleep zich verslapen.
overspill teveel *o.*
overstrain te zeer spannen.
overtake overvallen; inhalen.
overthrow omverwerpen; ten val werpen.
overtime overuren.
overture *(muz.)* voorspel *o.*
overturn omvallen, omverwerpen.
overvalue overwaarderen.
overweight overgewicht *o.*
overwhelm overstelpen.
overwork overwerk *o.*
overwrought overspannen.
ovulation ovulatie.
owe verschuldigd zijn.
owing, – *to*, ten gevolge van, te wijten aan.
owl uil.
own *bn.* eigen, bloedeigen. || *ww.* bekennen; bezitten.
owner eigenaar, meester.
ownerless onbeheerd.
ownership bezit *o.*
ox *(mv.* oxen) os.
oxide zuurstofverbinding.
oxtail soup ossenstaartsoep.
oxtongue ossentong.
oxygen zuurstof.
oyster oester.
oyster-farm oesterkwekerij.
ozone ozon.
ozone layer ozonlaag.

P

pace *zn.* pas; schrede, stap; *at a foot* –, stapvoets; *keep* –, gelijke tred houden. || *ww.* afpassen, meten.
pacific vredelievend, vreedzaam.
pacify bedaren, stillen.

pack *zn.* pak *o.; (kaarten)* spel *o.; (ongunstiger)* troep. || *ww.* (in)pakken.
pack(age) pak *o.;* verpakking.
packet pak *o.,* pakket *o.*
packet-boat pakketboot.

pack-horse pakpaard *o.*
pack-ice pakijs *o.*
packing verpakking.
packing-paper pakpapier *o.*
pact verbond *o.*; verdrag *o.*
pad pad, weg; kussentje *o.; (dier)* poot.
padding (op)vulsel *o.*
paddle *zn.* pagaai; peddel. ‖ *ww.* roeien; peddelen.
paddle-wheel scheprad *o.*
paddy-field rijstveld *o.*
paedophile pedofiel.
pagan *zn.* heiden. ‖ *bn.* heidens.
page bladzijde, pagina.
pageant (historische) optocht, praal.
pail emmer.
pain pijn; smart; wee *o.*
painful pijnlijk, smartelijk.
pain-killing pijnstillend.
painless pijnloos.
paint *zn.* blanketsel *o.*; verf. ‖ *ww.* kleuren, schilderen; verven.
paintbrush penseel *o.*
painter schilder, verver.
painting schilderij *v. en o.*
pair *zn.* paar *o.; (paarden)* span *o.; in –s,* paarsgewijze. ‖ *ww.* paren.
palace paleis *o.*
palatable aangenaam, smakelijk.
palate verhemelte *o.*
palaver overloze discussie, rompslomp.
pale *zn. (v. hek)* spijl; paal. ‖ *bn.* flets, bleek. ‖ *ww.* verbleken.
paleness bleekheid.
palette palet *o.*
paling omheining
palisade palissade, staketsel *o.*
pallet palet *o.;* strozak.
palliasse stromatras.
palliate verzachten; vergoelijken.
pallid bleek.
pallor bleekheid.
palm palm.

palmer pelgrim.
palm-oil palmolie.
palp voelhoorn.
palpable tastbaar, voelbaar.
palpate betasten.
palpitation (hart)klopping.
palsy verlamming.
paltry gering, onbeduidend, nietig.
pamper vertroetelen; overvoederen.
pamphlet brochure; vlugschrift *o.*
pan pan, teil.
Pan-American pan-Amerikaans, geheel Amerika omvattend.
pancake pannenkoek.
pander toegeven.
pane ruit.
panel paneel *o.,* instrumentenbord *o.*
panic paniek.
panic-monger paniekzaaier.
panorama panorama *o.*
pant hijgen.
panther panter.
pantile dakpan.
pantry provisiekamer.
pants onderbroek.
pap pap.
papal pauselijk.
paper papier *o.;* krant; document.
paper-hanger behanger.
paper-knife vouwbeen *o.*
paperweight presse-papier *o.*
par, *above –,* boven pari; *at –,* op pari; *below –,* beneden pari.
parable parabel, gelijkenis.
parachute valscherm *o.*
parachutist valschermspringer, parachutist(e).
parade *zn.* parade; *(mil.)* aantreden *o.; make a – of,* pronken met. ‖ *ww.* paraderen.
paradise paradijs *o.*
paraffin paraffine.
paragraph krantenbericht *o.;* paragraaf,

alinea.
parakeet parkiet.
parallel evenwijdig.
paralyse verlammen.
paralysis verlamming.
paralytic *zn.* lamme. || *bn.* lam.
paramount overwegend, overheersend.
parapet borstwering; *(v. trap, brug)* leuning.
paraph paraaf.
paraphrase *zn.* omschrijving. || *ww.* omschrijven.
parasite parasiet, woekerplant.
parasol parasol, zonnescherm *o.*
parcel *zn.* pak *o.*; perceel *o.* || *ww.* verdelen, kavelen.
parch schroeien, roosteren.
parchment perkament *o.*
pardon *zn.* pardon *o.*; kwijtschelding; *I beg your –*, verontschuldig me. || *ww.* vergiffenis schenken, vergeven.
pardonable vergeeflijk, verschoonbaar.
pare schillen; besnoeien.
parent ouder.
parental ouderlijk.
parenthood ouderschap *o.*
parentless ouderloos.
parents-in-law schoonouders.
pariah paria.
paring schil, knipsel; afval.
parish gemeente; parochie.
parishioner parochiaan.
parity gelijkheid.
park park *o.*
parking ban parkeerverbod *o.*
parking meter parkeermeter.
parking ticket parkeerbon.
parley onderhandelen.
parliament parlement *o.*
parlour spreekkamer.
parlour-maid dienstmeisje *o.*
parole erewoord *o.*; voorwaardelijke invrijheidstelling.

paroquet parkiet.
parquet parket *o.*
parquet floor parketvloer.
parrot *zn.* papegaai.
parry afweren.
parse *(taalk.)* ontleden.
parsimonious karig.
parsimoniousness spaarzaamheid.
parsing ontleding.
parsley peterselie.
parsnip witte peen.
part *zn.* (aan)deel *o.*; *(muz.)* partij; *(toneel)* rol; *– and parcel*, essentieel deel; *on the fore –*, voorop; *fourth –*, kwart *o.*; *on our –*, van onze kant. || *ww.* verdelen; *(het haar)* scheiden; *– with*, zich ontdoen van.
partake *(partook, partaken)* deelnemen; *– of*, consumeren, gebruiken.
partial gedeeltelijk; partijdig, vooringenomen.
partiality voorliefde.
participate deelnemen aan.
participation deelneming.
participle deelwoord *o.*
particular *zn.* bijzonderheid; *full –s*, uitvoerige bijzonderheden. || *bn.* bijzonder, particulier.
particularity bijzonderheid.
particularly bijzonder.
parting afscheid *o.*; scheiding.
partisan aanhanger; partijgenoot.
partition tussenschot *o.*, scheiding; deling.
partly deels, gedeeltelijk.
partner vennoot; medestander; *(spel)* maat; *silent, sleeping –*, stille vennoot.
partnership vennootschap.
part-payment gedeeltelijke betaling.
partridge patrijs.
part-song meerstemmig lied *o.*
party aanhang; partij.
party-coloured bont.

parvenu parvenu.
pass *zn.* bergpas; reispas; toegangsbewijs.
‖ *ww.* aanreiken; voorbijgaan;
overslaan; *(kaartspel)* passen; – *off,*
overgaan; – *away,* sterven; – *over,*
overzien; – *through,* ondergaan.
passable begaanbaar; *(tamelijk)* redelijk.
passage doortocht; doorvoer;
overtocht; *(in een boek)* plaats; steeg.
passenger passagier.
passer-by voorbijganger.
passing *zn.* voorbijgang. ‖ *bn.*
voorbijgaand.
passion hartstocht, passie.
passion-play passiespel *o.*
passive passief, lijdend.
Passover (joods) paasfeest.
passport paspoort *o.*
passport check. pascontrole.
passport photo pasfoto.
password parool *o.,* wachtwoord *o.*
past *zn.* verleden *o.* ‖ *bn.* geleden,
verleden. ‖ *voorz.* voorbij.
paste *zn.* deeg *o.;* pasta; stijfsel. ‖ *ww.*
plakken.
pasteboard *zn.* bordpapier *o.,* karton *o.*
‖ *bn.* kartonnen; onecht.
pastille pastille.
pastime tijdverdrijf *o.*
pastor pastor, voorganger.
pastry gebak *o.,* pastei.
pastry-cook banketbakker.
pasture weide, weiland *o.*
pasty *zn.* pastei. ‖ *bn.* deegachtig.
pat *zn.* tik; *(boter)* klompje *o.* ‖ *bw.* van
pas. ‖ *ww.* tikken.
patch *zn.* lap; plaats plek. ‖ *ww. (kleren)*
verstellen, oplappen.
patchwork lapwerk *o.*
patent *zn.* octrooi *o.,* patent *o.* ‖ *bn.*
gepatenteerd, openbaar.
patentee patenthouder.
paternal vaderlijk.

paternity vaderschap *o.*
path baan, pad *o.,* weg; *trodden* –,
begane weg.
pathetic aandoenlijk, hartroerend.
pathfinder baanbreker; padvinder.
pathway voetpad *o.*
patience geduld *o.*
patient *zn.* patiënt. ‖ *bn.* geduldig.
patriarchal patriarchaal.
patrimony erfgoed *o.*
patriotic vaderlandslievend.
patrol patrouille, ronde.
patron patroon; beschermheer.
patronage bescherming, protectie.
patronize beschermen, begunstigen.
patter kletteren; trippelen.
pattern model *o.;* staal *o.,* monster *o.*
paucity schaarste.
paunch pens.
pause *zn.* pauze; tussenpoos. ‖ *ww.*
ophouden, pauzeren.
pave banen.
pavement bestrating, plaveisel *o.,*
stoep.
paver straatmaker.
pavilion paviljoen *o.*
paving bestrating.
paving-stone straatsteen.
paw poot.
pawky listig, slim.
pawn *zn.* pand *o.;* pion; *in* –, *at* –, in
pand. ‖ *ww.* verpanden.
pawnshop pandjeshuis *o.*
pay *zn.* betaling, vergoeding. ‖ *ww.*
(paid, paid) betalen, uitkeren,
afleggen; – *attention,* oppassen; – *in
addition,* extra bijbetalen; – *one's
respects to,* zijn opwachting maken.
payable betaalbaar; renderend.
payee *(v. wissel)* nemer.
paymaster betaalmeester.
payment (af)betaling.
pea erwt.

peace vrede.
peaceable vredelievend, vreedzaam.
peaceful vredelievend, vredig.
peach perzik.
peacock pauw.
peak *(bergtop)* piek, top; *(v. pet)* klep; – *hours* piekuren.
peak hour piekuur *o.*
peanut butter pindakaas.
pear peer.
pearl parel.
peasant boer.
peasantry boerenstand.
pea-soup erwtensoep.
peat turf.
peat-cutter turfsteker.
peat-digger turfgraver.
peck *zn.* pik. || *ww.* pikken.
peculate *(geld)* verduisteren.
peculiar eigenaardig.
pecuniary financieel, geldelijk.
pedagogic(al) opvoedkundig.
pedal *zn.* pedaal *o.*, trapper. || *ww.* peddelen.
pedant pedant, wijsneus.
pedantic pedant; verwaand.
peddle venten.
pedestal voetstuk *o.*
pedestrian voetganger; – *crossing*, voetgangersoversteekplaats.
pedigree stamboom; – *dog*, rashond.
pedlar marskramer, venter.
peel *zn.* schil. || *ww.* vervellen; schillen.
peep *zn.* blik. || *ww.* gluren, kijken, piepen.
peephole kijkgaatje *o.*
peer *zn.* gelijke, collega; edelman. || *ww.* turen.
peerless weergaloos.
peevish kregel, kribbig.
peevishness wrevel.
peg pen, pin; wasknijper.
pelican pelikaan.

pellet *(gekauwd)* prop.
pellicle *(v. oog, op wond enz.)* vlies *o.*
pell-mell dooreen, overhoop.
pelt vacht *o.*, vel *o.*
peltry huiden.
pen pen; *(v. schapen)* kooi.
penal strafbaar.
penalty boete, straf.
penance boete; penitentie.
pencil potlood *o.*
pencil sharpener puntenslijper.
pending aanhangig.
pendulum *(v. klok)* slinger.
penetrable doordringbaar.
penetrate doorgronden, doordringen.
penetrating scherpzinnig.
penetration doorzicht *o.*, scherpzinnigheid.
penguin pinguïn.
penholder penhouder.
peninsula schiereiland *o.*
penitence berouw *o.*
penitent boetvaardig.
penknife pennemes *o.*
penman schrijver.
penmanship schrijfkunst.
penname pseudoniem *o.*, schuilnaam.
penniless arm, zonder geld.
penny penning, stuiver; *turn an honest* –, op eerlijke manier zijn brood verdienen.
pension *zn.* jaargeld *o.*, pensioen *o.* || *ww.* – *off*, pensioneren.
Pentecost Pinksteren.
penthouse terraswoning.
pent-up ingesloten; *(fig.)* opgekropt.
penultimate voorlaatst.
penury geldgebrek *o.*, armoede.
peony pioen.
people *zn.* volk *o.* || *vnw.* men. || *ww.* bevolken.
pepper peper.
pepperbox peperbus.

peppermint pepermunt.
per per.
perambulator kinderwagen.
perceive bemerken, bespeuren.
percent percent.
percentage percentage *o.;* commissieloon *o.*
perceptible merkbaar; zichtbaar.
perception gewaarwording; waarneming.
perch baars; rek *o.*
percolate sijpelen.
percolator filter *m. en o.*
percussion instrument slaginstrument *o.*
perdition verderf *o.*
perfect volkomen, volmaakt.
perfection perfectie, volmaaktheid.
perfidious vals, verraderlijk.
perfidy valsheid, trouweloosheid.
perforate doorboren.
perform volbrengen, nakomen; uitvoeren, verrichten.
performance verrichting; vervulling; vertoning.
perfume *zn.* reuk, odeur. ‖ *ww.* welriekend maken.
perhaps misschien, wellicht.
peril gevaar *o.*
perilous gevaarlijk.
perimeter omtrek.
period periode, tijdperk *o.;* volzin.
periodical *zn.* tijdschrift *o.* ‖ *bn.* periodiek.
periscope periscoop.
perish vergaan; verongelukken; *– with (from, by) hunger,* van honger omkomen.
perishable vergankelijk.
peritoneum buikvlies *o.*
peritonitis buikvliesontsteking.
periwig pruik.
periwinkle *(plant)* maagdenpalm; alikruik.

perjure oneself een meineed plegen.
perjurer meinedige.
perjury meineed.
perky parmantig.
permanent bestendig, permanent.
permeable doordringbaar.
permeate doordringen.
permission toelating; vergunning; verlof *o.*
permit *zn.* schriftelijke vergunning, verlof *o.* ‖ *ww.* toelaten; toestaan; veroorloven.
permutable verwisselbaar.
permute verwisselen.
pernicious verderfelijk
pernickety peuterig.
peroration slotwoord *o.*
perpendicular rechtstandig.
perpetrate begaan, plegen.
perpetrator schuldige, dader.
perpetual eeuwig.
perpetuate bestendigen; vereeuwigen.
perplexed bedremmeld, verbouwereerd.
perquisite extra verdienste.
persecute vervolgen.
persecution achtervolging; vervolging; *– mania,* vervolgingswaanzin.
perseverance volharding; *– kills the game,* de aanhouder wint.
persevere doorzetten, volharden.
perseverer aanhouder.
persist aanhouden, volharden.
persistency volharding.
persistent aanhoudend, hardnekkig.
person persoon, sujet *o.; know in –,* persoonlijk kennen.
personable knap, mooi.
personal persoonlijk, personeel.
personate voorstellen.
personify verpersoonlijken.
personnel personeel *o.*
perpective uitzicht *o.;* doorzicht *o.;*

perspectief *v./m. en o.*
perspicacious scherpzinnig, schrander.
perspicuous duidelijk, helder.
perspiration uitwaseming; transpiratie.
perspire zweten.
persuade overreden, overhalen.
persuasion overreding; gezindheid.
persuasiveness overredingskracht.
pert parmantig, vrijpostig.
pertain behoren.
pertinacious hardnekkig.
pertinent toepasselijk.
petrol station benzinestation *o.*
perturb verwarren, storen.
peruke pruik.
perusal nauwkeurige lezing.
peruse met aandacht lezen.
perverse onhandelbaar, verdorven.
pervert verderven.
pessimism pessimisme *o.*
pessimistic pessimistisch, somber.
pest pest; plaag.
pestilence pest.
pestle stamper.
pet *zn.* troetelkind *o.*; boze bui. ‖ *ww.* vertroetelen.
petition *zn.* bede; petitie; verzoekschrift *o.* ‖ *ww.* verzoeken.
petitioner verzoeker; eiser.
petrify verstenen.
petrol benzine.
petroleum petroleum.
petticoat onderrok, rok.
petty klein, onbeduidend; *– officer, (marine)* onderofficier.
petty-souled kleinzielig.
petulance moedwil.
petulant moedwillig.
pew kerkbank.
phantasm droombeeld *o.*, hersenschim.
phantasy fantasie.
phantom spook *o.*
pharaoh farao.

pharisee farizeeër.
pheasant fazant.
phenomenon verschijnsel *o.*; fenomeen *o.*
philanderer vrouwengek.
philanthropic menslievend.
philanthropy mensenliefde.
philological taalkundig.
philosopher filosoof, wijsgeer.
philosophy filosofie.
phlegm slijm *o.*
phlegmatic flegmatiek, onverschillig.
phobia fobie.
phone telefoon.
phone booth telefooncel.
phosphorus fosfor *m. en o.*
photocopy fotokopie.
photo(graph) foto, portret *o.*
phrase zegswijze; volzin; *in standing –s,* in geijkte termen.
phtisis tering.
physical lichamelijk; natuurkundig.
physician arts, geneesheer.
physicist natuurkundige.
piano piano.
pick *zn.* pikhouweel *o.*; keus. ‖ *ww.* pikken, hakken; porren; *– off,* plukken.
pickaxe houweel *o.*
picket *(mil.)* piket *o.*; staak.
pickings pluksel *o.*
pickle *zn.* pekel; *(jongen)* bengel. ‖ *ww.* inmaken, pekelen.
pickpocket zakkenroller.
picky kieskeurig.
picnic picknick.
picture *zn.* afbeelding; prent; schilderij *v. en o.*; *–s,* bioscoop. ‖ *ww.* schilderen.
picture postcard ansichtkaart.
picturesque schilderachtig.
piddle urineren.
pie pastei; ekster.
piece brok; (toneel)stuk *o.*
piece-goods stukgoed *o.*

piecemeal stuk voor stuk.
piece-wage stukloon *o.*
piece-work stukwerk *o.*
pied gevlekt, bont.
pier havenhoofd *o.*, pier, pijler.
pierce (door)boren.
piercing doordringend, schelklinkend.
piety godsvrucht, vroomheid.
pig varken *o.*, zwijn *o.*
pigeon duif.
pigeon-breast kippenborst.
pigeon-fancier duivenliefhebber,
  duivenmelker.
pigeon-house duiventil.
piggery zwijnenstal.
pigheaded stijfhoofdig, eigenwijs,
  koppig.
pigskin varkensleer *o.*
pig-sty *(v. varkens)* stal, zwijnenstal.
pig's wash, pigwash spoeling.
pigtail haarvlecht, staart.
pike gevlekt; snoek.
pike-perch snoekbaars.
pile *zn.* hoop, stapel. ‖ *ww. – up,*
  opstapelen, zich opstapelen.
pile-up opeenstapeling; kettingbotsing.
pile-village paaldorp *o.*
pilfer ontfutselen.
pilferer kaper.
pilgrim pelgrim.
pilgrimage bedevaart.
pill pil.
pillage *zn.* plundering. ‖ *ww.*
  plunderen.
pillar pilaar; zuil.
pillory schandpaal; *(fig.)* aan de kaak
  stellen.
pillow hoofd-, oorkussen *o.*
pillow-case kussenovertrek *o.*
pilose behaard.
pilot bestuurder, piloot.
pimp pooier.
pimple puist.

pin *zn.* pen; pin; stift; speld; *–'s head,*
  speldenkop; *I have –s and needles in
  my leg,* mijn been slaapt. ‖ *ww.*
  vastspelden.
pinafore schort *v./m.* en *o.*
pincers nijptang; *(v. kreeft)* schaar.
pinch *zn.* kneep; snuifje *o.* ‖ *ww.*
  drukken; nijpen.
pin-cushion speldenkussen *o.*
pine *zn.* pijnboom; grove den. ‖ *ww.*
  kwijnen; *– for,* snakken naar.
pine-apple ananas.
pinecone dennenappel.
pine-tree pijnboom.
pinion (slag)pen.
pink *zn.* anjer; pink; roze. ‖ *ww.*
  doorboren.
pinnacle siertorentje *o.*; bergtop.
pint pint, 0,568 liter; biertje *o.*
pioneer baanbreker, pionier.
pious vroom.
pip *(op dobbelst.)* oog *o.*; *(v. appel)* pit.
pipe pijp; buis.
pipe-line pijpleiding.
piping bies.
pirate piraat, zeerover.
pistachio pistache.
pistil *(bloem)* stamper.
pistol pistool *o.*
piston (pomp)zuiger.
pit kuil; mijn; put; *(schouwburg)*
  parterre.
pitch *zn.* worp; hoogte; graad. ‖ *ww.*
  opstellen, opzetten; tuimelen, vallen.
pitch-dark pikdonker.
pitcher werper.
pitchfork hooivork.
piteous beklagenswaardig.
pith pit, kern.
pithless meedogenloos.
pithy kernachtig, pittig.
pitiable beklagenswaardig, erbarmelijk.
pitiful armzalig droevig; erbarmelijk.

pitiless meedogenloos, onbarmhartig.
pity *zn.* erbarming; medelijden *o.; take
– on,* zich ontfermen over. ‖ *ww.*
beklagen.
pivot spil.
placable vergevensgezind.
placard aanplakbiljet *o.,* plakkaat *o.*
place *zn.* plaats, plek; ambt *o.* ‖ *ww.*
plaatsen, stellen.
plagiarize plagiaat plegen.
plague *zn.* pest; plaag. ‖ *ww.* kwellen.
plaice schol.
plain *zn.* vlakte. ‖ *bn.* duidelijk;
eenvoudig; plat.
plain clothes burgerkleding.
plainly ronduit.
plaint (aan)klacht.
plaintiff aanklager.
plait *zn.* vlecht. ‖ *ww.* vlechten.
plan *zn.* ontwerp *o.,* plan *o.* ‖ *ww.*
ontwerpen.
plane *zn.* schaaf; vlak *o.;* vliegtuig.
‖ *ww.* schaven.
planet planeet.
plane-tree plataan.
planish pletten, polijsten.
plank plank.
plant *zn.* gewas *o.,* plant; installatie.
‖ *ww.* planten; (neer)zetten.
plantation aanplant; plantage.
planter planter.
plash kletteren; plassen.
plaster *zn.* pleister. ‖ *ww.* bepleisteren.
plasterer stukadoor.
plate plaat; *(v. collecte)* schaal; tafelzilver
o.; nummerplaat.
plate-glass spiegelglas *o.*
platform perron *o.;* terras *o.,* balkon *o.*
platinum platina *o.*
platoon *(mil.)* peloton *o.*
platter schotel.
plaudits applaus *o.*
plausible aannemelijk.

play *zn.* spel *o.;* toneelstuk *o.* ‖ *ww.*
spelen.
play-actor acteur.
play-actress actrice.
play-bill affiche; *(schouwburg)*
programma *o.*
player (toneel)speler.
playfellow speelmakker.
playful olijk, speels.
play-house schouwburg; poppenhuis.
playing-cards speelkaarten.
playmate speelmakker.
plaything speelgoed *o.*
playtime speeltijd.
playwright toneelschrijver.
plea argument *o.;* pleidooi *o.*
plead pleiten; – *not guilty,* niet
bekennen.
pleader pleiter.
pleading pleidooi *o.*
pleasant aangenaam; aardig;
behaaglijk.
pleasantry boert, scherts.
please aanstaan; behagen; bevallen.
pleasing welgevallig.
pleasurable aangenaam.
pleasure plezier *o.;* vermaak *o.;*
genoegen *o.;* genot *o.; at –,* naar
goedvinden.
pleasure-ground park, lusthof.
pleat *zn.* plooi. ‖ *ww.* plooien.
plebiscite plebisciet *o.*
pledge *zn.* borg, pand *o.,* gelofte. ‖ *ww.*
verpanden.
plenary voltallig.
plentiful overvloedig.
plenty *zn.* overvloed *o.* ‖ *bn.* overvloedig.
pleura borstvlies *o.*
pleurisy pleuris.
pliability buigzaamheid.
pliable gedwee, meegaand; plooibaar.
pliant buigzaam; meegaand.
plicate geplooid.

plight zn. toestand; belofte, verbintenis.
‖ ww. *(zijn woord)* verpanden.

plop zn. plomp. ‖ ww. ploffen, plonzen.

plot zn. terrein o.; perceel o.; komplot o.;
samenspanning. ‖ ww. samenzweren.

plotter intrigant, samenzweerder.

plough zn. ploeg. ‖ ww. ploegen.

ploughman ploeger; *–'s lunch*,
kaassandwich met pickles.

plover plevier, kievit.

pluck zn. durf; trek. ‖ ww. plukken;
– (off) afplukken; *– up heart (courage)*,
moed vatten.

plug zn. prop; *(elektr.)* stekker. ‖ ww.
plomberen; *(met stop)* stoppen.

plug-contact stopcontact o.

plum pruim.

plumb schietlood o.

plumber loodgieter.

plumbline schietlood o.

plume pluim.

plummet snel dalen.

plump zn. plomp. ‖ bn. mollig,
poezel(ig); welgedaan. ‖ ww.
– (down), ploffen.

plunder zn. roof. ‖ ww. bestelen,
plunderen, roven.

plunge zn. indompeling. ‖ ww. duiken;
dompelen; achteruitslaan; *be –d, (fig.)*
verzonken zijn.

plunger *(v. pomp)* zuiger.

plural zn. meervoud o. ‖ bn. meervoudig.

plurality meerderheid.

plush pluche.

pluvious regenachtig.

ply zn. plooi. ‖ ww. uitoefenen; gebruiken.

poach stropen.

poacher stroper.

P.O.B. (post-office-box) postbus.

pocket zn. tas, zak. ‖ ww. *(fig.) (geld)*
opstrijken.

pocket-book zakboekje o.; portefeuille.

pocket-knife zakmes o.

pocket-money zakgeld o.

pock-marked pokdalig.

pod dop, schil, peul.

poem gedicht o., vers o.

poet dichter.

poetaster rijmelaar.

poetic(al) dichterlijk.

poetry poëzie.

point zn. punt v./m. en o.; *(op dobbelst.,
enz.)* oog o.; spits v. en o.; *(windroos)*
streek; *–s*, (spoorweg)wissel; *make a –
of*, bijzondere waarde hechten aan.
‖ ww. scherpen; *(geweer)* aanleggen;
– out, aanwijzen.

point-blank op de man af.

pointed puntig, spits.

pointer wijzer.

pointless zonder punt, stomp.

pointsman wisselwachter.

poison zn. vergif o. ‖ ww. vergiftigen,
verpesten.

poisoneus giftig.

poke *(vuur)* porren; scharrelen; *– up,
(het vuur)* oprakelen.

poker pook.

poky klein, benepen.

polar pool-; *– bear*, ijsbeer; *– sea*, ijszee.

polder polder.

Poland Polen.

pole paal, vlaggenstok; pool.

polemic(s) polemiek.

police politie.

policeman politieagent.

police-regulation politieverordening.

police-station politiebureau o.

policlinic polikliniek.

policy polis; politiek, beleid.

polish zn. schoensmeer, blink. ‖ ww.
(op)poetsen; polijsten; *(diamant)*
slijpen; boenen.

polishing-cloth poetslap.

polite beleefd; beschaafd.

politeness beleefdheid.

politic politiek; *–s*, staatkunde.
political politiek.
politician politicus.
poll *zn.* stembus; kiezerslijst; enquête.
‖ *ww.* stemmen.
pollard-willow knotwilg.
pollen stuifmeel *o.*
pollinated bestoven.
pollute bevlekken, bezoedelen.
poltroon lafaard.
polygamy polygamie.
polyp poliep.
pommel *(v. zwaard)* knop.
pomp praal, staatsie.
pomposity praalvertoon *o.*
pompous deftig, statig.
pond vijver.
ponder peinzen, overwegen.
ponderable weegbaar.
ponderous zwaar(wichtig).
poniard dolk, ponjaard.
pontiff paus.
pontifical pauselijk, pontificaal.
pontoon ponton.
pony pony.
poodle poedel.
pool plas, poel; inzet, pot; syndicaat *o.*
poop achterdek *o.*
poor schamel; arm; *(grond)* schraal.
poorly magertjes, arm.
poor-spirited lafhartig.
pop *zn.* knal. ‖ *ww.* poffen, knallen.
pope paus.
pop-gun proppenschieter.
poplar populier.
poppy klaproos.
poppy seed maanzaad *o.*
populace gepeupel *o.*
popular populair, volks-.
popularity populariteit.
populate bevolken.
population bevolking.
populous volkrijk.

porcelain porselein *o.*
porch portaal *o.*
porcupine stekelvarken *o.*
pore porie.
pork varkensvlees *o.*
porker (gemest) varken.
porous poreus.
porpoise bruinvis.
porridge brij, pap.
port haven; bakboord *o.*; poort; *– of call,* aanloophaven.
portable draagbaar.
portal portaal *o.*
port-dues havengelden.
porter pakjesdrager; *(hotel)* portier.
portfolio portefeuille; *minister without –,* minister zonder portefeuille.
port-hole patrijspoort.
portion deel *o.*, part *o.*
portly welgedaan, zwaar.
portmanteau valies *o.*
portray afschilderen.
Portugal Portugal.
port(-wine) porto.
pose *zn.* aanstellerij, houding. ‖ *ww. (vraag)* stellen; poseren.
posit plaatsen; aannemen.
position betrekking; toestand; *(maatschappij)* stand; *(mil.)* stelling.
positive *zn. (foto)* positief *o.* ‖ *bn.* bepaald, stellig.
possess bezitten.
possession eigendom *m. en o.*, bezit *o.*
possessor eigenaar.
possibility mogelijkheid.
possible mogelijk.
post *zn.* post; betrekking; paal. ‖ *ww.* posten.
postage port *o.; – free,* portvrij.
postage-stamp postzegel.
postal *– order,* postbewijs *o.; – parcel,* postpakket *o.*
postbag postzak.

postbox brievenbus.
postcard briefkaart.
poster aanplakbiljet *o.*
posterity nageslacht *o.*, nakomelingschap.
post-free franco.
postman postbode.
postmark postmerk *o.*
postmaster postmeester.
post-office post, postkantoor *o.*; – order, *P.O. O.*, postwissel.
post-paid franco, gefrankeerd.
post-pay frankeren.
postpone uitstellen.
postponement uitstel *o.*
postscript naschrift *o.*, postscriptum *o.*
postulant kandidaat, postulant.
postulate *zn.* grondstelling. ‖ *ww.* vooropzetten; *(zonder bewijs)* aannemen; verzoeken.
posture houding; stand.
pot pot. ‖ *ww.* potten, inmaken.
potable drinkbaar.
potato aardappel.
potato-flour aardappelbloem.
potency macht.
potentate potentaat.
potential potentiaal.
potion drankje *o.*
pot-ladle pollepel.
potted ingemaakt.
potter *zn.* pottenbakker. ‖ *ww.* peuteren; sukkelen.
pottery aardewerk *o.*; pottenbakkerij.
pouch buidel, tas.
poulterer poelier.
poultry gevogelte *o.*, pluimgedierte *o.*
poultry-farm hoenderpark *o.*
poultry-house kippenhok *o.*
pounce klauw.
pound *zn.* pond *o.* ‖ *ww.* (fijn)stampen.
poundage tarief *o.*; commissieloon *o.*
pounder stamper.

pour gieten, schenken.
pout mokken, pruilen.
poverty armoede.
powder kruit *o.*, poeder *o.*
powder-blue blauwsel *o.*
powder-box poederdoos *o.*
powder-puff poederkwast.
power kracht; macht; gezag *o.*; *(stroom)* sterkte.
powerful krachtig, machtig, sterk.
powerless krachteloos, machteloos.
practicable doenlijk; begaanbaar.
practical praktisch.
practice ervaring, praktijk.
practice-flight oefenvlucht.
practice-run oefenrit.
practice-school oefenschool.
practise (be)oefenen; *(piano)* studeren; toepassen.
practitioner beoefenaar.
praise *zn.* roem, lof. ‖ *ww.* prijzen, roemen.
praise-worhty prijzenswaardig.
praline praline.
prance steigeren.
prank poets, streek.
prankish guitig.
prate, prattle babbelen, praten.
prater, prattler prater, babbelaar.
pray bidden.
prayer bede, gebed *o.*
prayer-book gebedenboek *o.*
preach prediken.
preacher predikant.
preamble inleiding.
preambulatory inleidend.
prebendary kanunnik.
precarious wisselvallig; zorgelijk.
precaution voorzorg.
precautionary – *measure*, voorzorgsmaatregel.
precautious omzichtig.
precede voor(af)gaan.

precedence voorrang.
precedent *zn.* precedent *o.* || *bn.*
    voorafgaand.
precept stelregel; voorschrift *o.*
precious kostbaar.
precipice steilte, afgrond.
precipitancy voorhaasting.
precipitation *(scheik., atmosfer.)*
    neerslag; overhaasting.
precipitous (zeer) steil.
precise precies; strikt.
precision juistheid.
precursor voorbode, voorloper.
predatory rovend, roofzuchtig; – *bird,*
    roofvogel.
predecessor voorganger.
predestinate voorbestemmen.
predestination voorbeschikking.
predestine voorbestemmen.
predicate *(gramm.)* gezegde *o.;*
    predikaat *o.*
predict voorspellen.
prediction voorspelling.
predilection voorliefde.
predominate overheersen.
pre-eminently bij uitstek.
preface voorbericht *o.,* voorrede.
prefer verkiezen; – *to,* de voorkeur
    geven aan.
preferable verkieslijk.
preference voorkeur, voorrang.
preferential preferent.
prefix voorvoegsel *o.*
pregnancy zwangerschap.
pregnant zwanger; veelzeggend.
prejudice *zn.* vooroordeel *o.; without –*
    to, behoudens. || *ww.* iem. benadelen.
prejudicial nadelig.
prelate prelaat.
preliminary voorafgaand.
prelude *(muz.)* voorspel *o.*
premature te vroeg, voortijdig,
    voorbarig.

premeditated opzettelijk, voorbedacht.
premeditation overleg *o.*
premier eerste minister, premier.
premise *zn.* –s, *(huis en erf)* perceel *o.*
    || *ww.* vooropzetten.
premium premie, beloning.
preoccupied verstrooid, in gedachten
    verzonken.
prepaid franco.
preparation voorbereiding; toerusting.
preparative voorbereidend.
prepare klaarmaken, (voor)bereiden.
prepay vooruitbetalen.
preponderance *(fig.)* overwicht *o.*
preponderant overwegend.
preposition *(gramm.)* voorzetsel *o.*
prepossessed vooringenomen,
preposterous(ly) ongerijmd, verkeerd.
prerogative voorrecht *o.*
presage voorteken *o.*
presageful voorspellend.
presbyopic vérziend.
presbytery pastorie.
prescience voorkennis.
prescribe voorschrijven.
prescript voorschrift *o.,* bevel *o.*
prescription *(geneesk.)* recept *o.,*
    voorschrift *o.*
prescriptive voorschrijvend.
presence aanwezigheid,
    tegenwoordigheid.
present *zn.* geschenk *o.,* gift. || *bn.*
    hedendaags, tegenwoordig. || *ww.*
    (aan)bieden; indienen; *(officieel)*
    voorstellen.
presentable toonbaar.
presentation aanbieding; voorstelling.
presentiment voorgevoel *o.*
presently meteen, straks.
preservation instandhouding;
    bewaring; inmaak.
preservative *zn.* voorbehoedmiddel *o.*
    || *bn.* bederfwerend.

preserve behoeden; behouden; inmaken.
preserves *(vruchten, groenten, vlees)* ingelegde goederen.
preside voorzitten.
president president; voorzitter.
press *zn.* pers; druk, gedrang *o.* ‖ *ww.* drukken; aandringen; persen.
press-agency persbureau *o.*
press conference persconferentie.
press freedom persvrijheid.
pressing dringend.
pressman journalist.
press-stud drukknop.
pressure drukking, druk; aandrang.
prestige prestige *o.*, invloed.
presumable vermoedelijk.
presume vermoeden.
presuming verwaand.
presumption vermoeden *o.*; eigenwaan.
presumptuous aanmatigend, waanwijs.
pretence voorwendsel *o.*
pretend beweren; voorwenden.
pretended *(rechten, grieven)* vermeend; *(beweerd)* zogenaamd.
pretender pretendent; veinzer.
pretension pretentie; aanspraak.
pretentious pretentieus; veeleisend.
pretext uitvlucht; voorwendsel *o.*
pretty aardig, fraai, mooi; nogal.
pretty-pretties snuisterij.
prevail de overhand hebben.
prevalence overwicht *o.*
prevent voorkomen, beletten.
preventive preventief, voorkomend.
previous voorbarig; vorig, vroeger; – *notice,* voorafgaande kennisgeving.
previously vooraf, van te voren.
previse voorzien.
prey prooi; *bird of –,* roofvogel.
price *zn.* prijs; *(hand.)* koers; – *of issue,* inschrijvingskoers; *above, beyond, without –,* onschatbaar. ‖ *ww.* prijzen.

prick *zn.* steek, prik, prikkel. ‖ *ww.* prikken, steken.
pricker priem.
prickle *zn.* doorn, prikkel, stekel. ‖ *ww.* prikkelen.
prickly stekelig; – *heat,* warmte-uitslag.
pride *zn.* hoogmoed, trots. ‖ *ww.* – *oneself* prat gaan op.
priest priester.
prig wijsneus.
priggish eigenwijs.
prim preuts; gemaakt.
primary oorspronkelijk, primair.
primate aartsbisschop.
prime *zn.* begin *o.*; fleur. ‖ *bn.* prima; voornaamste.
prime minister minister-president.
primeval oer-; – *forest,* oerwoud *o.*
primitive oorspronkelijk.
primrose, primula sleutelbloem.
prince prins, vorst; – *consort,* prins-gemaal.
princely vorstelijk, prinselijk.
princess prinses, vorstin.
principal *zn.* patroon, principaal; *(v. gymnasium)* rector. ‖ *bn.* voornaamste.
principality vorstendom *o.*
principle beginsel *o.*; grondbeginsel *o.*
principled principieel.
print *zn. (foto)* afdruk; prent. ‖ *ww.* (be)drukken.
printer drukker; printer.
print(ing) druk.
printing-office (boek)drukkerij.
printing-press drukpers.
print-out uitdraai.
prior *zn.* prior. ‖ *bn.* vroeger, voorafgaand.
prioress priores, overste.
priority voorrang.
prism prisma *o.*
prison gevangenis, kerker.

prisoner gevangene.

privacy afzondering; privéleven, privacy.

private besloten; onderhands; particulier.

private (soldier) soldaat.

privateer kaper.

privately onder vier ogen.

privation ontbering; beroving.

privilege *zn.* privilege *o.*, voorrecht *o.* ǁ *ww.* bevoorrechten.

privy *zn.* privaat *o.* ǁ *bn.* verborgen, heimelijk.

prize *zn.* buit; prijs. ǁ *ww.* waarderen; bekronen.

prize-fighting boksen *o.*

pro pro; *the –(s) and the con(s),* het pro en contra.

probability waarschijnlijkheid.

probable vermoedelijk, waarschijnlijk.

probation proeftijd, stage; voorwaardelijke veroordeling.

probity rechtschapenheid.

problem *(ook wisk.)* vraagstuk *o.*

problematic onzeker.

procedure werkwijze.

proceed voortgaan; voortspruiten.

proceeding handeling; handelswijze; *(fig.)* optreden *o.*

process handelswijze, proces *o.*

procession omgang, optocht, processie.

proclaim afkondigen, verkondigen.

proclamation proclamatie; verklaring.

procreate voortbrengen, verwekken.

procuration procuratie, volmacht; verschaffing.

procure verschaffen, bezorgen.

procurer verschaffer; koppelaar.

prodigal kwistig, spilziek.

prodigious wonderbaar.

prodigy wonder *o.*

produce opbrengst; resultaat *o.* ǁ *ww.* voortbrengen; teweegbrengen.

producer voortbrenger.

product product *o.*, voortbrengsel *o.*

production product *o.*; productie.

productive productief, vruchtbaar.

profanation heiligschennis, ontheiliging.

profane *bn.* ontheiligend; werelds; goddeloos. ǁ *ww.* ontheiligen; ontwijden; schenden.

profess belijden; uitoefenen.

professed(ly) openlijk; ogenschijnlijk.

profession bedrijf *o.*; beroep *o.*; belijdenis.

professional *bn.* professioneel. ǁ *zn.* vakman; beroepsspeler.

professor hoogleraar, professor.

proficient volleerd; bedreven.

profile doorsnee; profiel *o.*

profit *zn. (winst)* verdienste; nut *o.*; baat; *– and loss,* winst en verlies. ǁ *ww.* profiteren, te baat nemen; nuttig zijn.

profitable nuttig, voordelig, winstgevend.

profiteer profiteur.

profitless zonder nut.

profit margin winstmarge.

profit-sharing winstdeling.

profligate zedeloos.

profound diepzinnig, grondig; diep.

profuse overvloedig.

profusion overvloed, weelde.

progenitor voorvader.

progeny kroost *o.* nageslacht *o.*

prognostication voorspelling.

program(me) programma *o.*

progress *zn. (v. ziekte, enz.)* verloop *o.*; vooruitgang, vordering. ǁ *ww.* vorderen, opschieten.

progressive toenemend, voortgaand; vooruitgaand.

prohibit verbieden.

prohibition verbod *o.*

project *zn.* ontwerp *o.*, plan *o.* ǁ *ww.* beramen, ontwerpen; vooruitsteken.

projectile projectiel *o.*
projection uitstek *o.;* uitsteeksel *o.*
prolapse verzakking.
proletarian proletariër.
proletariat proletariaat *o.*
prolix breedsprakig, langdradig.
prologue proloog, voorspel *o.*
prolong verlengen.
prolongable verlengbaar.
prolongation verlenging.
prominent voornaam, belangrijk.
promise *zn.* belofte; gelofte;
    toezegging; *land of* –, het beloofde
    land. || *ww.* beloven.
promising veelbelovend.
promissory belovend; – *note,* promesse.
promote bevorderen, verhogen.
promotion bevordering, promotie.
prompt *bn.* dadelijk; prompt. || *ww.*
    inblazen; influisteren.
prompter souffleur.
promulgate uitvaardigen, afkondigen.
promulgator verkondiger.
prone voorover; – *to,* geneigd tot.
prong *(v. vork)* tand.
pronoun voornaamwoord *o.*
pronounce uitspreken; *(vonnis)* vellen.
pronounced geprononceerd; beslist.
pronunciation uitspraak.
proof *zn.* bewijs *o.;* proef; *(v. alcohol)*
    gehalte *o.* || *bn.* beproefd; *be –
    against,* bestand zijn tegen.
proofless onbewezen.
proof-reader corrector.
prop *zn.* schraag, steun, stut. || *ww.*
    schoren.
propagate verbreiden; voortplanten.
propagation voortplanting.
propel drijven, stuwen.
propeller schroef.
proper geschikt; eigenlijk; welvoeglijk.
proper name eigennaam.
property eigendom *m. en o.;* goed *o.;*

    eigenschap.
prophecy voorspelling.
prophet profeet.
propitiate verzoenen; bevredigen.
propitious gunstig.
proportion proportie; *(tussen getallen)*
    verhouding; *out of* –, buiten
    verhouding.
proportional evenmatig, evenredig.
proportionally procentsgewijze.
proportionate evenredig.
proposal voorstel *o.;* aanzoek *o.*
propose *(kandidaat)* voordragen;
    (officieel) voorstellen.
proposition *(wisk.)* stelling; voorstel *o.*
proprietor eigenaar.
propriety gepastheid, juistheid.
prorogue *(parlement)* opschorten,
    verdagen.
proscribe vogelvrij verklaren.
proscription (rijks)ban.
prosecute *(gerechtelijk)* vervolgen;
    (studies) voortzetten.
prosecution (rechts)vervolging.
prosecutor vervolger; *public* –,
    openbaar aanklager.
proselyte proseliet, bekeerling.
prospect uitzicht *o.;* vooruitzicht *o.*
prospectus prospectus *o.*
prosper gedijen, welvaren.
prosperity voorspoed.
prosperous voorspoedig, welvarend.
prostitute prostituee.
prostitution prostitutie.
prostrate *bn.* uitgestrekt; vermoeid.
    || *ww.* neerwerpen; totaal verwoesten;
    fall –, een knieval doen.
protect beschermen, beschutten,
    beveiligen.
protection bescherming.
protective beschermend; – *duties,*
    beschermende rechten.
protector beschermer.

protectorate protectoraat *o.*
protein proteïne.
protest *zn.* verzet *o.*, protest *o.* ‖ *ww.*
  protesteren; openlijk verklaren.
protestant protestant.
protract *(verblijf)* rekken.
protrude uitpuilen; vooruitduwen.
protuberance uitwas *o.*; uitsteeksel *o.*
proud fier, trots.
provable bewijsbaar.
prove aantonen, bewijzen.
proverb spreekwoord *o.*
proverbial spreekwoordelijk.
provide verstrekken, bezorgen; – *with*,
  verschaffen, voorzien van.
provided, – *(that)*, mits.
providence voorzienigheid.
provider verschaffer.
province gewest *o.*, oord *o.*; provincie.
provincial provinciaal.
provision voorzorg; voorraad.
provisional voorlopig.
proviso beding *o.*, voorbehoud *o.*
provocation provocatie.
provoke provoceren, uitlokken.
provost provoost.
prow (voor)steven.
prowl rondsluipen.
proximity nabijheid.
proxy procuratiehouder, zaakgelastigde.
prude preuts persoon.
prudence voorzichtigheid.
prudent behoedzaam, voorzichtig.
prudish preuts.
prune *zn.* (gedroogde) pruim. ‖ *ww.*
  snoeien.
pruning-knife snoeimes *o.*
pry gluren; snuffelen.
psalm psalm.
pseudonym pseudoniem *o.*
psychiatry psychiatrie.
psychology psychologie.
pub café, kroeg.

pubic hair schaamhaar *o.*
public *zn.* publiek *o.* ‖ *bn.* openbaar,
  openlijk, publiek.
publication openbaarmaking,
  publicatie; *(v. boek)* uitgifte.
public-house café, kroeg.
publish uitgeven; bekendmaken.
publisher uitgever.
puck *(sport)* schijf.
pucker fronsen, rimpelen.
puckish ondeugend.
pudding pudding.
puddle *zn.* plas, poel.
pudgy dik.
puerile kinderachtig.
puff *zn.* rukwind; *(pijp)* trekje *o.* ‖ *ww.*
  (pijp) paffen; *(locomotief)* puffen;
  blazen.
puff-box poederdoos.
puff-cake *(gebak)* soes.
puffy opgeblazen, pafferig.
pug mopshond.
pugnacity strijdlust.
puke *(fam.)* kotsen.
pull *zn.* ruk; teug; trek. ‖ *ww.* rukken;
  trekken; – *down*, neertrekken; – *in*,
  intrekken; – *off*, aftrekken; – *up*,
  optrekken.
pulley katrol.
pullover pull-over.
pull-up pleisterplaats; wegrestaurant.
pulmonary long-.
pulp moes *o.*; pulp; *(papierbereiding)*
  pap; *(v. vrucht)* vlees *o.*
pulpit kansel; katheder.
pulpy vlezig.
pulsation (hart)slag.
pulse peulvrucht; pols, polsslag.
pulverize verstuiven; vermorzelen.
pumice puimsteen *m. en o.*
pump *zn.* pomp. ‖ *ww.* pompen;
  (fietsband) oppompen.
pun woordspeling.

punch *(werktuig)* doorslag; *(stoot)* stomp.
punctual nauwgezet, punctueel, stipt.
punctuality stiptheid.
punctuation mark leesteken *o.*
puncture bandenpech.
pungent *(fig.)* scherp.
punish (be)straffen, kastijden.
punishable strafbaar.
punishment straf.
punitive, punitory straffend.
punitively als straf.
puny nietig, klein.
pupa *(insect)* pop.
pupil oogappel; scholier.
puppet marionet, pop.
puppet-show marionettenspel,
   poppenkast.
purblind bijziend.
purchasable veil, verkrijgbaar.
purchase *zn.* aankoop, inkoop. ‖ *ww.*
   (aan)kopen, aanschaffen.
purchase-money koopsom.
purchaser afnemer, koper.
purchasing-power koopkracht.
pure onvervalst; kuis, rein.
pure-bred rasecht.
puree puree.
purgation zuivering.
purgative purgeermiddel *o.*
purgatory vagevuur *o.*
purge purgeermiddel *o.; (fig.)* zuiveren;
   purgeren.
purification zuivering.
purify reinigen, zuiveren.
purity reinheid.
purl averechtse steek, boordsel.
   ‖ *ww.* boorden; kabbelen; tuimelen.
purple *zn.* purper *o.* ‖ *bn.* paars, purper.
   ‖ *ww.* purperen.
purplish purperachtig.
purport *zn.* bedoeling; strekking. ‖ *ww.*
   beweren.
purpose *zn.* doel *o.,* oogmerk *o.,*

bedoeling; *on –,* met opzet. ‖ *ww.*
   bedoelen; zich voornemen.
purposeful doelbewust.
purposeless doelloos.
purr snorren; *(kat)* spinnen.
purse *zn.* beurs. ‖ *ww. (lippen)*
   samentrekken.
purser *(op boot)* administrateur.
pursuance vervolging; *in – of,*
   ingevolge.
pursue achternazitten, vervolgen,
   nastreven.
pursuit achtervolging, vervolging.
purulent etterachtig.
purveyance voorziening; voorraad.
pus etter.
push *zn.* duw; *(stoot)* stomp; *(v. elek-*
   trische bel) knop. ‖ *ww.* stoten;
   duwen; dringen; *– forward,*
   vooruitschuiven.
push chair wandelwagen.
pusillanimous kleinmoedig.
puss poes.
pussy-cat poes.
pustule puist.
put *(put, put)* zetten, plaatsen, stellen;
   – about, verspreiden; *– on, (kleren)*
   aantrekken; *– up, (auto)* stallen.
putrefaction (ver)rotting.
putrefy (ver)rotten.
putrid rot.
putty stopverf.
put-up afgesproken; *that was a – job,*
   dat was afgesproken werk.
puzzle *zn.* puzzle; raadsel *o.* ‖ *ww.*
   – (over), piekeren; *– one's head about,*
   zich het hoofd breken over.
pygmy pygmee, dwerg.
pyjamas pyjama.
pylon pyloon; (tempel)poort;
   hoogspanningsmast.
pyramid piramide.
python python.

Q

quack *zn.* kwakzalver; gekwaak *o.* ‖ *ww. (eenden en fig.)* kwaken.
quadrangle vierhoek.
quadrangular vierkant.
quadrant kwadrant *o.*
quadrate kwadraat *o.*
quadrille quadrille.
quadruped viervoetig.
quadruple viervoudig.
quaff zuipen, zwelgen.
quagmire modderpoel.
quail kwartel.
quaint eigenaardig, vreemd.
quake sidderen, trillen.
quaker kwaker.
quaky beverig.
qualified bevoegd, bekwaam.
qualify bekwamen, kwalificeren.
quality kwaliteit, eigenschap, hoedanigheid.
qualmish onpasselijk, misselijk.
quantify bepalen, meten.
quantity kwantiteit, hoeveelheid.
quarantine quarantaine.
quarrel *zn.* geschil *o.*, ruzie. ‖ *ww.* kijven; twisten.
quarrelsome twistziek.
quarry steengroeve.
quarter vierendeel *o.*; kwartier *o.*; wijk; kwartaal *o.*
quarterly driemaandelijks, kwartaal.
quartermaster kwartiermeester.
quartet(te) kwartet *o.*, viertal *o.*
quash onderdrukken, verijdelen.
quaver achtste noot; triller.
quay kade.
queasy misselijk, walglijk.
queen koningin; *(kaartspel)* dame.
queen-bee bijenkoningin.
queer raar, vreemd, zonderling.
quell onderdrukken.

quench dempen; blussen.
quenchless onblusbaar.
query vraag.
question *zn.* vraag; kwestie; *beyond –*, buiten twijfel; *come into –*, ter sprake komen; *out of –*, ongetwijfeld. ‖ *ww.* (onder)vragen.
questionable twijfelachtig, verdacht.
queue – *up*, in de rij gaan staan.
quibble spitsvondigheid.
quick spoedig, vlug.
quicken verhaasten, versnellen.
quicklime ongebluste kalk.
quicksand drijfzand *o.*
quicksilver kwik *o.*
quick-tempered opvliegend.
quick-witted gevat, slagvaardig.
quid pruim(tabak).
quiet *zn.* rust. ‖ *bn.* bedaard, rustig. ‖ *ww.* kalmeren, sussen.
quill *(v. veer)* schacht; *(v. egel, stekelvarken)* stekel.
quince kwee(peer).
quinine kinine.
quintessence kwintessens.
quip schimpscheut.
quirk gril, eigenaardigheid.
quit verlaten, weggaan; ophouden.
quite heel, volkomen.
quiver *zn.* pijlkoker. ‖ *ww.* beven, sidderen.
quiz quiz.
quizzical snaaks, spottend.
quod nor, gevangenis.
quoit werpschijf.
quota contingent *o.*; aandeel *o.*
quotation aanhaling; prijsnotering.
quotation mark aanhalingsteken *o.*
quote citeren; *(prijzen)* noteren.
quotidian alledaags.
quotient quotiënt *o.*

rabbet sponning.
rabbi(n) rabbijn.
rabbit konijn *o.*
rabble gepeupel *o.*, gespuis *o.*
rabid woest, dol.
rabies hondsdolheid.
race *zn.* geslacht *o.*, ras *o.*; ren, wedloop. ‖ *ww.* rennen.
racecourse, racetrack renbaan.
race-horse renpaard *o.*
racer hardloper.
racial rassen-, – *conflict*, rassenstrijd.
rack *zn.* pijnbank; *(v. boeken, enz.)* rek *o.*; ruif. ‖ *ww.* pijnigen; *put to the –*, folteren.
racket herrie, kabaal *o.*; zwendel.
racy pittig; krachtig, geurig.
radiate uitstralen.
radical *zn. (scheik.)* radicaal *o.* ‖ *bn.* ingeworteld, grondig; radicaal.
radish radijs.
radio radio.
radio alarm radiowekker.
radio transmitter radiozender.
radioactivity radioactiviteit.
radiotelephone mobilefoon.
radius spaak; radius, straal.
raffle verloting.
raft vlot *o.*
rafter dakspar.
rag prul *o.*, vod.
ragamuffin schooier.
rag-and-bone man voddenman.
rage *zn.* razernij; woede. ‖ *ww.* razen; woeden.
ragged haveloos, voddig.
raging woedend.
ragman voddenman.
raid inval, overval.
raider overvaller.
rail *zn.* rail, spoorstaaf; leuning; dwarsbalk. ‖ *ww.* schimpen, smalen; omrasteren.

railing omrastering, staketsel *o.; (v. trap, brug)* balie; spot.
raillery scherts.
railroad spoorweg.
railway spoorweg.
railway-company spoorwegmaatschappij.
railway-ticket spoorkaartje *o.*
rain *zn.* regen; *drizzling (mizzling) –*, motregen. ‖ *ww.* regenen.
rainbow regenboog.
rain-coat regenjas.
rain-proof waterdicht.
rain-shower regenbui.
rain-tight waterdicht.
rain-worm regenworm.
rainy regenachtig.
raise (op)heffen; *(een zaak, enz.)* oprichten; *(prijzen)* opslaan; wekken.
raisin rozijn.
rake *zn.* hark; zwierbol. ‖ *ww.* harken; *– up, (fig.)* oprakelen.
rakish losbandig.
rally *zn.* hereniging; beterschap. ‖ *ww. (troepen)* verzamelen; verenigen.
ram *zn.* ram. ‖ *ww.* rammeien; rammen.
ramble zwerven.
random willekeurig, toevallig; *– check*, steekproef.
ramification vertakking.
ramp glooiing; helling.
rampageous woest, dol.
rampart wal; *–s*, omwalling.
ramshackle *(v. gebouw)* vervallen.
rancid ransig.
rancour vete; wrevel; wrok.
rancorous haatdragend.
random *at –*, op goed geluk af.
range rij; *(wapens)* schotwijdte. ‖ *ww.* rangschikken; scharen; *(mil.)* inschieten.
range-finder *(mil.)* afstandsmeter.
ranger zwerver; speurhond.

rank *zn.* gelid *o.*; rang, graad. ‖ *bn.*
weelderig; sterk riekend. ‖ *ww.*
rangschikken.

ransack doorsnuffelen.

ransom *zn.* afkoop, losgeld *o.* ‖ *ww.*
vrijkopen.

rant gezwollen taal gebruiken; tieren.

ranunculus *(mv. –es, ranunculi)*
ranonkel.

rap *zn.* slag; tik. ‖ *ww.* slaan; tikken;
weghalen.

rapacious roofzuchtig.

rape *zn.* verkrachting. ‖ *ww.* verkrachten.

rape-seed koolzaad *o.*

rapid *zn.* stroomversnelling. ‖ *bn.* snel,
vlug, gezwind.

rapidity snelheid.

rapprochement *(fig.)* toenadering.

rapture extase, vervoering.

rare raar, zeldzaam.

rarefy verdunnen.

rarely zelden.

rascal schavuit, schelm; schurk.

rash *zn.* (huid)uitslag. ‖ *bn.* onberaden,
onbezonnen, roekeloos.

rasher plakje spek of ham.

rashness roekeloosheid.

rasp *zn.* rasp. ‖ *ww.* raspen.

raspberry framboos.

rat *zn.* rat; *like a drowned –*, doornat;
smell a –, achterdochtig zijn. ‖ *ww.*
onderkruipen.

ratchet *(techn.)* pal.

rate *zn. (hand.)* koers, tarief *o.*, snelheid;
at any –, in ieder geval. ‖ *ww.*
waarderen; aanslaan, taxeren.

rateable belastbaar.

ratepayer belastingbetaler.

rather veeleer; nogal, tamelijk.

ratify bekrachtigen.

rating plaats, positie; kijkcijfer *o.*

ration *zn.* portie, rantsoen *o.* ‖ *ww.*
rantsoeneren.

rational redelijk.

ratsbane rattenvergif *o.*

ratten saboteren.

rattle *zn.* rammelaar, ratel. ‖ *ww.*
rammelen; ratelen; reutelen.

rattletrap *(v. wagen)* rammelkast.

rat-trap rattenval.

ravage *zn.* verwoesting. ‖ *ww.*
verwoesten.

rave *(koorts)* ijlen, raaskallen; razen.

ravel (uit)rafelen.

raven *zn.* raaf. ‖ *ww.* verslinden.

ravenous uitgehongerd; verslindend.

ravine ravijn *o.*

raving razend; ijlend.

ravish ontroven; wegvoeren.

ravishing behoorlijk; verrukkelijk.

ravishment verrukking; roof,
ontvoering.

raw *(v. drank)* puur; *(ongekookt)* rauw.

ray rog, straal.

raze met de grond gelijkmaken,
slechten; wegkrabben, schrappen.

razor scheermes *o.*

razor-edge scherpe scheidslijn; kritieke
situatie.

razorscharp vlijmscherp.

razzle-dazzle braspartij; *(fig.) be on the –*,
aan de zwier zijn.

reach *zn.* bereik *o.*; *(scheepv.)* koers.
‖ *ww.* aan-, be-, over-, toereiken.

reach-me-down *(fam.)* afdragertje *o.*

react terugwerken.

reaction reactie, tegenwerking.

read *(read, read)* lezen.

readable lezenswaard; leesbaar.

reader lezer; adviseur.

readily gaarne, graag; geredelijk.

reading-book leesboek *o.*

ready klaar, gereed.

ready-made kant-en-klaar; confectie-.

ready-witted gevat.

real waarachtig, wezenlijk, werkelijk.

real estate vastgoed *o.*
realism realisme *o.*
realization verwezenlijking.
realize realiseren, verwezenlijken.
really metterdaad; waarlijk, inderdaad.
reanimate herleven.
reap *(koren)* maaien, oogsten.
reaper maaier.
rear *zn.* achterhoede. ‖ *ww.* oprichten; (op)kweken; steigeren.
rear-admiral schout-bij-nacht.
rear-exit achteruitgang.
rear-guard achterhoede.
rear-light achterlicht *o.*
rearview mirror achteruitkijkspiegel.
rearward(s) achterwaarts.
reason *zn.* rede; reden. ‖ *ww.* redekavelen, redeneren.
reasonable aannemelijk, redelijk; verstandig.
reasonless onverstandig.
reassure geruststellen; herverzekeren.
rebate korting, rabat *o.*
rebel *zn.* oproerling, opstandeling. ‖ *ww.* muiten, opstaan.
rebellion oproer *o.*, opstand.
rebellious oproerig, weerspannig.
re-birth wedergeboorte.
rebound terugkaatsen; terugstuiten.
rebuff *(fig.)* terugstoten.
rebuild *(huis, enz.)* her-, verbouwen.
rebuilding herbouw, wederopbouw.
rebuke berispen.
rebut afweren; weerleggen.
recalcitrant onwillig, weerbarstig, weerspannig.
recalcitrate tegenstribbelen.
recall herroepen; terugroepen.
recapitulate *(fig.)* samenvatten.
recapture *(een vesting)* hernemen; heroveren.
recede achteruitgaan.
receipt kwitantie, ontvangbewijs *o.*;

ontvangst; recept *o.*
receive ontvangen.
receiver ontvanger; *(telefoon)* hoorn.
recent nieuw, recept.
recently onlangs.
receptacle vergaarbak.
reception ontvangst, receptie.
receptive ontvankelijk.
recess opschorting; nis; alkoof; terugwijking.
recessive terugwijkend.
recidivism recidive.
recipe recept *o.*
recipient *(v. brief, geschenk, enz.)* ontvanger.
reciprocal wederkerig.
reciprocate bewezen gunsten beantwoorden; uitwisselen.
reciprocity wederkerigheid.
recital *(door een solist)* concert *o.*; verhaal *o.*
recite verhalen; *(les)* opzeggen; *(gedicht)* voordragen.
reckless roekeloos.
recklessness overmoed.
reckon rekenen; – *in,* meerekenen; – *out,* uitrekenen; – *up,* optellen, uitrekenen.
reckoner teller.
reckoning afrekening; rekening; *out of one's –,* verkeerd uitgekomen.
reclaim terugeisen; *(zondaar)* terechtbrengen.
reclamation terugvordering; reclame.
recluse kluizenaar.
recognizable kennelijk, kenbaar.
recognize herkennen.
recoil afstuiten; *(v. geweer)* terugstoten; terugdeinzen.
recommend aanbevelen, aanprijzen, aanraden.
recommendable aanbevelenswaardig.
recommendation aanbeveling.

recompense beloning.
reconcilable verzoenbaar.
reconcile verbroederen, verzoenen.
reconciliation verzoening.
reconnoitring verkenning.
reconquer heroveren.
reconsider herzien.
reconsideration herziening.
reconstruct weer opbouwen.
reconstruction reconstructie, *(fig.)*
　wederopbouw; – *(of Europe)*,
　herbouw.
record *zn.* aantekening; opname, plaat;
　record *o.* ‖ *ww.* opgeven, vermelden;
　registreren.
recorder griffier; archivaris; recorder.
recount verhalen; opnieuw tellen.
recoup schadeloosstellen.
recourse toevlucht.
recover herkrijgen; *(gestolene)*
　achterhalen; herstellen.
recovery herstel *o.*
re-create herscheppen; vermaken.
recreation ontspanning, verzet *o.*
recreation-ground speeltuin.
recruit milicien, rekruut.
recruitment (aan)werving.
rectifiable verbeterlijk.
rectify verbeteren.
rectory *(protestants)* pastorie.
recuperate op zijn verhaal komen.
recur terugkeren, terugkomen.
red rood.
redact *(fig.)* opstellen, redigeren.
red-breast roodborstje *o.*
redden rood worden.
reddish ros, rossig.
redeem vrijkopen; *(hypotheek)* aflossen;
　(christelijk) verlossen.
redeemable aflosbaar.
redeemer verlosser.
redemand terugvorderen.
redemption afkoop; aflossing;

　(christelijk) verlossing.
red-hot *bn.* gloeiend. ‖ *ww.* gloeien.
redirect *(brief)* nasturen; *(verkeer)*
　omleiden.
red-lead menie.
redolent welriekend.
redouble verdubbelen.
redoubtable geducht.
redress *zn.* herstel *o.*; verhaal *o.* ‖ *ww.*
　herstellen.
redskin roodhuid.
reduce herleiden; *(prijzen)* verminderen;
　(foto) verzwakken.
reducible herleidbaar.
reducing-cure, ...-treatment
　vermageringskuur.
reduction verkleining, verlaging,
　vermindering.
redundant overbodig.
re-echo weergalmen; *(geluid)*
　weerkaatsen.
reed *zn.* riet *o.* ‖ *bn.* rieten.
reedy *(stem)* schril; vol riet.
reef rif *o.*; klip.
re-elect herkiezen.
refection versnapering.
refer verwijzen; onderwerpen.
referee *(sport)* scheidsrechter.
reference referte verwijzing; referentie.
referendary referendaris.
refine raffineren, zuiveren; veredelen.
refinement beschaving; verfijning.
refit herstellen.
reflect terug-, weerkaatsen; – *(upon)*,
　nadenken, overpeinzen.
reflection overdenking, overpeinzing;
　weerschijn, terugkaatsing.
reflex weerschijn.
reflexive *(gramm.)* wederkerend.
reform *zn.* hervorming. ‖ *ww.*
　hervormen; *(zedelijk)* verbeteren.
reformatory tuchtschool.
refraction straalbreking.

refractory weerbarstig, weerspannig.
refrain *zn.* refrein *o.* ‖ *ww.* beteugelen; in toom houden.
refresh verfrissen; verkwikken.
refreshment verversing.
refreshment-room *(in station)* buffet *o.*; koffiekamer.
refrigerant verkoelend.
refrigerate afkoelen.
refrigerator koelkast; koeling.
refuge schuilplaats, toevlucht, toevluchtsoord *o.*; vluchtheuvel.
refugee vluchteling.
refuge-shelter schuilkelder.
refund *zn.* terugbetaling. ‖ *ww.* terugbetalen; opnieuw stichten.
refusal weigering.
refuse *zn.* uitschot *o.*, afval *m. en o.* ‖ *ww.* afwijzen; weigeren.
refutable weerlegbaar.
refute weerleggen.
regain herkrijgen.
regal koninklijk.
regale smullen; vergasten.
regard *zn.* aanzien *o.*; achting; *in, with – to,* met betrekking tot. ‖ *ww.* aan-, beschouwen; betreffen.
regarding betreffende.
regardless onoplettend, onachtzaam.
regency regentschap *o.*
regenerate herboren.
regeneration wedergeboorte.
regimen dieet *o.*
regiment regiment *o.*
region gewest *o.*, streek; *upper –s,* hemel; *lower –s,* hel.
regional regionaal, streek-; *– dish,* streekgerecht *o.*; *– transport,* streekvervoer *o.*
register *zn.* register *o.*; klapper; *(v. kachel)* sleutel. ‖ *ww.* aangeven, registreren.
registration *(brief)* aantekening;

registratie, inschrijving.
regret *zn.* spijt. ‖ *ww.* betreuren; *(berouwen)* rouwen.
regrettable betreurenswaardig.
regular geregeld.
regulate regelen; stellen.
regulation *zn.* regeling. ‖ *bn.* reglementair.
rehabilitation eerherstel *o.*
rehearsal *(toneel)* repititie.
rehearse *(toneel)* repeteren.
reheat opwarmen.
reign *zn.* regering. ‖ *ww.* heersen, regeren.
rein teugel; *take the –s,* de teugels in handen hebben.
reincarnation reïncarnatie.
reindeer rendier *o.*
reinforce bewapenen.
reinforcements versterkingstroepen.
reiterate herhalen.
reject afwijzen; verwerpen; *(mil.)* afkeuren.
rejectable verwerpelijk.
rejection *(mil.)* afkeuring; verwerping.
rejoice zich verheugen.
rejoin antwoorden; herenigen.
rejuvenate verjongen.
relapse *zn.* instorting, terugval. ‖ *ww. (zieken)* instorten.
relate vertellen.
related verwant.
relation betrekking; relaas *o.*; *(tussen personen)* verhouding; bloedverwant.
relationship verwantschap.
relative *zn.* bloedverwant. ‖ *bn.* betrekkelijk.
relax *(v. spieren)* verslappen; *(de wet)* verzachten.
relaxation ontspanning, verslapping.
relay aflossing; estafette.
release *zn.* vrijlating; ontslag *o.* ‖ *ww. (gas)* uitlaten; verlossen; vrijlaten.

relentless meedogenloos,
onverbiddelijk.
reliable betrouwbaar, geloofwaardig.
relic overblijfsel *o.*, relikwie.
relief ontlasting; ondersteuning; *(stad)*
ontzetting; aflossing; reliëf *o.*
relieve *(pijn)* verlichten; *(wacht)*
aflossen; ondersteunen.
religion godsdienst.
religious godvruchtig.
relinquish opgeven, laten gaan; afzien
van.
relish *zn.* smaak. ‖ *ww.* smakelijk
maken, smaken.
relishable smakelijk.
reluctance weerzin.
reluctantly met tegenzin, schoorvoetend.
rely, – *on*, zich verlaten op, vertrouwen
op.
remain *zn.* overblijfsel *o.* ‖ *ww.* resten;
blijven.
remainder overblijfsel *o.*, overschot *o.*,
rest.
remand *zn.* terugzending; *upon* –, in
voorarrest *o.* ‖ *ww.* terugroepen.
remark *zn.* opmerking. ‖ *ww.*
aanmerken.
remarkable merkwaardig, opmerkelijk.
remediable herstelbaar.
remedy geneesmiddel *o.*, hulpmiddel
o., redmiddel *o.*
remember herinneren; bedenken;
(lessen) onthouden.
remembrance aandenken *o.*,
gedachtenis; geheugen *o.*
remind indachtig maken.
reminder herinnering.
remiss nalatig; traag.
remissible vergeeflijk.
remission kwijtschelding; afname.
remit kwijtschelden; *(geld)* overmaken;
(v. straf) verminderen.

remittance *(handel)* remise; *(geld)*
toezending.
remnant *(v. stof)* coupon; overblijfsel *o.*,
restant *o.*
remodel omvormen.
remonstrance vertoog *o.*; protest *o.*
remonstrate tegenwerpingen maken.
remorse wroeging.
remorseful berouwvol.
remorseless meedogenloos.
remote verafgelegen; *(verwantschap)*
ver.
removable verplaatsbaar.
removal verhuizing; verwijdering.
removal van verhuiswagen.
remove *zn.* *(verwantschap)* graad;
(school) overgang. ‖ *ww.* verhuizen;
verwijderen; wegbrengen; ontslaan.
remover verhuizer.
remove-trial overgangsexamen *o.*
remunerate vergoeden, belonen.
remuneration vergoeding.
remunerative winstgevend.
renal nier-; – *disease*, nierziekte.
rend *(rent, rent)* *(aan stukken)* scheuren;
splijten.
render teruggeven; opgeven; *(muz.)*
vertolken.
rendezvous rendez-vous *o.*
renegade afvallige.
renew hernieuwen; *(paspoort)*
verlengen.
renewal restauratie, vernieuwing.
rennet stremsel *o.*; *(appel)* renet.
renounce afzien van; *(z. geloof)*
verzaken.
renouncement verloochening.
renovate vernieuwen.
renovation restauratie, vernieuwing.
renown roem.
renowned beroemd, vermaard.
rent *zn.* huur, pacht; scheur, scheuring.
‖ *ww.* *(huis)* huren.

renter huurder.
rent-free vrij van pacht of huur.
renunciation afstand; verzaking.
reorganization reorganisatie.
reorganize reorganiseren; saneren.
repair zn. herstel o.; *in bad –, out of –,* in verval. ‖ ww. herstellen; *(kleren)* verstellen.
reparation herstel o., reparatie.
repartee gevat antwoord o.
repast maaltijd.
repayable aflosbaar; terugbetaalbaar.
repayment terugbetaling.
repeal intrekken, herroepen.
repeat herhalen; hervatten.
repeatedly herhaalde malen.
repel afweren; afstoten.
repent (be)rouwen.
repentance berouw o.
repentant berouwvol.
repertory repertoire o.
repetition repetitie, herhaling.
repine morren, klagen.
replace vervangen.
replenish *(voorraad)* aanvullen.
replete overvol; verzadigd.
reply zn. antwoord o. ‖ ww. (be)antwoorden.
report zn. verslag o.; *(v. geweer)* schot o. ‖ ww. berichten; (ver)melden.
reporter berichtgever, verslaggever.
repose zn. rust. ‖ ww. rusten.
reposer afzakkertje o.
repository bewaarplaats, depot m. en o.
reprehend berispen.
reprehensible afkeurenswaardig, berispelijk.
represent voorstellen; vertegenwoordigen.
representation vertegenwoordiging; *(ton.)* vertoning, voorstelling.
representative vertegenwoordiger; zaakgelastigde.

reprieve uitstel verlenen.
reprimand zn. afstraffing; terechtwijzing. ‖ ww. berispen.
reprint zn. herdruk, *(druk.)* nadruk. ‖ ww. herdrukken.
reprisal vergelding, represaille; tegenmaatregel.
reproach zn. blaam, verwijt o. ‖ ww. verwijten.
reproachable laakbaar.
reprobate zn. verworpeling. ‖ bn. verdoemd. ‖ ww. verwerpen.
reproduce reproduceren; weergeven.
reproof terechtwijzing; verwijt o.
reptile reptiel o.
repudiate *(zijn echtgenote)* verstoten; *(schuld)* niet erkennen.
repugnance tegenzin.
repulse afstoten; terugslaan.
repulsion afstoting; afkeer.
repulsive afstotend.
reputable fatsoenlijk, eervol.
reputation faam, reputatie; *slander a person's –,* iem. in zijn eer krenken.
repute zn. faam. ‖ ww. houden voor.
request zn. aanvraag, aanzoek o., verzoek o. ‖ ww. verzoeken.
requirable vereist.
require (ver)eisen, vergen; verlangen.
requirement vereiste o.
requisite zn. vereiste o. ‖ bn. nodig; vereist.
requital vergelding.
rescue zn. *(stad)* ontzetting, redding; verlossing. ‖ ww. redden, verlossen.
research zn. *(wetensch.)* onderzoek o. ‖ ww. onderzoeken.
resemblance gelijkenis, overeenkomst.
resemble gelijken op.
resent kwalijk nemen.
resentful haatdragend; boos, geraakt.
resentment wrevel.
reservation voorbehoud o.

reserve *zn.* reserve; voorbehoud *o.*;
reservaat *o.* ‖ *ww.* voorbehouden;
bewaren.

reserved achterhoudend; gereserveerd.

reside vertoeven; wonen; zetelen.

residence verblijfplaats, woning.

residence permit verblijfsvergunning.

resident *zn.* bewoner. ‖ *bn.* woonachtig.

resign afstaan; bedanken; aftreden;
– *oneself to* berusten in.

resignation aftreden *o.*; berusting;
onderwerping.

resigned gelaten.

resigner ontslagnemer.

resin hars *o.*

resist weerstand bieden, weerstaan.

resistance weerstand, verzet *o.*; *passive*
–, lijdzaam verzet.

resistible weerstaanbaar.

resoluble oplosbaar.

resolute kordaat, vastberaden.

resolution besluit *o.*; oplossing; – *of*
forces, ontbinding van krachten.

resolve besluiten; oplossen.

resonance weerklank.

resort *zn.* verenigingsplaats; toevlucht.
‖ *ww.* zijn toevlucht nemen tot.

resound (weer)galmen, (weer)klinken.

resource hulpbron.

respect *zn.* achting; eerbied; ontzag *o.*;
withto, ten aanzien van. ‖ *ww.* (hoog)
achten, vereren.

respectable eerzaam, fatsoenlijk,
achtbaar.

respectful eerbiedig.

respectfully eerbiedig; *Yours* –,
hoogachtend.

respective respectievelijk.

respirable inadembaar.

respiration ademtocht.

respire ademhalen.

respite respijt *o.*, uitstel *o.*

respond beantwoorden.

response antwoord *o.*; *in* – *to,*
ingevolge.

responsibility verantwoordelijkheid.

responsible aansprakelijk,
verantwoordelijk.

rest *zn.* overschot *o.*, rest; rust;
verpozing. ‖ *ww.* rusten; overblijven;
– *with,* berusten bij.

rest-cure rustkuur.

restful rustig.

restitution teruggave.

restless onrustig, rusteloos; *(kind)*
woelziek.

restlessness onrust.

restoration herstel *o.*, restauratie.

restore herstellen; teruggeven.

restrain beteugelen; *(tranen)*
bedwingen.

restrict beperken.

result *zn.* resultaat *o.*; uitslag; uitkomst.
‖ *ww.* voortspruiten, voortvloeien.

resume *(plaats, antwoord)* hernemen;
hervatten; samenvatten.

resurrection opstanding, verrijzenis.

resuscitate weer opleven; reanimeren.

retail trade kleinhandel.

retain (be)houden; *be* –, onthouden.

retake *(retook, retaken) (een vesting)*
hernemen.

retaliation vergelding, wraak.

retaliatory vergeldings-; – *measure,*
represaillemaatregel.

retard tegenhouden; uitstellen.

retardation, retardment vertraging.

reticent gereserveerd, terughoudend.

retina netvlies *o.*

retinue gevolg *o.*

retire aftreden; terugtrekken; met
pensioen gaan.

retired rustend; teruggetrokken; – *pay,*
pensioen *o.*

retirement afzondering; aftreden *o.*;
pensionering

retiring ingetogen.
retouch weer aanraken; opwerken, de laatste hand leggen aan.
retract *(belofte)* intrekken, terugtrekken.
retreat *zn.* aftocht, terugtocht; rustoord *o.* || *ww. (mil.)* terugtrekken.
retrench inkrimpen.
retribution vergelding.
retrievable terug te vinden; herstelbaar.
retrieve terugbekomen; redden; herstellen.
retroactive terugwerkend.
retrograde achteruitgaand.
retrogress achteruitgaan.
retrospect terugblik.
retrospective terugwerkend.
return *zn.* terugkeer, terugkomst; teruggave; *service in –,* wederdienst. || *ww.* terugkeren, terugkomen; teruggeven.
returning-officer voorzitter van stembureau.
return-ticket retourbiljet *o.*
return-visit contrabezoek *o.,* tegenbezoek *o.*
reveal onthullen, ontsluieren; *– oneself (as),* zich ontpoppen (als).
reveille reveille.
revel braspartij.
revelation openbaring.
reveller pretmaker.
revenge *zn.* wraak. || *ww.* wreken.
revengeful wraakzuchtig.
revenue inkomsten; *the (public) –,* de inkomsten van de staat.
revenue-officer belastingambtenaar.
reverberate terugkaatsen; weergalmen.
revere eren, vereren.
reverence eerbied; verering; piëteit.
reverend weleerwaard.
reverent eerbiedig.
reversal omkeer.
reverse *zn.* keerzijde; ommekeer;

tegenspoed. || *bn.* omgekeerd. || *ww.* omkeren; omwerpen; *(motoren)* achteruitslaan.
revert omkeren.
review *zn.* terugblik; parade; recensie. || *ww.* overzien; herzien.
reviewer boekbeoordelaar, recensent.
revile beschimpen, smaden.
revilement smaad.
revisal herziening.
revise *zn. (drukkerij)* revisie; herziening. || *ww.* herzien; nazien.
revision herziening, revisie.
revival opbloei.
revive herleven; opfrissen.
revocable herroepelijk.
revoke *zn.* verzaking. || *ww.* herroepen; *(kaartspel)* verzaken.
revolt *zn.* oproer *o.,* opstand. || *ww. (in opstand komen)* opstaan.
revolting oproerig; walglijk.
revolution omkeer; omwenteling, revolutie.
revolve wentelen; overpeinzen.
revolver revolver.
revue *(toneel)* revue.
revulsion afwending; afleiding; *(fig.)* omslag.
reward beloning.
rewarder beloner.
reweigh overwegen.
rhetorician *(vroeger)* rederijker; redenaar.
rheumatism reumatiek.
rhinoceros neushoorn.
rhombic *(meetkunde)* ruitvormig.
rhubarb rabarber.
rhyme *zn.* rijm *o.* || *ww.* rijmen.
rhymer rijmelaar.
rhythmic(al) ritmisch.
rib rib(be); *(paraplu)* balein *v./m. en o.*
ribbon lint *o.*
rice rijst.

rice-field rijstveld *o*.
rice-table rijsttafel.
rich rijk, vermogend.
richness rijkdom.
rick hooiberg.
rid *(rid, rid)* bevrijden; *be, get – of*, bevrijd zijn van.
riddle raadsel *o*.; vraagstuk *o*.; zeef.
ride *zn*. rit. ‖ *ww. (rode; ridden, rode) (paard, fiets)* rijden; *– for a fall*, woest rijden.
rider ruiter; toegevoegde clausule, aanhangsel *o*.
ridge *(v. berg)* kam; *(v. gebergte)* rug; *(dak)* nok.
ridicule *zn*. spot. ‖ *ww*. bespotten.
ridiculous belachelijk, bespottelijk.
riding-school manege, rijschool.
riding-whip karwats, rijzweep.
riff rif *o*.
rifle geweer *o*., buks.
rifle-man scherpschutter.
rig *zn. (scheepv.)* tuig *o*. ‖ *ww. – a boat*, een schip optuigen.
right *zn*. recht *o*.; gelijk *o*.; rechterhand; *vested –s*, oude rechten; *– of way*, recht van weg; *all –s reserved*, nadruk verboden; *by –s*, van rechtswege; *put to –s*, terechtbrengen. ‖ *bn*. juist; rechts; *to the –*, rechtsaf; rechtvaardig; *all –*, in orde; *– and left*, in alle richtingen.
right-down volledig, volkomen.
righteous rechtvaardig.
rightful rechtmatig.
right-handed rechts.
right-hearted rechtschapen.
rightly terecht, wel.
right-minded rechtschapen.
rightness juistheid.
rigid stram; streng.
rigorous strikt.
rigour strengheid.

rill beekje *o*.
rim rand; velg.
rime *zn*. rijm *o*.; rijp. ‖ *ww*. rijmen.
rind *(kaas)* korst; *(v. vrucht, bomen)* schil; schors.
rinderpest veepest.
ring *zn*. ring; kring; klank. ‖ *ww. (rung, rang; rung)* ringen; bellen, klinken; *my ears –*, mijn oren suizen.
ring-finger ringvinger.
ringleader belhamel, raddraaier.
ringroad ringweg.
rinse *zn*. mondspoeling. ‖ *ww. (de mond)* spoelen.
riot *zn*. oploop, opstootje *o*. ‖ *ww*. oproer maken.
riotous bandeloos, woelig.
rip *zn*. zwierbol. ‖ *ww*. (op)tornen, rijten.
ripe rijp.
ripple *zn*. gekabbel *o*. ‖ *ww*. kabbelen.
rise *zn*. rijzing; opgang; *(verhoging)* opslag, stijging; *(rivier)* was. ‖ *ww. (rose, risen)* opgaan; opstaan; opstijgen; *(prijzen)* stijgen; wassen.
risk gevaar *o*., risico *m*. en *o*. ‖ *ww*. wagen.
risky gewaagd.
rite plechtigheid, rite.
rival mededinger, rivaal.
rivalry mededinging, concurrentie.
river rivier; stroom; vloed.
rivet klinknagel; *(nagel)* niet.
road baan; straat, weg; *(rede)* ree.
road map wegenkaart.
road offence verkeersovertreding.
roadside kant van de weg.
road sign verkeersbord *o*.
road surface wegdek *o*.
roadway rijweg.
road works wegwerkzaamheden.
roam zwerven.
roar *zn*. gedruis *o*.; gebrul *o*.; gebulder

o. ǁ *ww*. bulderen; brullen; *(v. vliegtuig)* ronken; *(zee)* bruisen; *(geschut)* dreunen.

roast *zn*. gebraad *o*. ǁ *ww*. braden, roosteren; *(koffie)* branden; *(kastanjes)* poffen.

roast beef rosbief.

rob beroven, bestelen, plunderen.

robber rover; struikrover.

robbery diefstal; roof.

robe toga.

robot automaat.

robust fors, sterk, struis.

rock *zn*. gesteente *o*.; klip; rots. ǁ *ww*. *(v. trein, enz.)* schommelen, wiegen.

rocker, rocking-chair schommelstoel.

rocket vuurpijl.

rocking schommeling.

rocking-horse hobbelpaard *o*.

rockiness rotsachtig.

rocky rotsachtig.

rod roede; stang.

rodent knaagdier *o*.

roe *(hert)* ree; viskuit.

rogue boef; schelm; schobbejak; schurk.

roguish guitig; schurkachtig.

roll *zn*. *(v. trommel)* roffel; rol; *French –*, broodje *o*. ǁ *ww*. rollen; wentelen; *(v. boot)* schommelen; slingeren.

roller *(om te rollen)* rol; *(rol)* wals.

roller-blind rolgordijn *o*.

roller-skate rolschaats.

rolling *(v. terrein)* golvend.

Roman Romeins, Rooms.

romance romance.

romp *zn*. stoeier; *(meisje)* robbedoes. ǁ *ww*. ravotten, stoeien.

rood *(maat)* roede.

roof dak *o*.; *(v. huis)* kap; *(v. mond)* verhemelte *o*.

roofless dakloos.

roof rack imperiaal *v./m*. en *o*.

room kamer; plaats, vertrek *o*.; zaal;

make –, plaats inruimen.

roomy ruim, spatieus.

roost *(v. kippen)* rek *o*.; roest *m*. en *o*.

root *zn*. wortel; *– principle*, grondbeginsel *o*. ǁ *ww*. wortel schieten; *– out*, uitroeien.

rooted diep geworteld.

rope koord *v./m*. en *o*., touw *o*., zeel *o*.; ketting; strop.

rope-ladder touwladder.

rosary *(kath.)* rozenkrans.

rose roos; *under the –*, in het geheim.

rose-bud rozenknop.

rose-bush rozelaar.

rose-knot rozet.

rosemary rozemarijn.

rosette rozet.

rosin hars *m*. en *o*.

roster *(lijst)* rooster.

rosy rooskleurig.

rot *zn*. geklets *o*.; onzin; verroting. ǁ *ww*. bederven, (ver)rotten.

rotary rondgaand; *– press*, rotatiepers.

rotate draaien.

rotation omwenteling; afwisseling.

rotten rot; beroerd.

rotting (ver)rotting.

rotundity rondheid.

rouble roebel.

rouge *zn*. rouge *m*. en *o*. ǁ *ww*. met rouge opmaken.

rough *zn*. woestaard, woesteling; *– copy (draught)*, klad *o*. ǁ *bn*. grof, oneffen; *(weer)* onguur; *(wijn)* wrang; ruw, ruig.

round *zn*. rond *o*.; ronde; ommegang. ǁ *bn*. rond. ǁ *bw*. rondom. ǁ *voorz*. om, rond. ǁ *ww*. rond maken, afronden.

roundabout *zn*. rontonde; draaimolen. ǁ *bn*. rondom; omlopend; *a – way*, een omweg.

rounding ronding.

roundly rond, ronduit.

roundness rondheid.

round-trip rondreis.
round-up *(vee)* bijeendrijven *o.*;
klopjacht, razzia.
rouse opwekken; *(onrust, misnoegen)*
verwekken.
rout *zn.* wanordelijke bende. || *ww.*
omwoelen, omwroeten.
routine routine; sleur.
rove zwerven; – *about,* ronddolen.
rover zwerver; *shoot at –s,* in 't wilde
schieten.
row *zn.* rij; reeks; herrie; oploop. || *ww.*
roeien.
row-boat roeiboot.
rowdy *zn.* herrieschopper. || *bn.*
rumoerig, baldadig.
royal koninklijk, vorstelijk; *prince –,*
kroonprins.
royalist royalist.
royalty koningschap *o.*; *(door uitgevers)*
percenten; tantième *o.*
rub *zn.* wrijving; moeilijkheid. || *ww.*
wrijven; in-, uitwrijven; boenen.
rubber wrijver; slijpsteen; rubber *o.*;
robber.
rubber-plantation rubberplantage.
rubbish *(ruïne)* puin *o.*; bocht *o.*,
rommel.
rubbishy prullig.
rubble *(v. afbraak)* puin *o.*
rubric rubriek.
ruby robijn.
ruck hoop; massa.
ruckle rochelen.
rucksack rugzak.
rudder roer *o.*; *(v. schip)* stuur *o.*
rudderless stuurloos.
rude hardhandig, onzacht;
onbeschaafd.
rudiment grondbeginsel *o.*
rue berouwen; *you shall – it,* het zal u
berouwen.
rueful droevig, bedroefd.

ruff kraag; plooi.
ruffian bandiet.
ruffle *zn.* rimpel; *(v. trommel)* roffel.
|| *ww.* rimpelen; roffelen; *–d,*
(ontstemd) verstoord.
rug reisdeken.
rugged oneffen; ruig.
ruin *zn.* ondergang; verderf *o.*; *–(s),*
ruïne, puin *o.* || *ww.* be–, verderven,
verwoesten.
ruination ondergang.
ruinous bouwvallig; *(v. gebouw)*
vervallen.
rule *zn.* regel; maatstok; overheersing;
regering. || *ww.* besturen, regeren;
liniëren.
ruler heerser; liniaal *v./m.* en *o.*
rum *zn.* rum. || *bn.* zonderling.
Rumania Roemenië.
rumble rommelen, donderen;
mompelen.
ruminant herkauwer.
rummage doorzoeken, doorsnuffelen.
rummer *(beker)* roemer.
rumour gerucht *o.*, praatje *o.*; roep.
rump *(dier)* bil.
rumple *zn.* rimpel. || *ww.* kreuk(el)en,
verfomfaaien.
rumpsteak biefstuk.
run *zn.* aan-, toeloop; ren; *(kaartspel)*
suite. || *ww.* *(ran, run)* lopen; rennen;
(in 't papier trekken) vloeien;
exploiteren; – *out, (v. contract)*
vervallen.
runabout landloper.
runaway deserteur.
rung *(v. ladder)* sport, trede.
runner hardloper; bode.
running nose druipneus.
running-match wedloop.
runway landingsbaan.
rupture doorbraak; breuk; *(fig.)*
scheuring.

rural landelijk.
rush *zn.* aanloop; *(hand.)* toevloed; stroom; bies; – *order,* spoedbestelling. ‖ *ww.* rennen; snellen; stromen; *(v. auto)* stuiven.
rushlight nachtpitje *o.*
rush-order spoedbestelling.
rusk beschuit.
Russia Rusland *o.*
rust *zn.* roest *m. en o.; (v. koren)* roest.

‖ *ww.* roesten.
rustic boers, landelijk.
rustle *zn.* geritsel *o.; (v. bomen, regen)* suizen *o.* ‖ *ww.* ritselen, ruisen.
rustproof roestvrij.
rusty roestig.
rut *(o. wagen)* spoor *o.;* bronst(tijd).
ruthless meedogenloos.
rye rogge.
rye-bread roggebrood *o.*

S

sable *(dier, kleur, bont)* sabel *o.*
sabotage saboteren.
sabre (cavalerie)sabel.
sack *zn. (v. een stad)* plundering; zak; *give(or get) the –,* ontslaan, *(of ontslagen worden).* ‖ *ww.* uitplunderen.
sackless onschuldig, onnozel.
sack-race *(sp.)* zaklopen.
sacrament sacrament *o.*
sacred heilig.
sacrifice *zn.* offer *o.;* opoffering. ‖ *ww.* opofferen.
sacrilege heiligschennis.
sacristan *(kath.)* koster.
sad bedroefd, droefgeestig, droevig.
sadden bedroeven.
saddle *zn.* zadel *m. en o.* ‖ *ww.* zadelen.
sad-eyed, ...-faced, ...-hearted bedroefd.
sadism sadisme *o.*
sadness droefenis.
safe *zn.* brandkast. ‖ *bn.* veilig, behouden; *(betrouwbaar)* zeker; *(geldbelegging)* solide.
safe-conduct vrijgeleide *o.*
safe-deposit *(v. geld)* kluis.
safeguard *zn.* vrijgeleide *o.;* vrijwaring; veiligheidsmaatregel. ‖ *ww.*

beveiligen, waarborgen.
safety veiligheid; zekerheid.
safety-belt veiligheidsgordel.
safety-brake noodrem.
safety-buoy reddingsboei.
safety-lock veiligheidsslot *o.*
safety-pin veiligheidsspeld.
saffron saffraan.
sag zakken; – *(down), (handel)* teruglopen, dalen.
sagacious schrander.
sagacity scherpzinnigheid, schranderheid.
sage salie; wijze.
Sagittarius *(dierenriem)* Boogschutter.
sail zeil *o.; (v. molen)* wiek; *make, set –,* afreizen. ‖ *ww.* stevenen; varen; zeilen.
sail-cloth zeildoek *o.*
sailer zeilschip *o.*
sailing *(v. schip)* uitvaart; *(v. boot ook)* vertrek *o.*
sailing-vessel zeilschip *o.*
sailor matroos; zeeman.
saint *zn.* heilige; *titular –,* schutsheilige. ‖ *bn.* heilig, sint.
sake, *for our –s,* om onzentwil; *for the – of,* terwille van; *for old –'s,* uit oude genegenheid.

salacious wellustig.
salad salade, sla.
salamander salamander.
salary bezoldiging, salaris *o.*, wedde; *a fixed* –, vast inkomen.
sale verkoop; debiet *o.*; afzet; *after-season* –, *(einde seizoen)* opruiming; *day of* –, koopdag; *for, on* –, veil; *public* –, verkoping; *sole* –, alleenverkoop; *make a* –, een koop sluiten.
sale-room verkoophuis *o.*; verkoopzaal.
salesman verkoper.
saleswoman verkoopster.
saline zoutachtig.
saliva speeksel *o.*
sallow *zn.* waterwilg. || *bn.* vaalbleek.
salmon zalm.
saloon *(aan boord, v. haarkapper)* salon *o.*
salsify schorseneer.
salt *zn.* zout *o.*; *old* –, zeebonk. || *bn.* zout. || *ww.* (in –) zouten.
salt-cellar zoutvaatje *o.*
saltish zilt; zout.
salt-mine zoutmijn.
saltpetre salpeter *o.*
salt water zeewater *o.*, zoutwater *o.*
salty zout(achtig).
salubrious gezond.
salutary heilzaam; zegenrijk.
salutation groet.
salute *zn.* saluut *o.*; groet. || *ww.* (be)groeten.
salvable te redden.
salvage berging.
salvation behoud *o.*; redding; zaligheid.
salve *zn.* smeersel *o.*; zalf, balsem. || *ww.* *(geweten)* sussen; zalven.
salver presenteerblad *o.*
same zelfde; *the* –, dezelfde, hetzelfde.
sameness gelijkheid.
sample monster *o.*, staal *o.*; *send by – post*, als monster verzenden.

sanatorium herstellingsoord *o.*; sanatorium *o.*
sanctimonious huichelachtig.
sanction *zn.* sanctie; bekrachtiging. || *ww.* bekrachtigen.
sanctuary heiligdom *o.*; reservaat *o.*
sand zand *o.*; *–s*, strand *o.*
sandal sandaal.
sandal-wood sandelhout *o.*
sand-bag zandzak.
sand-bank zandbank.
sand-bar *(v. riviermond)* zandbank.
sand-glass zandloper.
sand-paper schuurpapier *o.*
sandstone zandsteen.
sandwich-man loper met reclamebord.
sandy mul, zandig.
sane verstandig.
sanguinary bloedig; bloeddorstig.
sanguine bloedrood; *(fig.)* hoopvol.
sanguineous volbloedig; bloedrood.
sanify gezond maken.
sanitary sanitair; *– inspector*, inspecteur van volksgezondheid.
sanitary towel maandverband *o.*
sanity gezondheid.
San Marino San Marino.
sap *zn.* *(in plant)* sap *o.* || *ww.* ondermijnen; *(ook fig.)* slopen.
sapience wijsheid.
sapphire saffier *o.*
sappy *(v. plant)* sappig.
sarcastic sarcastisch, schamper.
sardine sardine.
sash sjerp; schuifraam *o.*
sash-lock schutsluis.
sash-window schuifraam *o.*
satanic satans.
satchel *(school)* ransel, tas.
sateen satinet *o.*
satiable verzadigbaar.
satiate *bn.* verzadigd. || *ww.* verzadigen.
satin satijn *o.*

satire hekeldicht *o.*, schimpdicht *o.*

satirist schimpdichter.

satirize *(fig.)* hekelen.

satisfaction genoegdoening, voldoening.

satisfactory bevredigend, voldoende.

satisfied tevreden, vergenoegd, voldaan.

satisfy tevredenstellen, vergenoegen; verzadigen.

saturate *(scheik.)* verzadigen.

Saturday zaterdag.

sauce saus.

sauce-boat sauskom.

saucer schoteltje *o.*

saunter slenteren.

sausage worst.

sausage-roll worstenbrood *o.*

savage *zn.* wildeman, woesteling, woestaard. ‖ *bn.* wild, woest.

save *ww.* redden; *(opsparen)* sparen; uitsparen. ‖ *voegw.* uitgenomen, behalve.

saveloy cervelaatworst.

saving *zn.* besparing; redding. ‖ *bn.* spaarzaam, zuinig; reddend.

savings-bank spaarbank.

savings-box spaarpot.

Saviour Heiland, Zaligmaker.

savour smaak.

savourless smakeloos.

savoury smakelijk.

savoy (cabbage) savooikool.

saw *zn.* zaag. ‖ *ww. (sawed, sawn)* zagen.

saw-dust zaagsel *o.*

saw-horse zaagbok.

saw-mill houtzaagmolen.

say *(said, said)* zeggen; uitbrengen; *to – the least,* op zijn zachtst uitgedrukt; *it is said or they –,* men zegt.

saying gezegde *o.*; zeggen *o.*

scab *(op wonde)* roof; *(v. schapen)* schurft *v./m.* en *o.*; *(staking)* onderkruiper.

scabbard *(v. zwaard)* schede.

scabby schurftig.

scaffold schavot *o.*; *(steiger)* stellage.

scald *zn.* brandwonde. ‖ *ww. (met vloeistof)* branden; *(zwijn)* schroeien.

scale *zn. (graadverdeling, ei, enz.)* schaal; weegschaal; schilfer; toonladder. ‖ *ww.* afschilferen; *(vis)* schrappen.

scalpel ontleedmes *o.*

scamp schobbejak, schoft.

scamper hollen.

scandal aanstoot; achterklap; schandaal *o.*

scandalize ergeren; *–d,* verontwaardigd.

scandal-monger kwaadspreker.

scandalous aanstotelijk, schandalig.

scant gering.

scantling staander; stukje *o.*

scanty gering, karig, schaars.

scape-goat zondebok.

scapegrace rakker.

scar schram.

scarab tor.

scarce schaars, zeldzaam; *make o.s. –,* verdwijnen, wegkomen.

scarcely amper, nauwelijks; ternauwernood.

scarcity schaarste.

scare *zn.* (oorlogs)paniek. ‖ *ww. (vogels)* verschrikken.

scarecrow vogelverschrikker.

scare-monger paniekzaaier.

scarf sjerp.

scarf-skin opperhuid.

scarlatina roodvonk *o.*

scarlet *zn.* scharlaken *o.* ‖ *bn.* scharlaken; *– fever,* roodvonk *o.*

scarp steile helling.

scathe beschadigen.

scatter *(zaad)* strooien; verspreiden.

scatter-brain wargeest.

scavenger straatveger.

scene schouwspel *o.*; tafereel *o.*, toneel *o.*; *behind the –s,* achter de schermen.
scent zn. odeur; *(geur)* reuk; *(ook v. wild)* spoor *o.* ‖ ww. ruiken.
scentless reukloos.
sceptic twijfelend.
sceptre scepter.
scheduled flight lijnvlucht.
scheme zn. plan *o.*, schema *o.* ‖ ww. ontwerpen.
schism scheuring.
schizophrenia schizofrenie.
scholar scholier.
scholarship studiebeurs.
scholastic schools.
school school; *technical –,* ambachtsschool.
schoolboard schoolcommissie.
schooled geschoold.
school-fee schoolgeld *o.*
school-mate schoolmakker.
schooner schoener.
science wetenschap.
scion ent; spruit, twijg.
scissors zn. *(pair of)* –, schaar.
scissors-grinder scharenslijper.
scoff zn. schimp. ‖ ww. schimpen, spotten.
scoffer *(fig.)* spotvogel.
scoffing spotachtig, spotziek.
scold, – *at,* kijven op.
scolding uitbrander.
scoop zn. *(v. koren, enz.)* schop; *(werktuig)* schepper. ‖ ww. delven; scheppen.
scope doel *o.*; *(fig.)* speelruimte; *have free –,* vrij spel hebben.
scorch verschroeien, verzengen.
score zn. insnijding; *(in koffiehuis)* vertering; twintigtal *o.* ‖ ww. inkerven; opschrijven; boeken.
scorn zn. hoon, schimp; *laugh to –,* bespotten. ‖ ww. honen; versmaden.

scornful smadelijk; verachtelijk.
Scorpio *(dierenriem)* Schorpioen.
scorpion schorpioen.
scot-free onbelast; *(fig.)* ongestraft.
Scotland Schotland.
Scot Schot.
scoundrel *(schavuit)* schoft, spitsboef.
scour schrobben; *(een ketel)* schuren.
scourge zn. gesel. ‖ ww. geselen.
scourings *(fig.)* uitvaagsel *o.*
scout verspieder, verkenner.
scouting verkenning.
scow *(vaartuig)* schouw.
scowl fronsen.
scrabble krabbelen.
scramble grabbelen; klauteren.
scrambled eggs roerei *o.*
scrap zn. stukje *o.*; uitknipsel *o.*; vechtpartij. ‖ ww. afkeuren.
scrap-book plakboek *o.*
scrape zn. schram. ‖ ww. *(wortelen, enz.)* schrappen; *(hard werken)* wroeten; *(viool)* zagen.
scrap-heap vuilnishoop, afval.
scrapingness schraapzucht.
scratch zn. krasje *o.*; krabbeltje *o.* ‖ ww. krabben; schrappen; krabbelen; *(v. hoenders)* scharrelen.
scratcher krabber.
scrawl *(schrijven)* krabbelen; kriebelen.
scream zn. gil, kreet. ‖ ww. gillen, schreeuwen; krijsen.
screamer schreeuwer.
screech *(v. vogels)* krassen; krijsen.
screech-owl kerkuil.
screen zn. *(film)* doek *o.*; scherm *o.*, schut *o.* ‖ ww. zeven; beschutten.
screw zn. schroef. ‖ ww. schroeven; – *up,* opschroeven; – *up courage,* vermannen.
screw-driver schroevendraaier.
screw-wrench schroefsleutel.
scribble *(knoeien)* kladden; *(schrijven)* krabbelen.

scrimp beknibbelen.
script *(in film)* tekst.
scrofulous klierachtig.
scroll *(versiering)* krul.
scrub zn. struikgewas o.; stumper. || ww. boenen; schrobben, schuren.
scrubber schrobber.
scrubby armzalig.
scruple schroom, zwarigheid.
scrupulosity nauwgezetheid.
scrupulous(ly) nauwgezet; schroomvallig, angstvallig.
scrutinize nauwkeurig bekijken.
scud *(wolken)* drift.
scuffle zn. handgemeen o., vechtpartij. || ww. plukharen.
scull zn. roeiriem. || ww. *(roeien)* wrikken.
scullery achterkeuken.
sculptor beeldhouwer.
scum zn. gespuis o.; *(op soep, enz.)* schuim o. || ww. schuimen.
scurf roof; *(v. hoofdhuid)* roos.
scurvy zn. scheurbuik. || bn. schunnig.
scut *(v. haas, konijn, hert)* staart.
scutch *(vlas)* zwingelen.
scutcheon wapenschild o.; naamplaatje o.
scuttle kolenbak.
scuttle-port patrijspoort.
scythe zeis.
sea zee.
sea-food schaal- en schelpdieren.
sea-gull zeemeeuw.
sea-horse zeepaardje o.
seal zn. zeehond; zegel. o., stempel. || ww. bezegelen, plomberen.
sea-level zeespiegel.
sealing-wax zegellak o.
seal-ring zegelring.
seam zn. naad. || ww. zomen.
seaman varensgezel, zeeman.
sea-mile zeemijl.
seamstress naaister.
seamy vol naden.

sea-officer zeeofficier.
seaplane watervliegtuig o.; – carrier, vliegtuigmoederschip o.
sea-port zeehaven.
search zn. *(doorzoeking)* visitatie. || ww. doorzoeken; vorsen.
search-light zoeklicht o.
search-warrant machtiging tot huiszoeking.
sea-salt zeezout o.
sea-shore zeekust.
seasick zeeziek.
season zn. jaargetij o., seizoen o.; in – and out of –, te pas en te onpas. || ww. kruiden.
seasonable tijdig.
seasonal seizoen-; – worker, seizoenarbeider.
seasoned *(v. wijn)* belegen.
seasoning toebereiding.
season-ticket abonnement o.
seat zn. *(v. een stoel)* zitting; zitplaats; bank; *(v. broek)* kruis o.; *(v. privaat)* bril. || ww. plaatsen; neerzetten.
sea-voyage zeereis.
sea-weed (zee)wier o.
seaworthy zeewaardig.
secant snijlijn.
secede *(geloof)* afvallen.
secession *(partij)* afscheiding.
secluded afgezonderd.
seclusion afzondering.
second zn. seconde. || bn. tweede.
secondary *(school)* middelbaar; secundair.
second-hand uit de tweede hand, tweedehands.
second-rate tweederangs.
seconds-hand secondewijzer.
secrecy geheimhouden o., stilzwijgen o.; geheim o.
secret geheim, heimelijk.
secretary secretaris.

secrete helen.
secretion *(vloeistoffen)* afscheiding;
  heling.
secretive achterhoudend.
secretly stilletjes.
sect sekte.
section sectie; afdeling; baanvak *o.*
sector sector.
secular werelds.
secure *bn.* veilig; *(betrouwbaar)* zeker.
  ‖ *ww.* verzekeren, vastmaken; *(hand.)*
  bemachtigen.
security veiligheid; waarborg,
  zekerheid.
sedate bezadigd.
sedative kalmerend.
sediment *(bezinksel)* moer, neerslag.
sedition muiterij, oproer *o.*
seditious oproerig.
seduce verleiden.
seduction verleiding.
seductive verleidelijk, verlokkelijk.
sedulous naarstig.
see *zn.* zetel; *the Holy –*, de Heilige
  Stoel. ‖ *ww. (saw, seen)* zien;
  begrijpen; *– out, – to the door,*
  (v. personen) uitlaten; *– the light,*
  geboren worden.
seed zaad *o.*
seed-cake kruidkoek.
seedless zaadloos.
seed-time zaaitijd.
seek *(sought, sought)* (op)zoeken.
seem *(lijken)* schijnen.
seeming *zn. (voorkomen)* schijn. ‖ *bn.*
  ogenschijnlijk.
seemly betamelijk.
seer ziener.
see-saw *zn.* wip, wipplank. ‖ *ww.*
  (v. prijzen, enz.) schommelen.
seethe *(sod, seethed; sodden, seethed)*
  koken, zieden.
segment segment *o.*

seizable grijpbaar.
seize vatten, grijpen; buit maken;
  (verbeurdverklaren) naasten.
seizure beslag *o.*, inbeslagneming.
seldom zelden.
select *bn.* uitverkoren; *– corps,*
  keurkorps *o.* ‖ *ww.* (uit)kiezen;
  uitzoeken.
selection keus, keur.
selective selectief; uitzoekend.
self zelf.
self-acting zelfwerkend, automatisch.
self-complacency zelfvoldaanheid.
self-conceit verwaandheid.
self-confidence zelfvertrouwen *o.*
self-conscious zelfbewust.
self-control zelfbeheersing.
self-deception zelfbedrog *o.*
self-defence zelfverdediging.
self-denial zelfverloochening.
self-determination zelfbeschikking.
self-esteem gevoel *o.* van eigenwaarde.
self-evident vanzelfsprekend.
self-government zelfbestuur *o.*;
  zelfbeheersing.
self-indulgence genotzucht.
self-interest eigenbelang *o.*
selfish zelfzuchtig, egoïstisch.
self-love eigenliefde.
self-made eigengemaakt; *a – man,* een
  die zich door eigen kracht in de
  maatschappij vooruitgebracht heeft.
self-possession zelfbeheersing.
self-praise eigenlof.
self-preservation zelfbehoud *o.*
self-raising flour zelfrijzend bakmeel *o.*
self-reproach zelfverwijt *o.*
self-respect gevoel *o.* van eigenwaarde.
self-sacrifice zelfopoffering.
self-styled zogenaamd.
self-supporting zelfstandig.
self-will eigenzinnigheid.
self-willed eigenzinnig.

sell *(sold, sold)* verkopen; afzetten, plaatsen.

selling-off uitverkoop; *(hand.)* opruiming.

selvage, selvedge zelfkant.

semblance schijn, zweem.

semen zaad *o.*

semicircle halve cirkel.

semicolon kommapunt *o.*

seminary seminarie *o.*

semolina griesmeel *o.*

senate senaat.

send *(sent, sent)* zenden, sturen.

sender afzender; *(ook radio)* zender.

senile seniel; *– decay*, verval *o.* van krachten.

sensation gevoel *o.*, opschudding.

sensational opzienbarend.

sense gevoel *o.*; betekenis, zin; begrip *o.*; *common –*, gezond verstand *o.*

senseless bewusteloos.

sense-organ zintuig *o.*

sensible deelnemend; voelbaar.

sensitive (fijn)gevoelig, teergevoelig.

sensitiveness fijngevoeligheid.

sensitive plant kruidje-roer-me-niet.

sensual zinnelijk.

sensualism, sensuality zinnelijkheid.

sensuous zinnelijk.

sentence *zn.* oordeel *o.*; vonnis *o.*; (vol)zin. ‖ *ww.* vonnissen.

sentiment gevoelens *o.*

sentimental sentimenteel.

sentinel, sentry schildwacht.

separable scheidbaar.

separate *bn.* afgezonderd. ‖ *ww.* *(algemeen)* scheiden.

separately apart; *be – for sale*, afzonderlijk te koop staan.

separation (af)scheiding; afzondering; *– of Church from State*, scheiding van Kerk en Staat.

September september.

septum *(mv.* septa*)* *(natuurk.)* tussenschot *o.*

sequacious volgzaam.

sequel vervolg *o.*; *(fig.)* naspel *o.*

sequence opeenvolging; *(kaartspel)* suite.

Serbia Servië.

serenade serenade.

serene helder, onbewolkt.

serge serge.

sergeant sergeant.

series (volg)reeks.

serious ernstig.

sermon preek.

serpent serpent *o.*

serpent-man slangenmens.

servant dienaar, dienares, dienstbode; (hotel) bediende.

serve (be)dienen, gerieven; aanrechten; *– drinks*, schenken.

service dienst; servies *o.*; kerkdienst; *– service*, overheidsdienst.

serviceable dienstig, bruikbaar.

service-table dienstregeling.

serviette servet *o.*

servile slaafs.

serving bediening.

servitude dienstbaarheid; slavernij; *penal –*, dwangarbeid.

session zitting.

set *zn.* *(geheel)* stel *o.*; *(kaarten)* spel *o.*; *(zon)* ondergang; *(paarden)* span; *– increases*, periodieke verhogingen. ‖ *bn.* gezet; gesteld; strak. ‖ *ww.* *(set, set)* zetten; *(zon)* ondergaan; poten; *– up*, *(tent)* opslaan; instellen; *– out for a journey*, op reis gaan.

set-back *(fam.)* tegenslag.

settee bank, sofa.

setting *(v. zon)* ondergang.

settle regelen, bijleggen; *(rekening)* vereffenen; *(grenzen)* vaststellen; (zich) vestigen.

settlement nederzetting; vestiging; regeling; *(rekening)* vereffening.
settler kolonist; afzakkertje *o.*
seven zeven.
seventeen zeventien.
seventy zeventig.
sever *(algemeen)* scheiden; verbreken.
several ettelijk, menig, verscheiden.
severance scheiding.
severe straf, streng.
severity strengheid.
sew naaien; – up, *(wonde)* naaien.
sewer riool *o.*; naaister.
sewing-machine naaimachine.
sex geslacht *o.*; seks
sexton koster.
sexual geslachtelijk, seksueel; – intercourse, geslachtsgemeenschap.
shabby haveloos; pover; schunnig.
shackle *zn.* boei. || *ww.* boeien, ketenen.
shade *zn.* schaduw; nuance, schakering; schim. || *ww.* beschaduwen.
shading nuance, schakering.
shadow schaduw; schim.
shadowy schaduwrijk; vaag, onduidelijk.
shady schaduwrijk; verdacht, louche.
shaft *(mijn, lift, lans)* schacht; pijl.
shaggy *(harig)* ruig.
shagreen segrijnleder *o.*
shake *zn.* schok; handdruk; *(muziek)* triller; *(sl.)* no great –s, niet veel bijzonders. || *ww.* *(shook, shaken)* daveren; beven; schokken; – hands, elkaar de hand schudden.
shaky wankel; beefachtig; wrak.
shall *(om de toekomst uit te drukken)* zullen.
shallop sloep.
shallot sjalot.
shallow *zn.* wad *o.*; zandbank. || *bn.* ondiep; *(fig.)* oppervlakkig.
shallow-brained dom.
sham huichelen; simuleren; – Abraham,

uit luiheid zich ziek houden.
shamble schuifelen, sloffen.
shame *zn.* schaamte; schande. || *ww.* beschamen.
shamefaced beschaamd, verlegen.
shameful schandalig, schandelijk.
shameless schaamteloos.
shammy zeemleer *o.*
shampoo shampoo.
shank *(v. anker)* schacht; onderbeen *o.*, scheen.
shanty hut; kroeg.
shape *zn.* vorm; figuur, gedaante. || *ww.* vormen.
shapeless vormeloos.
shapely goedgevormd.
share *zn.* aandeel *o.*; portie; the –s stand at..., de aandelen gelden... || *ww.* delen; – one's views, iemands mening delen.
shareholder aandeelhouder.
share-out winstuitkering.
sharer deelgenoot.
shark haai.
sharp *zn. (muz.)* kruis *o.* || *bn.* puntig, scherp; *(gevecht)* hevig; bits; come into – contact with, in onzachte aanraking komen met.
sharpen aanpunten; scherpen, slijpen.
sharper oplichter, zwendelaar.
sharpness scherpte, scherpzinnigheid.
sharp-shooter scherpschutter.
sharp-sighted scherpziend.
sharp-witted scherpzinnig.
shatter verbrijzelen, verpletteren; ontredderen.
shattery broos.
shave *zn.* scheren *o.* || *ww. (shaved, shaven)* *(v. persoon)* scheren; schaven; rakelings voorbijgaan.
shaving *(v. hout)* krul.
shaving-brush scheerkwast.
shaving-set scheergereedschap *o.*
shaving-soap scheerzeep.

shawl omslagdoek, sjaal.
she zij.
sheaf bundel, schoof.
shear *(sheared, shorn) (schapen, stoffen)* scheren; *(afzetten)* snijden.
shears, *(pair of) –, (v. heggen, schapen, enz.)* schaar.
sheath foedraal *o.*, schede.
she-bear berin.
shed *zn. (fietsen)* bergplaats; keet; afdak *o.* ‖ *ww. (shed, shed)* verspreiden; *(bloed, tranen)* vergieten.
sheen *(v. licht)* schijn.
sheeny glinsterend.
sheep schaap *o.*
sheep-cot schaapskooi.
sheep-dog herdershond.
sheep-farmer schapenfokker.
sheep-fold schaapskooi.
sheepish onnozel; schaapachtig.
sheepskin schapenvacht.
sheer *bn. (enkel)* puur. ‖ *ww. (v. koers)* afzakken.
sheet beddenlaken *o.*; plaat; blad *o.*; *(scheepsterm)* schoot; *in –s, (v. boek)* in vellen.
sheet-anchor plechtanker *o.*
sheet-iron plaatijzer *o.*
sheet-lightning weerlicht *o.*
sheik(h) sjeik.
shelf *(in boekenkast)* plank; schap *v./m.* en *o.*
shell *zn.* schelp; *(v. ei, enz.)* schaal; granaat. ‖ *ww.* schillen; pellen; bombarderen.
shelter *zn.* onderdak *o.*; schuilplaats. ‖ *ww.* beschutten; verschuilen.
shepherd (schaap)herder.
shepherdess (schaap)herderin.
sherbet sorbet *o.*
shield schild *o.*
shift *zn.* verandering; hulpmiddel *o.*; *(v. arbeid)* schoft; *(werklieden)*

ploeg.*ww.* verplaatsen; *(ook v. klederen)* veranderen.
shifting veranderend; – *sand,* drijfzand *o.*
shiftless hulpeloos.
shilling shilling.
shimmer glinsteren; schemeren.
shin *(been)* scheen.
shin-bone scheenbeen *o.*
shine *zn. (schoenen)* glans; *(v. licht)* schijn. ‖ *ww. (shone, shone)* blinken, glanzen; *(v. zon, enz.)* schijnen.
shingle grind *o.*; kiezel *o.*; dekspaan.
shin-guard scheenbeschermer.
shiny glimmend, blinkend.
ship *zn.* schip *o.* ‖ *ww.* afzenden; inschepen.
ship-boy scheepsjongen.
ship-broker scheepsmakelaar.
ship-building yard, scheepstimmerwerf.
ship-load scheepslading.
shipment zending; *packed for ocean –,* zeewaardig verpakt.
ship-owner reder.
shipper zender; verscheper.
shipping scheepvaart; inscheping.
shipping-agent scheepsagent.
shipwreck schipbreuk.
shipyard scheepstimmerwerf, werf.
shire *(Eng.)* graafschap *o.*
shirk ontduiken.
shirt hemd *o.*
shirt-sleeve hemdsmouw.
shiver *zn.* huivering; *(v. koude)* rilling; splinter. ‖ *ww.* trillen; *(v. kou)* bibberen; versplinteren.
shivery kil.
shoal *(v. haringen)* school.
shock *zn. (algemeen)* schok; *(v. troepen)* botsing; – *absorber,* schokbreker. ‖ *ww.* botsen; aanstotelijk zijn.
shocker *(fam.)* sensatieroman.
shocking aanstotelijk; stuitend.

shock-troops stormtroepen.
shoe *zn.* schoen; hoefijzer *o.* || *ww.*
  (shod, shod) (paard) beslaan; schoeien.
shoe-black schoenpoetser.
shoe-brush schoenborstel.
shoeing-smith hoefsmid.
shoemaker schoenmaker.
shoot *zn. (boog; plant)* scheut; overloop.
  || *ww. (shot, shot)* schieten;
  uitspruiten.
shooting jacht.
shooting-range schietterrein *o.*
shop *(ook werkplaats)* winkel.
shop-assistant winkelbediende.
shop-front pui.
shop-girl winkeldochter.
shopkeeper winkelier.
shoplifter winkeldief.
shopping-centre winkelcentrum *o.*
shop-window winkelraam *o.*
shore *zn.* kust; *(zee, meer)* oever; schoor.
  || *ww.* schoren; schragen.
short kort; kortstondig; *in –,* kortom,
  kortweg.
shortage tekort *o.*
short-breathed aamborstig.
short-circuit(ing) kortsluiting.
shortcoming tekortkoming.
shorten bekorten, verkorten.
shorthand stenografie.
short-handed gebrek aan werkvolk
  hebbend.
shortly eerlang, binnenkort, weldra.
shortness kortheid.
short-sighted bijziend; kortzichtig.
short-tempered oplopend, opvliegend.
short-winded kortademig.
shot *(v. geweer)* schot *o.; (biljart)* stoot;
  (hagel) schroot *o.*
shot-proof kogelvrij.
shoulder schouder; *– to –,* schouder aan
  schouder.
shoulder-bag schoudertas.

shoulder-blade schouderblad *o.*
shout *zn.* uitroep. || *ww.* juichen;
  schreeuwen; *– down,* overstemmen.
shove *zn.* zet; stoot. || *ww.* schuiven;
  stoten.
shovel *(werktuig)* schep, schop.
shovelful *(hoeveelheid)* schep.
shoveller *(persoon)* schepper.
show *zn.* tentoonstelling; *(film)*
  vertoning. || *ww. (showed, shown)*
  tonen, wijzen; *– in,* binnenlaten; *vote
  by – of hands,* stemmen met 't
  opsteken der handen; *– a p. over the
  place,* iem. rondleiden; *– one's heels,*
  zijn hielen laten zien.
show-case uitstalkast.
shower *(stort)*bui; douche; *(fig.)*
  stortvloed, stroom.
showery regenachtig.
show-place bezienswaardigheid.
show-window etalage; vitrine.
showy opgesmukt; pronkerig.
shrapnel granaatkartets.
shred *zn.* lapje *o.;* stukje *o.* || *ww. (shred,
  shred) (tabak)* kerven; snipperen.
shrew feeks; *(vrouw)* serpent *o.,* tang.
shriek *zn.* gil. || *ww.* gillen, schreeuwen.
shrill *(v. geluid)* schel; *(stem)* schril.
shrimp garnaal.
shrine schrijn *m. en o.,* relikwieënkastje
  o.
shrink *(shrunk, shrank; shrunk)*
  (in)krimpen; slinken.
shrinkage inkrimping.
shrinkless krimpvrij.
shrivel verschrompelen.
Shrove Tuesday vastenavond.
shrub heester, struik.
shrug *zn.* schouderophaling. || *ww.
  (schouders)* ophalen.
shrunken ineengekrompen,
  verschrompeld.
shuck dop, bolster.

shudder *zn.* huivering; *(v. angst)* rilling.
‖ *ww. (v. afschuw)* huiveren; sidderen;
griezelen.

shuddery griezelig.

shuffle schuivelen; sloffen; *(kaarten)*
dooreenschudden; – *away*,
wegmoffelen.

shun mijden, schuwen.

shunt *zn.* zijspoor *o.* ‖ *ww. (trein)*
rangeren.

shunting-station rangeerstation *o.*

shut *(shut, shut)* dicht doen, sluiten,
toedoen; *(boek)* toeslaan.

shutter blind *o.; rolling* –, rolblinde.

shuttle schietspoel.

shuttlecock pluimbal, shuttle.

shut-up gesloten.

shy schuchter, schuw, schichtig;
(v. aard) verlegen.

shyness verlegenheid.

sick ziek; misselijk, onpasselijk.

sick-bed ziekbed *o.*

sickening misselijk(makend), walgelijk.

sick-fund ziekenfonds *o.*

sickle *(ook v. maan)* sikkel *v,*

sick-leave ziekteverlof *o.*

sickly ziekelijk.

sickness ziekte.

side kant, zij(de), flank; *seamy* –,
keerzijde.

side-aisle zijbeuk.

side-board buffet *o.*

side-car *(motor)* aanhangwagen;
zijspanwagen.

side-issue bijzaak.

side-light zijlicht *o.*

sidelong zijdelings.

side-slip *(v. auto)* slippen.

side-street zijstraat.

side-track zijspoor *o.*

side-view profiel *o.*

side-walk stoep.

sideward(s) zijwaarts.

sideways, sidewise zijdelings, zijwaarts.

siding zijspoor *o.*

siege beleg *o.; proclaim a state of* –, de
staat van beleg afkondigen.

sieve *zn.* zeef. ‖ *ww.* zeven.

sift (uit)ziften, zeven.

sigh *zn.* zucht. ‖ *ww.* zuchten.

sight zicht *o.,* aanblik; *(v. geweer, enz.)*
vizier *o.*

sight-bill wissel op zicht.

sightless blind.

sign *zn.* teken *o.,* merkteken *o.* ‖ *ww.*
(onder)tekenen.

signal *zn.* sein *o.,* signaal *o.; – of
distress*, noodsein *o.,* noodsignaal *o.*
‖ *ww.* seinen.

signal-box *(spoorw.)* seinhuisje *o.*

signaller seiner.

signal-man seinwachter.

signature handtekening; onderschrift
o.; ondertekening; *forged* –, valse
handtekening.

signboard uithangbord *o.*

signet *(stempel)* cachet *o.;*
(naam)stempel.

signet-ring zegelring.

significant zinrijk.

signification betekenis; aanduiding.

signify aanduiden; beduiden, betekenen.

sign-language gebarentaal.

sign-post wegwijzer.

silence stilte, stilzwijgendheid.

silencer geluiddemper, knalpot.

silent *(z. geluid)* stil; stilzwijgend.

silk *zn. (stof)* zij(de); *artificial* –,
kunstzijde. ‖ *bn.* zijden.

silken zijden *(vooral fig.).*

silky zijdeachtig.

silk-worm zijderups.

silly dwaas; onnozel, kinderachtig; *laugh
oneself* –, zich slap lachen.

silt verzanding.

silver *zn.* zilver *o.* ‖ *bn.* zilveren.

silverware zilverwerk o.
similar uniform, gelijkvormig;
    eensluidend.
similarity (gelijkenis) overeenkomst.
simmer (bij 't koken) pruttelen.
simple eenvoudig; onnozel o.
simpleton (fig.) uilskuiken o.,
    schaapskop; onnozele bloed.
simplify vereenvoudigen.
simply eenvoudig.
simulate huichelen, veinzen,
    voorwenden.
simultaneous gelijktijdig.
sin zn. zonde. ‖ ww. zondigen.
since sedert; nadien.
sincere opgeveinsd, oprecht.
sincerity oprechtheid.
sinew zenuw; the –s of war, de zenuw
    van de oorlog.
sinful zondig.
sing (sung, sang; sang) (v. oren) ruisen;
    (v. vogel) slaan, zingen.
singe (kleren, haar) (ver)schroeien,
    (ver)zengen.
singer zanger.
singing gezang o.
singing-bird zangvogel.
single alleenstaand; enkel; – combat,
    tweegevecht o.
single-breasted met één rij knopen.
single-handed alleen, in zijn eentje.
single fare enkele reis.
single-hearted oprecht.
singly afzonderlijk; alleen.
sing-song (stem) eentonig.
singular zn. enkelvoud o. ‖ bn.
    eigenaardig; zeldzaam; zonderling.
sinister onguur; onheilspellend.
sink zn. gootsteen; zinkput. ‖ ww.
    (sunk, sank; sunk) zinken; ondergaan;
    zakken.
sinless zondeloos.
sinner zondaar, zondares.

sinuous bochtig.
sip slorpen, slurpen.
sir mijnheer.
siren sirene; misthoorn.
siskin sijsje o.
sister zuster.
sister-in-law schoonzuster.
sisterly zusterlijk.
sit (sat, sat) zitten; (v. kippen) broeien;
    – down, neerzitten; – out, blijven zitten;
    buiten zitten; – up, rechtop zitten.
site ligging.
sitting zitplaats; zitting.
sitting-room woonkamer.
situated gelegen.
situation betrekking, plaats; toestand;
    size up the –; poolshoogte nemen.
sitz-bath zitbad o.
six zes.
sixteen zestien.
sixth zesde.
sixty zestig.
sizable tamelijk dik.
size maat, formaat o., grootte; (schoen,
    enz.) maat o.
size-stick maatstok.
skate zn. schaats. ‖ ww. schaatsenrijden.
skater schaatsenrijder.
skating-club ijsclub.
skein (v. garen) streng.
skeleton geraamte o.; (leger) kader o.
sketch zn. schema o., schets. ‖ ww.
    aftekenen, schetsen.
skew scheef.
ski ski, sneeuwschaats.
skid zn. remschoen. ‖ ww. (v. auto)
    slippen.
skilful bedreven, handig.
skill bedrevenheid.
skilled vaardig, vakkundig; – labourers,
    geschoolde arbeiders.
skim afromen; afschuimen.
skimmer schuimlepel, schuimspaan.

skim-milk taptemelk o.
skin zn. huid; *(v. bessen, bananen, enz.)* schil; *(op melk)* vlies o. ‖ ww. pellen; *(huid)* stropen, villen.
skin-flint vrek.
skinner vilder.
skip huppelen; *(weglaten)* overslaan.
skirmish schermutselen.
skirt rok; zoom.
skit schotschrift o.
skittish schichtig; uitgelaten.
skittle kegel; *play at –s,* kegelen.
skittle-alley kegelbaan.
skulk zich verschuilen, zich onttrekken aan.
skull schedel.
skunk ploert.
sky hemel, uitspansel o.
sky-blue zn. azuur o. ‖ bn. hemelsblauw.
skyline gezichteinder, horizon(t).
sky-scraper wolkenkrabber.
slab zerk.
slack zn. *(zaken, tucht)* slap; slof. ‖ ww. *(luieren)* slabakken, verslappen.
slackbaked *(brood)* ongaar.
slacken minderen; *(v. ijver)* verflauwen, verslappen.
slacker treuzelkous.
slag *(v. metaal)* sintel, slak.
slake *(kalk)* blussen.
slam zn. slem m. en o. ‖ ww. *(deur)* toeslaan.
slander zn. achterklap. ‖ ww. belasteren.
slang gemeenzame taal.
slant zn. helling. ‖ ww. hellen.
slanting hellend, schuin.
slap zn. *(met hand)* slag, klets. ‖ ww. *(b.v. op de schouder)* slaan.
slash zn. houw, split o. ‖ ww. houwen.
slate lei.
slater leidekker.

slattern slons.
slatternly slordig.
slaughter zn. slachting. ‖ ww. afmaken, slachten.
slaughterer slachter.
slaughter-house slachthuis o.
slave zn. slaaf. ‖ ww. slaven *(zich afsloven)* tobben; zwoegen.
slaver zn. kwijl. ‖ ww. kwijlen, zeveren.
slavery slavernij.
slavish slaafs.
slay *(slew, slain)* doodslaan.
sled, sledge *(voertuig)* slede.
sledge-hammer voorhamer, moker.
sleep zn. *(het slapen)* slaap. ‖ ww. *(slept, slept)* slapen.
sleeper slaper.
sleepiness vaak.
sleeping-bag slaapzak.
sleeping-draught slaapdrank.
sleeping-partner stille vennoot.
sleeping-sickness slaapziekte.
sleepless slapeloos.
sleep-walker slaapwandelaar.
sleepy slaperig; dromerig
sleeve mouw; *(v. machines)* mof.
sleigh *(voertuig)* slede.
slender slank, rank; *(inkomen)* schraal.
sleuth-hound speurhond.
slice snede; *(v. ham, enz.)* schijf.
slide zn. glijbaan; *(v. draaibank)* slede; helling; dia; haarspeld. ‖ ww. *(slid; slidden, slid)* slibberen; (uit)glijden.
sliding-rule rekenliniaal v./m. en o.
slight bn. licht; gering, miniem. ‖ ww. minachten; veronachtzamen.
slightly build tenger.
slim slank; tenger; dun.
slime slib o., slijk o.; slijm o.
slimming-course vermageringskuur.
slimy slibberig, slijmerig.
sling zn. *(werptuig)* slinger. ‖ ww. *(slung, slung)* slingeren.

slink *(slunk, slunk)* sluipen.
slip zn. uitglijding; misstap; *(v. plant)* stek; *(v. papier)* strook; *– of the pen,* schrijffout.* || ww. (uit)glijden, slibberen.
slipper pantoffel, slof.
slipperiness gladheid.
slippery glad, glibberig.
slit zn. gleuf; scheur; split o. || ww. *(slit, slit)* splijten.
slither slibberen.
slithery glibberig.
slobber zn. zever. || ww. kwijlen.
slogan strijdkreet.
sloop sloep.
slope zn. helling glooiing; *(rivier)* verval o. || ww. hellen.
sloppy slordig; *(fam.)* sentimenteel; *(v. dranken)* slap.
slot gleuf, sleuf.
slot-machine automaat.
slough modderpoel.
sloughy modderig.
Slovakia Slovakije.
sloven slons.
Slovenia Slovenië.
slovenly slodderig, slordig.
slow traag; langzaam; saai; *– train,* boemeltrein.
slow-coach treuzelaar.
slow-gaited langzaam, traag.
slowly zachtjes.
slowness traagheid.
slug *(zonder huisje)* slak.
sluggard luiaard.
sluice *(sluis, kolk)* sas o., sluis.
slum achterbuurt, slop o.
slumber sluimering.
slump *(sl.)* plotselinge prijsdaling.
slur zn. smet; vlek. || ww. besmeuren; schandvlekken.
slut slet, slons.
sly *(verstandig)* slim; geslepen; sluw;

– dog, slimmerd slimmerik.
slyboots slimmerd, slimmerik.
slyness sluwheid.
smack zn. smak; klap, klak. || ww. klappen; *(met de tong)* smakken.
small gering, klein, miniem; smal; *– money,* pasgeld o., pasmunt.
small-holding klein boerenbedrijf o.
small-minded benepen; kleinzielig, kleingeestig.
smallpox pokken.
smart zn. (stekende) pijn. || bn. zwierig; kranig; *(aardig)* net; *(v. verstand)* vlug; *(flink)* wakker. || ww. *(v. wonden)* steken.
smarten mooi maken, opknappen.
smash zn. aanrijding; *(bank)* krach. || ww. verpletteren; verbrijzelen; vernietigen.
smash-up botsing.
smear (in)smeren.
smell zn. geur, reuk. || ww. ruiken.
smelt zn. spiering.
smile zn. glimlach. || ww. glimlachen.
smirk gemaakt lachen.
smite zn. slag. || ww. *(smote; smitten, smit)* smijten.
smith *(black)–,* smid.
smithy smederij, smidse.
smock-frock (boeren)kiel.
smokable rookbaar.
smoke zn. damp; rook. || ww. roken; walmen.
smoke-dry roken.
smoking-compartment rookcoupé.
smoky rokerig.
smooth bn. effen, glad, vlak. || ww. (glad)strijken; schaven.
smoothe effen maken, gladstrijken; *– over, (fouten)* vergoelijken.
smoothness gladheid.
smooth-tongued mooipratend.
smother smoren.

smoulder smeulen.

smudge *zn.* smet, klad. ‖ *ww.* bevuilen, besmeren.

smudgy smerig, vuil.

smuggle smokkelen.

smuggler smokkelaar.

smuggling sluikhandel, smokkelarij.

smut *(v. koren)* roest.

smutty *(koren)* branderig; *(gemeen)* vies.

snack haastige maaltijd; snack; hapje.

snail *(met huisje)* slak.

snail-slow zo traag als een slak.

snake slang.

snake-charmer slangenbezweerder.

snap *zn.* hap; *(beurs)* knip; *(v. armband)* slot *o.* ‖ *ww.* happen; snappen; knakken; snauwen.

snappish bits, snibbig.

snappy snibbig.

snapshot kiekje *o.*; momentopname.

snare *zn. (v. trommel)* snaar; *(om te vangen)* strik. ‖ *ww. (vangen)* (ver)strikken.

snarl snauwen; verwarren.

snatch *(met geweld)* rukken; snappen; *(kus)* roven.

sneak sluipen.

sneaky geniepig.

sneer *zn.* grijns, grijnslach. ‖ *ww.* grijnzen.

sneeze niezen.

sniff snuiven; snuffelen.

snigger grinniken.

snip *zn. (insnijding)* knip; snip. ‖ *ww.* (af)knippen.

snipe snip.

sniper sluipschutter.

snobbish snobistisch.

snoop *(Am.)* snoepen; snuffelen.

snore snorken, ronken.

snort *(v. motor, machines)* ronken, snuiven.

snot *(fam.)* snot *o.*

snotty *(jongen)* snotneus; – *nose, (eig.)* snotneus.

snout snoet; *(v. varken)* snuit.

snow *zn.* sneeuw. ‖ *ww.* sneeuwen.

snow-drop sneeuwklokje *o.*

snow-flake sneeuwvlok.

snow-man sneeuwman.

snow-shoe sneeuwschoen, sneeuwschaats.

snow-storm sneeuwstorm.

snow-white spierwit.

snowy sneeuwachtig.

snuff *zn.* snuif. ‖ *ww. (v. kaars)* snuiten.

snuff-box snuifdoos.

snuffer snuiver; *(a pair of)* –*s, (v. kaars)* snuiter.

snuffle snuiven; door de neus spreken.

snug *(vertrek)* gezellig.

so dus, derhalve; zo.

soak (door)weken.

soap zeep.

soap opera (radio & tv) soap.

soap-suds zeepsop *o.*

soar hoog vliegen; *(vliegt.)* zeilen.

sob *zn.* snik. ‖ *ww.* snikken.

sober *bn.* nuchter; *(matig)* sober; *(ook persoon)* stemmig. ‖ *ww.* ontnuchteren.

sober-minded bezadigd.

soberness soberheid.

sobriety soberheid.

sobriquet bijnaam.

so-called zogenaamd.

social maatschappelijk.

socialism socialisme *o.*

socialization socialisatie.

society *(club, v. studenten)* vereniging; genootschap *o.*; gezelschap *o.*; maatschappij; samenleving.

sock sok.

socket holte; *(elektr.)* stopcontact; *(v. machines)* mof, sok.

sod zode, plag(ge).
sodality broederschap.
soda-water spuitwater *o.*
sodden doorweekt.
soft *(zacht)* mild, mollig; *(hoed, enz.)* slap, week; *(v. gehoor)* zacht.
soft drink frisdrank.
soft drugs softdrugs.
soften vertederen; verzachten; dempen; *(licht, kleur, stem)* temperen.
soft-hearted *(gevoelig)* teergevoelig, weekhartig.
softness weekheid, zachtheid.
soft-spoken vriendelijk, lief.
softy *zn.* sul. ‖ *bn.* sullig.
soggy vochtig.
soil *zn.* bodem; grond; smet. ‖ *ww.* bemorsen, bevuilen, bezoedelen.
sojourn *zn.* verblijf *o.* ‖ *ww.* vertoeven.
solace *zn.* troost. ‖ *ww.* vertroosten.
solar zonne-; – *power*, zonne-energie.
solder *zn.* soldeersel *o.* ‖ *ww.* solderen *o.*
soldier soldaat, militair.
sole *zn. (vis)* tong; zool. ‖ *bn.* enig.
solely alleen.
solemn plechtig, solemneel.
solemnity plechtigheid.
solicitation aanzoek *o.*
solicitor procureur; zaakwaarnemer.
solicitous bezorgd.
solicitude kommer, zorg.
solid hecht; *(v. zaken)* solide; massief.
solidary solidair.
soliloquy alleenspraak.
solitaire *(diamant, spel)* solitair.
solitary *zn.* kluizenaar. ‖ *bn.* alleenstaand; eenzaam, solitair.
soloist solist.
soluble oplosbaar.
solution oplossing.
solvability solvabiliteit.
solvable oplosbaar; solvabel.
solve oplossen.

solvency betaalvermogen *o.*
solvent solvabel, kredietwaardig.
sombre somber.
some wat, enige; ettelijk, sommige.
somebody, some body iemand.
some one iemand.
somersault salto, buiteling.
something iets, wat.
sometimes soms.
somewhat iets; enigszins.
somewhere ergens.
somnambulist slaapwandelaar.
son zoon.
song zang; aria.
song-bird zangvogel.
son-in-law schoonzoon.
sonnet sonnet *o.*
sonority helderheid.
sonorous helder.
soon *(spoedig)* gauw, weldra; *–er or later,* vroeg of laat.
soot roet *o.*
soothe kalmeren; verzachten.
soothing pijnstillend.
soothsayer waarzegger.
sophism drogreden.
soporific slaapwekkend.
soppy kletsnat.
soprano sopraan.
sorbet sorbet *o.*
sorcery toverij, hekserij.
sordid *(fig.)* smerig.
sore *zn.* pijnlijke plek; zweer. ‖ *bn.* pijnlijk; gevoelig.
sorrel *(paard)* vos; zuring.
sorrow verdriet *o.*, droefenis, hartzeer *o.*
sorrowful bedroefd, treurig, verdrietig.
sorry bedroefd.
sort *zn. (algemeen)* soort; slag. ‖ *ww.* schiften; sorteren.
sough *(v. wind)* suizen; zuchten.
soul ziel.
soul bell doodsklok.

soulless zielloos.
sound *zn.* galm; geluid *o.*, klank, toon.
‖ *bn.* gaaf; steekhoudend; – *film*,
sprekende film. ‖ *ww.* klinken;
schallen; peilen; *(fig.)* uithoren; – *a p.*,
iem. polsen.
soundless geluidloos; onpeilbaar.
soundness gezondheid; gegrondheid.
soup soep.
soup-ladle *(opscheplepel)* soeplepel.
soup-plate soepbord *o.*
soup-spoon *(eetlepel)* soeplepel.
sour wrang, zuur.
source bron, oorsprong.
sourish zuurachtig.
soutane soutane.
south *zn.* zuiden *o.* ‖ *bn.* zuidelijk.
southerly zuidelijk.
southern zuidelijk.
south-pole zuidpool.
southward zuidelijk.
sovereign *zn.* souverein, vorst. ‖ *bn.*
souverein; probaat.
sovereignty opperheerschappij,
oppermacht.
sow *zn.* zeug. ‖ *ww. (sowed, sown)*
zaaien.
sow-bug *(insect)* pissebed.
sower zaaier.
space ruimte, plaats.
space shuttle ruimteveer *o.*
space station ruimtestation *o.*
spacious spatieus, wijd.
spade *zn.* schop, spade; *(kaartspel)*
schoppen. ‖ *ww.* spitten.
Spain Spanje *o.*
spall splinter.
span *zn. (maat)* span; *(v. brug)*
overspanning. ‖ *ww. (met hand)*
overspannen.
span-new splinternieuw.
spar *zn. (op schip)* spar. ‖ *ww.*
schermutselen.

spare *bn.* reserve; vrij; mager. ‖ *ww.*
sparen.
spare parts reserveonderdelen.
spare-rib *(varkensrib)* krab.
spare wheel reservewiel *o.*
sparing karig, zuinig.
spark sprank, vonk.
sparking-plug *(motor)* bougie,
ontstekingsbougie.
sparkle *zn.* vonk. ‖ *ww.* fonkelen,
glinsteren, schitteren; *sparkling wine*,
mousserende wijn.
sparkless vonkvrij.
sparrow mus.
sparrow-hawk sperwer.
spasm kramp.
spasmodic krampachtig.
spatter *zn. (vlek)* spat. ‖ *ww.* spatten.
spatterdash *(korte)* slobkous.
spawn *(v. vis)* kuit.
speak *(spoke, spoken)* spreken; – *ill of*,
kwaadspreken van iem.; – *up for*,
verdedigen; *this –s a little mind*, dit
getuigt van kleinzieligheid.
speaker spreker; voorzitter;
woordvoerder.
speaking sprekend; *a – likeness*, een
evenbeeld *o.*, een sprekend portret *o.*
spear speer, spies.
special bijzonder, speciaal.
specialist specialist.
species *(natuurk.)* soort.
specific soortelijk; – *weight*, soortelijk
gewicht.
specification gedetailleerde opgave; –*s*,
bestek.
specified bepaald.
specimen exemplaar *o.*; *(monster)* staal
o., voorbeeld *o.*; proef.
specious bevallig.
speck spikkel.
speckle spikkel.
speckled gespikkeld.

spectacle schouwspel *o.; (pair of)* –s, bril.
spectacle-case brillendoos.
spectator kijker.
spectral spookachtig.
speculate speculeren.
speculation speculatie.
speculative bespiegelend; speculatief; *– craze,* speculatiewoede.
speech aanspraak, rede(voering); spraak, taal.
speechless sprakeloos, stom.
speed *zn.* haast, snelheid, spoed; *(v. fiets, enz.)* versnelling. ‖ *ww. (sped, sped)* zich spoeden; *(lopen)* ijlen.
speed limit; top speed maximumsnelheid.
speedy haastig, spoedig.
spell *zn.* betovering. ‖ *ww. (spelt, spelt)* spellen.
spellbound als betoverd, gefascineerd.
spelling spelling.
spend *(spent, spent) (geld)* uitgeven, verteren; *(tijd)* doorbrengen, slijten.
spendthrift verkwistend.
sperm zaad *o.*
spew *(fam.)* spuwen.
sphere bol; sfeer; *– of action (of activity),* werkkring.
spherical bolrond, bolvormig.
spice *zn.* specerij. ‖ *ww.* kruiden.
spick-and-span brandschoon, piekfijn.
spicy gekruid.
spider spin.
spike *zn. (kam)* tand; *(v. hek)* spijl. ‖ *ww.* vernagelen.
spiky puntig, stekelig.
spile spil.
spill *zn. (v. fiets of paard)* buiteling. ‖ *ww. (spilt, spilt)* morsen, vergieten; *(melk)* storten.
spin *(spun, spun)* spinnen.
spinach spinazie.

spinal column wervelkolom.
spinal marrow ruggenmerg *o.*
spindle spil, as.
spindle-legs spillebenen.
spine ruggengraat; doorn, stekel.
spinning-wheel spinnewiel *o.*
spiny stekelig.
spiral spiraal.
spire spier; *(toren)* spits *v./m. en o.*
spirit geest; ziel; *(drank)* spiritus.
spirited geestrijk; vurig; levendig.
spirits sterkedrank.
spiritual geestelijk.
spirituous geestrijk.
spiry spits.
spit *zn.* speeksel *o.; (stang)* spit *o.* ‖ *ww. (spit, spat; spit) (braken)* opgeven; *(bloed, vuur)* spuwen; spitten.
spite wrevel; *in – of,* niettegenstaande.
spiteful hatelijk; spijtig.
spittle speeksel *o.*
splash plassen, plonzen; spatten.
splash-board spatbord *o.*
splatter plassen.
spleen milt; zwaarmoedigheid.
spleeny zwaarmoedig.
splendid prachtig; *(fig.)* schitterend.
splendour praal, pracht.
splenetic zwartgallig.
splenic fever miltvuur *o.*
splice *(touw)* splitsen.
splint spalk.
splinter *zn.* splinter; *(v. glas)* scherf. ‖ *ww.* versplinteren.
splinter-proof bomvrij.
split *zn.* spleet; *(fig.)* kloof; scheur. ‖ *ww. (split, split)* klieven, splijten.
splutter sputteren.
spoil bederven; beroven.
spoil-sport spelbreker.
spoil-trade onderkruiper.
spoke spaak; tree.
spokesman woordvoerder.

spoliate beroven.
sponge spons; *(mil.)* wissen.
sponger klaploper, tafelschuimer.
spongy sponsachtig.
sponsor sponsor; begunstiger.
spontaneous spontaan.
spool *zn.* klos. || *ww. (weverij)* spoelen.
spoon lepel.
spoonful *(hoeveelh.)* schep.
sport *(volgens regels)* spel *o.,* sport.
sportful speels.
sportsman sportman.
spot *zn.* smet, vlek spat, plek. || *ww.* bevlekken.
spot check steekproef.
spotless kraakzindelijk, vlekkeloos.
spotted gespikkeld.
spotter observatievliegtuig *o.*
spouse echtgenote, gemalin; echtgenoot, gemaal.
spout *zn. (v. goot)* bek; spuit; pijp; tuit. || *ww.* spuiten.
sprag remblok.
sprain verstuiken; *(voet)* verzwikken.
sprat sprot.
sprawl spartelen.
spray *zn.* takje *o.;* sproeier; stofregen. || *ww. (t. ongedierte)* sproeien; *(vloeistof)* verstuiven.
sprayer sproeier; verstuiver.
spread *(spread, spread)* (ver)spreiden; uitbreiden; bestrijken.
spreader verspreider.
spree fuif; pretje.
sprig *(plant)* scheut.
spring *zn.* sprong; *(veer)* ressort *o.;* lente; bron. || *ww. (sprung, sprang; sprung)* springen; ontspruiten.
spring-board springplank.
spring-chicken piepkuiken *o.*
spring-mattress springmatras.
springy *(tred, stap)* veerkrachtig.
sprinkle (be)sproeien, sprenkelen;

(zand) strooien.
sprinkler *(wijwater)* kwispel; strooier, sproeier.
sprit *(scheepv.)* spriet.
sprout *zn.* spruit, telg; *(Brussels)* –s, spruitjes. || *ww.* ontkiemen, ontspruiten.
spruce piekfijn.
spruce-fir spar.
spry kwiek; *(flink)* wakker.
spume schuim *o.*
spunk fut.
spur *zn. (v. ruiter, plant)* spoor; *(gebergte)* uitloper. || *ww. – on,* aansporen.
spurious(ly) vals; onecht.
spurn verachten; versmaden.
spurry spurrie.
spurt *(sp.)* spurten.
sputter pruttelen; knetteren.
spy *zn.* bespieder, spion. || *ww.* bespieden; gluren; – *on,* bespieden; – *out,* afloeren.
spy-glass verrekijker.
spy-mirror *(spiegel)* spion.
squabble gekibbel *o.*
squadron *(luchtv.)* escadrille; smaldeel *o.*
squall bui; rukwind, *(wind)* vlaag.
squander verbrassen, verkwisten.
square *zn.* vierkant *o.;* plein *o.; (v. damspel, enz.)* ruit; *on the –,* eerlijk. || *bn.* vierkant. || *ww. – up,* afrekenen; – *with,* stroken met.
square-built vierkant.
square root vierkantswortel.
squash *zn.* klets; moes *o.* || *ww.* kneuzen; tot pulp maken.
squat, – *(down),* hurken.
squeak *(v. muizen)* piepen.
squeal *(v. zwijn)* schreeuwen.
squeamish gemakkelijk, misselijk; kieskeurig; preuts.

squeeze zn. druk; afpersing. || ww. (af)persen; druk uitoefenen op; – *dry*, uitzuigen.

squeezer *(voor citroenen, enz.)* pers.

squib voetzoeker; schotschrift o.

squint scheel zijn of zien.

squint-eyed scheel, loens.

squire schildknaap, page.

squirm zich wringen.

squirrel eekhoorn.

squirt zn. spuit. || ww. spuiten.

stab zn. *(steek)* prik; *(met dolk)* stoot. || ww. *(met dolk)* steken, stoten.

stability stabiliteit.

stabilize stabiliseren.

stable zn. *(v. paarden)* stal. || bn. stabiel, vast. || ww. *(paard, fiets, auto)* stallen.

stable-man stalknecht.

stack zn. stapel, mijt; – *(of arms)*, *(v. geweren)* rot. || ww. *(hooi, munitie, enz.)* opstapelen, tassen.

staff staf; personeel o.; *(v. vlag)* stok; notenbalk.

stag mannetjeshert o.

stage zn. stelling; *(v. ziekte)* periode; pleisterplaats; *(in planken)* toneel o. || ww. *(ton.)* monteren.

stage-fright plankenkoorts.

stagger waggelen; verbluffen.

staggering waggelend; – *drunk*, smoordronken.

staging *(ton.)* regie; *(v. steiger)* stellage.

stagnant(ly) stilstaand.

stagnate *(fig.)* stilstaan.

staid bezadigd.

stain zn. spikkel; vlek; *(inkt)* klad; schandvlek. || ww. bevlekken, bezoedelen.

stainless smetteloos, vlekkeloos.

stair trap, trede.

stair-carpet traploper.

staircase *(al de treden samen)* trap; *moving –*, roltrap; *winding (spiral) –*,

wenteltrap.

stake paal; staak; *–s, (spel)* inleg, inzet.

stake-money inleggeld o.

stale belegen; oudbakken; verschaald.

stalemate *(fig.)* schaakmat.

stalk zn. halm, stengel; *(v. kool)* stronk. || ww. stappen.

stall stal; *(om vinger)* pop; *(schouwburg)* fauteuil; kraam.

stallion hengst.

stamen meeldraad.

stammer hakkelen, stamelen, stotteren.

stamp zn. stempel; waarmerk o.; *postzegel; due –*, portzegel o. || ww. afstempelen; zegelen; *(v. ongeduld)* trappelen, stampen; – *money*, geld slaan.

stamp-collector *(v. zegelr.)* ontvanger; postzegelverzamelaar.

stamp-duty zegelbelasting.

stamper stamper.

stand zn. standplaats; stilstand; *(sport)* tribune. || ww. *(stood, stood)* staan; *(v. kracht)* blijven; stilstaan; uithouden; – *at attention, (mil.)* de houding aannemen; *that does not – fire*, dat houdt geen steek; – *for*, solliciteren naar, *(v. voorstel)* voorstellen; – *out*, aftekenen.

standard vaandel o.; munstandaard; *(algemeen)* gehalte.

standard-bearer vaandeldrager.

stand-by *(fig. ook)* steun; *(fig.)* steunpilaar.

stander staander.

standing zn. *(maatschapp.)* stand. || bn. staand; permanent.

standing-room – *only*, enkel staanplaatsen.

standpoint standpunt o.

standstill stilstand.

stand-up, – *collar*, staande boord.

stanza *(strofe)* vers o.; couplet o.

staple stapel; stapelplaats; kram.

star ster; *fixed (schooting)* –, vaste (vallende)ster.

starch zn. stijfsel; zet*meel o.* ‖ *ww. (linnen)* stijven.

stare staren, turen; – *at*, aanstaren; aangapen.

stark strak; – *blind*, stekeblind; – *dead*, morsdood.

starling spreeuw.

start zn. voorsprong; aanloop; aanvang; vertrek *o.* ‖ *ww.* opspringen; *(mo tor)* aanslaan; aanheffen; beginnen; vertrekken.

starting-point uitgangspunt *o.*, beginpunt *o.*

startle ontstellen; verschrikken.

startling opzienbarend.

starvation uithongering.

starve verhongeren; – *out*, uithongeren.

state zn. *(rijk, toestand)* staat; staatsie; gesteltenis. ‖ *ww. (vermelden)* opgeven; aangeven; melden.

stately statig, plechtig.

statement rapport *o.*; *(uitleg)* verklaring.

statesman staatsman.

station zn. station *o.*; *(wacht)* post; *(v. ambtenaar)* standplaats. ‖ *ww. (stationneren)* plaatsen.

stationary stabiel.

stationer verkoper van schrijfbehoeften.

station-master stationchef.

station-wagon *(Am.)* stationcar.

statistics statistiek.

statuary beeldhouwer.

statue standbeeld *o.*; beeld *o.*

stature gestalte.

status status, positie, stand.

statute *(reglement)* statuut *o.*

statute-book Staatsblad *o.*

statutory wettelijk.

staunch stelpen.

stay zn. verblijf *o.*; oponthoud *o.*; uitstel

o. ‖ *ww.* blijven; vertoeven; stuiten; – *the night*, overnachten.

stay-at-home huismus.

staying-power volhardingsvermogen *o.*

stays *(pair of)* –, korset *o.*

steadfast standvastig.

steadfastness standvastigheid.

steady gestadig; prijshoudend; oppassend.

steal *(stole, stolen)* stelen, roven; sluipen.

stealth *by* –, tersluiks.

stealthily tersluiks, stilletjes.

steam zn. damp, stoom. ‖ *ww.* stomen; – *out*, uitstomen.

steam-engine stoommachine.

steamer stoomboot; boot.

steam-heating centrale verwarming.

steam iron stoomstrijkijzer *o.*

steam-power stoomkracht.

steam-whistle stoomfluit.

steed *(paard)* ros *o.*

steel zn. *(metaal)* staal *o.* ‖ *bn.* stalen. ‖ *ww.* stalen; *(z. hart)* verharden; – *oneself*, zich vermannen.

steely staalachtig.

steep *bn.* steil. ‖ *ww.* doorweken, roten; onderdompelen.

steeple (spits)toren.

steepness steilte.

steer stevenen; *(schip, motor, enz.)* sturen.

steerage tussendek *o.*

steering-wheel stuurrad *o.*

steersman stuurman.

stem zn. stam; stengel; voorsteven. ‖ *ww. (opmars)* stuiten.

stench stank.

stenographer snelschrijver, stenograaf.

step zn. pas *o.*; stap; trap; trede. ‖ *ww.* stappen, treden.

stepbrother stiefbroeder.

stepchild stiefkind *o.*

stepfather stiefvader.

step-ladder trapladder.
stepmotherly stiefmoederlijk.
steppe steppe.
stepson stiefzoon.
steriel onvruchtbaar, steriel.
sterlet steur.
stern *zn.* achtersteven. || *bn.* bars.
stew stoven; *–ed fruit,* compote.
steward rentmeester; steward; *(feest, v. orde)* commissaris.
stewing-pan, stew-pan stoofpan.
stick *zn.* stok; staaf; *(kaneel, enz.)* pijp. || *ww. (stuck, stuck)* steken; vaststeken; (vast)kleven; plakken; *– up,* rechtop staan; *– up for,* opkomen voor, verdedigen; *– up to,* weerstaan; niet laten schieten.
sticker aanplakker; *(niet kwijt te geraken artikel)* winkeldochter.
sticking-plaster hechtpleister.
sticky kleverig.
sticky-fingered langvingerig.
stiff stijf, strak, stram.
stiffen *(ook fig.)* stijven.
stifle smoren; verstikken.
stifling benauwd.
stigma brandmerk *o.;* schandvlek; *(v. bloem)* stempel.
still *bn.* still. || *ww. (kind)* stillen. || *bw.* nog.
stillborn doodgeboren.
stillness stilte.
stilt stelt.
stilted *(fig.)* hoogdravend.
stilt-walker steltenloper.
stimulate aanvuren; aansporen; prikkelen.
stimulus *(fig.)* prikkel.
sting *zn.* angel, stekel; *(slang)* beet; *(steek)* prik. || *ww. (stung, stung)* prikken; *(met puntig voorwerp)* steken.
stinginess gierigheid, schraapzucht.
stinging nettle brandnetel.

stingy gierig; vasthoudend; stekend.
stink stinken.
stint karig zijn met; bekrimpen.
stipend bezoldiging.
stipulate bepalen; bedingen.
stipulation bepaling; voorwaarde.
stir *zn.* beweging; opschudding; gewoel *o.* || *ww.* bewegen; omroeren; verroeren; *(vuur)* porren.
stirless roerloos, onbeweeglijk.
stirring roerend.:
stirrup stijgbeugel.
stitch *zn. (naaiwerk, v. breien)* steek; *(v. breiwerk)* maas. || *ww.* stikken; innaaien; *(boeken)* naaien.
stoat *(bruin)* hermelijn *o.*
stock *zn.* voorraad; fonds *o.; (afstamming)* stam; *– of cattle,* veestapel. || *ww.* opdoen; voorradig hebben.
stock-breeder veefokker.
stock-broker makelaar in effecten.
stock-exchange effectenbeurs, fondsenbeurs.
stock-fish stokvis.
stocking kous.
stock(-in-trade) goederenvoorraad.
stock-jobbing effectenhandel, beursspeculatie.
stocklist beursnotering.
stock-still doodstil.
stoic *zn.* stoïcijn. || *bn.* stoïcijns.
stoical stoïcijns.
stoke *(een machine)* stoken.
stolid flegmatisch; gevoelloos.
stomach maag.
stomach-ache maagpijn, buikpijn.
stone *zn.* steen; *(v. perzik)* kern; *(v. vruchten)* pit. || *bn.* stenen. || *ww.* stenigen.
stone-blind stekeblind.
stone-dead morsdood.
stone-deaf potdoof.

stone-pit steengroeve.
stony steenachtig.
stool (zit)kruk; *(v. plant)* stoel, taboeret
o.; *(stoelgang)* ontlasting.
stoop bukken.
stop *zn.* halte; *(op fles)* prop; leesteken
o. ‖ *ww. (stil staan; een lek)* stoppen;
stopzetten; *(kinderen)* stremmen.
stop-gap stopwoord o.
stoppage verstopping; oponthoud o.;
stilstand.
stopper *(v. fles)* stop.
stopping-place stopplaats.
stopple glazen stop.
stop-press nagekomen berichten.
storage *(in magazijn)* opslag; – *charges*,
opslagkosten.
storage-battery accumulator.
store *zn.* voorraad; magazijn o.; winkel;
– *(away)*, *(in pakhuis)* opbergen; *(put
into)* –, in een pakhuis opslaan; *in* –,
voorhanden. ‖ *ww. (opslaan)* bergen,
opdoen.
storehouse pakhuis, bergplaats,
magazijn o.
store-room provisiekamer,
voorraadkamer.
stor(e)y *(v. huis)* verdieping.
stork ooievaar.
storm *zn.* storm; –*(ing) troops*,
stormtroepen. ‖ *ww.* stormen;
bestormen; *(lawaai maken)* tieren.
stormy stormachtig.
story relaas o., verhaal o., vertelling;
idle –, *(gerucht)* praatje o.
stout *zn. (bier)* stout o. ‖ *bn.* kloek,
stoer; zwaar.
stout-hearted kloekmoedig.
stove kachel.
stow stuwen.
stowaway blinde passagier.
straddle-legged wijdbeens.
straggle zwerven; *(mil.)* in wanorde

marcheren.
straggler achterblijver.
straight recht; rechtop; *(v. haar)* sluik;
– *on*, rechtdoor.
straighten rechten; recht maken.
straight(forward) *(fig.)* recht door zee.
strain *zn.* in –, overspanning;
verrekking. ‖ *ww. (aandacht)* spannen;
(spier) verrekken.
strained *(v. lach)* gemaakt; gespannen.
strainer vergiet o.
strait *zn.* zee-engte, nauw o.; *the Straits
of Dover*, 't Nauw van Calais. ‖ *bn.*
nauw, eng.
straiten nauw(er) maken.
strand *zn. (touw)* streng; strand o. ‖ *ww.*
stranden.
strange raar, vreemd, wonderlijk,
zonderling; *I am – here*, *(actief)* ik ben
hier onbekend.
stranger *(pers.)* onbekende,
vreemdeling.
strangle smoren; wurgen.
stranglehold wurggreep.
strangler wurger.
strap *zn.* riem; scheerriem; draagband;
(v. laars) strop. ‖ *ww. (ophangen)*
opknopen.
strategy strategie.
stratum *(v. gesteenten)* bedding.
straw stro o.; *drinking* –, rietje.
strawberry aardbei.
straw-board strokarton o.
straw-hat strohoed.
stray dwalen.
streak *zn.* streep. ‖ *ww.* strepen.
streaked, streaky *(v. spek)* doorregen;
gestreept.
stream *zn. (v. water, bloed, volk, enz.,
ook rivier)* stroom. ‖ *ww.* stromen;
vloeien.
streamer wimpel.
street straat.

street-door voordeur.
street-lighting straatverlichting.
streetwalker straatmadelief, prostituee.
strength kracht, sterkte; *on the – of*, in
vertrouwen op, op grond van.
strengthen (ver)sterken.
strengthless krachteloos.
strenuosity energie; vlijt.
strenuous krachtig, ijverig.
stress klemtoon, klem; nadruk.
stressed beklemd.
stretch *zn.* traject *o.*; uitstrekking; *at a –*,
onafgebroken. || *ww.* (uit)rekken;
spannen, strekken.
stretcher berrie, brancard.
strew *(strewed, strewn)* (uit)strooien.
strict streng; strikt.
strictness stiptheid.
stride *zn.* schred, schrede. || *ww. (strode,
strid; stridden)* schrijden.
strident *(v. geluid)* schel, schelklinkend.
strideways schrij(de)lings.
strife tweedracht, twist.
strike *zn.* werkstaking; slag; strijkstok.
|| *ww. (struck, struck)* slaan; treffen;
(een koop) sluiten; *(de vlag)* strijken;
('n toon) aanslaan.
striker (werk)staker.
striking opvallend, treffend.
string *zn.* band; (dun) touw *o.*; *(boog)*
pees; snaar. || *ww. (strung, strung)
(parels)* rijgen; *(de zenuwen)* spannen.
stringed *– instrument*, strijkinstrument *o.*
stringy stug; *(vlees)* vezelachtig.
strip *zn.* reep; *(stof, land)* strook. || *ww.*
ontdoen van; ontkleden; *(huid)*
stropen.
stripe streep; soort *v./m. en o.*
striped gestreept.
strive *(strove, striven)* streven; strijden.
stroke *zn. (met zweep; v. klok)* slag;
streep; *(biljart)* stoot; *(fig.)* zet;
liefkozing. || *ww.* aaien, strelen.

stroll *zn.* wandeling zonder doel. || *ww.*
kuieren.
stroller zwerver.
strong duurzaam; solide, sterk, stevig.
stronghold burcht, vesting.
strongly duchtig.
strongminded sterk van geest;
energiek.
strop *zn.* aanzet-, scheerriem. || *ww.
(scheermes)* scherpen.
structure constructie, bouw.
struggle *zn.* kamp, strijd; *inward –*,
inwendige strijd. || *ww.* strijden;
worstelen.
stub *zn. (v. sigaar)* peuk; *(stuk)* stomp;
(v. boom) stronk. || *ww. (bomen)*
rooien.
stubble stoppel.
stubble-field stoppelveld *o.*
stubborn halsstarrig, hardnekkig.
stuccoer stukadoor, plafondwerker.
stuck *get –, (v. machine, in redenering)*
vastlopen.
stud *zn.* knopje *o.*; hemdsknoop;
beslagnagel. || *ww.* beslaan.
student student.
stud(-farm) paarden(stoeterij).
stud-horse hengst.
studio studio, atelier *o.*;
eenkamerwoning.
studious ijverig; leerzaam.
study *zn.* studie. || *ww.* studeren;
beoefenen.
stuff *zn.* goed *o.*, stof; *fast-dyed, sun
proof –*, niet-verschietende stof. || *ww.
(vogels, enz.)* (op)vullen; volstoppen.
stuffing (op)vulsel *o.*
stuffy duf.
stumble strompelen, struikelen.
stumbling-block struikelblok *o.*
stump peuk; stompje *o.*; *(v. boom)* stronk.
stumpy stomp, gezet.
stun bedwelmen, verdoven.

stunt belemmeren.
stupefaction verdoving.
stupefier verdovingsmiddel *o.*
stupefy *(bedwelmen)* verdoven.
stupendous verbazingwekkend; ontzaglijk.
stupid *zn.* stommerik. || *bn.* dom, stom; onnozel.
stupidity, stupidness stommigheid, stommiteit.
stupor verdoving.
sturdy stoer, struis.
sturgeon steur.
stutter hakkelen, stamelen, stotteren.
sty (zwijnen)hok *o.*
style *zn.* stijl. || *ww.* betitelen.
stylish nieuwerwets; zwierig.
styptic bloedstelpend.
suable vervolgbaar.
suave minzaam.
subconscious onderbewust.
subdivide onderverdelen.
subdivision onderdeel *o.*
subdue bedwingen; onderwerpen; temmen.
subject *zn.* onderdaan; *(ook gramm.)* onderwerp *o.; (v. studie)* vak *o.* || *bn.* onderworpen. || *ww.* onderwerpen.
subjection onderwerping.
subjective subjectief.
subject-matter *(fig.)* stof, onderwerp *o.*
subjoined onderstaand.
subjugate onderwerpen.
sublease onderverhuring.
sublet onderverhuren.
sublimity verhevenheid.
sublunary ondermaans.
submarine *zn.* duikboot, onderzeeër. || *bn.* onderzees.
submerge onderdompelen; overstromen.
submersible duikboot.
submission onderwerping.

submissive onderdanig.
submit zich onderwerpen; voorleggen.
sub-office bijkantoor *o.*
subordinate ondergeschikt; onderhorig.
subordination onderhorigheid.
suborn *(getuigen)* omkopen.
suborner omkoper.
subscribe intekenen voor.
subscriber abonnee; intekenaar.
subscription onderschrift *o.;* intekening; *(als lid)* contributie; – *(to)*, abonnement *o.*
subsection onderafdeling.
subserve dienen.
subside zinken.
subsidence verzakking.
subsidiary helpend.
subsidize geldelijk steunen.
subsidy subsidie, toelage.
subsist bestaan.
subsistence broodwinning.
substance *(fig.)* stof.
substantial *(v. firma)* solide; zelfstandig; degelijk; wezenlijk.
substantiate staven.
substantiation staving.
substantive *(gramm.)* zelfstandig.
substitute plaatsvervanger; substituut; surrogaat *o.*
substitution *(vervanging)* waarneming.
subtenant onderhuurder.
subterfuge uitvlucht.
subterranean onderaards.
subtle subtiel; spitsvondig.
subtleness, subtlety subtiliteit; spitsvondigheid.
subtract aftrekken.
subtraction *(rekenk.)* aftrekking.
suburb voorstad.
subvene ter hulp komen.
subvention subsidie; bijstand.
subway tunnel; *(Am.)* metro.
succeed gelukken, slagen; opvolgen.

success succes *o.*, welgelukken *o.*, welslagen *o.*
successful voorspoedig.
succession op(een)volging; volgreeks.
successively achtereenvolgens, successievelijk.
successor opvolger.
succinct beknopt.
succour *zn.* hulpbetoon *o.* ‖ *ww.* iem. bijstaan; *(fig.)* ondersteunen.
succulent *(v. vruchten)* sappig.
succumb bezwijken.
such dergelijk, dusdanig; zodanig.
suchlike dergelijk, soortgelijk.
suck *zn.* zog *o.; – in,* fiasco *o.;* beetnemerij. ‖ *ww.* zuigen.
sucker *(ook v. pomp)* zuiger.
sucking-bottle zuigfles.
sucking-pig speenvarken *o.*
suckle zogen.
suckling zuigeling.
suction-pump zuigpomp.
sudden onverhoeds, plotseling, schielijk.
suddenly eensklaps, onverhoeds, plotseling.
suds zeepsop *o.*
sue vervolgen; *– out,* smeken om en verkrijgen.
suffer lijden; *(dulden)* verdragen; ondergaan.
sufferable te dulden; te verdragen.
sufferer lijder.
suffice *(voldoende zijn)* toereiken, volstaan.
sufficient genoeg, voldoende.
suffix achtervoegsel *o.*
suffocate smoren; verstikken.
suffrage kies-, stemrecht *o.*
suffuse overspreiden.
sugar *zn.* suiker. *o.* ‖ *ww.* suikeren.
sugar-beet suikerbiet.
sugar-bowl suikerpot.
sugar-cane suikerriet *o.*

sugar-lump suikerklontje *o.*
sugary suikerachtig; poeslief.
suggest aanraden; influisteren; suggereren.
suggestion ingeving; suggestie.
suicide zelfmoord.
suit *zn.* verzoek *o.;* rechtsgeding *o.; (kaarten)* opeenvolging; kostuum *o.* ‖ *ww.* passen; bevallen.
suitable gepast, geschikt.
suite *(persoon)* gevolg *o.*
suitor vrijer.
sulk mokken, pruilen.
sullen stuurs.
sulphur zwavel.
sultan sultan.
sultry zwoel.
sum *zn.* totaal *o.; (wisk.)* som. ‖ *ww. – up,* resumeren, opsommen.
sumless ontelbaar.
summarize resumeren; beknopt samenvatten.
summary overzicht *o.*
summer zomer; schoorbalk.
summer-freckles zomersproeten.
summer-house prieel *o.*, tuinhuis *o.*
summer-suit zomerkleding.
summery zomerachtig.
summit *(v. berg)* spits; (neus, vinger) top; toppunt *o.*
summon dagvaarden; ontbieden; oproepen.
summons aanschrijving; dagvaarding; *– for payment, (v. betaling)* waarschuwing.
sumptuous prachtig; *(v. auto)* weelderig.
sun *zn.* zon; *place in the –,* gunstige ligging, plaats. ‖ *ww. – oneself,* zich in de zon koesteren.
sun-bath zonnebad *o.*
sun-bathe zonnebaden.
sun-beam zonnestraal.

sun-blind *(voor de ramen)* zonnescherm
o.
Sunday zondag.
Sunday-rest zondagsrust.
sunder *(algemeen)* scheiden.
sun-dial zonnewijzer.
sundown zonsondergang.
sundry velerhande, verscheiden.
sun-flower zonnebloem.
sun-glasses zonnebril.
sun-hat zonnehoed.
sunny zonnig.
sunrise zonsopgang.
sunset zonsondergang.
sun-shade parasol, zonnescherm o.
sunshine zonneschijn.
sunshiny zonnig.
sun-spot zonnevlek.
sun-stroke zonnesteek.
sup souperen.
superabundant overvloedig.
superannuated verjaard; afgedankt.
superficial oppervlakkig, vluchtig.
superficies *(grootte)* oppervlakte.
superfluous overbodig, overtollig.
superintendent opzichter.
superior *zn. (v. klooster)* overste,
superior. || *bn.* meerdere, superieur;
– *power (forces)*, overmacht.
superiority overmacht.
superlative overtreffende trap.
supermarket supermarkt.
supermundane bovenaards.
supernatural bovennatuurlijk.
superscription opschrift o.
supersede vervangen; afschaffen.
superstition bijgeloof o.
superstitious bijgelovig.
superterrestrial bovenaards.
supervision op-, toezicht o.
supervisor opziener.
supper avondeten o.
supplanter verdringer.

supple buigzaam; *(benen)* lenig, soepel.
supplement toeslag, toevoegsel o.;
bijblad o.
supplementary aanvullend.
suppleness buigzaamheid.
suppliant smekeling.
supplicate smeken.
supplication (smeek)bede.
supplicator smekeling.
supplier fournisseur, leverancier.
supply *zn.* levering; toe-, aanvoer;
voorraad. || *ww.* leveren; aanvoeren;
zorgen voor.
support *zn.* ondersteuning, steun;
schoor, schraag, stut. || *ww.* schragen;
onderhouden; ondersteunen.
supportable duldbaar.
supporter medestander, voorstander.
supposable denkbaar.
suppose menen; vermoeden.
supposedly gewaand, vermoedelijk.
supposition vermoeden o.;
veronderstelling.
suppress onderdrukken; *(kreet)*
weerhouden.
supressive onderdrukkend.
suppurate veretteren.
supremacy opperheerschappij,
oppermacht.
supreme opperste, hoogste.
surcharge overlast; toeslag.
sure gewis, zeker; weliswaar; *make –*,
verzekeren.
surely zeker.
surety borg.
surf *zn. (v. zee)* branding. || *ww.* surfen.
surface oppervlakte.
surfboard surfplank.
surfeit *(de maag)* overladen.
surge *zn.* baar. || *ww.* golven.
surgeon heelmeester.
surgery heelkunst; *(v. dokter)*
spreekkamer; operatiekamer.

surly nors, stuurs.
surmise gissen.
surmount *(moeilijkh.)* overwinnen.
surname bijnaam.
surnamed bijgenaamd.
surpass overvleugelen, voorbijstreven.
surplus overschot *o.*, surplus *o.*
surprise *zn.* verbazing, verwondering; verrassing. II verrassen, overrompelen.
surprising verbazend, verwonderlijk.
surrender *zn.* overgave. II *ww.* overgeven.
surreptitious heimelijk.
surround omringen; omsingelen.
surroundings omgeving.
surtax opcenten.
survey *zn.* overzicht *o.*, schouw. II *ww.* overzien; opmeten.
surveyor opzichter; landmeter.
survival overleving.
survive overleven.
susceptible vatbaar voor; *(gevoelig)* teergevoelig.
suspect *bn.* verdacht. II *ww.* wantrouwen; vermoeden.
suspend (op)hangen; *(een werk)* opschorten; *(vijandelijkh., enz.)* schorsen; *(betaling)* staken.
suspenders bretels.
suspension schorsing; *(v. betaling, vijandelijkh.)* staking.
suspicion achterdocht, argwaan, verdenking; *not a –*, geen ziertje.
suspicious verdacht; ergdenkend.
sustain volhouden.
suture *(v. wonde)* hechting.
svelte slank en sierlijk.
swab *zn.* dweil, zwabber. II *ww.* zwabberen.
swagger opsnijden, pochen.
swallow *zn.* zwaluw. II *ww.* slikken, slokken.
swallow-tail zwaluwstaart.

swamp moeras *o.*
swampy moerassig.
swan zwaan.
swank bluffen; *(fig.)* opsnijden.
swan-song zwanenzang.
sward grasperk *o.*
swarm *zn.* zwerm. II *ww.* krioelen; zwermen.
sway zwaaien.
swear *(swore, sworn) (eed)* zweren; vloeken; *– in,* beëdigen; *– by,* zweren bij; *– off,* afzweren.
sweat *zn.* zweet *o.* II *ww.* zweten.
sweater trui.
Sweden Zweden *o.*
sweep *zn.* veeg; *(schip)* beloop *o.* II *ww.* *(swept, swept),* vegen.
sweeper straatveger.
sweepings veegsel *o.*, uitvaagsel *o.*
sweet *zn.* bonbon *o.; –s,* snoep *o.* II *bn.* zoet; aanvallig; zoetsappig.
sweetbread zwezerik.
sweeten verzoeten.
sweetheart liefje *o.*, beminde.
sweetmeats suikergoed *o.*
sweet-natured zacht van aard.
sweet-scented welriekend.
sweetshop snoepwinkel.
sweet-smelling welriekend.
sweet-sounding welluidend.
swell *zn.* *(grond)* deining. II *bn.* piekfijn. II *ww.* *(swelled, swollen)* zwellen.
swelling buil, gezwel *o.*, (op)zwelling.
sweltering stikheet.
swerve *zn.* zwenking. II *ww.* *(v. auto)* zwenken.
swift gauw, gezwind, schielijk.
swift-footed snelvoetig.
swiftness snelheid.
swig zuipen.
swill zwelgen; doorspoelen.
swim *(swum, swan; swum)* zwemmen.
swimmer zwemmer.

swimming-bath zwembad.
swimming-belt zwemgordel.
swindle *zn.* afzetterij, zwendel. II *ww.* afzetten, zwendelen.
swindler oplichter, zwendelaar.
swine varken *o.,* zwijn *o.*
swing *zn.* schommel; zwenking; *in full* –, in volle gang. II *ww. (swung, swung)* schommelen; zwaaien; zwenken; slingeren.
swing-bridge draaibrug.
swing-door klapdeur
swish *(v. regen, zijde)* ruisen; zwiepen.
Swiss Zwitser.
switch *zn.* schakelaar; *(spoorweg)* wissel; roede. II *ww.* ranselen; *(elektr.)* schakelen; – *off, (telefoon, radio)* afzetten.
switch-board schakelbord *o.*
Switzerland Zwitserland *o.*
swoon *zn.* flauwte, zwijm. II *ww.* bezwijmen.
sword zwaard *o.,* degen.

symbol symbool *o.,* zinnebeeld *o.*
symbolic symbolisch.
symmetric(al) symmetrisch.
sympathize, – *with,* sympathiseren, meevoelen met.
sympathy sympathie, medegevoel *o.*
symphony symfonie.
symptom symptoom *o.; (ziekte)* teken *o.;* verschijnsel *o.*
synagogue synagoge.
synchronous gelijktijdig.
syndicate syndicaat *o.*
synod synode.
synonym synoniem *o.*
synonymous synoniem.
synopsis overzicht *o.*
synthesis synthese.
synthetic *zn.* kunststof. II *bn.* synthetisch.
syringe spuit.
syrup siroop; stroop.
system stelsel *o.,* systeem *o.*
systematical stelselmatig.

T

tab lipje; label; nestel.
tabard tabberd.
table tafel, tabel; – *of contents,* inhoudsopgave.
tablecloth tafellaken *o.*
tableland hoogvlakte, plateau.
tablespoon eetlepel.
tablet tablet *o.,* pastille.
taboo taboe *m. en o.*
tachometer snelheidsmeter.
tacit stilzwijgend.
taciturn terughoudend, stilzwijgend.
taciturnity zwijgzaamheid.
tack *zn.* spijkertje *o.;* aanhangsel *o.;* *(v. een zeil)* hals. II *ww.* vastmaken;

laveren.
tackle *zn.* takel; tuig *o.* II *ww.* vastgrijpen; flink aanpakken.
tact tact.
tactful tactvol.
tactics tactiek.
taffeta tafzijde.
tag nestel, lus (aan een laars), label, aanhangsel *o.*
tail staart; *(v. een jas)* pand *o.; turn* –, weglopen.
tail-board *(v. wagen)* krat *o.*
tail-light achterlicht.
tailor kleermaker.
taint vlek; bederf *o.*

taintless vlekkeloos.
take *(took, taken)* nemen, pakken; nuttigen; – *down*, opschrijven, optekenen; – *into consideration*, in aanmerking nemen; – *off*, opstijgen, vertrekken; – *over*, overnemen.
take-in bedrog *o.*
taken bezet, ingenomen.
take-off vertrek, start; karikatuur.
taking innemend, aanlokkelijk.
talc talk.
tale verhaal *o.*
talebearer verklikker.
talent talent *o.*
talented begaafd, talentvol.
talisman talisman.
talk *zn.* gepraat *o.*; praat; gesprek *o.* || *ww.* praten, spreken; – *away*, erop los praten.
talkative praatziek; spraakzaam.
talking sprekend; – *pictures*, sprekende film.
talk show talkshow.
tall lang; hoog.
tallish rijzig.
tallow talk; kaarsvet *o.*
tally kerfstok, rekening.
talon klauw.
tamarind tamarinde.
tame *bn. (ook fig.)* tam, mak. || *ww.* temmen.
tamer (dieren)temmer.
tamper, – *with*, knoeien aan.
tampon tampon.
tan *zn.* gebruinde huidskleur, run. || *ww.* tanen, looien.
tandem tandem.
tang bijsmaak, nasmaak.
tangible tastbaar.
tangle *in a –*, in de war.
tank regenbak; reservoir *o.*; aanvalswagen.
tanner leerlooier.

tanning oil zonnebrandolie.
tap *zn. (v. vat)* kraan, tap; tik. || *ww.* kloppen, tikken; *(een vat)* aanboren.
tape papierstrook; lint *o.*
taper kaars.
tape recorder taperecorder.
tapestry wandtapijt.
tar *zn.* teer *m. en o.*; zeebonk. || *ww.* (be)teren.
tardy traag.
tare tarra.
target (schiet)schijf, mikpunt *o.*
tariff tarief *o.*
tariff wall tolmuur.
tarnish dof maken.
tarpaulin dekzeil *o.*
tarry aarzelen, toeven, uitblijven.
tart *zn.* taart. || *bn.* bits, vinnig; wrang, zuur.
task taak.
tassel kwast, franje.
taste *zn.* smaak; voorproefje *o.* || *ww.* proeven, smaken.
tasteful smaakvol, smakelijk.
tasteless onsmakelijk, smakeloos.
taster proever.
tatter vod.
tattle *zn.* praat. || *ww.* babbelen.
tattoo taptoe; tatoeëring.
taunt *zn.* schimp(scheut). || *ww.* beschimpen.
Taurus *(dierenriem)* Stier.
taut strak, gespannen.
tavern kroeg.
taw knikker.
tawny taankleurig, tanig.
tax *zn.* belasting. || *ww.* belasten.
taxable belastbaar.
tax-free vrij van belasting, taxfree.
taxi taxiën.
taxi(-cab) taxi.
tea thee.
teabag theezakje *o.*

teach *(taught, taught)* onderwijzen.
teachable bevattelijk, aannemelijk.
teacher onderwijzer, (school)meester, docent.
tea-cup theekopje *o*.
teal taling.
team *(sport)* ploeg; *(ossen)* span.
team-work *(sport)* samenspel *o*., samenwerking.
teapot theepot.
tear *zn.* traan; scheur. ‖ *ww. (tore, torn)* (ver)scheuren, rijten; – *from*, ontrukken; – *to pieces*, in stukken scheuren; – *up, (aan stukken)* scheuren.
tearful huilerig.
tear-gas traangas *o*.
tearoom tearoom.
tease plagen; kwellen.
teaser plaaggeest.
tea-service theeservies *o*.
tea-set theeservies *o*.
teaspoon theelepel.
teat tepel, speen.
technician technicus.
technicist technicus.
teddy bear teddybeer.
tedious saai, vervelend.
teenager tiener.
teething tanden krijgen *o*.
teetotaller geheelonthouder.
telecommunication telecommunicatie.
telegram telegram *o*.
telegraph telegraferen, seinen.
telegraphese telegramstijl.
telephone *zn.* telefoon. ‖ *ww.* telefoneren.
telephone book telefoonboek *o*.
telephone number telefoonnummer *o*.
telephonist telefonist(e).
telescope telescoop, verrekijker.
teletext teletekst.
television and radio license fee kijk- en

luistergeld.
television broadcasting station televisiezender.
television, telly televisie; watch –, televisie kijken.
tell *(told, told)* tellen; zeggen, vertellen.
teller verteller.
telling veelzeggend, raak; – *proof*, sprekend bewijs *o*.
telltale verklikker, aanbrenger.
temerarious vermetel.
temerity vermetelheid.
temper *zn.* humeur *o*.; temperament *o*. ‖ *ww.* verzachten, temperen.
temperament temperament *o*.
temperate gematigd.
temperature temperatuur.
tempest storm.
tempestuous *(zee)* onstuimig, stormachtig.
temple *(v. voorhoofd)* slaap; tempel.
temporal tijdelijk; wereldlijk.
temporary tijdelijk.
temporary employee uitzendkracht.
temporary employment agency. uitzendbureau *o*.
temporize schipperen.
tempt verlokken; bekoren, verzoeken.
temptation bekoring.
tempter verleider.
ten tien; – *to one*, tien tegen een.
tenable houdbaar.
tenacious vasthoudend; *(fig.)* kleverig; taai.
tenacity volharding.
tenancy verhuring; – *agreement*, huurcontract *o*.
tenant huurder.
tenantless leegstaand, onverhuurd.
tench zeelt.
tend *(zieken)* verplegen; *(hoeden)* weiden; uitstrekken.
tendance verzorging, oppassing.

tendency neiging, tendens; strekking;
(v. beurs) stemming.
tendentious tendentieus.
tender *zn.* oppasser; aanbieding;
inschrijvingsbiljet *o.* || *bn.* mals; teder;
week. || *ww.* aanbieden; inschrijven op.
tender-hearted weekhartig.
tendon pees.
tendril rank.
tenement pachthoeve.
tenfold tienvoudig.
tennis tennis.
tennis-court tennisbaan.
tenon tap, pin.
tenor strekking; tenor.
tense *zn. (gramm.)* tijd. || *bn.* strak,
gespannen.
tension spanning.
tent paviljoen *o.*; tent.
tenth tiende; *the –,* het tiend.
tent-peg tentharing.
term term, uitdrukking; *(tijdruimte)*
termijn; *come to –s,* overeenkomen.
terminal *zn. (elektr.)* klem; eindstation
o.; eindpunt *o.; – market,*
termijnmarkt. || *bn.* terminaal.
terminate *(v. contract)* vervallen;
(be)eindigen.
termination *(v. woord)* uitgang.
terminology terminologie.
terrace terras *o.*
terraced house rijtjeshuis *o.*
terrestrial aards.
terrible ijselijk, ontzettend; schromelijk.
terrific schrikwekkend.
terrify verschrikken.
territorial territoriaal.
territory (grond)gebied *o.*, territorium *o.*
terror angst, schrik; schrikbeeld *o.*;
terreur.
terrorism terrorisme *o.*
terrorize terroriseren.
terse bondig, kernachtig.

tertiary tertiair.
test *zn.* keuring; *(bloed)* onderzoek *o.*;
proef; *stand the –,* de proef doorstaan.
|| *ww. (onderzoeken)* beproeven,
keuren; overhoren.
testament testament *o.*
test drive proefrit.
tester hemelbed *o.*; keurder.
test-flight proefvlucht.
testify betuigen; getuigen.
testimonial attest *o.*, getuigschrift *o.*
testimony getuigenis *v. en o.*
test-paper *(school)* repetitie.
test-tube reageerbuisje *o.*
test-tube baby reageerbuisbaby.
testicle teelbal, zaadbal.
testy kribbig.
tetanus tetanus, klem.
text tekst.
textile textiel.
textual woordelijk.
texture weefsel *o.*
than dan.
thank (be)danken.
thankful(ly) erkentelijk; dankbaar.
thankfulness dankbaarheid.
thankless ondankbaar.
thanklessness ondank.
thanks dank; *give (say, render, return) –,*
danken.
that dat, die.
thatch *zn.* riet *o.*, stro *o.* || *ww.* met riet
dekken.
thaw *zn.* dooi. || *ww.* (ont)dooien.
the het; de.
theatre schouwburg.
theft diefstal, ontvreemding.
their haar, hun.
them hen, hun.
theme onderwerp *o.*; thema *o.*
themselves zich(zelf).
then dan; toenmalig.
thence daaruit, vandaar.

theologian godgeleerde, theoloog.
theorem stelling.
theory theorie.
therapy therapie.
there daar, aldaar; daarheen.
thereabout(s) daaromtrent.
thereafter daarna.
thereby daarbij.
therefore daarom, derhalve.
thereof daarvan.
thereto daaraan, daarbij.
thereunder daaronder.
thereupon daarop.
therewithal daarenboven; daarbij.
thermometer thermometer.
thermos (flask) thermosfles.
thesis *(mv.* theses) proefschrift *o.;* stelling.
they zij; men.
thick dik.
thicken verdikken, binden.
thicket struikgewas *o.*
thickly dicht.
thief dief.
thievish diefachtig.
thigh dij.
thigh-bone dijbeen *o.*
thimble vingerhoed.
thin *bn.* dun; *(v. pers.)* mager, schraal. || *ww.* verdunnen.
thing ding *o.,* voorwerp *o.,* zaak.
think *(thought, thought)* denken; dunken; achten, vinden; – *of,* denken aan; bedenken; – *out,* overwegen; uitdenken.
thinker denker.
third derde; – *time is lucky,* alle goede dingen bestaan in drieën.
third-rate minderwaardig.
thirst dorst; zucht.
thirteen dertien.
thirty dertig.
this dit, deze.

this afternoon vanmiddag.
this morning vanmorgen.
thistle distel.
thither derwaarts, daarheen.
thorax borstkas.
thorn doorn.
thorny stekelig; netelig.
thorough volmaakt; grondig; degelijk.
thorough-bred volbloed, rasecht.
thoroughfare doorgang; verkeersader.
thoroughly door en door; terdege.
those (die)genen.
though (al)hoewel, schoon.
thought gedachte.
thoughtful bedachtzaam.
thoughtless onbedachtzaam; onbezonnen; onnadenkend.
thought-reader gedachtelezer.
thousand duizend.
thousandfold duizendvoudig.
thrash aframmelen; afranselen; slaan; dorsen.
thrashing slaag; dorsen *o.; a sound* –, een flink pak slaag.
thread draad; garen *o.;* vezel.
threadbare versleten; afgezaagd.
threat bedreiging.
threaten (be)dreigen.
threat-worn versleten.
three drie.
threefold drievoudig.
threshing-floor dorsvloer.
threshing-machine dorsmachine.
threshold drempel.
thriller thriller.
thrilling aangrijpend.
thrive *(throve, thriven)* aarden; gedijen, *(groeien)* tieren.
thriving welvarend.
throat keel, strot.
throb popelen.
throne troon.
throng gedrang *o.*

tiny

throttle wurgen, verstikken.
through (door)heen, via.
throw zn. worp. || ww. *(threw, thrown)* gooien, smijten, werpen; *– in,* ingooien, toegeven.
throw up braken.
thrust zn. *(met zwaard)* stoot; *(schermen)* uitval. || ww. *(thrust, thrust)* stoten.
thud plof.
thumb duim.
thumb-screw vleugelschroef.
thumb-tack punaise.
thump bonzen.
thunder zn. donder. || ww. donderen.
thunderbolt bliksemflits.
thunderclap donderslag.
thundercloud onweerswolk.
Thursday donderdag.
thus (al)zo, aldus.
thwart dwarsbomen.
thwarter dwarsdrijver.
thyme tijm.
thyroid gland schildklier.
tick zn. tijk; getik o. || ww. *(uurwerk)* tikken; *– off,* aanstippen.
ticket ticket o., biljet o.; *(toegangs)*kaart.
ticket machine betaalautomaat.
tickle kittelen, kietelen, kriebelen.
ticklish kittelorig.
tidal wave vloedgolf.
tide (ge)tij o.; *high, low –,* hoog, laag tij.
tidiness netheid.
tidings bericht o., nieuws o., tijding.
tidy proper, zindelijk.
tie zn. band; stropdas. || ww. binden *(vastbinden)* knopen; *(das, enz.)* strikken.
tiffin rijsttafel.
tiger tijger.
tight benauwd, eng; strak; spannend; dicht; *air- (water-)–,* potdicht.
tighten spannen; toehalen, aandraaien.

tight-fisted gierig, vasthoudend.
tile (dak)pan; tegel.
tiled, *– floor, pavement,* tegelvloer.
till zn. geldlade. || ww. *(grond)* bewerken. || voorz. tot.
tilt zn. *(v. kar)* huif, zeil o.; steekspel o. || ww. kantelen; schuin staan.
timber timmerhout o.
time tijd; keer, maal v./m. en o.; *(muz.)* keep –, de maat houden; *a short – back (since),* korte tijd geleden; *at the same –,* tegelijk; tezelfdertijd; *do –,* moeten brommen; *in (good) –,* bijtijds; *it's a lang – since...,* het is lang geleden; *be after his –, behind –,* over zijn tijd zijn; *be ahead of one's –,* zijn tijd vooruit zijn; *spare –,* vrije tijd; *by this –,* thans.
time-clock prikklok.
timeless tijdloos.
timely tijdig.
timepiece uurwerk o.
time-server weerhaan.
timetable *(school)* rooster; dienstregeling; spoorwegboekje o.
time-worn versleten, afgezaagd.
timid vreesachtig; timide, schuchter; *(v. aard)* verlegen, bedeesd.
timidity verlegenheid.
timorous schroomvallig, schuchter.
tin zn. tin o.; blik o. || ww. tinnen; *(in blik)* inmaken.
tinder tondel o.
tine *(v. gewei)* tak; *(v. vork)* tand.
tinge tint; *(fig.)* bijsmaakje o.
tingle *(v. oren)* ruisen; *– (with),* *(v. koude)* tintelen.
tin-opener blikopener.
tin-plate blik o.
tinsel klatergoud o.
tinsmith blikslager.
tint tint.
tiny pieterig.

tip fooi; *(v. sigaar)* puntje *o.*; tip; wenk.
tip-car(t) kipwagen.
tippet kraag.
tipsy aangeschoten, beschonken.
tip-tilted, – *nose*, wipneus.
tire *zn. (Am.)* = **tyre** (binnen)band.
‖ *ww.* vermoeien; vervelen.
tired moe, vermoeid.
tiredness vermoeienis.
tireless onvermoeid.
tiresome vervelend.
tiresomeness verveling.
tissue weefsel *o.; (fig.) (v. leugens)*
samenweefsel *o.*
tit hit, hitje *o.*
titbit versnapering.
tithe tiend *o.*
title *zn.* titel; opschrift *o.*; aanspraak.
‖ *ww.* betitelen.
title-role titelrol.
titmouse mees.
title-tattle gepraat *o.*
titular titularis.
to aan; naar; te; tot; tegen.
toad pad.
toad-stool paddestoel.
toast (heil)dronk; toast, geroosterd
brood. ‖ *ww. (brood)* roosteren.
tobacco tabak.
tocsin alarmklok, alarmbel.
today heden, vandaag.
toddle dribbelen.
toddler kleuter, peuter.
toe teen.
toe-cap *(v. schoen)* neus.
toffee toffee.
toga toga.
together aaneen, bijeen, ineen, opeen;
samen, tegelijk.
toil *zn.* zware arbeid. ‖ *ww.* zich
afsloven, tobben, zwoegen.
toilet-paper toiletpapier *o.*
toilsome moeilijk, zwaar.

toil-worn afgewerkt.
token aanduiding; teken *o.*; kenteken *o.*;
as a – – *of*, als een teken van.
tolerable (ver)draaglijk; tamelijk,
redelijk.
tolerance toelating; verdraagzaamheid;
(munten) remedie; speling.
tolerant verdraagzaam, tolerant.
tolerate toelaten; verdragen.
toll *zn.* cijns, tol. ‖ *ww.* kleppen, luiden.
toll-booth tolhuis
toll tunnel toltunnel.
tomato tomaat.
tomato purée tomatenpuree.
tomato-soup tomatensoep.
tomb graf *o.*
tombola tombola.
tomboy robbedoes.
tombstone grafzerk.
tom-cat kater.
tome boekdeel *o.*
tomorrow morgen.
tomtit mees.
ton *(maat, gewicht)* ton.
tone *zn. (v. beurs)* stemming; toon.
‖ *ww.* stemmen; *(foto)* kleuren.
toneless toonloos.
tongs, *(pair of)* –, tang.
tongue tong; spraak, taal; lip (van
schoen).
tonight vanavond, vannacht.
tonnage tonnenmaat.
tonsil (keel)amandel.
tonsure tonsuur; kruinschering.
too ook, eveneens.
tool gereedschap *o.*, werktuig *o.*
toot toeteren.
tooth *(mv. teeth)* tand; *in the teeth of*,
ondanks, niettegenstaande; – *and
nail*, uit alle macht.
toothache kiespijn, tandpijn.
toothbrush tandenborstel.
toothed getand.

toothless tandeloos.
tooth-paste tandpasta.
toothpick tandenstoker.
tooth powder tandpoeder *o.*
top *(v. berg)* spits; *(boom)* kruin; top;
(v. vulpen) dop; *(scheepv.)* mars; *(tafel)*
blad *o.; (v. bed)* hoofdeinde *o.;*
(speelgoed) tol.
topaz topaas.
top-boot kaplaars.
top-coat overjas.
top-floor bovenste verdieping.
topfull boordevol.
top-heavy topzwaar.
topic onderwerp *o.*
topless topless.
topple, – *over*, kantelen, omkantelen,
tuimelen.
top speed topsnelheid.
topsy-turvy ondersteboven.
top up bijvullen.
top-up *zn.* afzakkertje *o.*
torch fakkel, toorts.
torment *zn.* kwelling. ‖ *ww.* folteren;
kwellen.
tornado tornado, windhoos.
torpedo-boat torpedoboot.
torpor verdoving, verstijfdheid.
torrid heet, verzengend.
torsion verdraaiing, wrong.
tortoise (land)schildpad.
tortuous kronkelig, bochtig.
torture *zn.* marteling. ‖ *ww.* folteren,
martelen, pijnigen.
toss opgooien.
total *zn.* totaal *o.,* som. ‖ *bn.* totaal,
volslagen.
total loss total loss.
totally helemaal.
totter strompelen, waggelen, wankelen.
touch *zn.* voeling; aanraking;
(v. schilder) toets. ‖ *ww.* aanraken;
betreffen; *(muz.)* aanslaan; – *up*,

retoucheren; opknappen.
touch-and-go *it was* –, het was op het
nippertje.
touching aandoenlijk, aangrijpend,
hartroerend.
touch-me-not kruidje-roer-me-niet *o.*
touchstone toetssteen.
touchy gevoelig; kittelorig.
tough stug; taai.
tour reis, toer, rondrit; tournee.
tour-conductor reisleider.
tour operator touroperator.
tourism toerisme *o.*
tourist agency reisbureau *o.*
tourist information office. V.V.V.
tournament steekspel *o.*
tourney tournooi *o.*
tousle *(haren)* verwarren.
tout *zn.* klantenlokker; handelsreiziger.
‖ *ww.* klanten lokken.
tow slepen.
towards jegens, tegenover; naar...toe.
tow-boat sleepboot.
tow-car aanhangwagen.
towel handdoek.
towel-rail handdoekenrek *o.*
tower toren.
towing-hook trekhaak.
towing-line sleepkabel.
towing-rope sleeptouw *o.*
town stad.
town clerk gemeentesecretaris.
town-council gemeenteraad.
town-hall raadhuis *o.,* stadhuis *o.*
town-life stadsleven *o.*
town planning stedenbouw.
townsman stedeling.
tow-path jaagpad *o.*
toxical toxisch.
toy speelgoed *o.; (fig.)* speelbal.
toy dog schoothondje *o.*
trace *zn. (overblijfsel)* spoor *o.;*
(trektouw) streng, zeel *o.* ‖ *ww.*

nasporen, naspeuren; natrekken;
(tekening) overtrekken; aftekenen.
traceable naspeurbaar.
tracing-paper calqueerpapier *o.*
track *zn. (sport)* baan; *(v. wagen, trein)*
spoor *o.*; voetspoor *o.; double –,*
dubbel spoor; *make –s,* weglopen.
‖ *ww.* nasporen, opsporen, speuren;
slepen.
trackless spoorloos.
tractable handelbaar; volgzaam.
trade *zn.* bedrijf *o.,* handel. ‖ *ww.*
handelen; handel drijven; exploiteren.
trade mark handelsmerk *o.*
trade price grossiersprijs.
trader handelaar.
trade-secret fabrieksgeheim *o.*
tradesman neringdoende, winkelier.
trade-union vakbond *o.,* vakvereniging.
trade wind passaatwind.
trading-ship koopvaarder.
tradition overlevering, traditie.
traduce belasteren.
traffic *zn.* verkeer *o.;* ruilverkeer *o.* ‖ *ww.*
handel drijven.
traffic circus verkeersplein *o.*
**traffic congestion, traffic jam, traffic
block** verkeersopstopping.
traffic light stoplicht *o.,* verkeerslicht *o.*
traffic regulations wegcode.
traffic rule verkeersregel.
traffic warden parkeerwachter.
tragedy tragedie.
trail *zn.* sleep; spoor *o.* ‖ *ww.* slepen;
sleuren.
trailer aanhangwagen; slingerplant.
train *zn.* sleep; reeks. ‖ *zn.* trein; *(leger)*
tros. ‖ *ww. (opleiden)* aankweken;
africhten; oefenen.
trained geoefend, geschoold.
trainer africhter, dresseur, trainer.
training dressuur; oefening; opleiding.
training-college kweekschool.

train ticket treinkaartje *o.*
trait karaktertrek.
traitor verrader.
traitorous verraderlijk.
traitress verraadster.
tram tram.
tramp landloper, schooier, zwerver.
trample trappelen; trappen.
tramway tram.
trance trance.
tranquil rustig, kalm.
tranquillity rust.
tranquillize bedaren.
tranquillizer kalmeermiddel.
transact verhandelen.
transaction verrichting; affaire.
transcend overtreffen, uitsteken boven.
transcribe overschrijven.
transcript afschrift.
transfer *zn.* overdracht, transfer;
overschrijving. ‖ *ww.* overbrengen;
overschrijven; overladen;
overplaatsen.
transferor overdrager.
transfiguration gedaanteverandering,
transfiguratie.
transfix doorboren, doorsteken.
transform omvormen; *(geheel)*
veranderen.
transformable vervormbaar.
transformation gedaanteverwisseling;
omvorming, verandering.
transformer transformator.
transfusion transfusie.
transgress overtreden, schenden;
overschrijden.
transgression overtreding; schending.
tranship overladen.
transit doorvoer, transito *o.;* vervoer *o.*
transition overgang.
transitory vergankelijk.
translate vertalen, overzetten;
(bisschop) overplaatsen.

translation versie, vertaling.
transmarine overzees.
transmission transmissie, overbrenging; uitzending; overdracht.
transmit overbrengen; uitzenden; overleveren.
transmitter zender.
transmutable veranderbaar; verwisselbaar.
transmute verwisselen.
transparent doorzichtig, doorschijnend, transparant.
transpierce doorboren.
transpire uitzweten; *(fig.)* uitlekken.
transplant overplanten.
transplantation transplantatie.
transport *zn.* transport *o.*, vervoer *o.*; vervoering. || *ww.* vervoeren; overbrengen.
transpose verplaatsen.
transposition verplaatsing, omzetting.
transversal dwars.
trap *zn.* klem; val; valstrik. || *ww.* vangen.
trapdoor valluik *o.*
trapeze trapeze; zweefrek *o.*
trapezuim trapezuim *o.*
trapper pelsjager, trapper.
trappings opschik.
trappy verraderlijk.
trash *zn.* bocht *o.*, prul *o.*, rommel. || *ww.* ranselen.
trashy prullig.
trauma trauma *o.*
travel *zn.* reis. || *ww.* reizen; *(het licht)* voortplanten.
travel agency reisbureau *o.*
traveller passagier; reiziger.
traveller cheque travellercheque.
travel-sick reisziek, wagenziek.
traverse *zn.* dwarsbalk. || *bn.* dwars. || *ww.* oversteken; doorkruisen.
travestism travestie.

trawler treiler.
tray blaadje *o.*; (thee)blad *o.*; presenteerblad *o.*
treacherous vals, verraderlijk.
treachery verraad *o.*
treacle siroop, stroop.
tread *zn.* tred. || *ww. (trod; trodden; trod)* trappen, treden; – *down*, vasttrappen.
treadle *zn* trapper. || *ww.* trappen.
treason verraad *o.*
treasure schat.
treasurer penningmeester, schatmeester.
treasury schatkist, fiscus.
treasury-chest schatkist.
treat *zn.* onthaal *o.* || *ww.* behandelen; vergasten; onderhandelen.
treatise verhandeling.
treatment onthaal *o.*
treaty verdrag *o.*, overeenkomst, tractaat *o.*
treble driedubbel.
tree boom; *broad-leaved* –, loofboom.
tree-nursery boomkwekerij.
trellis hek *o.*, tralie.
trelliswork rasterwerk *o.*
tremble beven, bibberen, sidderen.
tremendous(ly) geducht; vervaarlijk.
tremulous sidderend.
trench greppel; groef; loopgraaf.
trenchant scherp.
trencher broodplank, vleesplank.
trend richting; neiging, tendens, trend.
trespass *zn.* misdaad; overtreding. || *ww.* zondigen; overtreden.
tress haarlok, vlecht.
trestle schraag.
trial proef; beproeving; berechting.
trial run proefrit.
trial-test proef.
triangle driehoek; triangel.
triathlon triatlon.

tribe stam; volksstam.
tribunal rechtbank, vierschaar.
tribune tribune.
tributary cijnsplichtig, schatplichtig.
tribute hulde; schatting, tol.
trice, *in a –*, in een ommezien.
trick *zn.* truc; kunstje *o.; (in kaartspel)* slag; aanwensel *o.; the –s of the trade,* de kneepjes van het vak. || *ww.* bedriegen, bedotten.
trickle druipen, druppelen.
tricky bedrieglijk.
tricolour driekleur.
tricycle driewieler.
trier beproever.
trifle bagatel *v./m. en o.;* beuzeling, kleinigheid.
trifling beuzelachtig.
trigger *(v. geweer)* trekker.
trill triller.
trim *zn.* uitrusting; staat. || *bn.* netjes, keurig. || *ww.* ordenen; *(heg)* scheren; versieren; *(zeilen)* opzetten.
trimming(s) belegsel *o.,* garneersel *o.; (v. japon)* oplegsel *o.*
trinket sieraadje *o.*
trio trio *o.*
trip *zn.* reis; uitstapje *o.* || *ww.* struikelen; trippelen.
tripe darmen, pens; *(fam.)* snert.
tripod drievoet.
triptych triptiek.
trite afgezaagd; banaal.
triumph *zn.* triomf, zege. || *ww.* triomferen, zegevieren.
triumphal zegevierend; *– procession,* triomftocht.
trivial alledaags, triviaal.
trombone trombone, schuiftrompet.
troop *zn.* troep, drom, bende, horde. || *ww.* zich verzamelen.
trooper *(mil.)* ruiter.

trophy trofee.
tropic keerkring.
tropical tropisch.
trot *zn.* draf. || *ww.* draven.
trouble *zn.* zorg; moeite *o.;* ongemak *o.;* beslommering. || *ww.* moeite doen; kwellen; verstoren.
troubled gestoord; gekweld; *(leven)* veelbewogen; *(water)* troebel.
troublemaker onruststoker.
troublesome hinderlijk; moeilijk.
trough trog.
troupe *(acteurs)* gezelschap.
trouser-leg broekspijp.
trousers, *pair of –,* broek.
trousseau *(v. bruid)* uitzet *o.*
trout forel.
trowel troffel.
truce wapenstilstand; bestand *o.*
truck goederenwagen, truck; ruilhandel.
truckle *(fig.)* kruipen.
true trouw; waar.
true-blue onvervalst, echt.
true-born rasecht.
true-hearted trouwhartig.
truffle truffel.
trull slet.
truly waarlijk; waar.
trump *zn.* troef. || *ww.* troeven; *– up,* verzinnen.
trumpset bazuin, trompet.
trumpeter trompetblazer.
trundle rollen.
trunk boomstam; koffer; romp; *(v. olifant)* slurf.
trunk-call interlokaal gesprek *o.*
truss *zn.* bundel; breukband. || *ww.* (op)binden.
trust *zn.* vertrouwen *o.* || *ww.* vertrouwen.
trustable te vertrouwen.
trustee beheerder, curator.
trustful vertrouwend.

trustworthy te vertrouwen, betrouwbaar.

trusty (ge)trouw.

truth waarheid; *in –*, naar waarheid.

truthful waarheidslievend; *to be quite –*, om de waarheid te zeggen.

try beproeven, pogen, proberen; terechtstaan; *– on*, (aan)passen; *– back*, teruggaan.

trying moeilijk, lastig.

tsar tsaar.

T-square tekenhaak.

tub *zn.* kuip; teil; tobbe. ‖ *ww.* kuipen.

tube buis, tube; binnenband.

tuber knol.

tubercular, tuberculous tuberculeus.

tuberculosis tuberculose.

tuck *zn.* omslag; plooi. ‖ *ww.* omslaan; *– up*, omslaan, opschorten ; *– in*, onderdekken.

tuck-in, stevig maal *o.*

Tuesday dinsdag.

tuft bosje *o.*; kuif, kwastje *o.*

tug *zn.* ruk; sleepboot. ‖ *ww.* slepen; trekken.

tug-boat sleepboot.

tulip tulp.

tulle tule.

tumble *zn.* buiteling. ‖ *ww.* buitelen; rollen; tuimelen; *– to*, begrijpen.

tumbledown bouwvallig.

tumbler *(ook v. geweer)* tuimelaar.

tumefaction opzwelling.

tumour tumor, gezwel *o.*, puist, zweer.

tumult oploop, opstootje *o.*, tumult *o.*

tun ton, vat *o.*

tune *zn.* toon; melodie; wijs. ‖ *ww.* stemmen; *(draadloos)* afstemmen.

tuneful melodieus, welluidend.

tuneless geen geluid gevend.

tuning-fork stemvork.

tunnel tunnel.

tunny tonijn.

turban tulband.

turbid troebel.

turbine turbine.

turbot tarbot.

turbulent *(wind)* onstuimig; woelig.

turf plag, zode; renpaardensport.

Turk Turk.

Turkey Turkije *o.*

turkey kalkoen.

Turk's head raagbol.

turmoil gewoel *o.*, onrust.

turn *zn.* draai; omkeer; wending; beurt; *(v. wiel)* slag. ‖ *ww.* draaien, keren, wenden; *– to*, zich wenden naar; *– on*, aanzetten, opendraaien; *– out*, blijken.

turn-bridge draaibrug.

turncoat overloper.

turning draai, keerpunt *o.*

turning-point keerpunt *o.*

turnip raap.

turnip-rooted celery knolselderij.

turnover omzet; aflossing.

turnpike *(Am.)* tolweg, snelweg.

turn-up omslag; herrie, ruzie; meevaller.

turpentine terpentijn.

turquoise turkoois.

turtle (zee)schilpad.

turtle-dove tortelduif.

tusk slagtand.

tussle *zn.* vechtpartij. ‖ *ww.* vechten.

tutor huisonderwijzer; repetitor.

twaddle *zn.* geklets *o.* ‖ *ww.* bazelen.

tweezers pincet *o.*

twelfth twaalfde.

twelve twaalf.

twentieth twintigste.

twenty twintig.

twice tweemaal.

twig twijg, takje *o.*

twilight schemerdonker *o.*, schemering.

twill keper(stof).

twin tweeling.

twin brother tweelingbroer.

twine strengelen; – *round*, omstrengelen.
twinkle flikkeren; tintelen.
twinkling tinteling; *in the – of an eye*, in
een oogwenk.
twirl draaien.
twist *zn.* verdraaiing, kronkeling;
wrong. ‖ *ww.* winden; draaien;
strengelen; *–ed*, verwrongen.
twister bedrieger; wervelwind.
twitch *zn.* zenuwtrekking. ‖ *ww.*
trekken, rukken.
twitching stuiptrekking.
twitter kwetteren, tjilpen.
two twee.
two-edged tweesnijdend.

twofold dubbel, tweeledig.
tympanum trommelvlies.
type *zn.* type; drukletter; *heavy, bold,
full-faced –, (v. lettersoort)* vet. ‖ *ww.*
typen, tikken.
typewrite typen, tikken.
typewriter schrijfmachine.
typhoid tyfus.
typist typist(e).
typographer typograaf.
typographical error drukfout.
tyrant dwingeland, tiran.
tyre band.
tyre trouble bandenpech.

U

udder uier.
uglify verlelijken.
ugly lelijk.
ulcer zweer.
ulcerate (ver)zweren.
ulcerous vol zweren.
ulster ulster.
ultimate uiteindelijk.
ultimatum ultimatum *o.*
ultra ultra.
ultra-sound scan echografie.
ultraviolet ultraviolet.
ululate huilen, jammeren.
umbel bloemscherm *o.*
umbrage aanstoot; schaduw.
umbrella paraplu.
umpire scheidsrechter.
unabashed onbedeesd.
unabated onverminderd.
unable onbekwaam.
unabridged onverkort.
unacceptable onaanvaardbaar.
unaccessible ontoegankelijk.

unaccustomed ongewoon.
unadmittable onaannemelijk, niet
toelaatbaar.
unadulterated onvervalst.
unadvisable onraadzaam.
unaffected ongekunsteld.
unafraid onbevreesd.
unallowed ongeoorloofd.
unalloyed onvervalst.
unaltered onveranderd.
unambiguous ondubbelzinnig.
unamiable onbeminnelijk.
unanimity eensgezindheid,
eenstemmigheid.
unanimous eenstemmig, eensgezind,
eenparig.
unanimously met algemene stemmen.
unanswerable onweerlegbaar.
unapproachable ongenaakbaar,
ontoegankelijk.
unashamed onbeschaamd.
unasked ongevraagd, ongenood.
unawares onverhoeds, onverwachts.

unbaptized ongedoopt.
unbearable ondraaglijk, onhoudbaar.
unbeaten ongebaand, ongeslagen.
unbecoming onbehoorlijk,
    onbetamelijk.
unbelievable ongeloofbaar,
    ongelofelijk.
unbelieving ongelovig.
unbend *(unbent, unbent)* zich
    ontspannen.
unbending onbuigzaam.
unbidden ongevraagd, ongenood.
unblamable onberispelijk.
unbleached ongebleekt.
unblest ongezegend.
unbound ongebonden.
unbounded onbegrensd.
ubreakable onbreekbaar.
unbridgeable niet te overbruggen.
unbridled teugelloos, tomeloos.
unburden ontlasten.
unceasing onophoudelijk.
uncertain onzeker, wisselvallig.
uncertainty onzekerheid.
unchain ontketenen.
unchangeable onveranderlijk.
unchanged onveranderd.
uncharitable hardvochtig, hard.
uncivil onbeleefd.
uncivilized onbeschaafd.
uncle oom.
unclean onrein.
unclear onduidelijk.
unclouded onbeneveld, onbewolkt.
uncomfortable ongemakkelijk.
uncommon ongemeen; ongewoon.
unconcealed onverholen.
unconditional onvoorwaardelijk.
unconditionally, *surrender –*, zich
    onvoorwaardelijk overgeven.
unconformable ongelijkvormig.
unconquerable onoverwinnelijk.
unconscious bewusteloos; onbewust.

unconstrained onbeklemd,
    ongedwongen, los.
uncooked ongekookt, rauw.
uncorrupted onverdorven.
uncover ontbloten.
unction zalving; *extreme –*, (H.) Oliesel
    o.
unctuous zalvend.
uncultivated onontgonnen.
undamaged ongeschonden.
undaunted onversaagbaar.
undeceive ontgoochelen.
undecided besluiteloos; onbeslist.
undefined vaag.
undeniable onloochenbaar,
    ontegenzeggelijk.
undepraved onverdorven.
under onder; volgens; krachtens;
    – repair, in reparatie; *down –*, aan de
    andere kant van de wereld.
underaged te jong.
underbred onopgevoed.
under-carriage onderstel *o.*
underclothes ondergoed *o.*
underdone ongaar.
underfed ondervoed.
underfeeding ondervoeding.
undergo ondergaan.
underground onderaards,
    ondergronds.
undergrowth kreupelhout.
underhand achterbaks, onderhands.
underlease onderverhuren.
underline aanstrepen; onderstrepen.
undermentioned onderstaand.
undermine ondermijnen.
undermost onderste.
underneath onder, beneden.
underpaid slecht betaald.
underrate onderschatten.
undersell *(hand.)* onder de prijs
    verkopen.
underside onderkant, onderzijde.

undersign ondertekenen.
undersized ondermaats.
underskirt onderrok.
understand verstaan, begrijpen; kennen; vernemen.
understandable begrijpelijk, verstaanbaar.
understanding verstand *o.*; verstandhouding; *on the – that...*, met dien verstande dat...
undertake ondernemen.
undertaking onderneming.
undervalue miskennen, onderschatten.
undervest borstrok.
underwear ondergoed *o.*
underwood kreupelhout *o.*
underworld onderwereld.
underwriter (zee)assuradeur.
undetermined onzeker, onbeslist, onbepaald.
undiminished onverminderd.
undiscussed onbesproken.
undisguised onverbloemd, onverholen.
undismayed onvervaard.
undistinct onduidelijk.
undisturbed ongemoeid, ongestoord.
undivided onverdeeld
undo ontbinden.
undoubted ongetwijfeld.
undraw opentrekken.
undress ontkleden, (zich) uitkleden.
undrinkable ondrinkbaar.
undue overmatig.
undulation golving.
unearth *(aardappelen)* rooien.
uneasiness malaise; onrust.
uneasy ongemakkelijk; ongerust.
unemployed werkloos.
unemployment werkloosheid.
unendurable onuitstaanbaar.
unequal ongelijk.
unequalled ongeëvenaard.
unequivocal ondubbelzinnig.

uneven hobbelig, oneffen, ongelijk.
unexpected onverhoeds, onvoorzien; onverhoopt.
unfailing onfeilbaar.
unfair onbillijk, oneerlijk, onrechtvaardig.
unfaithful afvallig, ontrouw.
unfaltering onwankelbaar.
unfamiliar ongewoon, onbekend.
unfamiliarity onbekendheid.
unfathomable peilloos.
unfavourable ongunstig.
unfeasible ondoenlijk.
unfeigned ongeveinsd.
unfertile onvruchtbaar.
unfinished onvoltooid.
unfit ongeschikt.
unfitting ongepast.
unfix losmaken.
unfold *(vlag)* ontplooien, ontvouwen; *(fig.)* onthullen.
unfordable ondoorwaadbaar.
unforeseen onvoorzien.
unforgettable onvergetelijk.
unforgivable onvergeeflijk.
unfortified onversterkt.
unfortunate ongelukkig.
unfounded ongegrond.
unfriendly onvriendelijk.
unfurl ontplooien.
ungovernable niet te regeren, ontembaar.
ungracious onheus, onvriendelijk.
ungrateful ondankbaar.
unguarded onbewaakt.
unguent smeersel *o.*, zalf.
unhandy onbehendig, onhandig.
unhappy ongelukkig.
unharmed onbeschadigd.
unharness uitspannen.
unhealthy ongezond.
unheard ongehoord.
unhindered ongehinderd, onverlet.

unhurt ongedeerd.
unification gelijkmaking.
uniform *zn.* tenue *v./m. en o.*, uniform *o.* || *bn.* uniform, gelijkmatig.
unify een maken.
unilingual eentalig.
unimpaired ongeschonden, onverzwakt.
unimpeachable onkreukbaar, onaantastbaar.
unimpeded onbelemmerd.
unimportant onbelangrijk.
unimproved onverbeterd.
uninflammable onbrandbaar.
uninhabited onbewoond.
unintelligible onverstaanbaar.
uninterrupted onafgebroken; ongestoord.
uninvited ongevraagd, ongenood.
union verbinding; verbond *o.*, unie; eendracht.
unique enig.
unit eenheid, onderdeel.
unite zich aansluiten; samenvloeien; samenvoegen, verenigen.
United Kingdom Verenigd Koninkrijk.
United States Verenigde Staten.
unity eenheid.
universal universeel, algemeen.
universe wereld.
university universiteit, hogeschool.
unjust onbillijk, onrechtvaardig.
unjustifiable onverantwoordelijk.
unkind onaardig, onheus, onvriendelijk.
unknowable onherkenbaar.
unknown *zn.* onbekende. || *bn.* onbekend.
unlawful onrechtmatig, onwettig.
unless tenzij, zoals.
unlike ongelijk, niet zoals.
unlikely onwaarschijnlijk.
unlimited onbegrensd, onbepaald, onbeperkt.

unload ontladen; uitladen.
unlock ontsluiten.
unlooked-for onverwacht.
unloved onbemind.
unlucky ongelukkig.
unmake vernietigen.
unmanageable onhandelbaar.
unmanly verwijfd.
unmannerly ongemanierd, onhebbelijk.
unmarked ongemerkt.
unmarried ongehuwd.
unmask ontmaskeren.
unmeasurable onmetelijk.
unmerited onverdiend.
unmistakable onmiskenbaar.
unmodified ongewijzigd.
unmolested ongestoord.
unmounted onbereden.
unmoved onbewogen, roerloos.
unnamable onnoemelijk.
unnatural tegennatuurlijk.
unnecessary onnodig.
unnerve ontzenuwen.
unnoticed onopgemerkt.
unobserved onopgemerkt.
unoccupied onbewoond, onbezet.
unoffending onschuldig.
unpack uitpakken.
unpaid ongefrankeerd; *(rekening)* onvoldaan.
unpainful zonder pijn.
unpalatable onverkwikkelijk.
unpardonable onvergeeflijk.
unparted ongescheiden.
unpaved onbevloerd; ongebaand.
unpayable onbetaalbaar.
unperceived onbemerkt; ongemerkt.
unperishable onvergankelijk.
unpermitted ongeoorloofd.
unperturbed onverstoord.
unpitiful onbarmhartig.
unpleasant onbehaaglijk, onaardig.
unpractised ongeschoold.

unprejudiced onbevangen; onbevooroordeeld.

unprepared onvoorbereid.

unpretentious bescheiden, zonder pretentie.

unprofitable onvoordelig.

unqualified onbevoegd; volmondig.

unquenched *(ook fig.)* ongeblust.

unquestionable ontwijfelbaar.

unquiet onrustig.

unravel uitrafelen; ontraadselen.

unreadable onleesbaar.

unreal onwezenlijk.

unreasonable onredelijk.

unrelenting onbarmhartig.

unreliable onbetrouwbaar.

unremitting onverdroten, onverpoosd.

unrestrained onbeperkt; ongebonden, teugelloos.

unriddle ontraadselen, oplossen.

unrig aftakelen, onttakelen.

unripe onrijp.

unrivalled ongeëvenaard, zonder weerga.

unroll afrollen; afwikkelen.

unruly onordelijk; weerbarstig; *(jongen)* wild.

unsafe onveilig.

unsatisfied onbevredigd, onvoldaan.

unsavoury onsmakelijk, onverkwikkelijk.

unscathed heelhuids.

unschooled ongeschoold.

unscrew losdraaien.

unsealed *(brieven)* ongezegeld.

unseat uit het zadel werpen.

unsecured niet beveiligd.

unseemly onbehoorlijk, onbetamelijk; onooglijk.

unselfish onzelfzuchtig.

unsettled onbestendig; *(weer)* veranderlijk; *(rekening)* onvoldaan.

unshakable, unshaken onwankelbaar, onwrikbaar.

unsightly onooglijk.

unskilful, unskilled onbedreven, onervaren.

unslaked ongeblust.

unsociable mensenschuw; ongezellig.

unsold onverkocht.

unsolicited ongevraagd.

unsolvable onoplosbaar.

unsound ongezond, bedorven, ondeugdelijk.

unspeakable onuitsprekelijk.

unspecified niet nader aangeduid.

unspoiled onbedorven; onverdorven.

unstable onbestendig, onstandvastig, onvast, labiel.

unstained onbevlekt.

unstamped ongestempeld.

unsteady onvast, wankel.

unstinted onbekrompen.

unstressed toonloos, zonder klemtoon.

unsubstantial onwezenlijk, onstoffelijk.

unsuitable ongepast; ongeschikt, ondoelmatig.

unsure onzeker.

unsuspecting argeloos.

unsustainable onhoudbaar.

untamable ontembaar.

untamed ongetemd.

untaught ongeleerd.

untaxed onbelast.

untenable onhoudbaar.

unthankful ondankbaar.

unthinkable ondenkbaar.

unthinking onbezonnen.

untidy slordig.

untie ontbinden.

until tot.

untimely ontijdig, vroegtijdig.

untiring onvermoeibaar.

untold ongezegd, onverteld.

untouched ongerept.

untractable onhandelbaar.

untrained ongeschoold.

untruth onwaarheid.

unusual ongewoon.

unutterable onnoemelijk.

unveil onthullen, ontsluieren.

unwarranted ongerechtvaardigd.

unweakened onverzwakt.

unwearying onverdroten.

unwell ongesteld, onpasselijk, onwel.

unwieldy plomp.

unwilling onwillig.

unwillingly node, ongaarne.

unwillingness onwil.

unwind afwikkelen, loswinden.

unwise onverstandig, onwijs.

unwonted ongewoon.

unworkable onuitvoerbaar.

unworthiness onwaardigheid.

unworthy onwaardig.

unyielding onverzettelijk.

up op; omhoog; *– to now*, tot nu toe, tot nog toe.

upbraid verwijten.

uphill bergop(waarts).

uphold handhaven; steunen.

upholster bekleden; *(sofa)* overtrekken.

upholsterer behanger, stoffeerder.

upkeep instandhouding, onderhoud.

uplift verheffing.

upon aan; op; nabij; omtrent.

upper lip bovenlip.

upright overeind, rechtop; rechtstandig.

uprightness oprechtheid.

uproar herrie, misbaar *o.*; rumoer *o.*

uproot ontwortelen.

upset *zn.* omkanteling; omverwerping. || *ww.* (upset, upset) omgooien; omverwerpen; verstoren. || *bn.* overstuur.

upset-price *(v. verkoop)* inzet.

upside bovenzijde.

upstairs (naar) boven.

upstart parvenu.

upstream stroomop(waarts).

up-to-date up-to-date.

upturned omgekeerd.

upwards omhoog, opwaarts.

urban stedelijk; *– life*, stadsleven *o.*

urge aandringen.

urgency drang.

urgent spoed vereisend, dringend.

urinal urinoir.

urinate urineren, wateren.

urine urine.

urn urn.

usable bruikbaar.

usage gewoonte, gebruik *o.*, zede.

use *zn.* gebruik *o.*; nut *o.*; gewoonte; *go (drop) out of –*, in onbruik geraken; *unfit for –*, onbruikbaar; *what – is that to me?* wat heb ik daaraan?, *put out of –*, buiten gebruik stellen; *in common –*, algemeen in gebruik. || *ww.* gebruiken, bezigen, aanwenden; gewoon zijn, plegen.

useful dienstig, bruikbaar, nuttig.

useless ijdel, nutteloos, onbruikbaar.

usher *zn.* portier. || *ww. – in*, binnenleiden.

usual gebruikelijk, gewoon.

usually doorgaans, gewoonlijk, meestal.

usufruct vruchtgebruik *o.*

usurious woeker-.

usurp overweldigen.

usurper overweldiger.

usury woeker(rente).

uterus baarmoeder.

utility nut *o.*

utilize benutten, benuttigen.

utmost uiterste; *at the –*, hoogstens.

utter uitbrengen, uiten.

utterance uiting, uitlating.

utterly volkomen, geheel.

uvula huig.

vacancy *(betrekking)* open plaats, vacature; *fill up a –,* een vacante plaats bezetten.

vacant onbezet, open; wezenloos.

vacate ontruimen, verlaten.

vaccinate vaccineren.

vaccination inenting; pokinenting.

vacillate wankelen; weifelen.

vacillating wankelmoedig.

vacillation weifeling.

vacuity ledigheid.

vacuous leeg; wezenloos.

vacuum vacuüm.

vacuum (cleaner), stofzuiger.

vagabond zwerver.

vagina vagina.

vagrant landloper, schooier.

vague onbepaald, vaag.

vain ijdel, vergeefs

vale dal *o.*

vain vruchteloos.

valet kamerdienaar; (huis)knecht.

valiant dapper, moedig.

valid deugdelijk; geldig.

validation geldigverklaring.

validity geldigheid.

valley vallei, dal *o.*

valorous manhaftig, dapper.

valour krijgshaftigheid.

valuable kostbaar, waardevol.

valuation schatting; waardering.

value *zn.* waarde; *actual –,* werkelijke waarde; *intrinsic –,* innerlijke waarde; *of (great) –,* waardevol. ‖ *ww.* waarderen; schatten, taxeren; *– at,* ramen op.

value judgement waardeoordeel *o.*

valueless waardeloos.

valuer schatter.

valve klep, klap, ventiel *o.*

vamp verleiden.

vampire vampier; *(fig.)* afperser.

van wagen.

vandalism vandalisme.

vane *(v. schroef)* vleugel; *(v. molen)* wiek; weerhaan.

vanguard voorhoede.

vanilla vanille.

vanish verdwijnen; wegsterven.

vanity ijdelheid.

vanquish overwinnen.

vapid flauw.

vaporizable verdampbaar.

vaporizer vaporisator.

vaporous dampig.

vapour damp, wasem.

variable veranderlijk, variabel.

variance geschil *o.,* onenigheid.

variation afwisseling, variatie.

varicose spatader.

variegation schakering.

variety variëteit.

variety theatre variété *o.*

various velerhande, velerlei, verscheiden, divers.

varnish *zn.* vernis *o.* ‖ *ww.* verlakken, vernissen.

vary verschillen; afwisselen.

vase vaas.

vassal vazal.

vast ontzaglijk.

vat kuip.

Vatican City Vaticaanstad.

vault *zn.* gewelf *o.* ‖ *ww.* (over)welven.

vaulting-horse *(gymnastiek)* paard *o.*

vaunter grootspreker.

veal kalfsvlees *o.*

vedette vedette.

veer draaien; *(touw)* vieren.

vegetable *zn.* plant; *–s,* groenten. ‖ *bn.* plantaardig.

vegetable soup groentesoep.

vegetal plantaardig.

vegetarian vegetariër.

vegetation plantengroei, vegetatie.

vehement geweldig, heftig.

vehicle voertuig *o.*

veil *zn. (v. gezicht)* sluier, voile; *take the –,* in het klooster treden. ‖ *ww.* omsluieren, bemantelen.
vein ader.
vellum perkament *o.*
velocity snelheid.
velvet *zn.* fluweel *o.* ‖ *bn.* fluwelen.
venal te koop, veil.
veneer *zn.* fineer *o.* ‖ *ww.* fineren.
venerable eerwaardig.
venerate vereren.
veneration verering.
venereal disease geslachtsziekte.
Venetian Venetiaans; *– blind, (luik)* jaloezie.
vengeance wraak; *with a –,* met geweld, met klem.
venial vergeeflijk; *– sin,* dagelijkse zonde.
venison wildbraad *o.*
venom *zn.* venijn *o.; (v. dieren)* vergif *o.* ‖ *ww.* vergiftigen.
venomous giftig, venijnig.
vent luchtgat *o.*
ventil ventiel *o.*
ventilate ventileren; *(fig.)* spuien.
ventilator ventilator.
ventriloquist buikspreker.
venture *zn.* waagstuk *o.; at a –,* op goed geluk. ‖ *ww.* wagen.
venturer waaghals.
veracious waarheidlievend.
verandah veranda; *glazed (closed) –, (aan huis)* serre.
verb werkwoord *o.*
verbal mondeling, verbaal; woordelijk.
verbiage omhaal van woorden.
verbose breedsprakig.
verbosity omhaal van woorden.
verdant groen.
verdict *(v. jury)* oordeel *o.;* gerechtelijke uitspraak.
verdure *(plant.)* groen *o.*

verge rand, berm.
verger koster.
verify narekenen, verifiëren; nagaan.
vermicelli vermicelli.
vermilion vermiljoen *o.*
vermin ongedierte *o.*
vermin-killer insectenpoeder *o.*
vernacular inheems.
versatile flexibel, veelzijdig.
verse vers *o.*
versifier rijmelaar.
version versie, vertaling.
versus *(jur.)* tegen.
vertebra *(mv.* vertebrae) wervel.
vertex *(meetkunde)* toppunt *o.*
vertical rechtstandig, verticaal.
vertiginous duizelingwekkend.
very *bn.* waar, echt. ‖ *bw.* zeer.
vespers vesper.
vespiary wespennest *o.*
vessel schip *o.;* vat *o.*
vest vest *o.*
vestibule vestibule.
vestige overblijfsel *o.,* spoor *o.*
veteran oud-strijder, veteraan.
veterinary-surgeon veearts.
veto veto *o.*
vex plagen, kwellen; ergeren.
vexation ergernis; kwelling.
vexatious ergerlijk; verdrietig.
via over, via.
viaduct viaduct *m. en o.*
viand, *the –s,* de levensmiddelen.
vibrate trillen.
vibration trilling.
vibrator vibrator.
vicar predikant; vicaris.
vice ondeugd; *(op werkbank)* schroef.
vice-chairman ondervoorzitter.
vice-chancellor vice-kanselier.
vice-president vice-president.
viceroy onderkoning.
vicinity buurt, omstreken.

vicious kwaadaardig, ondeugend; *(systeem)* verderfelijk.

vicissitudes lotgevallen.

victim slachtoffer *o.*, dupe.

victorious zegerijk.

victory zege(praal).

victual; *–s*, levensmiddelen.

video video.

video shop videotheek.

video tape videoband.

videocamera videocamera.

view *zn.* uitzicht *o.*; mening; inzicht *o.*; *point of –*, standpunt *o.*; *in –*, in zicht; *in – of*, ten aanzien van; *on –*, te zien; *with a – to*, ten einde om. ‖ *ww.* bezien; bezichtigen.

view-point uitzichtpunt *o.*; oogpunt *o.*

vigilant waakzaam, wakker.

vigorous krachtdadig.

vile gemeen; gering, verachtelijk.

vilify smaden, belasteren.

village dorp *o.*

villager dorpsbewoner.

villain ellendeling.

vindicate rechtvaardigen.

vindictive haatdragend.

vindictiveness wraakzucht.

vine wijnstok.

vineculture wijnbouw.

vinegar azijn.

vineyard wijngaard.

vinous wijnachtig.

vintage wijnoogst; *(wijn)* jaargang.

violate ontwijden, schenden, verkrachten.

violation inbreuk, ontering, schending.

violence geweld *o.*

violent geweldig, heftig.

violet *zn.* viooltje *o.* ‖ *bn.* paars, violet.

violin viool.

violinist vioolspeler.

viper adder; *(fig.)* slang.

viperish adderachtig, boosaardig.

virago feeks.

virgin maagd.

virginal maagdelijk.

virtual virtueel.

virtue deugd; *(geneesk.)* kracht; *in (by) – of*, krachtens; *make a – of necessity*, van de nood een deugd maken.

virtuoso virtuoos.

virtuous deugdzaam, eerbaar, braaf.

visa *zn.* visum *o.* ‖ *ww.* viseren.

visa requirement visumplicht.

viscous kleverig.

visibility zicht *o.*

visible merkbaar, zichtbaar.

vision visie; droombeeld *o.*; *(v. geest)* verschijning; visioen *o.*

visit *zn.* bezoek *o.*, overkomst. ‖ *ww.* bezoeken.

visitation bezoeking; *(kerk.)* visitatie; *(onheil)* beproeving.

visiting card visitekaartje *o.*

visiting hour bezoekuur *o.*

visitor bezoeker.

visor *(v. helm)* vizier *o.*

vista vergezicht *o.*, vooruitzicht *o.*

visual visueel.

vital vitaal; het tot het leven behorende; *of – importance*, van het allergrootste belang.

vitamin vitamine.

vitiate bederven; *(de lucht)* verontreinigen.

vitrify *(door en door)* verglazen.

vitriol vitriool *m. en o.*

vivid levendig; *(v. licht)* helder.

vivisection vivisectie.

vixen feeks; *(wijfje)* vos.

viz.(= *videlicet*) namelijk.

vocabulary woordenschat, woordenlijst.

vocalist zanger, zangeres.

vocation roeping.

vodka wodka.

voice *zn.* roepstem, stem. ‖ *ww. (muz.)*

stemmen; *(een mening)* vertolken.
void ongeldig, nietig.
volatile vluchtig; wuft.
volatilize vervliegen.
volcano vulkaan.
volley *(ook fig.)* salvo *o.*
volleyball volleybal *o.*
volt volt.
voltage *(elektr.)* spanning, voltage.
voluble rad, welbespraakt.
volume boekdeel *o.*, volume *o.*
voluminous omvangrijk.
voluntary *zn.* vrijwilliger. ‖ *bn.* vrijwillig;
  (v. spier) willekeurig.
volunteer vrijwilliger.
voluptuary *zn.* wellusteling. ‖ *bn.*
  wellustig.
voluptuous wellustig.
voluptuousness wellust.
vomit braken, overgeven.
vomitory braakmiddel *o.*
voracious vraatzuchtig.

voracity gulzigheid.
vortex maalstroom.
votary volgeling(e).
vote *zn.* motie; *(bij verkiezing)* stem;
  (het stemmen) stemming. ‖ *ww.*
  kiezen; stemmen.
voter kiezer.
voting-paper stembiljet *o.*
vouch bevestigen; – *for,* waarborgen,
  instaan voor.
voucher voucher.
vouchsafe vergunnen.
vow *zn.* gelofte. ‖ *ww.* wijden.
vowel klinker.
voyage *zn.* reis. ‖ *ww.* reizen.
voyager zeereiziger.
vulgar plat, vulgair, ordinair.
vulgarian proleet.
vulgarism platte uitdrukking.
vulgarity platheid, vulgariteit.
vulnerable kwetsbaar.
vulture gier.

W

wad *zn.* *(op geweer, v. papier)* prop.
  ‖ *ww.* opvullen.
wadable doorwaadbaar.
wadding watten vulsel *o.*
waddle waggelen, schommelen.
wade waden.
wader waadvogel; waterlaars.
wafer wafel; ouwel.
waffle wafel; gedaas, gezwam.
wag *zn.* grappenmaker, guit, schalk.
  ‖ *ww.* schudden, kwispelen.
wages *mv.* bezoldiging; *(loon)*
  verdienste; –*(s),* werkloon *o.*
wage-earner loontrekker.
wager weddenschap.
waggish schalks, snaaks.

waggon wagen.
waggoner voerman, vrachtrijder.
wagtail kwikstaart.
wail jammeren, weeklagen.
wailing weeklacht.
Wailing Wall Klaagmuur.
wainscot *zn.* beschot *o.* ‖ *ww.*
  beschieten; bekleden.
wainscoting wandbekleding.
waist *zn.* middel *o.*, taille; *(scheepv.)* kuil.
waist-band gordel.
waistcoat vest *o.*
wait *zn.* pauze. ‖ *ww.* opwachten;
  verbeiden; wachten.
waiter kelner, ober, bediende.
waiting tafelbediening.

waiting-list wachtlijst.
waiting-room wachtkamer.
waitress serveerster.
waive afzien van; afstand doen.
wake *zn.* kielwater *o.*, kielzog *o.* || *ww.*
  (woke, waked; woke, waked) waken;
  ontwaken; wekken.
wakeful waakzaam; – *nights*, slapeloze
  nachten.
Wales Wales.
walk *zn.* wandeling; gang; pad *o.* || *ww.*
  (be)lopen; wandelen, kuieren; – *off*
  with, weggaan met.
walker wandelaar.
walking race snelwandelen.
walking-stick wandelstok.
walkman walkman.
wall muur; wal; wand; *go to the* –, het
  onderspit delven.
wallet portefeuille.
wallflower muurbloem.
wallop afranselen.
wallow wentelen.
wall-paper behang *o.*
wall-plate muurplaat.
walnut walnoot, okkernoot.
waltz *zn.* wals. || *ww.* walsen.
wan bleek.
wand toverstaf.
wander dwalen, dolen, zwerven;
  (koorts) ijlen.
wanderer zwerver.
want *zn.* gebrek *o.*, gemis *o.*, nood.
  || *ww.* behoeven, nodig hebben;
  ontbreken; verlangen.
wanton weelderig; wulps; baldadig.
war oorlog; *art of* –, krijgskunst; *at* –, in
  oorlog.
warble kwelen; tierelieren, slaan.
war criminal oorlogsmisdadiger.
ward *zn.* wacht; *(v. een voogd)* pupil;
  wijk; *(ziekenzaal)* zaal. || *ww.* bewaken;
  beschermen.

warden voogd; opziener.
wardrobe kast, garderobe.
wardship voogdij.
ware (koop)waar.
warehouse magazijn *o.*, pakhuis *o.*
warfare oorlog.
warily behoedzaam, voorzichtig.
warlike oorlogzuchtig.
warm *bn.* warm. || *ww.* verwarmen.
warm-hearted hartelijk.
warming verwarming.
warmth warmte.
warn vermanen; waarschuwen,
  verwittigen.
warning aanmaning; waarschuwing;
  (v. dienst) opzegging.
warp kromtrekken.
war-path oorlogspad *o.; be, go on the* –,
  ten strijde trekken.
warrant *zn.* volmacht; waarborg; ceel.
  || *ww.* waarborgen; machtigen.
warrantee gevolmachtigde.
warranter, warrantor volmachtgever.
warranty garantie.
warrior soldaat, krijgsman.
wart wrat.
wary behoedzaam.
wash *zn.* was. || *ww.* wassen; *(d. mond)*
  spoelen.
wash-basin waskom.
wash-hand basin fonteintje *o.*
wash-stand wastafel.
wash-tub waskuip, wastobbe.
washing-glove washandje *o.*
washy waterig, slap.
wasp wesp.
wastage verspilling, slijtage.
waste *zn.* verwoesting; verkwisting;
  afval *m. en o.*; woestenij. || *bn.* woest,
  dor. || *ww.* verknoeien, verkwisten,
  vermorsen, verspillen.
wasteful verkwistend, spilziek.
waste-paper basket prullenmand,

papiermand.
waste-pipe afvoerbuis.
watch *zn.* wacht; horloge *o.* ‖ *ww.* (be)waken; bespieden; naogen.
watch-dog waakhond.
watcher bespieder.
watchful waakzaam.
watchmaker horlogemaker.
watchman waker.
watch-tower wachttoren.
watchword parool *o.*, wachtwoord *o.*
water *zn.* water *o.* ‖ *ww. (vee)* drenken; begieten; *(straat)* besproeien.
water-botlle karaf; *(mil.)* veldfles.
water-cannon waterkanon *o.*
water-cart sproeiwagen.
water-closet wc.
water-cock brandkraan; waterkraan.
water-colour waterverf; *(schilderij)* aquarel.
watercourse waterloop.
watercress waterkers.
waterfall waterval.
water-gauge peilglas.
watering-place waterplaats; wed *o.*
water-level waterpas *o.*
water-line waterlijn.
watermill watermolen.
water-pot waterkan.
waterproof *zn.* waterdichte stof. ‖ *bn.* waterdicht.
water-repellent waterafstotend.
watershed waterscheiding.
water-ski waterskiën.
water-supply watertoevoer.
water-tank waterreservoir *o.*
watertight waterdicht.
water-tower watertoren.
waterway vaarwater *o.*, waterweg.
waterworks waterleiding.
watery waterachtig; – *sun*, waterzonnetje *o.*
wattle-work vlechtwerk *o.*

wave *zn.* baar, golf. ‖ *ww.* wapperen; wuiven; golven.
wave-lenght golflengte.
waver aarzelen, weifelen; *(fig.)* wankelen.
waverer weifelaar.
wavering *zn.* weifeling. ‖ *bn.* wankelbaar, wankelmoedig.
waving golving.
wavy gegolfd.
wax *zn.* was *o.; (v. schoenmaker)* pek *o.* ‖ *ww. (met was bestrijken)* wassen.
waxen wassen.
waxwork show, waxworks wassenbeeldenmuseum *o.*
way weg; baan; richting; wijze; *by the –*, apropos; *by – of*, bij wijze van; *be on the –*, aan de gang zijn; *to go one's –*, vertrekken; *take one's own –*, zijn eigen zin doen.
way-bill vrachtbrief.
wayfarer reiziger.
waylay *(met vijandige bedoelingen)* opwachten.
way out uitweg, weg naar buiten.
wayward eigenzinnig.
we wij.
weak week, zwak; flauw; *(v. dranken)* slap.
weaken verzwakken.
weakening verzwakking.
weakness zwak *o.*
wealth rijkdom, welvaart, vermogen *o.*
wealthy rijk, vermogend, bemiddeld.
wean spenen.
weapon wapen *o.*
wear *(wore, worn)* dragen; verslijten.
weariness vermoeienis.
weary afgemat, moede, vermoeid.
weasel wezel.
weather weer *o.*
weather-beaten verweerd.
weathercock weerhaan, windwijzer.
weather-glass weerglas *o.*, barometer.

weather report weerbericht *o.*
weather-vane windwijzer.
weave *zn.* weefsel *o.* ‖ *ww. (wove, woven)* weven.
weaver wever.
weaving-loom weefgetouw *o.*
weaving-mill weverij.
web samenweefsel *o.*; spinnenweb *o.*; zwemvlies *o.*
wed huwen, trouwen.
wedding huwelijk *o.*
wedding-day trouwdag.
wedding-party bruiloft.
wedding-ring trouwring.
wedge spie, wig.
wedlock huwelijk *o.*
Wednesday woensdag.
weed *zn.* onkruid *o.* ‖ *ww.* wieden.
week week.
weekend driver zondagsrijder.
weekly wekelijks.
weep *(wept, wept)* schreien, wenen.
weeping-willow treurwilg.
weever pieterman.
weigh wegen; overwegen.
weigh-bridge weegbrug.
weigh-house waag.
weighing-machine weegtoestel *o.*
weight belasting; gewicht *o.*, zwaarte.
weighty gewichtig; zwaarwichtig.
weir waterkering, stuwdam.
welcome *zn.* welkom *o.* ‖ *bn.* welkom. ‖ *ww.* verwelkomen.
weld *zn.* lasnaad. ‖ *ww.* wellen, smeden.
welfare welstand, welzijn *o.*, welzijnszorg.
well *zn.* bron; put; trappenhuis *o.* ‖ *bn.* braaf, wel.
well-attended druk bezocht.
well-behaved oppassend.
well-being welstand, welzijn *o.*
well-beloved beminde.

well-bred welopgevoed.
well-built welgemaakt.
well-doing rechtschapen.
well-educated welopgevoed.
well-fed welgedaan.
well-founded gegrond.
well-informed zakelijk.
well-known welbekend.
well-made welgemaakt.
well-mannered wellevend.
well-meant goedbedoeld.
well-nigh vrijwel.
well-off bemiddeld, welgesteld.
well-read belezen.
well-set goedgevormd.
well-spent welbesteed.
well-spoken welbespraakt.
well-to-do welgesteld.
well-tried beproefd.
well-used welbesteed.
well-worn versleten.
welter wentelen.
Welsh van Wales, Welsh.
wench deerne.
west *zn.* westen *o.* ‖ *bn.* westelijk.
westerly westelijk.
western westelijk, westers.
wet *zn.* nat *o.* ‖ *bn.* nat; *soaking –,* kletsnat. ‖ *ww.* bevochtigen; *– one's whistle,* drinken.
wet dock drijvend dok.
wether hamel.
wettish vochtig.
whack afranselen, slaan.
whale walvis.
whalebone balein *o.*
whaling walvisvangst.
wharf werf.
wharfage kaaigeld *o.*
wharfinger kademeester.
what wat, welk, hetgeen.
whatever wat ook.
wheat tarwe.

wheedling vleiend.
wheel zn. rad o., wiel o.; (v. auto) stuur o.; (mil.) zwenking. || ww. wielrijden; draaien, zwenken.
wheelbarrow kruiwagen.
whelp welp o.
when toen, wanneer, als.
whence vanwaar, waarvandaan.
whencesoever vanwaar ook.
whenever, whensoever wanneer ook.
where waar; waarheen.
whereabout waaromtrent.
whereas (tegenstelling) terwijl; vermits.
whereby waarbij.
wherefore waarom, weshalve.
whereof waarvan.
whereto waartoe.
whereupon waarop.
wherever waar ook.
wherewithal, –s to live, middelen van bestaan.
whet slijpen, wetten.
whether welk van beide; of, hetzij.
whetstone slijpsteen.
which hetwelk,welk; die, dat.
while zn. poos, wijl. || voegw. terwijl; – away, (de tijd) verdrijven.
whilst terwijl.
whim gril, kuur.
whimsical grillig, nukkig.
whine huilen, janken; temen.
whinny hinniken.
whip zn. zweep. || ww. zwepen; wippen.
whipcord kamgaren o.
whip-lash zweepslag.
whipped, – cream, slagroom.
whipper-snapper snotneus.
whip-saw trekzaag.
whir (v. machine) snorren.
whirl warrelen.
whirlpool draaikolk, maalstroom.
whirlwind wervelwind.

whisk zn. borstel; eierklopper. || ww. borstelen; (eieren) kloppen.
whiskers snor; bakkebaard.
whisky whisky.
whisper fluisteren; influisteren.
whist whist o.
whistle zn. fluitje o. || ww fluiten.
whit not a –, geen ziertje o., geen jota.
white zn. wit o. || bn. blank, wit.
whitebait witvis.
white-hot witgloeiend.
whiten wit maken.
whitewash zn. witkalk. || ww. witten.
whitewasher witter.
whither waarheen, werwaarts.
whitlow fijt.
Whitsun Pinksteren.
whiz snorren; (v. kogels) suizen.
who wie; die.
whoever wie ook.
whole zn. geheel o. || bn. gans, geheel; gaaf.
wholemeal bread volkorenbrood o.
wholesale zn. groothandel. || bn. massaal; in a – manner, op grote schaal.
wholesale trade groothandel.
wholesaler (fam.) groothandelaar, grossier.
wholesome gezond, heilzaam.
wholly helemaal.
whooping cough kinkhoest.
whore hoer.
why waarom.
wick kaarsenpit; (v. lamp) wiek.
wicked heilloos; (nog sterker) slecht; (praktijken) snood; verdorven.
wicker-work vlechtwerk o.
wide breed, ruim, wijd.
wide-awake uitgeslapen.
wide-minded breed van opvatting.
widen uitwijden, verbreden, verwijden.
wide-spread uitgebreid.
widow weduwe.

widower weduwnaar.
width breedte, wijdte.
wield zwaaien.
wife echtgenote, vrouw.
wig pruik.
wigging uitbrander.
wild wild, verwilderd, woest.
wilderness wildernis, woestenij.
wilful eigenzinnig.
will *zn.* wil. || *ww.* willen.
willing gewillig, bereidwillig.
willingly gaarne, goedschiks, graag; *right* –, volgaarne.
will-o'-the-wisp dwaallicht *o.*
willow wilg.
will-power wilskracht.
willynilly goedschiks of kwaadschiks; tegen wil en dank.
wilt verleppen, verflensen.
win *(won, won)* winnen; behalen, verwerven.
wind *zn.* wind; bries; *the* – *veers, abates, rises,* de wind draait, gaat liggen, steekt op; *get* – *of something,* iets in de gaten krijgen. || *ww. (wound, wound)* wenden, draaien; winden, wikkelen; – *about,* omstrengelen; – *up, (uurwerk)* opwinden.
windbag windbuil.
wind-cheater windjack *o.*
windfall afval *m. en o.;* afgewaaid fruit *o.;* buitenkansje *o.,* meevaller.
winding draai.
windlass windas *o.*
windmill windmolen.
wind-screen windscherm *o.,* windschut *o.*
wind-spout windhoos.
window raam *o.,* venster *o.*
window-frame raamkozijn *o.*
window-pane vensterruit.
window-sill vensterbank.
windscreen washer ruitensproeier.
windscreen wiper ruitenwisser.

windscreen, *(Am)* **windshield** voorruit.
windsurf windsurfen.
windy winderig.
wine wijn.
wine-cellar wijnkelder.
wine-list wijnkaart.
wine-merchant wijnhandelaar.
wine-press wijnpers.
wine-vault wijnkelder.
wing *(v. molen)* wiek; *(v. vogel, leger, huis)* vleugel; coulisse; vleugelspeler.
wing-beat vleugelslag.
wing-screw vleugelschroef.
wing-spread vleugelwijdte.
wink *zn.* oogwenk; wenk. || *ww.* knipogen, pinken.
winner winner.
winnow wannen.
winter *zn.* winter. || *ww.* winteren.
winter-coat winterjas.
wintering overwintering.
winter sleep winterslaap.
wintersports wintersport.
winter-time wintertijd.
wipe *zn. (klap)* veeg. || *ww. (zijn voeten, neus)* vegen; wissen; – *off,* afdrogen, afvegen.
wiper vaatdoek, veger.
wire *zn.* telegram *o.; (metaal)* draad; *(om te vangen)* strik. || *ww. (telegr.)* overmaken, seinen; *(vangen)* strikken.
wireless draadloos; – *set,* radiotoestel *o.*
wire-nail draadnagel.
wiry *(fig.)* taai.
wisdom wijsheid.
wisdom-tooth verstandskies.
wise verstandig, wijs.
wiseacre wijsneus.
wish *zn.* wens; wil. || *ww.* begeren, wensen, willen.
wit *zn.* verstand *o.;* geest; *to* –, namelijk; *at one's* –*s' end,* ten einde raad; *out of one's* –*s,* niet goed bij zijn zinnen.

witch heks.
witchery toverij.
with met; bij; van; door.
withdraw *(withdrew, withdrawn)*
intrekken; onttrekken; terugtrekken;
(v. tijdschrift) bedanken, opzeggen.
withdrawal terugtrekken *o.; (v. een
bank)* terugbetaling; *notice of –*,
opzegging.
wither kwijnen, verdorren, verwelken.
withers *(v. paard)* schoft.
withhold terughouden; onthouden.
within (daar)binnen, in.
without buiten; zonder.
withstand weerstaan.
withstander tegenstander.
witness getuige.
witness-box getuigenbank.
witty geestig; vernuftig.
wobble schommelen, waggelen.
woe wee *o.*
woeful jammerlijk.
wok wok.
wolf wolf.
woman *(mv. women)* vrouw.
woman-hater vrouwenhater.
womanish verwijfd.
womanly vrouwelijk.
womb baarmoeder, *(fig.)* schoot.
wonder *zn.* wonder *o.;* verwondering.
‖ *ww.* zich afvragen.
wonderful verwonderlijk, wonderbaar.
wondering verwonderd, verbaasd.
wonder-worker wonderdoener.
wood hout *o.;* bos *o.,* woud *o.*
wood carver houtbewerker.
woodcut houtsnede.
wood-cutter houthakker.
wooded bosrijk.
wooden houten, houterig.
woodland bosland *o.*
woodlouse houtluis.
woodpecker specht.

woodsman bosbewoner, houthakker.
woody bosrijk.
wooer vrijer.
woof inslag; geblaf.
wool wol.
woollen wollen.
woolly *(v. vrucht)* voos, melig; wollig.
word woord *o.*
wording *(v. een stuk, artikel)* redactie;
bewoording; uitdrukking.
word processor tekstverwerker.
word-blind woordblind.
work *zn.* arbeid, werk *o.;*
werkzaamheden. ‖ *ww.* werken,
arbeiden; bewerken.
work-to-rule stiptheidsactie.
work-box naaidoos.
workday werkdag.
worker werker; *woman –*, werkster.
working werking; *(exploitatie)* bedrijf *o.*
working student werkstudent.
workless werkloos.
workman arbeider, werkman.
workmanship afwerking; bewerking;
werk *o.*
work-room werkplaats.
works oeuvre *o.*
workshop atelier *o.,* werkplaats.
world wereld; *all the –*, iedereen.
world-famous wereldberoemd.
worldly aards, werelds.
world-reformer wereldhervormer.
world-shaking wereldschokkend.
world war wereldoorlog.
world-wide over de hele wereld
verspreid.
worm worm.
worm-eaten wormstekig.
wormwood alsem.
wormy wormstekig.
worn-out, afgedragen; versleten,
vermoeid; *– with age*, afgeleefd,
verouderd.

worry *zn. (hand.)* zorg; ongerustheid; kwelling. || *ww.* kwellen, plagen; *(zeuren)* malen; tobben; *– along,* zich er doorheen slaan.

worse erger; *put to the –,* verslaan.

worsen verergeren.

worship *zn.* eredienst; verering. || *ww.* aanbidden, vereren.

worshipper vereerder.

worst slechtst(e); *get the – of it,* verslagen zijn.

worsted kamgaren *o.*

worth *zn.* waarde. || *bn.* waard; *(sl.) for all one is –,* uit alle macht.

worthiness *(innerlijk)* waardigheid.

worthless nietswaardig, waardeloos.

worthy waardig.

would-be beweerd, zogenaamd.

wound *zn.* wond, verwonding. || *ww.* (ver)wonden.

wrack aan land gespoeld zeegras *o.*

wrangle kijven, kibbelen, krakelen.

wrangling gekijf *o.*

wrap *zn.* omslagdoek, sjaal. || *ww.* inpakken, (in)wikkelen.

wrapper *(sigaar)* dekblad *o.;* omhulsel *o.; (v. boek)* omslag.

wrapping-paper pakpapier *o.*

wrath gramschap, toorn.

wrathful verbolgen, vergramd, vertoornd.

wreath krans.

wreathe vlechten.

wreck *zn.* ruïne; vergaan *o.;* wrak *o.* || *ww.* vernietigen.

wreckage wrakstukken; schipbreuk.

wrench *zn.* moersleutel; ruk; verdraaiing. || *ww.* rukken; *(spier)* verrekken; verwringen.

wrestle worstelen.

wrestler worstelaar.

wretch ellendeling, booswicht, onverlaat.

wrick verstuiken, verrekken.

wriggle zich wringen, kronkelen.

wring *(wrung, wrung)* wringen; *– (from), (geld, belof te)* afdwingen; *– the hands,* (zenuwachtig) de handen wringen.

wrinkle *zn.* rimpel. || *ww.* fronsen; plooien, rimpelen.

wrist pols(gewricht).

wrist watch polshorloge.

writ schrift *o.;* geschreven bevel *o.*

write *(wrote, written)* schrijven; *– upon,* beschrijven; *– down,* opschrijven; *– off,* afschrijven; *– out,* uitschrijven.

writer *(auteur)* schrijver.

writhe ineenkrimpen.

writing geschrift *o.;* schrift *o.; in –,* schriftelijk.

writing-book schrift *o.*

writing-desk schrijftafel, bureau *o.*

writing-materials schrijfgereedschap *o.*

writing-pad schrijfblok.

writing paper briefpapier *o.,* schrijfpapier *o.*

writing-table bureau *o.,* schrijftafel.

writings oeuvre *o.*

wrong *zn.* grief; kwaad *o.;* ongelijk *o.,* onrecht *o.; be in the –,* ongelijk hebben. || *bn.* mis, verkeerd, niet pluis.

wrongful onrechtvaardig.

wrongly averechts, verkeerdelijk.

wrong-timed te onpas.

wrought bewerkt.

wrought-up zenuwachtig, opgewonden.

wry scheef; *– face,* zuur gezicht.

X

x-axis x-as.
x-chromosome X-chromosoom *o.*
xenophobia vreemdelingenhaat.
Xmas Kerstmis.

X-rays röntgenstralen.
xylograph houtsnede.
xylophone xylofoon.

Y

y-axis y-as.
y-chromosome Y-chromosoom *o.*
yacht jacht *o.*
yap keffen.
yard erf *o.; (plein)* plaats; ra; *(Eng.)* yard (0,914 m.).
yardstick el; *(fig.)* maatstaf.
yarn garen *o.,* draad.
yawl *zn.* jol.
yawn *zn.* geeuw. ‖ *ww.* gapen.
year jaar *o.;* jaartal *o.*
year-book jaarboek *o.*
yearly jaarlijks.
yearn, *– for (after), (verlangen)* verlangen, reikhalzen naar.
yeast gist.
yell *zn.* gil. ‖ *ww.* gillen.
yellow geel.
yelp janken, keffen.
yes ja(wel).
yesterday gisteren; *the day before –,* eergisteren.
yet nog; toch; al; wel.
yield *zn. (v. belastingen, oogst, enz.)* opbrengst; beschot *o.* ‖ *ww.* opleveren; afstaan; bezwijken; *– to none,* voor niemand onderdoen.
yielding meegaand; productief.
yodel jodelen.
yoga yoga.
yoke juk *o.;* (ossen)span *o.*
yolk (eier)dooier.
yonder ginder, ginds.
you jij, je; jullie; u.
young jong.
youngish jeugdig.
your uw.
youth jeugd; jongeling.
youthful jeugdig.
youth hostel jeugdherberg.
Yugoslavia Joegoslavië.

zap *(fam)* neerknallen; *(tv)* zappen; *(computer)* wissen.

zeal ambitie; ijver.

zealot dweper, ijveraar.

zealous vurig, ijverig.

zebra zebra; – *crossing,* zebrapad.

zenith zenit, toppunt *o.*

zephyr zefier, koeltje *o.* windje *o.*

zero nul.

zest sinaasappelschil.

zigzag zigzag.

zinc zink *o.*

zip *zn.* rits(sluiting); *(v. kogel)* gefluit.

‖ *onov. ww. (v. kogel)* fluiten; langsvliegen. ‖ *ov. ww.* dichttrekken.

zipper ritssluiting.

zodiac dierenriem.

zonal zonaal.

zone zone, gebied *o.*

zoo dierentuin.

zoological dierkundig; – *garden(s),* dierentuin.

zoology zoölogie, dierkunde.

zoom zoemen; *(vliegt.)* plots stijgen; – *in on,* inzoomen op.

A

aaien caress, stroke, chuck (under the chin); whisk.

aak (Rhine-)barge.

aal eel.

aalbes currant.

aalmoes alms, charity, gift.

aambeeld *o.* anvil *(ook anat.).*

aambeien piles, h(a)emorrhoids.

aamborstig asthmatic, shortbreathed.

aan *voorz.* at, in, on, upon, to. ‖ *bijw. er is niets van –*, there's nothing (not a word of truth) in it.

aanaarden earth up.

aanbelangen, *wat mij aanbelangt,* for my part, as for me, so far as I am concerned.

aanbellen ring (the bell).

aanbesteden put out to contract, ask tenders for.

aanbesteding (public) tender, contract.

aanbevelen recommend.

aanbevelenswaardig recommendable.

aanbeveling recommendation.

aanbidden worship, adore.

aanbieden offer, present, tender.

aanbieding offer, tender; *(wissel)* presentation; *–en doen,* to make offers.

aanblik sight, look, aspect.

aanbod *o.* offer; *vraag en –,* demand and supply.

aanbouw *(schepen, huizen)* building; *(planten)* cultivation.

aanbranden burn; *aangebrand smaken,* it has a burnt smell.

aanbreken *ov. ww. een vat –,* tap, open a barrel. ‖ *onov. ww.* break.

aanbrengen bring, carry; *(verklikken)* denounce, delate.

aandacht attention.

aandeel *o.* share, part, quota.

aandeelhouder shareholder.

aandenken *o.* remembrance, memory; keepsake, memento.

aandienen announce.

aandoen put on; cause, give (pain), affect; *(binnenlopen)* touch at.

aandoening emotion; affection.

aandoenlijk touching, moving, pathetic.

aandraaien fasten, tighten.

aandrang pressure; impulse; *met – verzoeken,* request earnestly.

aandrift impulse, instinct.

aandringen *bij iem. –,* press, push (a.p.) for.

aanduiden indicate, show; denote; signify.

aanduiding indication; description; signification; token.

aandurven dare, take the risk.

aaneen together, on end; *drie dagen –,* for three consecutive days.

aaneenschakelen link together, concatenate.

aaneenschakeling series, concatenation, sequence.

aangaan *onov. ww.* go on; call in (to, at); take fire, *(elektr.)* go on. ‖ *ov. ww. een contract –,* to make a contract.

aangaande as regards, concerning, as for, as to, with regard to.

aangapen gape at, stare at.

aangeboren innate, inborn; congenital.

aangedaan touched, moved.

aangelegenheid matter, concern, affair.

aangenaam agreeable, pleasant.

aangenomen accepted; adoptive; *– werk,* contract work.

aangeschoten *(fam.)* tipsy.

aangespen buckle on.

aangetekend registered.

aangetrouwd related by marriage.

aangeven reach; state; enter; indicate; register; denounce.

aangezicht *o.* countenance, face.

aangezien seeing (that), whereas, since, inasmuch as.

aangifte declaration, *(belastingen ook:)* return; entry; *(gerecht)* – *doen*, give notice, declare.

aangrenzend adjacent, adjoining, neighbouring.

aangrijpen take hold of, seize; attack; move.

aangrijpend touching, thrilling.

aangroei growth, increase.

aangroeien grow, augment.

aanhalen *ov. ww.* tighten; cite; caress.

aanhaling citation, quotation; *(beslag)* seizure.

aanhalingsteken *o.* inverted comma; quotation mark.

aanhang adherents, party, followers, supporters.

aanhanger follower; partisan, supporter.

aanhangig pending; *een zaak* – *maken*, institute legal proceedings.

aanhangsel *o.* appendix, supplement; *(aan document, wissel)* rider.

aanhangwagen trailer, towcar; *(motor)* side-car.

aanhankelijk affectionate, attached (to).

aanhechten affix, attach.

aanhef *(brief)* beginning; *(rede)* opening (words); exordium; intonation.

aanheffen start; raise (a shout); sing (a psalm).

aanhollen, *komen* –, come running on.

aanhoren listen to.

aanhouden *ov. ww.* hold, arrest; keep on. ‖ *onov. ww.* persist, continue, keep on.

aanhoudend continual, persistent, incessant.

aanhouder persevering person, sticker; *de* – *wint*, it's dogged as does it.

aanjagen *ov. ww.* drive on, hurry on; *schrik* –, frighten. ‖ *onov. ww. komen* –, come hurrying on.

aankijken look at; *de zaken eens* –, wait and see.

aanklacht charge, accusation.

aanklager accuser; *(gerecht)* plaintiff; *openbaar* –, public prosecutor.

aanklampen board (a ship); buttonhole, accost (sbd.).

aankleden dress; get up; *zich* –, dress (oneself).

aankleven stick to, adhere to, be attached to.

aankloppen knock (at the door); *bij iem. om geld* –, apply to sbd. for money.

aanknopen *(onderhandelingen)* open; *(briefwisseling)* enter into.

aanknopingspunt *o.* point of contact.

aankomen arrive(at, in), come (to, in); gain weight.

aankomst arrival, coming (on).

aankondigen announce; *(boek)* review.

aankoop purchase, acquisition

aankopen purchase, buy.

aankunnen be a match for, be able to cope with.

aanweken *(planten)* cultivate; *(opleiden)* train.

aanlanden land, arrive.

aanleg construction, laying-out; plan; aptitude, talent.

aanleggen *(straat)* lay out; *(geweer)* point(at); *(gips enz.)* apply; *(thermometer)* place; *(vuur)* kindle; – *op*, aim at.

aanlegger constructor, originator, founder.

aanlegsteiger landing-stage.

aanleiding inducement, occasion, motive, immediate cause.

aanleren *ov. ww.* learn, acquire. ‖ *onov. ww.* make progress, improve.

aanlokkelijk seducing, alluring, attractive.

aanloop start,run up; take-off; introduction.

aanmaak making, manufacture.

aanmaken manufacture, make; *(salade)* dress; *(vuur)* light.

aanmaning warning, exhortation.

aanmatigend arrogant, presumptuous.

aanmelden announce; present *zich –, (voor betrekking)* apply (for).

aanmerkelijk important, considerable, notable.

aanmerken consider, remark; *iets – op,* find fault with.

aanmerking consideration, remark, note; *in – komen,* be considered for; *in – nemen,* take into consideration, make allowance for.

aanmoediging encouragement.

aanmonsteren engage, enroll.

aannemelijk acceptable, plausible, reasonable.

aannemen accept; adopt; assume; engage.

aannemer contractor, (master) builder; accepter.

aanpassen try on; *– aan,* adapt to.

aanpassingsvermogen *o.* adaptability.

aanplakbiljet *o.* placard, poster.

aanplant plantation, cultivation, planting.

aanprijzen recommend, sing the praises of.

aanraden recommend; advise; suggest.

aanraken touch.

aanranden assail, assault, attack.

aanrecht *m. en o.* dresser.

aanreiken hand, pass, reach.

aanrekenen charge, blame.

aanrichten cause, do, bring about.

aanrijden *ov. ww.* run into, collide with (another car) || *onov. ww.* drive up; *komen –,* come driving on.

aanrijding collision, smash.

aanroepen *(persoon, taxi, schip)* hail, call; *(God)* invoke.

aanschaffen procure, purchase, buy.

aanschijn *o.* look, appearance; face.

aanschouwelijk clear, graphic; illustrated.

aanschouwen see, regard, behold.

aanschrijven write down; notify; *hoog aangeschreven staan bij,* be in high favour with.

aanschrijving summons, notification.

aanschuiven push on, shove on.

aanslaan *ov. ww.* touch, strike; *(motor)* start; *(belasting)* assess.

aanslag attempt; *(belasting)* assessment.

aanslagbiljet *o.* notice of assessment.

aanslibben accrete, silt (up).

aansluiten *ov. ww.* connect. *onov. en ov. ww.* join, *(telefoon)* put on to. || *zich –, (fig.)* unite; *zich – (bij),* join, *(aan)* on to.

aansluiting connection, correspondence (of trains).

aanspannen put to; *een proces –* institute legal proceedings

aanspoelen wash ashore, wash up.

aansporen spur (on), urge (on), incite, stimulate.

aanspraak claim, title; *– maken op,* lay claim to.

aansprakelijk responsible, liable, answerable.

aanspreken address, speak to; *zijn kapitaal –,* break into one's capital. || *(gramm.) aangesproken persoon,* vocative.

aanspreker undertaker's man.

aanstaan please; *het staat me niet aan,* I don't like it.

aanstaande *bn.* next, imminent, impending. || *zn. haar –,* her intended, fiancé; *zijn –,* his intended, his fiancée.

aanstaren stare at, gaze at.
aanstekelijk contagious, catching, infectious; communicative.
aansteken stick on; kindle, light; infect.
aansteker lighter.
aanstellen appoint; *zich –*, put on airs, show off.
aanstellerig attitudinizing, affected.
aanstellerij attitudinizing, pose.
aanstelling appointment, nomination; commission.
aanstippen tick off, check off; touch, mention.
aanstoker instigator.
aanstonds forthwith, directly, immediately, anon.
aanstoot shock; offence, scandal.
aanstotelijk scandalous, offensive, shocking.
aanstrepen underline, mark, tick off.
aantal *o.* number.
aantasten attack; affect.
aantekenboek(je) *o.* note-book, pocket-book, memorandum.
aantekening note, annotation; *–en maken*, take (make) notes.
aantijgen impute (a fault to sbd.).
aantijging imputation.
aantocht *in – zijn*, be approaching, be on the way.
aantonen show, demonstrate, prove.
aantreden *ww.* fall in (into) line, line up. II *o.* parade, fall-in.
aantreffen find, meet (with), come across.
aantrekkelijk attractive.
aantrekken attract; *(sterker –)* draw tighter; *(kleren)* put on.
aantrekkingskracht *(natuurkunde)* force of attration, gravitation; attractive power, attraction.
aanvaarden accept, assume; *een ambt –*, take office, enter upon one's duties;

dadelijk te –, (with) immediate possession.
aanval attack, onset, assault, charge; fit.
aanvaller assailant, aggressor; *(sport)* attacker, striker, forward.
aanvang beginning, start, *(voetbal)* kick-off.
aanvankelijk *bn.* original, initial, first. II *bw.* initially, in (at) the beginning, at first, originally.
aanvaring collision.
aanvechting temptation.
aanverwant allied, related, cognate.
aanvoelen feel, appreciate.
aanvoer supply, landings, arrivals.
aanvoerder leader, commander, captain.
aanvoeren supply, import, command, lead; cite.
aanvraag inquiry, demand, request.
aanvragen apply for, ask for.
aanvullen fill up, complete, *(voorraad)* replenish.
aanvuren fire, stimulate, incite.
aanwakkeren *ov. ww.* stir up, stimulate, fan. II *onov. ww.* increase, freshen.
aanwas growth, increase, accretion.
aanwenden employ, use, apply.
aanwensel *o.* habit, trick.
aanwerving recruitment, enlistment.
aanwezig present, existing; *–e voorraad*, stock on hand.
aanwezigheid presence, existence.
aanwijzen indicate, show, point out, allocate, designate.
aanwijzing indication, allotment, instruction, assignment.
aanwinst gain, acquisition.
aanzeggen announce, give notice of, declare.
aanzet start.
aanzien *ww.* look at; consider. II *o.* look; consideration, regard; *ten – van*, with *(of in)* regard to, with respect to.

aanzienlijk distinguished, notable; considerable.

aanzoek *o.* solicitation, request; proposal.

aanzuiveren, *een schuld –,* pay off a debt.

aap monkey; *(zonder staart)* ape.

aar *(koren–)* ear; *aren lezen,* gather ears.

aard nature; kind, sort; *van voorbijgaande –,* of a temporary nature.

aardappel potato.

aardbei strawberry.

aardbeving earthquake.

aarde earth; *ter – bestellen,* lay in the earth, inter, inhume.

aarden *bn.* earthen, clay. ‖ *ww. (elektr.)* earth, thrive.

aardewerk *o.* earthenware, pottery.

aardgas *o.* natural gas.

aardig *bn.* nice; pleasant, funny, pretty. ‖ *bw.* nicely, pretty.

aardigheid fun, pleasure, joke.

aardolie petroleum.

aardrijkskunde geography.

aards earthly, terrestrial; worldly.

aardschok earthquake; upheaval, shock.

aars anus.

aartsbisschop archbishop.

aartshertog archduke.

aartsvaderlijk patriarchal, old-fashioned.

aarzelen hesitate, waver.

aas *o.(lokaas)* bait; *(dood dier)* carrion; *(spel)* ace.

abattoir *o.* abattoir, (public) slaughter-house.

abces *o.* abscess.

abdij abbey.

abdis abbess.

abnormaal abnormal, deviant.

abonnee *(spoor)* season-ticket holder; *(telefoon, krant, enz.)* subscriber.

abonnement *o.* season-ticket; subscription (to).

abortus abortion.

abrikoos apricot.

absolutie absolution.

absoluut absolute.

absorberen absorb.

abstract abstract.

absurd absurd.

abt abbot.

abuis *o.* mistake, error.

academie academy, university, college.

accent *o.* accent.

accepteren accept; *een wissel laten –,* present a bill for acceptance.

accijns excise(-duty).

accountant accountant, auditor.

accrediteren accredit (to, at a court).

accu (storage) battery, accumulator.

accuraat accurate, exact, precise.

acetyleen *o.* acetylene.

acht attention, care; *in – nemen,* observe (the rules, etc.), exercise (precautions). ‖ eight; *in een dag of –,* in about a week's time.

achtbaar estimable, honourable, respectable.

achteloos careless, negligent, inattentive, thoughtless.

achten esteem, respect; consider, think.

achter *voorz.* behind, after; *hij is er–,* he has found out. ‖ *bw. hij is –,* he is in the back-room; *mijn horloge is ... –,* my watch is ... slow.

achteraan behind, in the rear, at the back.

achteraf in the rear; after all.

achterbaks underhand, behind one's back.

achterband back tyre.

achterblijven stay behind, remain behind; *(sterfgeval)* be left; *(wedstrijd)* fall behind.

achterblijver straggler, laggard.
achterbuurt back street, slum.
achterdeur backdoor; *(ook fig.)* loop-hole.
achterdocht suspicion; *– hebben*, be suspicious.
achtereenvolgens successively.
achtergrond background.
achterhalen overtake; *(van voorwerpen)* recover; *(misdadigers)* catch up with, run down; *(fouten, gegevens)* trace, detect.
achterhoede rear(guard); *(sport)* backs, defence.
achterhoudend secretive, close, reserved.
achterin in/at the back, at the bottom.
achterkamer back room.
achterkant back, reverse.
achterklap backbiting, slander, scandal.
achterkleindochter great-granddaughter.
achterkleinzoon great-grandson.
achterland *o.* hinterland.
achterlaten leave (behind).
achterlicht *o.* rear-light, rear-lamp.
achterlijf *o. (insect)* abdomen.
achterlijk backward, retarded; *(bij de tijd)* behind the times.
achterna behind, after.
achternaam surname, family name.
achternazitten pursue; give chase to.
achterneef second cousin, great-nephew.
achterover back(wards).
achterpoot hind leg.
achterstallig back, behind; *–e schulden*, arrears, outstanding debts.
achterstand arrears, lost ground.
achterste *o.* back part.
achteruit *bw.* backward(s), back. ǀǀ backyard; *dit huis heeft geen –*, this house has no back-premises.

achteruitboeren go downhill, fall off.
achteruitgaan go back, go downhill, decline, degenerate, deteriorate.
achteruitgang decline, fall; deterioration; *(huis)* back door, rear exit.
achteruitkijkspiegel rearview mirror.
achteruitzetten, *een horloge –*, set back a watch; *iem. –*, slight sbd.
achtervoegsel *o.* suffix.
achtervolging pursuit, persecution.
achterwaarts back, backward(s).
achterwege, *– blijven*, fail to come, to appear; *– laten*, omit, drop.
achterwiel *o.* back wheel.
achting esteem, consideration, respect; *met de meeste –*, respectfully.
achtste *bn.* eighth; *– noot*, quaver. ǀǀ *o.* eighth part; *twee –n*, two eighths.
achttien eighteen.
acne acne.
acteur actor, player.
actie action; *(proces)* lawsuit, action; *(aandeel)* share.
actief *bn.* active, energetic, busy; in active service. ǀǀ *o. – en passief*, assets and liabilities.
actrice actress.
actueel current, topical.
acupunctuur acupuncture.
acuut acute, critical.
adamsappel Adam's apple.
adder viper, adder.
adel nobility; *van – zijn*, be of noble birth, belong to the nobility.
adelaar eagle.
adellijk noble, nobiliary; *(van wild)* high.
adem breath; *de laatste – uitblazen*, breathe one's last, expire.
ademen *onov. en ov. ww.* breathe.
ademnood lack of breath.
ademtocht breath, respiration.

adequaat adequate.

ader vein.

aderlating bleeding, bloodletting.

adjectief *o.* adjective.

adjudant adjutant *(ook de vogel).*

administrateur administrator, manager.

administratie administration, management.

admiraal admiral *(ook de vlinder).*

adolescentie adolescence.

adopteren adopt.

adres *o.* address; *(op brief ook)* direction; *per –,* (to the) care of, c/o.

adresboek *o.* directory.

adresseren address, direct.

adreswijziging change of address.

advertentie advertisement; announcement; *(fam.)* ad.

advies *o.* advice.

adviseur adviser, counsel.

advocaat barrister, counsel, lawyer; *– van de duivel,* the devil's advocate.

af off, down; *– en toe,* off and on, occasionally, now and again; *hij is goed –,* he is well off, in luck; *op gevaar – van te vallen,* at the risk of falling; *het werk is –,* the work is finished.

afbakenen, *(vaarwater),* buoy (beacon) a waterway; *(terrein)* stake out; *(weg)* trace (out); *(gebied)* delimit.

afbeelding picture, representation, portrait(ure).

afbestellen countermand; cancel (an order).

afbetaling (full) payment; *(gedeeltelijk)* part payment; *op –,* on credit, on hirer purchase.

afbeulen overdrive, fag out; *zich –,* work oneself to death, to the bone.

afblijven keep (one's hands) off; let alone. || *–!* hands off!

afborstelen brush off.

afbraak demolition; old materials.

afbranden *ov. ww.* burn down, burn off. || *onov. ww.* be burnt down.

afbreken *(gesprek, enz.)* break off, cut; *(huis)* demolish, pull down; *(takken)* break.

afbrengen bring off, get off; *het er heelhuids –,* come off safely.

afbreuk *– doen aan,* be detrimental to, do harm to.

afbrokkelen crumble off (away).

afdak *o.* penthouse, shed.

afdalen descend, go (come) down.

afdanken dismiss; disband; *(kleren)* discard.

afdeling division; section; department; *(mil.)* body, detachment.

afdingen haggle, bargain; *(prijs)* beat down.

afdoend, –e maatregelen, efficacious measures; *een –e reden,* a conclusive reason; *dit is –e,* this settles the question.

afdragen carry down; *(kleren)* wear out; *(geld)* hand over.

afdrogen dry (up), wipe off; *(afranselen)* beat, trash.

afdruk copy, impression; *(foto)* print.

afdrukken print (off), copy.

afdwalen *(eig.)* stray off; *(fig.)* wander, deviate, digress.

afdwingen *(eerbied)* command, compel; *(geld, belofte)* extort (from), squeeze (out); wring (from).

affaire affair, business; transaction.

affiche playbill, placard, poster.

afgeleefd decrepit, worn with age.

afgelegen remote, distant, far-off.

afgemat wearied, tired out, exhausted.

afgemeten measured; formal, dignified.

afgepast adjusted.

afgesloofd worn out, exhausted.

afgevaardigde delegate, deputy.

afgevallene apostate, renegade.

afgeven hand in; give off.

afgezaagd trite, hackneyed, worn-out.

afgezant messenger, ambassador.

afgezonderd secluded, retired; *– van*, separate from.

afgietsel *o.* (plaster)cast.

afgifte delivery, issue.

afgod idol.

afgrijselijk horrible, horrid.

afgrijzen *o.* horror, abhorrence.

afgrond abyss, gulf, precipice.

afgunst envy, jealousy.

afgunstig envious, jealous.

afhalen fetch down, away; collect, pick up; *(aan trein)* meet; *(huid)* strip off.

afhangen hang down; depend.

afhankelijk (van) dependent (on).

afhouden keep off.

afjakkeren override, drive hard, wear out.

afkappingsteken *o.* apostrophe.

afkeer dislike, aversion.

afketsen *ov. ww. een voorstel –*, reject a proposal. || *onov. ww.* glance off; fall through.

afkeuren blame, disapprove, condemn, *(mil.)* reject.

afkeurenswaardig blameworthy, condemnable.

afkeuring disapproval; *(mil.)* rejection.

afkoelen cool, chill.

afkomen come down, *(afstammen)* be derived from, be descended from; *(bevrijd raken)* be finished with, get rid of.

afkomst origin, birth, descent; *(woord)* derivation.

afkomstig, *uit Berlijn –*, from Berlin; *uit Duitsland – zijn*, be of German origin.

afkondigen proclaim, promulgate, *(bij huwelijk)* publish the banns.

afkooksel *o.* decoction.

afkoopsom ransom, redemption money, compensation; *(verzekering)* surrender value.

afkorting abbreviation, shortening.

aflaat indulgence.

afleggen lay down, put (lay) aside; *(lijk)* lay out; *(bezoek)* pay; *(eed)* take.

afleiden lead (away) from; deduce, conclude; *(woord)* derive.

afleren unlearn; break of, cure of.

aflevering delivery; *(tijdschrift)* number, part.

afleveringstermijn term (time) of delivery.

afloop flowing off; expiration; issue; end; drain.

aflossen *(hypotheek)* redeem; *(schuld)* pay off; *(wacht)* relieve.

aflossing redemption; instalment; relief.

afluisteren overhear; *een gesprek –*, listen in to a conversation.

afmaken finish, complete; *(zaak)* settle; *(doden)* slaughter, kill.

afmatten wear out, exhaust, fatigue.

afmeting dimension, measurement.

afnemen *onov. ww.* decrease; *de zaken nemen af*, affairs diminish, business decline. || *ov. ww.* take away; *goederen –*, buy (goods); *(tafel)* clear.

afnemer buyer, customer, purchaser.

afpassen pace; measure, come for the last fitting.

afpersen extort; blackmail.

afplukken pick, pluck (off), gather.

afraden dissuade (from).

aframmelen beat up, thrash; *(lesje)* rattle off.

afranselen thrash, beat up.

afrasteren rail off (in).

afreis departure.

afrekenen settle (accounts); square up.

afrekening settlement; statement of account; *(nota)* account, *(fig. ook)* reckoning.

afremmen slow down; put a break on.

africhten train; *(paard)* break.
afrit exit.
afroepen call (down); *de namen –*, call over the names.
afromen cream, skim; *afgeroomde melk*, skimmed milk.
afronden round (off).
afschaffen abolish, do away with.
afschaffing abolition; *(drank)*, teetotalism.
afscheid *o.* parting, farewell, leave.
afscheiding separation, *(vloeistoffen)* secretion; *(tussenschot)* partition; *(partij)* secession.
afschepen *iem. –*, fob off, put sbd. off.
afschilferen peel (off), scale.
afschrift *o.* copy, duplicate.
afschrijven copy; write off; *(afzeggen)* cancel, countermand; *iem. –*, put sbd. off.
afschrijving copying; *– voor waardevermindering*, writing off for depreciation.
afschrikken deter; terrify, discourage.
afschrikwekkend warning, deterrent.
afschuiven push off, move away; *(blaam)* shift off; slide down.
afschuw horror, abhorrence.
afschuwelijk horrible, abominable, odious.
afslaan *ov. ww.* knock (strike) off; beat off; decline; refuse. || *onov. ww. rechts –*, turn to the right.
afslag abatement, reduction; *(autoweg)* exit.
afslijten wear off.
afsloven drudge, wear out.
afsluiten lock (up); cut off; hedge in, *(met traliewerk)* wire (in); *(rekeningen)* settle; *(boeken)* balance, close; *(contract)* conclude; *(gaz)* turn off; *elektriciteit –*, cut off.
afsmeken implore, invoke.

afsnauwen snarl at, snub.
afspiegelen reflect, mirror; depict, portray.
afspraak engagement, appointment; agreement.
afspreken agree upon, arrange; *afgesproken!* that's agreed! done!
afstaan give up, yield, cede, resign.
afstammeling descendant.
afstammen *– van*, be descended from, come from, spring from; *(taalkunde)* be derived from.
afstand distance; abdication; renunciation; cession; relinquishment; *van een recht – doen*, waive a right.
afsteken *ov. ww.* cut, spade; *(rede)* make; *(vuurwerk)* let off. || *onov. ww. – tegen, bij*, contrast, be outlined against.
afstemmen *(draadloos)* tune; *op een zender –*, tune (in) to a broadcasting station.
afstempelen stamp, obliterate.
afsterven *ww.* die. || *o.* death, decease.
afstijgen get off; dismount.
afstoten knock (push) off (down); repulse; repel.
afstraffing punishment, correction; reprimand.
aftakelen *ov. ww.* unrig, dismantle. || *onov. ww.* be on the decline, go downhill.
aftekenen outline, mark; draw, copy; delineate; *(met handtekening)* sign; *zich – tegen*, be outlined against, stand out.
aftershave aftershave.
aftocht retreat; *de – blazen*, beat a retreat.
aftrap *(voetbal)* kick-off.
aftreden descend; retire, *(minister)* abdicate, quit office. || *o.* retirement, resignation.

aftrek deduction; *(belasting)* rebate; allowance.

aftrekken *ov. ww.* pull/draw off, deduct, subtract; *(kruiden)* extract. ‖ *onov. ww. het onweer trekt af*, the storm blows over.

aftrekking *(rekenkunde)* subtraction.

aftreksel *o.* extract, infusion.

aftroeven trump; *(fig.)* put sbd in his place.

afvaardigen delegate, depute, *(naar parlement)* return.

afvaart departure.

afval *m. en o.* waste, refuse, litter; leavings; *(geloof)* apostasy; *(vruchten)* windfall.

afvallen fall off (down); drop out; decay; *(gewicht)* lose; *(geloof)* apostatize, secede.

afvallig *bn.* apostate; disloyal, unfaithful.

afvallige *(geloof)* an apostate, *(algemeen)* renegade.

afvegen wipe off, dry.

afvoerbuis waste-, outletpipe; *(med.)* drainage-tube.

afvoeren carry off; drain away; transport; (re)move, convey.

afvragen *(les)* hear; *zich –*, ask o.s., wonder, doubt.

afwachten wait for; abide; *–de politiek*, wait-and-see policy; *–de houding aannemen*, assume an attitude of expectation.

afwachting expectation; *in – van uw antwoord*, looking forward to your reply; in expectation of your reply.

afwassen wash (off, up).

afwateren drain (off).

afweer defence.

afweergeschut *o.* anti-aircraft artillery, guns, (A.A.).

afwegen weigh (out); *zijn woorden –*, weigh one's words.

afwenden turn away; *(aandacht)* divert; *(gevaar, enz.)* avert.

afweren keep off, avert, parry, ward off, counter.

afwerking finish, finishing touch; workmanship.

afwezig absent, away; *(fig.)* absent-minded.

afwezigheid absence; *(verstrooidheid)* absence of mind.

afwijken deviate; diverge; deflect.

afwijkend deviant, deviating, divergent, different.

afwijzen refuse (admittance to); decline; deny; reject.

afwikkelen unroll, unwind.

afwisselen alternate; interchange; *elkaar –*, take turns.

afwisselend *bn.* various, alternate, varied. ‖ *bw.* alternately.

afwisseling alternation, interchange; variation, diversity, variety.

afzakken *(stroom)* sail (drop) down; *(kleren)* come (slip) down; *(menigte)* disperse; *(bui)* blow over.

afzakkertje *o.* one for the road, nightcap.

afzeggen countermand, cancel

afzender sender.

afzet sale, market; *(springen)* take-off.

afzetgebied *o.* outlet, market, opening.

afzetten take off; put down; *(arm)* amputate; *(beambte)* dismiss; *(waren)* sell; *(bedriegen)* swindle; *(radio)* switch off; *(motor)* shut off; *(alarmklok)* stop.

afzetterij swindle.

afzichtelijk hideous.

afzienbaar, *binnen afzienbare tijd*, in the near future, within the foreseeable future.

afzondering retirement, separation; isolation; *in –*, in seclusion.

afzonderlijk *bn.* separate, single, private, individual. ‖ *bw.* apart, separately, individually.

afzuigkap hood.

afzwaaien (*mil.*) demob, leave the service.

afzweren abjure, swear off, renounce.

agaten agate.

agenda agenda, diary.

agent agent, representative; – *van politie*, policeman, constable.

agentschap *o.* agency; (*kantoor*) branch (office).

agglomeratie agglomeration.

agrarisch agricultural.

agressief aggressive.

aids Acquired Immune Deficiency Syndrome, aids.

air *o.* air, appearance, look.

airbag air bag.

ajuin onion.

akelig dismal, dreary, nasty, unpleasant.

akker field.

akkoord *o.* agreement, arrangement; (*muziek*) chord; *het op een –je gooien*, compromise. ‖ *bn.* – *gaan*, agree, be atone. ‖ *tussenw.* –! done! agreed!

akoestiek acoustics.

akte deed, contract; document; certificate; licence.

aktetas brief case.

al *bn.*, *voornw.* all, every, each. ‖ *bw.* already, yet; – *doende leert men*, practice makes perfect. ‖ *voegw.* (al)though, even if.

alarm *o.* alarm.

alarmklok alarm bell, tocsin.

Albanië Albania.

albast *o.* alabaster.

albino albino.

album *o.* album.

alchimie alchemy.

alcohol alcohol.

alcoholvrij non-alcoholic.

aldaar there, at that place.

aldus thus, in this way; so.

alfabet *o.* alphabet.

algebra algebra.

algemeen *bn.* universal, common, public, general; *algemene vergadering*, general meeting; *met algemene stemmen*, unanimously. ‖ *bw.* – *in gebruik*, in common use. ‖ *o. in het –*, in general, on the whole.

alhier here, at this place.

alhoewel (al)though.

alibi *o.* alibi.

alimentatie alimony.

alinea paragraph.

alkoof alcove, recess.

allebei both (of them).

alledaags daily, quotidian; common(place), ordinary, trivial.

alleen *bn.* alone, single, by one's one. ‖ *bw.* only, merely, just.

alleenhandel monopoly.

alleenspraak monologue, soliloquy.

alleenstaand isolated, solitary, single; *–e wonig*, detached house.

allemaal all, everybody, everyone, the whole lot; altogether.

alleman everybody.

allemansvriend everybody's friend.

allengs gradually, by degrees.

allereerst *bn.* very first. ‖ *bw.* first of all.

allergie allergy.

allerhande of all sorts, all kinds of.

Allerheiligen All Saints' Day.

allerlaatst last (latest) of all, very last.

allerlei all sorts of.

Allerzielen All Souls' Day.

alles all, everything, anything.

allesbehalve anything but, far from.

alleszins in every respect, in every way.

allicht probably, perhaps, –!, of course!.

allochtoon foreigner, alien.

allooi *o.* alloy; *van het laagste –*, of the lowest kind.

all-riskverzekering comprehensive insurance.

almachtig *bn.* almighty, omnipotent.

almanak almanac, calendar.

alom everywhere; – *bekend* generally known.

Alpen Alp.

alpenweide alpine meadow.

als as, like; *even goed* –, as well as; – *hij komt*, when (if) he comes.

alsdan then, in that case.

alsem worm wood.

alsmede *bw., voegw.* and also, as well.

alsof as if, as though; *doen* –, pretend, make believe.

alstublieft here you are, please.

alt alto, contralto.

altaar *o.* altar.

alteratie alteration; emotion, agitation.

alternatief *o. en bn.* alternative.

althans at least, anyhow.

altijd always, ever; *voor* –, for ever.

aluminium *o.* aluminium; *(Am.)* aluminum.

alvast meanwhile, in the meantime.

alvorens before, previous to.

alweer again, once more.

alwetend omniscient, all-knowing.

alzo thus, in this manner (way).

amandel almond; *(klier)* tonsil.

amateur amateur.

ambacht *o.* trade, handicraft, profession; *twaalf –en, en dertien ongelukken*, Jack-of-all-trades and master of none.

ambachtsman artisan, craftsman.

ambachtsschool technical school.

ambassade embassy.

ambassadeur ambassador.

ambitie zeal; ambition.

ambt *o.* office, employment, function, place, charge, duty; *(kerkelijk)* ministry.

ambtelijk official; *-e plichten*, professional duties.

ambteloos out of office, retired; *een – burger*, a private citizen.

ambtenaar official, civil servant; functionary, clerk.

ambtgenoot colleague.

ambtshalve officially, ex officio.

ambulance ambulance, fieldhospital.

amechtig breathless, panting for breath.

amendement *o.* amendment.

Amerika America.

Amerikaan(s) *zn. en bn.* American.

ameublement *o.* furniture.

amfibie amphibian.

amnestie amnesty; *algemene –*, general pardon.

amper scarcely, hardly.

ampul ampulla.

amputatie amputation.

amusement *o.* amusement, entertainment.

anaal anal.

analyse analysis.

ananas pine-apple.

anarchie anarchy.

anarchist anarchist.

anatomie anatomy.

ander other; another; *om de –e dag*, every other (second) day.

anderhalf one and a half.

anders *bn.* other, different. ‖ *bw.* otherwise, at other times. ‖ *vnw. iem.* –, another.

andersom the other way round.

anderszins otherwise.

anderzijds on the other hand.

andijvie endive.

angel sting; *(vis–)* hook.

angina angina, quinsy.

angst fear, fright, terror, anguish; *van – beven*, tremble with fear.

angstig afraid, fearful; terrified, anxious.
angstkreet cry of fear/distress.
angstvallig scrupulous; anxious, timid.
anjelier carnation, pink.
anker *o.* anchor; *(muur)* cramp(iron).
ankerboei anchor-buoy.
ankeren anchor.
annexatie annexation.
annexeren annex.
annonce advertisement.
annuleren annul, cancel.
anoniem anonymous.
anorak anorak, parka.
ansichtkaart picture postcard.
ansjovis anchovy.
antecedent *o.* antecedent; *(vroeger geval)* precedent.
antenne antenna *(mv. antennae)*; aerial (wire).
anticonceptie anticonception.
anticonceptiemiddel *o.* contraceptive.
antiek antique, old; old-fashioned.
antiquair antique dealer.
antivries anti-freeze.
antraciet *o.* anthracite.
antwoord *o.* answer, reply, response; *in – op*, in reply to.
antwoordapparaat answering machine.
antwoorden answer, reply, return.
anus anus, vent.
aorta aorta.
apart *bn.* separate, distinct, private, apart. || *bw.* separately, apart, privately.
aperitief *m. en o.* aperitif.
apostel apostle.
apotheek pharmacy, chemist's (shop), dispensary.
apotheker (pharmaceutical) chemist, pharmacist
apparaat *o.* apparatus, materials; *(fig.)* machinery.
appartement *o.* apartment,flat.

appel apple; *voor een – en een ei, (fam.)* for a song.
appèl *o.* appeal; *(leger)* roll call, call-over, muster.
appelmoes *o.* apple-sauce.
appelsap *o.* apple juice.
appeltaart apple-pie.
appendicitis appendicitis.
appetijtelijk appetizing, tasty, delicious.
applaudisseren applaud, cheer, clap.
applaus *o.* applause.
appreciëren appreciate, value.
april April.
à propos apropos; by the way.
aquarel aquarelle, water-colour.
aquarium *o.* aquarium.
Arabier Arab.
arbeid labour, work, toil.
arbeider labourer, workman, mechanic, hand; *geschoolde –*, skilled labourer.
arbeidscontract *o.* employment contract.
arbeidsvermogen *o.* work capacity; *(natuurk.)* energy.
arbeidzaam laborious, diligent, industrious.
archeologie archaeology.
architect architect.
archivaris archivist, keeper of the records.
arduin *o.* blue stone, freestone.
are are.
arend eagle.
argeloos guileless, inoffensive; unsuspecting.
arglistig crafty, guileful, cunning.
argument *o.* argument, plea.
argwaan suspicion, mistrust.
aria aria.
aristocratisch aristocratic(al).
ark ark.
arm *bn.* poor, indigent. || *zn.* arm; *(rivier)* branch.

armband bracelet, armlet.

armoede poverty, want, need.

armzalig poor, miserable, pitiful.

arrangeren arrange, get up.

arrenslede sleigh, sledge.

arrest *o.* arrest; detention; seizure; decision; *in – nemen*, arrest, take into custody.

arrestant prisoner.

arrestatie arrest, apprehension.

arresteren arrest, take into custody.

arrogant arrogant.

arrondissement *o.* district.

arsenaal *o.* arsenal.

articulatie articulation.

artiest artist, performer.

artikel *o.* article; section; *(koopwaar)* commodity; *–en*, goods, items.

artillerie artillery.

artisjok artichoke.

artrose arthrosis.

arts physician, doctor.

as axle(-tree); *(planeet)* axis. || ash(es); cinders.

asbak *o.* ash-tray, ash-cup.

asceet ascetic.

asgrauw ashen(-grey); ash-coloured.

asiel *o.* asylum, shelter, house of refuge.

asielzoeker asylum seeker.

aspect *o.* aspect.

asperge asparagus.

aspirine aspirin.

assistent assistant, adjunct.

assurantie insurance, assurance.

aster aster.

astma *o.* asthma.

astmatisch asthmatic.

astrologie astrology.

astronaut astronaut.

astronomie astronomy.

atelier *o.* workshop; *(artiest)* studio.

atheïsme *o.* atheism.

atlas atlas.

atletiek athletics.

atmosfeer atmosphere.

atoom *o.* atom.

attent attentive; considerate, thoughtful.

attentie attention; consideration, thoughtfulness.

attest *o.* certificate, testimonial.

aubergine aubergine, eggplant.

audiëntie audience.

auditeur auditor; *– militair* Judge-Advocate.

augurk gherkin.

augustus August.

Australië Australia.

auteur author.

auto motor-car, car.

autobus motor-bus, coach.

autochtoon native.

autogarage (motor-)garage.

automaat automaton; robot.

automatisch automatic.

automobilist motorist, automobilist.

autonomie autonomy.

autopsie autopsy.

autoriteit authority.

autosnelweg motorway; *(Am.)* turnpike, super highway.

autoweg motorway, *(Am.)* highway.

averechts inside out, upside down; wrong, ill.

avond evening, night.

avondjurk *o.* evening gown.

avondmaal *o.* evening-meal, supper.

avondschool night-school, evening classes.

avondspits evening rush-hour.

avontuur *o.* adventure.

axioma *o.* axiom.

azen *onov. ww.* have one's eye on; prey on. || *ov. ww.* feed, bait.

Azië Asia.

azijn vinegar.

azuur *o.* azure, sky-blue.

B

baai bay.
baal bale; bag; *(papier)* ten reams.
baan path, way, road; *(hemellichaam)* orbit; *(tennis)* court; *(sport)* track; *(ronde)* lap.
baanbreker pioneer.
baanvak o. section.
baar litter, stretcher; *(lijk–)* bier; *(golf)* billow, wave; *(staaf)* bar. ‖ *bn.* in cash; – *geld*, ready money, cash.
baard beard; *(vis)* barb; *(sleutel)* bit.
baarmoeder womb, uterus.
baars perch, bass.
baas master, foreman, governor, mister, boss; *hij is me de –,* he beats me in, he is one too many for me; *er is altijd – boven –,* a man always finds his master.
baat profit, benefit, avail; – *vinden bij,* be benifited by.
baatzuchtig selfish, egocentric, self-interested.
babbelen chatter, prattle.
baby baby.
babysit baby-sitter.
bacil bacillus *(mv.* bacilli).
back-up backup.
bacon *m. en o.* bacon.
bad o. bath.
baden bathe; *in weelde –,* be rolling in luxury.
badgast seaside visitor.
badhanddoek bath towel.
badhuis o. bath house, public baths.
badkamer bathroom.
badkuip bathing-tub, bath.
badminton o. badminton.
badmuts bathing cap.
badpak o. bathing suit.
badplaats bath, spa, bathingplace; *(zee)* seaside place, seaside resort.
badschuim o. bath foam.
bagage luggage; *(Am.)* baggage.

bagagedepot o. left luggage, baggage room.
bagagedrager luggage carrier.
bagagerek o. luggage rack.
bagatel v./m. en o. trifle, bagatelle.
baggeren dredge.
bajonet bayonet.
bak trough; tray; bin; *(fiets)* carrier; *(water)* cistern; *(schouwburg)* pit; *(gevangenis)* can.
bakboord o. port, larboard.
baken o. beacon.
baker (dry)nurse.
bakermat cradle, origin, birthplace.
bakkebaard side-whisker(s).
bakken bake; *iem. een poets –,* play, serve sbd. a trick.
bakker baker.
bakkerij bakery, baker's shop, bakehouse.
baksel o. baking.
baksteen *m. en o.* brick.
bakvis teenage girl, teenager.
bal ball, bowl. ‖ o. ball, dance.
balans balance; *(hand.)* balance-sheet.
baldadig wanton.
balein v./m. en o. whalebone, baleen; *(korset)* busk; *(paraplu)* rib.
balie counter, desk *(v. een trap, brug)* railing; *(recht)* bar, bench.
balk beam, joist, balk; *(muz.)* bar; *geld over de – gooien,* waste money, throw one's money about.
balkon o. balcony; *(schouwburg ook)* dress circle; *(tram)* platform.
ballast ballast.
ballet o. ballet.
balling exile, outlaw.
ballingschap exile, banishment.
ballon balloon.
balpen ballpoint.
balsem balm, balsam.
balustrade balustrade, railing; *(v. trap)* banisters.

bamboe *m. en o.* bamboo.

ban excommunication; spell, fascination; ban, proscription; *in de –zijn van*, be under the spell of sth.

banaal banal, trite, commonplace.

banaan banana.

band band, tie, string, sling; bandage; *(biljart)* cushion; *(boekdeel)* binding, volume; *(rijwiel)* tyre, *(Am.)* tire; *(binnenband)* tube.

bandeloos lawless, riotous, licentious.

bandenpech tyre trouble; puncture, flat tyre.

bandiet bandit, ruffian, brigand.

banen, *zich een weg –*, work one's way through.

bang afraid, fearful, terrified, anxious.

banier banner, standard.

bank *(zit–)* bench; *(tuin)* seat; *(school)* desk; *(geld)* bank; *(kerk)* pew; *(salon)* settee.

bankbiljet *o.* bank note.

banketbakker confectioner.

bankier banker.

bankpas bank card.

bankrekening bank(ing) account.

bankroet *bn.* bankrupt. ‖ *o.* bankruptcy, failure.

banneling exile.

bannen banish, exile, expel; exorcize.

banvloek anathema, ban.

bar *bn.* barren; *(weer)* inclement; bitting, grim. ‖ *zn.* bar. ‖ *bw.* *(versterkend)* awfully, very.

barak shed; baracks

barbaar barbarian.

barbaars barbarous, barbarian, barbaric.

barbecue barbecue.

barbier barber.

baren bring forth, give birth to, bear; *opzien –*, create a stir; *zorg –*, cause anxiety, give trouble.

barensweeën pains of childbirth, labour pains.

baret cap, beret, *(geestelijke)* biretta.

barkas launch, longboat.

barmhartig merciful, charitable.

barnsteen *o.* amber.

barok baroque.

barometer barometer.

baron(es) baron(ess).

barrevoets barefoot(ed).

bars stern, grim, gruff.

barst crack, burst, flaw.

barsten burst, crack, split; *–de hoofdpijn*, a splitting headache.

bas bass. ‖ *(instrument)* (double)bass.

baseren base, found, ground (on).

basis basis; base.

basketbal *o.* basketball.

bassen bay, bark.

bassin *o.* basin; pool.

bast bast, bark, rind, husk, shell.

bastaard bastard; *(dier, plant)* mongrel, hybrid.

bataljon *o.* battalion.

bate *ten – van* for the benefit of, on behalf of.

baten avail.

batig, *een – saldo*, credit balance, surplus.

batterij battery.

bazaar baz(a)ar; *(fancy)*fair, jumble-sale; *(warenhuis)* stores.

bazelen twaddle, talk nonsense, drivel.

bazuin trumpet, trombone.

beambte official, functionary, employee.

beamen assent to.

beantwoorden answer, reply, respond, return; *aan de verwachting –*, come up to expectations.

beboeten, *iem. –*, fine sbd.

bebouwen cultivate, till; build upon.

bed *o.* bed.

bedaard calm, quiet; *een – man*, a sedate man.

bedachtzaam thoughtful, cautious.

bedanken thank, return thanks; *(ontslaan)* dismiss; *(v. lidmaatschap)* withdraw.

bedaren *ov. ww.* appease, soothe, calm (down). ‖ *onov. ww.* become tranquil; abate, calm, quiet (down).

beddengoed *o.* bedding, bedclothes.

bedding bed(ding), foundation.

bede supplication, plea, imploration; *(gebed)* prayer.

bedeesd timid, bashful, shy.

bedekken cover (up).

bedelaar beggar.

bedelares beggar-woman.

bedelarij begging.

bedelen beg, ask, charity.

bedélen endow, distribute charity to.

bedelven bury; *onder het puin bedolven*, buried (under the rubbish).

bedenkelijk worrying, serious; dubious, questionable; *een – geval*, a serious (grave) case.

bedenken invent; consider, think about; *zonder zich te –*, without a moment's thought.

bedenking objection, consideration.

bederf *o.* corruption, decay, deterioration, depravity; taint.

bederven *ov. ww.* spoil, damage; corrupt, ruin. ‖ *onov. ww.* decay, go bad, spoil, rot, *(melk)* turn sour.

bedevaart pilgrimage.

bediende *(kantoor)* clerk, employee; *(hotel)* waiter; servant, assistant.

bedienen serve, attend, wait upon, supply; *(kerk)*, administer/give the last sacriments; *zich –*, help oneself, make use of.

bediening serving, attendance, *(tafel)* waiting.

bedingen stipulate (for), obtain, bargain for.

bedlegerig bedridden, laid up.

bedoelen purpose, intend, mean; *de bedoelde persoon*, the person referred to, the person in question.

bedoeling meaning, purpose, intention; *(betekenis)* purport; *met de beste –*, with the best intentions.

bedorven bad, contaminated; *fig.* spoilt; *– lucht*, vitiated (bad) air.

bedrag *o.* amount, sum; *ten –e van*, to the amount of.

bedreigen threaten, menace.

bedreiging threat, menace.

bedremmeld confused, perplexed.

bedreven skilful, skilled in, experienced; expert.

bedriegen cheat, deceive, swindle; play false, trick; be unfaithful.

bedrieger deceiver, cheat, impostor.

bedrieglijk deceitful, fraudulent, deceptive.

bedrijf *o.* business, trade, concern; *(nijverheid)* industry; profession; *(toneel)* act.

bedrijven, *een zonde –*, (commit a) sin.

bedrijvig active, industrious, busy.

bedroefd *bn.* sad, sorrowful, grieved.

bedrog *o.* cheating, deceit, fraud, swindle.

bedrukt dejected, melancholic; print(ed).

beducht apprehensive of, afraid of.

beduiden mean, signify, point out.

bedwang *o. in – houden*, keep in check, keep under control.

bedwelmen stun, daze, stupefy; *(drank)* intoxicate.

bedwingen suppress, control; restrain, hold in check; *bergen –*, conquer mountains; *zichzelf niet langer kunnen –*, lose control over o.s.

beëdigen swear (in); confirm with an oath.

beëindigen conclude, finish, bring to an end, terminate.

beek brook, rill.

beeld *o.* image, statue; metaphor, figure; beauty.

beeldhouwer sculptor, statuary; *(hout)* wood-carver.

beeldscherm *o.* screen.

beeldspraak metaphor; figurative language.

beeltenis image, effigy, portrait.

been *o.(mv. beenderen)* bone. || *(mv. benen)* leg; *op eigen benen staan,* stand on one's own feet/legs.

beer bear; *een ongelikte –,* an unlicked cub. || *(zwijn)* boar; *(techn.)* buttress, dam. || night-soil, muck.

beest *o.* animal, beast; brute.

beestachtig beastly, bestial, brutal, brutish.

beet bite, *(slang)* sting; *(hapje)* bit, mouthful. || beet(root).

beethebben *ov.ww.* have (got) hold of, have caught ; take in, fool, trick; understand. || *onov. ww.* have a bite.

beetje *o.* little, little bit.

bef bands.

befaamd famous, renowned, distinguished; *(ongunstig)* notorious.

begaafd gifted, talented.

begaafdheid talents, ability.

begaan *ov. ww. een weg –,* walk upon, tread a road; commit; make. || *onov. ww. laat mij maar –,* leave that to me, let me. || *bn. begane weg,* trodden path.

begaanbaar practicable, passable.

begeerlijk desirable, suitable.

begeerte desire, eagerness; *zinnelijke –,* sexual appetite, lust.

begeleiden accompany; convoy, escort;

–d schrijven, covering letter.

begeren *ww.* desire, wish, want, covet.

begerig desirous, covetous; *– naar,* eager for, greedy of.

begeven, *zich op weg –,* set out for..., go to...

begieten water.

begiftigen endow, present with.

begin *o.* beginning, commencement, opening, start.

beginneling beginner, novice.

beginnen begin, open, start.

beginpunt *o.* starting point.

beginsel *o.* principle.

beginselvast consistent, firm of principle.

begoochelen bewitch, delude.

begraafplaats cemetery, burial place, churchyard, graveyard.

begrafenis funeral, interment, burial.

begrafenisplechtigheid funeral ceremony.

begraven bury, inter.

begrenzen bound, border; *(beperken)* limit.

begrijpelijk comprehensible, understandable, conceivable; intelligent.

begrijpen understand, conceive, comprehend, grasp.

begrip *o.* idea, notion, conception, apprehension; *traag van –,* slow in the uptake; *– hebben voor,* sympathize with.

begroeten greet, salute; hail.

begroting estimate; *de –,* the budget, the estimates.

begunstigen favour.

beha bra.

behaaglijk comfortable, pleasant.

behaagziek coquettish.

behaard hairy, pilose, hirsute.

behagen *ww.* please. || *o.* pleasure.

behalen win, get, obtain; *de overwinning – op*, gain victory over.

behalve except, but save; *(benevens)* besides, in addition to.

behandelen, *iem. streng –*, treat sbd. severely.

behang *o.* wallpaper.

behangen hang, paper, drape, cover.

behanger paperhanger, paperer; upholsterer.

behartigen look after, promote.

beheer *o.* management, direction, administration.

beheerder manager, director, administrator.

beheersen govern; master, command, dominate.

behelzen contain.

behendig dexterous, adroit, clever.

beheren manage, control, administer, conduct.

behoeden guard (from), protect.

behoedzaam cautious, prudent, wary.

behoefte need (of/for), want, necessaries; *(ontlasting)* nature's call.

behoeftig indigent, needy.

behoeve, *ten – van*, in behalf of, in aid of, for the benefit of.

behoeven need, want, require.

behoorlijk proper, fit; due; decent; *zich – gedragen*, behave oneself decently.

behoren belong to; *naar –*, duly, properly, as it should be; fittingly.

behoud *o.* conservation, preservation; salvation.

behouden *ww.* keep, maintain, preserve. || *bn.* safe.

behoudens except for, but for; bar(ring).

behulpzaam helpful, obliging.

beiaard chimes, carillon.

beide both; *geen van –(n)* neither; *in – gevallen*, in either case.

beige beige.

beitel chisel.

bejaard aged, elderly, old.

bejegenen use; treat *(met bijw.)*.

bek *(vogel)* beak, bill; snout; mouth; *(v. pen)* nib; *(v. tang, kaak)* bit; *(v. goot)* spout, lip.

bekeerling convert, proselyte.

bekend known, noted, public, famous; *zich – maken*, announce o.s.; *– raken met iem.*, get acquainted with sbd..

bekende acquaintance.

bekendmaken announce, publish, make public.

bekennen confess, acknowledge, own, admit; detect, see.

bekentenis confession, admission, acknowledgement.

beker cup, chalice, beaker, goblet, bowl.

bekeren convert.

bekeuring fine, ticket; *een – krijgen*, be fined, get a ticket.

bekijken look at, view.

bekken *o.* basin, bowl; *(anat.)* pelvis; *(muz.)* cymbal.

beklaagde defendant; (the) accused.

beklag *o.* complaint.

beklagen pity; lament, bemoan; *zich over iets –*, complain about/of sth.

beklagenswaardig lamentable, pitiable, deplorable.

bekleden clothe, cover, drape, upholster; *(fig)* hold, fill (a place), occupy (a post).

beklemmen oppress, weigh down (on).

beklimmen climb; ascend; mount.

beklinken settle, clinch.

beknopt *bn.* concise, brief, succinct, summarized. || *bw. – samenvatten*, resume succinctly, summarize.

bekoelen cool down.

bekomen obtain, get; agree, suit.

bekommeren trouble (about); *zich –
over*, care for (about), be anxious
about; *zonder zich te – om*, heedless
of, regardless of.

bekomst, *zijn – hebben van*, be fed up
with

bekoorlijk charming, enchanting.

bekopen, *met de dood bekopen*, pay
with his life.

bekoren charm, enchant, fascinate;
tempt, seduce.

bekorten shorten, cut short.

bekostigen pay the expenses of; defray
the cost of.

bekrachtigen confirm, sanction; *een
verdrag –*, ratify a treaty.

bekrompen scanty, narrow(-minded);
hide-bound.

bekronen crown, award a prize to.

bekwaam capable, clever, able,
competent.

bekwaamheid capability, ability,
competence.

bekwamen, *zich – in*, train for, become
competent.

bel bell; *(lucht–)* bubble; *(oor)* eardrop,
earring.

belachelijk ridiculous; laughable,
absurd.

beladen load, burden; *met schuld –*,
guilt-ridden.

belang *o.* interest, importance,
significance.

belangeloos unselfish, disinterested.

belanghebbende person (party)
interested.

belangrijk important, considerable.

belangstelling interest; *(deelneming)*
sympathy; *de – wekken*, interest sbd.
in (for); rouse interest.

belasten burden, charge, impose taxes.

belasteren slander, calumniate.

belasting tax, rates; *directe en indirecte
–en*, direct and indirect taxes; *(vracht)*
weight, load;

beledigen offend, insult; injure.

belediging offence, insult, injury.

beleefd polite, civil, courteous; *–
verzoeken*, request kindly.

beleg *o.* siege; *de staat van –
afkondigen*, proclaim a state of siege.

belegen mature(d), seasoned, ripe.

belegeren besiege.

beleggen *(geld)* invest; *(meeting)*
convene.

beleid *o.* tact, discretion; conduct;
policy.

belemmeren hamper, impede, hinder,
obstruct.

belemmering hindering, impediment,
obstruction.

belendend adjacent, neighbouring.

belenen pawn, borrow money on.

beletsel *o.* obstacle, hindrance,
impediment.

beletten prevent, obstruct.

beleven live to see; experience, go
through.

Belg Belgian.

België Belgium.

belhamel rascal.

belichamen embody, epitomize,
personify.

believen, *naar –*, at pleasure, at will.

belijden confess, avow; profess.

bellen ring, sound (the bell).

belofte promise; pledge.

belonen reward, recompense.

beloop course, way; *alles op zijn –
laten*, let things take their course.

belopen *ov. ww.* walk *(bedrag)*, amount
to.

beloven promise; vow.

beluisteren listen to.

belust, *– op*, eager for, keen on.

bemachtigen lay one's hands on; seize,

capture.

bemanning crew; *(v. vesting)* garrison.

bemerken perceive, notice, observe; perceive.

bemesten manure, fertilize

bemiddelaar intermediary, mediator; go-between.

bemiddeld in easy circumstances, well-to-do.

bemiddeling mediation; *door – van*, through the agency of.

beminde beloved, sweetheart, lover.

beminnelijk lovable, amiable.

beminnen love, be found of, like.

bemoedigen encourage; *–de resultaten*, encouraging results.

bemoeien, *zich – met*, meddle with, interfere with; *zich met zijn eigen zaken –*, mind one's own business.

bemoeilijken hinder, hamper; make difficult.

bemorsen soil, dirty.

ben basket.

benadelen, *iem. –*, harm, hurt, injure, prejudice.

benaderen approximate; approach; *(schatten)* estimate.

benadering, *bij –*, approximately, roughly stated.

benaming name, designation.

benard critical; *in –e omstandigheden*, in straitened circumstances.

benauwd close, stifling, oppressive; *(bang)* fearful, timid.

bende gang, set; band; troop; pack.

beneden *bw.* below, down. ‖ *voorz.* under; *naar –*, downstairs, downward(s); *hier–*, here below.

benedenverdieping ground-floor; *(Am.)* first floor.

benefietvoorstelling *o.* benefit-performance, benefit-evening.

benemen take away.

benen (of) bone.

benepen small(-minded), petty; *met een – hart*, faint-hearted.

benevens besides, (together) with, in addition to.

bengel pickle, naughty-boy.

bengelen dangle; swing.

benieuwd curious.

benig bony.

benijden envy.

benodigd necessary, required, wanted.

benoemen appoint, nominate.

benutten utilize, make use of, exploit.

benzine benzine ; petrol, *(Am.)* gas, motor-spirit.

benzinestation *o.* petrol station, *(Am.)* gas station, filling station.

benzinetank petrol tank, fuel tank.

beoefenen study, cultivate, practise.

beogen have in mind, aim at, have in view.

beoordelen judge, criticize.

bepaald particular, specific, certain; definite, fixed.

bepalen fix, settle, stipulate, determine.

bepaling fixing; definition, stipulation, determination;

beperken limit, restrict; *de uitgaven –*, keep expenditure down.

beperkt limited, restricted; *(ruimte)* confined.

bepraten talk about, over; *(overhalen)* persuade.

beproefd well-tried, approved.

beproeven try, endeavour, *(op de proef stellen)* try; *(onderzoeken)* test.

beproeving trial; *zware –en*, terrible ordeals.

beraad *o.* deliberation, consideration.

beraadslagen deliberate, *– met*, confer with.

beramen devise, project; conspire, *(schatten)* estimate.

bereden *(politie)* mounted.
beredeneren discuss, reason about.
bereid ready, willing, prepared.
bereiden prepare.
bereids already.
bereidvaardig, bereidwillig willing, obliging, ready.
bereik *o.* reach, range.
bereiken reach, attain(to); achieve.
berekenen calculate, compute.
berg mount, mountain; *de haren rezen hem te –e,* his hair stood on end.
bergachtig mountainous.
bergaf(waarts) downhill.
bergen put; *(opslaan)* store; *(schip)* salvage, salve.
berghut mountain hut, climber's hut.
bergketen chain of mountains.
bergop(waarts) uphill.
bergpas mountain-pass, defile.
bergplaats depository, shed.
bergschoen mountaineering boot, climbing boot.
bergweide mountain meadow.
bericht *o.* news, tidings; notice, advice; *(kranten)* paragraph.
berichten let know, inform, report.
berijdbaar passable, rid(e)able.
berispen blame, rebuke, reprimand.
berk birch.
berm berm, verge, roadside.
beroemd famous, renowned.
beroep *o.* occupation, profession, trade; *(gerecht)* appeal.
beroepsspeler professional.
beroerd miserable, wretched, rotten.
beroerte stroke, fit.
berokkenen cause.
berouw *o.* repentance, contrition, remorse.
berouwvol remorseful, contrite, repentent, penitent.
beroven rob, bereave; deprived.

berrie barrow, stretcher.
berucht notorious; ill-famed, infamous.
berusten, *– bij,* rest with; *– op,* set (be based) on; *– in,* acquiesce in.
berusting resignation, acceptance.
bes berry.
beschaafd cultivated, polite; *–e manieren,* refined manners.
beschaamd ashamed; embarrassed, abashed.
beschadigen damage, hurt, injure.
beschaving culture, civilization, refinement.
bescheid *o.* answer, reply.
bescheiden *bn.* modest, unpretentious.
beschermen protect, (safe)guard; patronize.
beschermengel guardian angel.
bescherming protection, shelter; patronage.
beschijnen shine upon; illuminate.
beschikbaar available, free, at one's disposal.
beschikken, *– over,* dispose of, have control of; decide.
beschikking, *ter – stellen,* place at someone's disposal.
beschimmeld mouldy, mildewed.
beschimpen taunt, jeer (at).
beschonken drunk, tipsy, intoxicated.
beschoren allotted.
beschouwen consider, regard; *op de keper beschouwd,* on close examination.
beschrijven write upon; describe.
beschroomd timid, bashful, shy.
beschuit biscuit, rusk.
beschuldigen incriminate, accuse, charge (with), blame.
beschuldiging accusation, indictment.
beschutten shelter, protect.
besef *o.* understanding; notion, idea; consciousness.
beseffen realize, be aware of.

beslaan *ov. ww. (paard)* shoe; *(innemen)* take up, fill, cover, occupy. ‖ *onov. ww.* become steamy, get dim.

beslag *o. (v. deeg)* batter; *– leggen op iem.*, take up someone's time; *in – nemen*, seize.

beslechten settle, arrange.

beslissen decide.

beslissend decisive, final.

beslist *bn.* definite, sure; decided. ‖ *bw.* certainly, positively, absolutely.

beslommering, *de dagelijkse –en*, the day-to-day worries.

besloten close, private; *vast–*, firm, resolved (to), resolute.

besluit *o.* conclusion; decision, resolution; decree.

besluiteloos irresolute, undecided.

besluiten resolve, decide, determine; end, conclude.

besmettelijk contagious, infectious.

besmetten infect, contaminate, *(water)* pollute.

besnijdenis circumcision.

besnoeien trim (off/down), curtail.

besparen save, economize.

bespeuren perceive, observe, discover, notice.

bespieden spy on, watch.

bespiegelen reflect on, contemplate.

bespoedigen accelerate, speed up, hasten.

bespottelijk ridiculous, laughable, absurd.

bespotten ridicule, mock.

bespreekbureau *o.* booking office, ticket agency.

bespreken discuss, talk about; comment on, review; *plaatsen –*, book (reserve) seats.

besproeien sprinkle, water; *(velden)* irrigate.

bessensap *o.* currant juice.

best *bn.* best, very good. ‖ *bw.* best, very well. ‖ *o. zijn – doen*, do one's best.

bestaan *o.* being, existence.‖ *ww.* be, exist; consist (of), be made up (of).

bestand *o.* treaty, truce; file. ‖ *bn. – zijn tegen*, withstand, resist.

bestanddeel *o.* element, part, component.

besteden, *geld/tijd – aan*, spend money/time on.

bestek *o.* cutlery; *(beschrijving)* specifications; *in kort –*, in brief.

bestelen rob.

bestellen order, give an order; *brieven –*, deliver letters.

bestelling order, commission; *(v. brieven)* delivery.

bestemmen mean, intend, reserve; destine.

bestemming destination.

bestendigen continue, confirm, perpetuate, confirm.

bestijgen mount, ascend, climb.

bestormen storm, assault; bombard.

bestraffen punish, reproach, rebuke.

bestrijden fight (against), combat; dispute.

bestrijken spread, cover.

bestuderen study.

besturen rule, conduct, direct, manage; *een land –*, govern a country.

bestuur *o.* government, rule, administration; board, committee; *plaatselijk –*, local authorities.

bestuurder manager, governor *(v. auto, tram)* driver.

betaalautomaat ticket machine.

betaalbaar payable.

betalen pay; *zij konden het best –*, they could afford it.

betaling payment.

betamelijk decent, becoming, fitting.

betekenen mean, signify.
betekenis meaning, signification; importance, significance.
beter better.
beterschap change for the better, improvement; recovery.
beteugelen check, suppress, restrain.
betichten accuse, impute, charge (with).
betitelen (en)title; style.
betogen demonstrate; argue.
betoging manifestation, demonstration.
beton *o.* concrete.
betonen show, display; *hulde –,* pay homage.
betoog *o.* arguments.
betoveren bewitch; enchant, fascinate.
betovering spell, bewitchment; enchantment; fascination.
betrappen catch, surprise; *op heterdaad –,* take in the (very) act.
betreffen concern, touch, regard.
betreffende concerning, regarding, with regard (respect) to.
betrekkelijk *bn.* relative; comparative. || *bw. – goedkoop,* fairly cheap.
betrekken involve, draw in; take possession of, move into; get; *(lucht),* cloud over, become overcast.
betrekking post, job, relation, connection; *met – tot,* with regard/respect to.
betreuren regret, deplore; *(dode)* mourn for.
betrokken cloudy, overcast; *bij iets – zijn* be involved in.
betrouwbaar reliable, trustworthy; sound.
betuigen *iem. zijn deelneming –,* condole with someone, express one's sympathy.
betwijfelen doubt, question.
betwisten dispute, contest.

beu, *– zijn,* be tired of, be fed up with.
beugel brace.
beuk beech; *(hoofd–)* nave; *(zij–)* aisle.
beul executioner, hangman; tyrant, brute.
beurs purse; *(toelage)* scholarship, grant; *(gebouw)* Exchange; *(buiten Engeland)* Bourse; *(tentoonstelling)* fair, exhibition. || *bn.* overripe, mushy.
beursstudent scholar, student on a grant.
beurt turn; *om de –,* in (by) turns.
beurtelings alternately, in turn(s).
bevaarbaar navigable.
bevallen please, suit; *(kind)* give brith, be confined (of).
bevallig charming, graceful.
bevalling confinement, delivery.
bevangen overcome; *door vrees –,* seized with fear.
bevattelijk intelligent, comprehensible, clear.
bevatten contain; *(begrijpen)* comprehend, understand.
bevechten fight (against); *de overwinning –,* gain the victory.
beveiligen protect, safeguard; *– tegen,* secure against.
bevel *o.* command, order; *– tot inhechtenisneming,* warrant (of arrest).
bevelen command, order.
beven tremble; shiver, shake, quiver.
bevestigen, *(vastmaken)* fasten, fix, attach; *(bekrachtigen)* confirm, affirm.
bevestigend affirmative.
bevinden find.
bevinding finding, result, conclusion; experience.
bevochtigen moisten, damp, wet.
bevoegd competent, qualified; authorized.
bevoegdheid competence, power; authority.

bevolken people, populate.
bevolking population.
bevooroordeeld prejudiced, biased.
bevoorrechten privelege, favouring, prefer.
bevorderen advance, further, promote.
bevorderlijk conducive (to), beneficial (to), good (for).
bevrachten load; charter.
bevragen, *te – bij*, inquire at, apply to; information to be had at *(met genitief)*.
bevredigen satisfy, gratify, appease.
bevredigend satisfying, satisfactory.
bevreemden wonder, be surprised.
bevreemding surprise, astonishment.
bevreesd, *– voor*, afraid of, *(bezorgd)* afraid for.
bevriend, friendly with.
bevriezen freeze, congeal; become frosted.
bevrijden free (from, of), relieve (from); liberate, release.
bevroeden suspect; realize.
bevruchten fertilize, inseminate; *fig.* fecundate.
bevuilen dirty, soil, foul.
bewaarder keeper, guardian.
bewaarplaats depository, storehouse.
bewaken watch over, guard.
bewapenen arm.
bewaren keep, retain; store, stock; preserve; maintain.
bewaring keeping, preservation; *in verzekerde – nemen*, take into custody.
beweegbaar movable.
beweeglijk mobile; lively.
bewegen move, stir; *(overhalen)* induce/ bring/ get someone to.
beweging motion, stir, movement; exercise; organization.
bewenen weep over, mourn (for), deplore.

beweren assert, maintain, pretend.
bewering assertion, allegation.
bewerken work; cultivate, till; cause; *(klanten)* visit.
bewerking working, cultivation; manipulation; *(boek, tekst, e.d.)* adaptation, version.
bewijs *o.* proof, evidence.
bewijsbaar demonstrable, provable.
bewijzen demonstrate, prove.
bewind *o.* government, administration, rule.
bewindvoerder director, administrator.
bewogen moved, affected, touched; moving.
bewolken cloud over, become overcast/ cloudy.
bewolkt cloudy, overcast.
bewolkt cloudy.
bewonderen admire.
bewondering admiration.
bewonen inhabit, live in, dwell in, occupy.
bewoner inhabitant; tenant, inmate.
bewoonbaar inhabitable.
bewoording wording, phrasing; *in vage –en*, in vague terms.
bewust concerned, involved ; conscious, aware; *de –e persoon*, the person in question.
bewusteloos unconscious, senseless.
bewustzijn *o.* conciousness, awareness; *het – terugkrijgen*, recover consciousness; *buiten –* unconscious.
bezadigd sedate, sober(minded), steady.
bezegelen seal.
bezem broom; besom; *nieuwe –s vegen schoon*, new brooms sweep clean.
bezet occupied, engaged; taken up.
bezeten possessed; obsessed.
bezetten take possession of, fill; *(mil.)* occupy.

bezetting *(toneel)* cast; *(orkest)* strength; *(mbt. gebied)* occupation.
bezichtigen visit, look at, view, inspect.
bezield animated, inspired.
bezielen inspire, animate; *wat bezielt je?* what has come over you?
bezien look at, view; consider, regard.
bezienswaardigheid curiosity, place of interest, sight.
bezig busy, working, industrious.
bezigen use, employ.
bezigheid employment, occupation, activity.
bezinning reflection, contemplation; consideration; senses, reason.
bezit *o.* possession, property; assets.
bezitten possess, own, have.
bezoedelen stain, soil, contaminate.
bezoek *o.* visit; call; visitors, guests.
bezoeken visit; call upon, go to see; *(zieken)* visit.
bezoeker visitor, guest; *(regelmatig)*, frequenter, regular
bezoeking visitation; trial, affliction.
bezoekuur *o.* visiting hour.
bezoekuur visiting hour.
bezoldiging pay, salary, wages.
bezorgd concerned (for/about), anxious, solicitous; worried about.
bezorgen get, procure; deliver.
bezuinigen economize, save, reduce expenses.
bezuinigingsmaatregel measure of economy.
bezwaar *o.* difficulty, objection, complaint; *– maken,* raise objections.
bezwaard burdened, troubled; *– geweten,* uneasy conscience.
bezwaarlijk *bn.* difficult; hard. || *bw.* with difficulty, hardly.
bezwaarschrift *o.* petition; appeal.
bezweet sweating, perspiring.
bezwijken give way, collapse; succumb, yield; die.
bezwijmen faint (away), swoon.
bh bra.
bibberen tremble, shiver, shake.
bibliothecaris librarian.
bibliotheek library.
bidden *(gebed)* pray; *(vragen)* beseech, implore.
biecht confession.
biechtvader confessor.
bieden offer, present; *(prijs)* bid; *weerstand –,* resist.
biefstuk rumpsteak.
bier *o.* beer.
bies rush; *zijn biezen pakken,* clear out, pack one's bags; *(op kleren)* piping; border.
bieslook chive.
biet beet.
big piglet, pigling; *Guinees –getje* guinea pig.
bij bee.
bij *voorz.* by, near, with, at. among, in; *(beweging)* to; *– toeval,* accidentally, by chance. || *bw. hij was er–,* he was present, he was there; *er warmpjes bij zitten,* be comfortable.
bijbaantje *o.* sideline.
bijbedoeling double meaning, hidden motive, by-end.
bijbel Bible.
bijbetalen pay in addition/extra.
bijbetaling additional payment, extra-payment.
bijbetekenis connotation, secondary meaning.
bijblijven keep pace/up; stick/stay in one's memory.
bijdehand handy; smart, bright, quick-witted.
bijdoen add.
bijdrage contribution, offering.
bijeen together.

bijeenbrengen bring together, raise; collect.
bijeenkomen meet, assemble, gather.
bijeenkomst meeting, gathering, assembly, conference.
bijeenroepen call (together); convene, convoke.
bijenkorf beehive.
bijenteelt bee culture, apiculture.
bijgaand enclosed, appended, annexed.
bijgebouw *o.* annex(e), outbuilding.
bijgeloof *o.* superstition.
bijgelovig superstitious.
bijgenaamd nicknamed, surnamed.
bijgevolg consequently, in consequence.
bijkans nearly, almost.
bijkomen come to (oneself) again, recover; gain in weight, put on weight.
bijkomstig of minor importance, inessential.
bijl axe; hatchet; *het –tje erbij neerleggen,* chuck it.
bijlage appendix, enclosure, supplement.
bijleggen add (to); settle (differences).
bijna nearly, almost; *– nooit,* almost never.
bijnaam surname, epithet; nickname.
bijpraten catch up.
bijproduct *o.* by-product, spin-off.
bijscholing extra training.
bijsluiter instructions, insert.
bijsmaak taste, flavour.
bijstaan, *iem. –,* assist, aid, succour.
bijstand assistance, help, aid; *– bieden,* lend assistance; *(sociaal)* Social Security, *(Am.)* Welfare.
bijstellen (re)adjust.
bijster *bn. het spoor – zijn,* be on the wrong track. ‖ *bw. niet – gelukkig,* not exceedingly happy.

bijten bite; *(scheik.)* be corrosive, etch, burn.
bijtijds in (good) time.
bijval approval, approbation, applause; support.
bijverdienste extra earnings.
bijvoeglijk *bn. – naamwoord,* adjective. ‖ *bw. – gebruikt,* used attributively.
bijvoorbeeld for example, for instance.
bijvullen top up, fill up.
bijwonen attend be present at; witness.
bijwoord *o.* adverb.
bijzaak matter of minor importance, side-issue.
bijziend near-sighted, short-sighted, myopic.
bijzijn *o.* presence.
bijzit concubine, mistress.
bijzonder *bn.* particular; private; *(eigenaardig)* strange. ‖ *bw. – vlug,* particularly quick.
bijzonderheid particularity; detail, peculiarity.
bikini bikini.
bil buttock; *(dier)* rump; *(bovenbeen)* thigh.
biljard *o.* thousand billion; *(Am.)* quadrillion.
biljart *o.* billiards; billiardtable.
biljet *o.* ticket; *(bank–)* note; *(aanplak–)* poster.
billijk fair, reasonable, moderate.
binden bind; tie; *(dik maken)* thicken.
binnen *voorz.* within, inside. ‖ *bw.* in(side), indoors.
binnenband inner tube.
binnendringen penetrate (into).
binnengaan enter.
binnenkomen come in, get in, enter.
binnenkort soon, shortly.
binnenland inland; interior; home; *Binnenlandse Zaken,* Ministry of Home Affairs.

binnenlaten let in, show in, admit.
binnenplaats inner court, inner yard.
binnenweg short cut.
binnenzee inland sea.
biologie biology.
bioscoop cinema, pictures; movies; *naar de – gaan*, go to the pictures.
bis encore.
biseksueel bisexual.
bisschop bishop.
bits biting, snappish; sharp, tart.
bitter *bn.* bitter, grievous, acerb; *–e chocolade* plain chocolate.
bivak *o.* bivouac.
bizar bizarre, grotesque.
bizon bison.
blaadje *o.* leaflet; sheet; tray.
blaam blame, reproach; *een – op iem. werpen*, cast a slur on sbd.
blaar blister, bladder.
blaas bladder; *(in vloeistoffen)* bubble.
blad *o.* leaf, sheet, blade; *(tafel–)* top; *(thee–)* tray; newspaper.
bladgoud *o.* gold-leaf.
bladwijzer bookmark.
bladzijde page.
blaffen bark; *– tegen*, bark/snap (at).
blaken burn; blaze; scorch.
blanco blank; *een – strafblad*, a clean record.
blank white; fair; bright; *(fig.)* pure.
blaten bleat.
blauw blue; *een – oog*, a black eye; *–e zone*, restricted parking zone.
blauwtje *o.* *een – lopen*, be turned down, get the mitten.
blazen blow.
blazoen *o.* blazon.
bleek *bn.* pale, wan, pallid.
bleken bleach.
bles blaze, star; *(paard)* blazed horse.
blesseren injure, wound, hurt.
bleu timid, shy, bashful.

blij glad, happy, joyful.
blijdschap joy, gladness.
blijk *o.* *– geven van*, give evidence of, show.
blijkbaar apparent, evident,,obvious.
blijken appear, prove, turn out.
blijkens as appears from, according to.
blijspel *o.* comedy.
blijven stay, remain; continue.
blijvend lasting, enduring.
blik look, gaze, glance; peep. ‖ *o.* tin, tin plate; white iron.
blikopener tin-opener, can-opener.
bliksem lightning.
bliksemafleider lightning conductor, *(Am.)* lightning rod.
bliksemflits flash of lightening.
blind *o.* shutter. ‖ *bn.* blind, sightless; *–e passagier*, stowaway.
blinddoek blindfold.
blindedarmontsteking appendicitis.
blindelings blindly, blindfold.
blinken glance, shine, glitter, gleam.
blocnote (writing) pad, block, jotter.
bloed *o.* blood.
bloedarmoede anaemia.
bloeddorstig bloodthirsty.
bloeddruk (high, low) blood pressure.
bloedeigen very own.
bloeden bleed.
bloedgroep blood group.
bloedneus bleeding nose.
bloedsomloop (blood) circulation.
bloedverwant (blood-)relation, relative; kinsman.
bloedworst blood sausage, black pudding.
bloedzuiger leech, blood-sucker.
bloei flower, blossom, bloom.
bloeien flower; bloom; flourish.
bloem flower; *(v. meel)* flour.
bloembol (flower) bulb.
bloemist florist, floriculturist.

bloemkool cauliflower.
bloemlezing anthology
bloempot flower-pot.
bloes blouse, shirt.
bloesem blossom, bloom.
blok *o.* block, chunk; *(politiek)* bloc(k).
blokkeren blockade, block up.
blond fair, light, blond; *een –e,* a blonde.
bloodaard coward, faintheart.
bloot bare, naked.
blootshoofds bareheaded, with beared head(s).
blos blush; flush, bloom.
blouse blouse.
blozen blush, flush, colour (up).
bluf brag(ging), boast(ing).
bluffen brag, swank, boast.
blunderen blunder.
blusapparaat *o.* fire-extinguisher.
blussen extinguish; put out; *gebluste, ongebluste kalk,* slaked, quick lime.
blut hard up, broke; cleaned out (na spel).
bochel hump, hunch; *(persoon)* hunchback, humpback.
bocht bend; curve, turn; bight; coil; *(zee)* bay. ‖ *o.* rubbish, trash.
bod *o.* bid, offer; *een – doen op,* make a bid for.
bode messenger.
bodem soil, ground; bottom; floor.
bodemloos bottomless.
boedel estate, property, goods and chattels.
boef scoundrel, rascal, villain.
boeg bow.
boegbeeld figure-head.
boegspriet bowsprit.
boei fetter(s); shackle(s), handcuff; *(scheepv.)* buoy.
boeien fetter, shackle; captivate; *–d ,* fascinating, interesting.

boek *o.* book.
boekbespreking book review.
boekdeel *o.* volume, tome.
boeken book; enter; *(fig.)* score, achieve.
boekenkast bookcase.
boekenrek bookrack.
boeket *o.* bouquet.
boekhandel bookselling, book trade; bookseller's shop.
boekhandelaar bookseller.
boekhouder bookkeeper.
boekweit buckwheat.
boel *een –,* a lot.
boemeltrein slow train.
boenen scrub, rub; polish.
boenwas *o.* polishing wax, beeswax.
boer farmer, peasant, countryman; *(oprisping)* belch; *(kaartspel)* knave, jack; *(fig.)* boor, clown.
boerderij farm(house).
boerenbedrog *o.* humbug.
boerin farmer's wife; woman farmer.
boertig comical, jocular.
boete fine, penalty.
boeten *(netten)* mend; *(straf)* suffer/pay for.
boetseren model, mould.
boetvaardig penitent, contrite, remorseful.
boezem bosom, breast; *(v. hart)* auricle.
boezemvriend bosom friend.
bof *(ziekte)* mumps; *(geluk)* stroke of luck.
boffen be lucky.
bogen op glory in, boast.
boiler heater.
bok male goat; buck; *(rijtuig)* box; *(turnen)* vaulting-buck; *een – schieten* make a blunder.
bokaal beaker, cup, bowl.
bokking bloater; *(gerookt)* red herring.
boksen *ww.* box. ‖ *o.* boxing, prize-fighting.

bol ball, sphere, globe; *(plant)* bulb; *(v. hoed)* crown. ‖ *bn.* convex, *(wang)* rounded.

bolrond spherical; convex.

bolsjewisme *o.* bolshevism.

bolvormig spherical, globular.

bolwerk *o.* bulwark, bastion.

bolwerken, *het –*, manage.

bom bomb; *zure –*, pickled gherkin.

bomaanslag bomb-outrage.

bombardement *o.* bombardment, shelling.

bombarderen bom(bard); shell.

bommelding bomb alert.

bomvol chock-full; cramfull.

bon bill, receipt; voucher, coupon; ticket.

bonbon bonbon, chocolate.

bond alliance, league, *(staten)* confederation; union.

bondgenoot ally, confederate.

bondig terse, concise; *kort en –*, succinct, to the point.

bont *bn.* multicoloured, particoloured, colourful. ‖ *o.* *(katoen)* print(ed cotton); *(pelswerk)* fur.

bonten fur, furry.

bonzen bang, thump; pound, batter.

boodschap message, errand; *(tijding)* news; *(inkoop)* purchase.

boog bow; arch.

boom tree; *(schipper)* punting-pole; boom; *(afsluiting)* bar(rier); *(ploeg)* beam.

boomgaard orchard.

boomkweker nursery-man.

boomkwekerij arboriculture; *(inrichting)* tree-nursery.

boon bean.

boontje *o.* bean; *– komt om zijn loontje*, the chicken will come home to roost.

boor drill.

boord collar; wristband; *(rand)* border. ‖ *o.* *(schip)* board.

boorzalf boracic ointment.

boos angry; evil.

boosaardig malicious, vicious; malignant.

booswicht villain, wretch.

boot boat, vessel; *(stoom–)* steamer; *(veer–)* ferry.

boottocht boat trip/excursion.

bord *o.* *(tafel–)* plate; *(school–)* (black)board; *(v. aankondigingen)* board; *(verkeer)* sign.

bordeel *o.* brothel, house of ill fame.

borduren embroider.

borduursel *o.* embroidery.

boren bore, drill, drive; pierce.

borg surety, guarantee; *(onderpand)* pledge; *(gerecht)* bail.

borgsom deposit, caution money.

borgtocht security, guarantee, caution money.

borrel drop, dram, nip.

borst breast, bosom, chest; *uit volle –*, at the top of one's voice; *een hoge – zetten*, strut about.

borstbeeld *o.* bust; *(op munt)* effigy.

borstel brush; *(v. varken)* bristle.

borstelen brush.

borstkas chest, thorax.

borstvliesontsteking *o.* pleurisy.

borstwering parapet.

bos bunch, bottle, bundle, tuft. ‖ *o.* wood, forest.

bosbes bilberry, *(Am.)* blueberry.

Bosnië Bosnia.

Bosnië-Herzegovina Bosnia and Hercegovina.

bosrijk woody, wooded.

boswachter forester, ranger.

bot *o.* bone. ‖ *(vis)* flounder; *(knop)* bud. ‖ *bn.* blunt, dull, dumb.

boter butter; *– bij de vis*, cash down.

boterham (piece of) bread, bread and butter.

botsen collide with, bump into; clash (with); strike (against).
botsing collision; clash, conflict.
botweg bluntly, flatly.
boud bold, daring.
bougie candle, bougie; *(motor)* (sparking)plug.
bouillon beef tea, broth.
boulevard boulevard.
bout bolt, pin; *(v. dier)* quarter, leg.
bouw building, construction; structure; *(gestalte)* build.
bouwen build, construct, erect.
bouwgrond building ground; *(v. landbouw)* farmland.
bouwkunst architecture.
bouwterrein *o.* building site.
bouwvallig tumbledown, ramshackle, ruinous.
bouwvergunning building permit.
boven *voorz.* above, over, upwards of; *– alle verwachting;* beyond all anticipation. || *bw.* above, upstairs; *van – tot onder,* from the top downward.
bovenaards supermundane, superterrestrial, supernatural.
bovenal above all.
bovendien besides, moreover.
bovenlijf *o.* upper part of the body.
bovenlip upper lip.
bovenmatig extreme, excessive.
bovennatuurlijk supernatural.
bovenverdieping upper floor, top floor.
bowl bowl.
bowlen bowl.
box (loud)-speaker; stall,stable; garage; playpen.
boycot boycott.
braadspit *o.* spit, broach.
braadworst roast sausage.
braaf *bn.* honest, good, virtuous.
braak, *– liggen,* lie fallow.

braakmiddel *o.* emetic, vomitory.
braambes blackberry.
braden roast, bake, grill, fry.
braille(schrift) *o.* braille.
brak *bn. –ke grond,* brackish soil. || *zn.* beagle.
braken vomit; *(hennep)* break.
brancard stretcher.
brand fire, conflagration; *(huidziekte)* heat.
brandbaar combustible, inflammable.
brandblusapparaat *o.* fire-extinguisher.
branden *onov. ww.* burn, be on fire; *een –de kwestie,* a burning issue. || *ov. ww.* burn, brand; *(bezeren)* burn, scorch.
branderig burnt; burning.
brandewijn brandy.
brandhout *o.* firewood.
branding breakers, surf.
brandkast safe.
brandladder fire ladder.
brandmerk *o.* brand, stigma.
brandnetel stinging nettle.
brandpunt *o.* focus *(mv.* foci, focuses).
brandslang fire-hose.
brandstapel stake.
brandstichter incendiary, arsonist, fire-raiser.
brandstof fuel, firing.
brandtrap fire escape.
brandverzekering fire insurance.
brandweer fire-brigade, fire department.
brandwond burn; scald.
brasem bream.
braspartij orgy, binge.
breed broad, wide.
breedsprakig long-winded, verbose, prolix.
breedte breadth, width.
breedtecirkel parallel of latitude.
breedtegraad degree of latitude.

breedvoerig circumstantial, exhaustive, detailed.
breekbaar breakable, fragile, brittle.
breekijzer *o.* crowbar, jemmy.
breien knit; *gebreide goederen,* knit-wear.
brein *o.* brain, intellect; *(fig.)* mastermind.
breinaald knitting needle.
breken break.
brem *(plant)* broom.
brengen bring; take (to); *in opspraak –,* compromise.
bres breach; gap.
bretels *mv.* braces; *(Am.)* suspenders.
breuk breaking, rupture; *(arm)* fracture; *(rekenkunde)* fraction.
brevet *o.* brevet, patent, certificate.
brief letter, epistle.
briefkaart postcard.
briefpapier *o.* writing paper.
briefwisseling correspondence.
bries breeze.
brievenbesteller postman, *(Am.)* mailman.
brievenbus letter-box, pillar-box.
brievenweger letter-balance.
brij porridge.
briket (coal-)briquette.
bril (pair of) glasses/spectacles; *(v. toilet)* seat.
briljant brilliant.
brits plank/wooden bed.
broccoli broccoli.
broche brooch.
brochure pamphlet, brochure.
broeder brother; *(orde–)* friar, brother.
broederlijk brotherly, fraternal.
broederschap fraternity, brotherhood; confraternity.
broedsel *o.* brood; *(vissen)* fry.
broeien heat, be sultry; brew.
broeikas hothouse, greenhouse.
broek (pair of) trousers; *(korte)* breeches.

broer brother.
brok bit, piece, lump, fragment; *–ken maken,* smash things up, blunder.
bromfiets moped, motorbike.
brommen hum, buzz; growl; grumble; *moeten –,* do time.
bron well, spring, fountain; source; origin.
bronchitis bronchitis.
brons *o.* bronze.
bronzen bronze.
brood *o.* bread, loaf.
brooddronken wanton.
broodje *o.* roll, bun.
broodwinning (means of) living.
broos frail, brittle, fragile.
bros crisp, brittle.
brouwen brew; mix, concoct; *(beramen)* brew, stir up, plot.
brouwerij brewery.
brouwsel *o.* brew; concoction.
brug bridge; *(turnen)* parallel bars; *(schip)* bridge.
brugpensioen early retirement.
brui, *ik geef er de – aan,* I chuck it.
bruid bride.
bruidegom bridegroom.
bruikbaar usable; useful.
bruikleen *o.* loan.
bruiloft wedding(-party).
bruin brown; *(v. paard)* bay, amber.
bruinen brown; tan, bronze.
bruinkool brown coal, lignite.
bruinvis porpoise, sea hog.
bruisen effervesce, fizz; *(zee)* roar, seethe; *fig.* bubble (with energy).
brullen roar.
brutaal bold, impertinent, impudent; forward.
brutaliteit impudence, effrontery, impertinence, forwardness.
bruto gross; *brutogewicht,* gross weight.
BTW VAT (Value Added Tax).

buffel buffalo.
bufferstaat buffer-state.
buffet *o.* buffet, side-board; *(in station)* refreshment bar.
bui shower; *(wind)* squall; *(hoest)* fit; *(gril)* freak.
buidel bag, pouch; *(beurs)* purse.
buigbaar flexible, pliant.
buigen bend, bow.
buiging bend, curve; *(groet)* bow; curts(e)y.
buigzaam flexible, pliant, supple; *(fig.)* yielding.
buik belly, stomach; *ik heb er de – vol van,* I am fed up with it.
buikpijn stomachache, bellyache.
buikspreker ventriloquist.
buikvliesontsteking peritonitis.
buil bump, lump, swelling. || *(zeef)* bolter; *(theezakje)* tea bag.
buis tube, pipe; telly, TV.
buit booty, loot, prize.
buitelen tumble.
buiteling tumble.
buiten *voorz.* outside, out of, beyond, besides. || *bw.* outside, outdoors, out, without; *(les) van–,* by heart.
buitenband cover.
buitengewoon extraordinary, exceptional.
buitenkansje *o.* stroke of good luck, windfall.
buitenland *o.* foreign country; *in, naar het –,* abroad.
buitenlander foreigner.
buitenmatig excessive, extreme.
buitenshuis out of doors, outdoors.

buitensporig extravagant, excessive; *(prijs)* exorbitant.
bukken bend, stoop; duck.
buks rifle.
bul bull.
bulderen roar; *(kanon)* boom.
bulldozer bulldozer.
bult lump, boss; *(bochel)* hump, hunch.
bumper bumper.
bundel bundle; sheaf; collection.
bungalow bungalow.
bungalowpark *o.* holiday park; *(Am.)* vacation cottages.
bunzing polecat, fitchew.
burcht castle, stronghold, citadel.
bureau *o.* office, bureau; *– van politie,* police station; *(meubel)* writingtable, desk.
bureaucratie bureaucracy, red tape.
burgemeester mayor.
burger citizen; *in –,* in plain clothes.
burgerij commonalty, citizens, middle-class.
burgerlijk civil, civic; bourgeois; plain.
burgerrecht *o.* civil rights, citizenship.
burgerwacht neighbourhood watch.
bus bus, coach; tin, can; box.
bushalte bus stop.
buskruit *o.* gunpowder.
buste bust.
butagas *o.* compresses butane, Calor gas.
buurman neighbour.
buurt neighbourhood; vicinity; *(wijk)* quarter; *(gehucht)* hamlet.
buurvrouw neighbour('s wife).

cabaret *o.* cabaret.
cabine cabin.
cacao cocoa.
cachet *o.(stempel)* seal; signet; *(zegel)* seal; *(fig.) een zeker –, hebben,* have a certain cachet.
cadeau *o.* present; *iem. iets – geven,* give sbd. sth. as a present.
cadet cadet.
café *o.* café, coffee-house; pub.
cafeïne caffeine.
cafetaria cafetaria.
caissière cashier.
cake cake.
calculatie calculation, estimation.
calorie calorie.
camera camera.
camoufleren camouflage.
campagne campaign.
camping camping site, caravan park.
Canada Canada.
Canadees *zn. en bn.* Canadian.
cantharel chanterelle.
caoutchouc *o.* caoutchouc, rubber.
capaciteit ability, capacity.
capituleren capitulate, surrender.
capsule capsule; *(v. fles)* bottle-cap.
caravan caravan.
carbol *o.* carbolic acid, phenol.
carbonpapier *o.* carbon paper.
carburateur, carburator carburettor.
cargadoor ship-broker.
carnaval *o.* carnival.
carrière career.
carrosserie coach-work, body.
cash cash.
casino *o.* casino; club-house.
cassatie cassation, appeal; *hof van –,* court of appeal.
cassette cassette.
catalogus catalogue.
catastrofe catastrophe, disaster.
categorie category.

cavalerie cavalry.
cd compact disc, cd.
cd-rom compact disc-read only memory, cd-rom.
cd-speler cd player.
ceintuur belt, girdle.
cel cell.
celibaat *o.* celibacy.
celibatair celibate, celibatarian, old bachelor.
cellulair cellular.
cement *o.* cement.
censor censor.
censuur censure, censorship.
cent cent; *tot de laatste –,* to the last farthing; *–en,* money.
centimeter centimetre.
centraal central; *centrale verwarming,* central heating.
centralisatie centralization.
centrum *o.* centre.
ceremonie ceremony.
ceremonieel *zn., o. en bn.* ceremonial.
certificaat *o.* certificate.
cervelaatworst saveloy.
chalet *m. en o.* chalet.
champagne champagne; sparkling wine.
champignon mushroom.
chantage blackmail.
chaos chaos.
charmant charming.
charme charm, grace.
chartervlucht charter flight.
chassis *o.* chassis, frame.
chauffeur chauffeur, driver.
chef chief, leader, head; *(patroon)* employer.
chemie chemistry.
cheque cheque, (Am.) check; *een onge-dekte –,* a dud cheque, a bad cheque.
chic elegant, smart, fashionable.
China China.

Chinees Chinese.
chip chip.
chips *mv.* crisps.
chirurg surgeon.
chocolade chocolate, cocoa; *reep –*, bar of chocolate.
choke choke.
cholera cholera.
cholesterol cholesterol.
christelijk Christian.
christen Christian.
christendom *o.* christianity.
chromosoom *o.* chromosome.
chronisch chronic.
chrysant chrysanthemum.
cichorei chicory.
cider cider.
cijfer *o.* figure, number; *(onderwijs)* mark.
cijferslot *o.* combination lock.
cilinder cylinder.
cipier gaoler, warder.
cipres cypress.
circa about, circa, some.
circulaire circular, circular letter.
circulatie circulation; *in – brengen*, to put in(to) circulation.
circus *m. en o.* circus.
cirkel circle.
cirkelvormig circular, round.
citadel citadel, fortress.
citer zither.
citeren quote (a saying); cite an author (a book, a witness).
citroen lemon.
civiel civil.
civiliseren civilize, humanize.
clandestien secret, clandestine; *–e zender*, pirate transmitter.
classificatie classification.
clausule clause, stipulation, proviso.
claxon horn.
claxonneren sound the horn.

cliché *o.* block, plate, negative; *(fig.)* cliché, worn-out phrase.
cliënt *(handel)* customer; *(advocaat)* client.
close-up close-up.
clown clown.
club club.
coach coach.
coalitie coalition.
cobra cobra.
cocktail cocktail.
code code.
coëfficiënt coefficient.
cognac French brandy, cognac.
cokes coke.
cola coke.
colbert *m. en o.* jacket.
collaboratie collaboration.
collecte *(inzameling)* collection.
collectebus collecting-box.
collega colleague.
college *o.* *(Belg.)* college, highclass school, academy; college, board, council; *– lopen*, attend the lectures.
coma *o.* coma.
combinatie combination.
comfort *o.* comfort.
comité *o.* committee, board.
commandant commander.
commercieel commercial.
commissaris commissioner; *– van politie*, superintendent of police.
commissie committee, board, commission.
commissieloon *o.* commission.
communautair community.
communicatie communication.
communicatiemiddel *o.* means of communication.
communie communion; *de H. – ontvangen*, receive Holy Communion.
communisme *o.* communism.
compact compact, dense.

compagnie company.
compagnon partner.
compartiment *o.* compartment.
compensatie compensation.
competent competent.
competitie competition.
compleet complete.
compliceren complicate.
compliment *o.* compliment.
complot *o.* plot, intrigue, conspiracy.
component component.
componist *(muziek)* composer.
compote compote, stewed fruit.
compromitteren compromise, commit;
   zich –, commit, compromise oneself.
computer computer.
concentratiekamp *o.* concentration
   camp.
concentreren *(troepen, de aandacht,
   enz.)* concentrate; focus (one's
   attention); zich –, concentrate (on a
   subject).
concept *o.* draft.
concert *o.* concert.
concessie concession; *een – verlenen*,
   grant a concession.
conciërge door-keeper, hall-porter,
   care-taker.
concilie *o.* council (of prelates).
conclusie conclusion, inference,
   deduction.
concours *o.* match, competition;
   – *hippique*, horse show.
concurrent competitor, rival.
concurrentie rivalry, competition.
condenseren condense; *gecondenseerde
   melk*, evaporated milk.
conditie *(voorwaarde, toestand)*
   condition.
condoleren condole, express one's
   sympathy.
condoom *o.* condom.
conducteur *(trein)* guard; *(tram, bus)*
   conductor.
confectie ready-made clothes.
conferentie conference, discussion.
conflict *o.* conflict.
conform in conformance with.
confrontatie confrontation.
congres *o.* congress.
conjunctuur conjuncture; economic
   conditions.
connectie connection, link, relation.
consciëntieus conscientious.
conservatief conservative; *(Britse pol.)*
   Tory.
consigne *o.* orders, instructions;
   (wachtwoord) password.
constateren ascertain, state; diagnose;
   de dood –, certify death.
constructie construction.
consul consul.
consulaat *o.* consulate.
consultatie consultation.
consultatiebureau *o.* maternity centre.
consument consumer.
consumeren consume.
consumptie consumption.
contact *o.* contact, touch; *– hebben met*,
   be in touch with.
contactlens contact lens.
contactsleutel ignition key.
contant cash; *–e betaling*, cash
   payment.
context context.
continent *o.* continent.
continu continuous.
contrabande contraband (goods).
contract *o.* contract, agreement.
contracteren contract.
contrast *o.* contrast.
contributie *(belast.)* tax, contribution;
   (als lid) subscription.
controle check(ing), control,
   supervision.
controleren check, verify, control.

controleur controller, inspector.
conversatie conversation.
coöperatief co-operative.
coördineren co-ordinate.
copyright *o.* copyright.
correct correct.
correctie correction.
correspondentie correspondence.
corresponderen correspond.
corrigeren *(proeflezen)* read (proofs); correct.
corruptie corruption, bribery.
cosmetica cosmetics.
couchette berth.
coulisse side-scene; wing; *achter de –n,* in the wings.
coupe *(snit)* cut; *(schaal)* cup.
coupé compartment.
courant *bn.* current, marketable.
courgette courgette, *(Am.)* zucchini.
couvert *o. (tafel)* cover; envelope.
crèche creche, day-nursery.
credit *o.* credit.
creditcard credit card.

crediteren credit sbd. with.
crediteur creditor.
creëren create.
crematie cremation.
crematorium *o.* crematorium, crematory.
crème cream.
crimineel *bn.* criminal.
crisis crisis, critical moment (point).
criterium *o.* criterion.
criticus critic.
cruise cruise.
culinair culinary.
cultuur culture; cultivation.
curatele guardianship; *onder – staan,* be in ward, be under guardianship.
curriculum vitae *o.* curriculum vitae, cv.
cursief italics *mv.* ‖ *bn.* in italics, italicized.
cursor cursor.
cursus course, classes.
cyclus cycle.
cynisch cynic(al).
Cyprus Cyprus.

D

daad act, action, deed, achievement; *de – bij het woord voegen,* suit the action to the word.
daadwerkelijk actual.
daar *bw.* there; *tot –,* up to there, as far as that. ‖ *voegw.* as, because.
daaraan on it; *wat heb ik –?* what is the use of that; thereat, thereto.
daarbij *(in de buurt)* near it; besides, moreover, in addition.
daarbinnen within, in there, inside.
daarbuiten without (it), outside of it, outside.
daarenboven besides, moreover.

daarentegen on the contrary, on the other hand.
daarheen there.
daarin in there.
daarna afterwards, thereafter, after that, next, then; *kort –,* shortly after.
daarnaast beside (next to) it.
daarom therefore, so, for that (this) reason.
daarop upon that, thereon, thereupon.
daartegen against that.
daartoe for that (it), for that purpose, to that end.
daartussen between them (that),

among them.

daaruit from that (there, this); out (of that).

daarvoor *(plaats, tijd)* before that (it, them); *(doel)* for that, for it.

dadel date.

dadelijk direct, immediate, prompt.

dader author, doer; *(schuldige)* perpetrator, culprit.

dag day; *het wordt –*, it dawns; *de ganse –*, all the day long; *goeden–!* good (morning, day, evening...); *(bij afscheid)* good-bye!.

dagblad o. newspaper, daily paper, daily.

dagboek o. diary.

dagelijks daily, everyday; ordinary, day-to-day.

dageraad daybreak, dawn.

daglicht o. daylight.

dagloner day-labourer.

dagmars a day's march.

dagschotel dish of the day.

dagtekenen date.

dagvaarden cite, summon.

dak o. roof; *dat gaat als van een leien –je*, it goes smoothly; it goes on wheels.

dakgoot gutter.

dakpan (roofing) tile.

dal o. valley.

dalen *(vliegtuig, ballon, enz.)* descend, land; *(de zon)* sink, go down; *(barom., temperatuur)* fall, drop; *(stem)* lower, drop, sink.

daling descent, decline, fall.

dam dam, dike.

damast o., ~**en** bn. damask.

dame lady; *(kaartsp.)* queen.

damestoilet o. ladies', ladies' lavatory.

dammen play at draughts.

damp steam, vapour, smoke.

dampen steam, smoke.

dampkring atmosphere.

damspel o. draugts, game at draughts.

dan bw. then. ‖ voegw. than; *groter –*, bigger than

danig bn. very/great, thorough, tremendous. ‖ bw. ...ly; very much.

dank thanks; *geen –*, you're welcome, don't mention it.

dankbaar grateful, thankful.

dankbaarheid thankfulness, gratitude.

danken thank, give thanks.

dans dance.

dansen dance.

danser dancer.

dapper brave, valiant, courageous.

darm intestine, gut.

dartel playful, lively, frisky.

das (neck-)tie, cravat; *(dier)* badger.

dashboard dashboard.

dat vnw. that. ‖ betr. vnw. that, which. ‖ voegw. that; *(dikw. niet vertaald) Ik wist – hij daar was*, I knew he was there.

dateren date.

datgene that; *– wat*, that which.

datum date.

dauw dew; *voor dag en –*, before daybreak, before dawn.

daveren shake, shake, boom; *een –d succes*, a tremendous succes.

de the.

dealer dealer.

debacle debacle, fiasco, failure.

debat o. discussion, debate.

debet o. debit.

debiel mentally deficient.

debuut o. debut, beginning, first appearance (of an actor, etc.).

decadent decadent.

december December.

decennium decennium, decade.

decibel decibel.

decimaal decimal.

decimeter decimetre.
declameren declaim, recite.
declareren declare.
decor scenery, scenes.
decoratie decoration, ornament; distinction, award, order of knighthood.
decreet *o.* decree.
deeg *o.* dough, paste.
deel *o.* part, portion; *boek*–, volume; *(symfonie)* movement.
deelachtig *iemand iets* – *maken*, impart sth. to sbd.
deelbaar divisible.
deelgenoot sharer, partner.
deelnemen, – *aan*, participate in, take part in.
deelnemer participant.
deelneming participation; sympathy, compassion.
deels partly.
deeltijd part-time.
deelwoord *o.* participle.
deemoed meekness, humility.
deerlijk sad, pitiful, grievous; *zich* – *vergissen*, be greatly mistaken.
deerniswekkend pitiful.
defect *o.* defect, deficiency, fault. ǁ *bn.* faulty; – *raken*, get out of order.
defensie defence.
definiëren define.
definitief definitive, final.
deftig dignified, stately, grave.
degelijk *(voedsel)* substantial; *(kennis)* thorough; – *werk*, solid work.
degen sword.
degene he, she; *–n die...*, those (they) who...
deining *(water)* swell; *(fig.)*, excitement, commotion.
dek *o.* deck.
dekbed *o.* quilt, duvet, eiderdown.
deken *(kerk)* dean. ǁ *(op bed)* blanket.

dekken cover; *zich* –, cover oneself.
deksel *o.* cover, lid, top.
dekstoel deck chair.
delen divide; *(mening, enz.) iemands mening* –, share one's views.
delfstof mineral.
delgen amortize (a debt); pay (clear) off.
deliberatie deliberation.
delicaat delicate.
delven dig.
demagogie demagogy.
dement dement.
dementie dementia.
demobiliseren demobilize.
democratie democracy.
demonstratie demonstration.
demonteren dismount, dismantle.
dempen *(een kuil)* fill up; *(geluid)* deaden.
den fir(-tree); *grove* –, pine.
denappel fir-cone.
Denemarken Denmark.
denkbaar conceivable, imaginable.
denkbeeld *o.* notion, idea.
denkelijk probable, likely.
denken think.
denkvermogen *o.* intellect, faculty of thought.
deodorant deodorant.
departement *o.* department; government office, ministry.
deposito *o. in* –, on deposit.
depot *o.* depot.
depressie depression.
derailleren go (run) off the rails.
derde third; *ten* –, thirdly.
deren harm, hurt.
dergelijk such, suchlike, similar; *en –e*, and the like.
derhalve therefore, so, consequently.
dermate to such a degree, in such a manner.

dertien thirteen.
dertig thirty.
desbetreffend relating to the matter in question.
deserteren desert.
design *o.* design.
desinfecteren disinfect.
deskundig *bn.*, **deskundige** expert.
desnoods if need be.
desondanks nevertheless.
despoot tyrant, despot.
dessert *o.* dessert.
destijds at that time.
deswege therefore, on that account.
detail *o.* detail; *in –s treden*, enter into details.
detailhandel retail trade.
detective detective.
deugd virtue; (good) quality.
deugdelijk sound, valid.
deugdzaam virtuous.
deugniet rogue, rascal, scoundrel, good-for-nothing.
deuk dent.
deur door.
deurknop door-knob, door-handle.
deurwaarder bailiff.
devaluatie devaluation.
devies *o.* motto, device.
deviezen (foreign) exchange, currency.
deze this; *mv.* these.
dezelfde the same.
diabetes diabetes.
diadeem diadem.
diagonaal diagonal.
diaken deacon.
dialect *o.* dialect.
dialoog dialogue.
diamant *m. en o.* diamond.
diamantslijper diamondpolisher.
diameter diameter.
diarree diarrhoea.
dicht *bn. (deur, enz.)* closed; *(mist, enz.)*

dense, thick. || *bw. (bevolkt)* densely.
dichtbij close by, near.
dichtdoen close, shut.
dichter poet.
dichterlijk poetic(al).
dictee *o.* dictation.
die *aanwijz. vnw.* that; *mv.* those. || *betrek. vnw.* who, which, that.
dieet *o.* diet, regimen.
dief thief.
diefstal theft, robbery.
diegene he, she; *–n die,* those who.
dienaar, dienares servant.
dienen *ov. ww.* serve; *om u te –!* at your service! || *onov. ww.* serve, be in service.
dienovereenkomstig accordingly.
dienst service; *iem. een – bewijzen,* do sbd.a service.
dienstbode servant, domestic.
dienstig useful, serviceable.
dienstplicht *(mil.)* compulsory (military) service.
dienstregeling time-table.
dienstvaardig(heid) obliging(ness), helpful(ness).
dientengevolge consequently, as a result.
diep deep, profound.
diepgang draught; *(fig.)* depth.
diepte depth *(ook fig.); (voor zee, enz.)* deep.
dieptepunt *o.* lowest point.
diepvries deep-freeze.
diepzinnig deep, profound.
dier *o.* animal, beast.
dierbaar dear, beloved.
dierenbescherming animal protection; *(vereniging)* the Society for the Prevention of Cruelty to Animals.
dierenriem zodiac.
dierentemmer animal trainer, tamer of wild beasts.

dierentuin zoological garden(s), zoo.
dierkunde zoology.
dierlijk *(voedsel, enz.)* animal; *(instinct)* bestial.
dieselolie diesel oil.
dievegge (female) thief.
digitaal digital.
dij thigh.
dijk dike, bank, dam.
dik thick.
dikte thickness, bigness.
dikwijls often, frequently.
dilemma *o.* dilemma.
dimensie dimension.
dimlicht *o.* dipped/ dimmed headlights.
dimmen dip (the headlights).
diner *o.* dinner.
dineren dine.
ding *o.* thing.
dingen bargain, haggle; compete (for).
dinosauriër dinosaur.
dinsdag Tuesday.
dioxine dioxin.
diploma *o.* certificate, diploma.
diplomaat diplomat(ist).
direct *bn.* direct, straight ‖ *bw.* directly, at once, promptly.
directeur *(fabriek, enz.)* manager, director; *(school)* headmaster, principal.
directrice directress; *(zaak)* manageress; *(school)* headmistress, (lady-)principal.
dirigent conductor.
discipline discipline
disconto *o.* (bank) rate, discount.
discotheek record library; disco.
discriminatie discrimination.
discussie discussion, debate.
discussiëren discuss, argue.
discuswerpen throwing the discuss.
diskette diskette, floppy disk.
diskettestation *o.* disk drive.
diskwalificeren disqualify.

distel thistle.
distilleren distil.
distributie distribution.
district *o.* district.
dit this.
divan couch, divan.
divers various.
dividend *o.* dividend.
divisie division.
DNA *o.* DNA.
dobbelen dice, gamble.
dobbelsteen die *(mv. dice)*; cube (of bread).
dobber float.
dobberen bob, float.
docent teacher.
dochter daughter.
doctor doctor.
document *o.* document.
documentaire documentary.
dodelijk mortal, deadly; lethal (weapons).
doden kill, put to death; *de tijd – met*, kill the time with.
doedelzak bagpipe.
doek cloth, towel, shawl. ‖ *o. (schilder)* canvas; *(film)* screen; *(scheepst.)* sail, rag.
doel *o.* target, aim, object, purpose; *(voetb.)* goal; *(reis)* destination.
doelbewust purposeful.
doelloos aimless, purposeless.
doelman goalkeeper.
doelmatig appropriate, suitable, efficient.
doelpunt *o.* goal.
doelstelling aim.
doeltreffend efficient.
doen *ov. ww.* do, work; *zijn haar –*, do one's hair; *het volk – lachen*, make people laugh. ‖ *onov. ww. wij – in wijn*, we deal in wine; *wat is daar te –?* what's going on there? ‖ *o.* doing, acting.

doende doing; *al – leert men*, practice makes perfect.

doenlijk practicable, feasible.

dof faint, dull, dim.

dog bulldog.

dogma *o.* dogma.

dok *o.* dock; *drijvend –*, floating dock.

dokter doctor, physician.

dol mad, wild, frantic.

dolen wander, err.

dolfijn dolphin.

dolk dagger, poniard, stiletto.

dom *bn.* stupid, dull. ‖ *zn.* cathedral.

domein *o.* domain.

dominant dominant.

dominee clergyman; vicar.

domineren *ov. ww.* dominate.

domkop blockhead, dullard, dummy.

dommekracht jack.

dompelen plunge, dip.

donder thunder.

donderdag Thursday; *Witte D–*, Maundy Thursday.

donderwolk thundercloud.

donker dark, obscure, sombre.

donkerblauw dark- (deep-)blue.

donor donor.

dons *o.* down(y), fluff(y).

dood death. ‖ *bn.* dead.

dood(s)kist coffin.

dood(s)vonnis *o.* death-sentence.

doodgraver grave-digger.

doodlopen come to an end/a dead end; *–de straat*, cul-de-sac, blind alley; *–de weg*, no through road.

doods deathly, deathlike, dead.

doodsangst mortal fear, agony.

doodsbericht *o.* obituary notice.

doodsbleek dead white.

doodshoofd *o.* death's head.

doodslaan kill.

doodstrijd agony, deathstruggle.

doodsvijand mortal enemy.

doof deaf; *zo – als een kwartel*, as deaf as a post.

doofpot *in de – stoppen*, hush up (a matter).

doofstom deaf-mute, deaf and dumb.

dooi *o.* thaw.

dooier yolk.

doolhof labyrinth, maze.

doop baptism, christening.

doopceel certificate of baptism.

doopvont (baptismal) font.

door *voorz.* through, by; *(examen) hij is er–*, he has passed (succeeded).

doorbakken, well-done, wellbaked bread.

doorboren pierce, perforate.

doorbraak bursting, breach, rupture, *(fig.)* break-through.

doorbrengen spend; *de tijd –*, pass one's time.

doordrijven push, force through.

doordringen penetrate.

dooreen pell-mell, in confusion.

doorgaans generally, usually.

doorgang passage, way.

doorgronden fathom, get to the bottom.

doorhalen pull through; strike out (a word).

doorheen through; *er zich – slaan*, force one's way through.

doorkneed, *– zijn in*, thoroughly versed in, well-read in.

doorkruisen cross, traverse.

doorlópen go (run, walk) through.

dóórlopen! move on, please!

doorlopend continuous, non-stop (programme, etc.).

doorn thorn, prickle.

doornat wet through, wet to the skin, soaked.

doorreis passage (journey) through.

doorschijnend translucent, transparent.

doorslaand – *bewijs*, conclusive, convincing proof.
doorslag *(schrijfmach.)* carbon copy; *(overwicht) dat geeft de* –, that does it, that settles it.
doorslaggevend decisive, deciding.
doorsnede, doorsnee diameter, profile, section.
doorstaan, *de proef* –, stand the test; endure (pain).
doorsteken pierce, prick.
doortastend energetic.
doortocht passage.
doortrapt sly, cunning, tricky.
doortrekken *ov. ww.* pull through; *(koord)* pull asunder; *(tekening)* trace; *(straat)* extend; *(toilet)* flush. || *onov. ww.* march (pass) through.
doorvoer transit.
doorwaadbaar fordable.
doorweekt soaked, drenched, sopping.
doorwrocht elaborate.
doorzetten *ov. ww.* push, go through with. || *onov. ww.* persevere, persist.
doorzichtig transparent.
doorzoeken search, go through, ransack (a house).
doos box, case.
dop *(ei, noot)* shell; *(bonen)* pod; *(v. vulpen)* cap, top.
dopen baptize, christen.
doperwt(en) green-pea(s).
doping doping, drugs.
dor dry, arid, barren, dry.
dorp *o.* village.
dorpel threshold.
dorsen thresh.
dorsmachine threshing machine.
dorst thirst; – *hebben*, be thirsty.
dorsvlegel flail.
dorsvloer threshing-floor.
dosis dose, quantity.
dot knot.

douane customs house.
douche shower; *(fig.) een koude* –, a cold shower.
doven extinguish, put out.
dozijn *o.* dozen; *per* –, by the dozen.
draad thread; *(metaal)* wire; *voor de* – *komen*, speak up.
draadloos wireless.
draadnagel wire-nail.
draagbaar *bn.* portable, bearable. || *zn.* bier, hand-barrow.
draagkracht capacity, strength.
draaglijk tolerable, bearable.
draagmoeder surrogate mother.
draai turn, twist; winding, turning (of the road).
draaibaar revolving.
draaien turn, rotate.
draaierig dizzy, giddy.
draaikolk whirlpool, eddy.
draaimolen merry-go-round.
draaiorgel *o.* barrel-organ.
draak dragon; *de* – *steken met*, poke fun at.
dracht *(kleed)* costume, dress.
draf trot.
dragen bear; wear (clothes); carry.
drager bearer; carrier.
draineren drain.
dralen linger, tarry, hesitate; *zonder* –, without (further) delay.
drama *o.* drama.
dramatisch dramatic.
drang impulse, urge.
drank drink, beverage.
drankje *o.* medicine, potion.
draperie drapery.
drassig marshy, swampy.
drastisch drastic.
draven trot.
dreef lane, alley; *op* – *komen*, get into one's stride.
dreggen drag (for)

dreigement *o.* threat, menace.
dreigen threaten, menace.
drempel threshold.
drenkeling drowned (drowning) person.
drenken water (cattle).
drentelen saunter, stroll.
dressuur training, dressage.
dreunen drone, rumble, roar, boom.
dribbelen toddle, trip; *(voetbal)* dribble.
drie three.
driehoek triangle.
driekleur tricolour.
driesprong three-forked road.
driest bold, audacious.
drievoud treble, triplicate.
driewieler tricycle.
driftig passionate, quicktempered; angry.
drijfkracht driving-force.
drijfveer moving spring; *(fig.)* mainspring, motive.
drijfzand *o.* quicksand.
drijven *ov. ww.* drive, propel; *een zaak –,* run a business. ‖ *onov. ww.* float, swim.
drilboor drill.
drillen *(soldaten)* drill; *(v. examen)* coach, cram.
dringen push, crowd; press.
dringend urgent, pressing.
drinkbaar drinkable.
drinken *ww.* drink, have a glass. ‖ *zn. o.* drinking; beverage.
drinkgeld *o.* tip, gratuity.
drinkwater *o.* drinking water.
droefenis grief, sorrow.
droefgeestig melancholy, mournful, sorrowful.
droevig sad, afflicted, sorrowful, pitiful, sorry.
drogen *ov. ww.* dry, wipe dry. ‖ *onov. ww.* dry.
drogist chemist, druggist, drugstore.

drogreden fallacy
drom crowd, multitude, throng.
dromen dream.
dromerig dreamy.
dronk drink, draught; toast.
dronkaard drunkard.
dronken drunk; tipsy, drunken.
dronkenschap drunkenness, intoxication.
droog dry, arid.
droogte dryness, drought.
droom dream.
droombeeld *o.* vision, illusion.
drop drop, bead.
drug drug.
drug(s)gebruiker drug user.
druif grape.
druipen drop, drip.
druipneus running nose.
druivensap *o.* grape juice.
druivensuiker grape-sugar, glucose.
druiventros bunch of grapes.
druk *zn.* pressure; print(ing), impression. ‖ *bn.* busy, lively, noisy.
drukfout misprint, printer's error.
drukken press, squeeze; *(fig.)* weigh upon ; *(boeken, stoffen)* print.
drukkend *(atmosfeer)* close, stuffy; *(gewicht)* burdensome, onerous.
drukker printer.
drukkerij printing-office.
drukknop push-button.
drukletter type; print letter.
drukte stir, bustle, fuss.
drukwerk *o.* printed matter.
drum drum.
druppel drop, bead; *(kleine hoeveelheid)* thimbleful.
druppelen drop, drip.
dubbel double, twofold; *een –e naam,* a double-barrelled name, hyphenated name.
dubbeldekker double-decker.

dubbelganger double.
dubbeltje *o.* ten cent piece.
dubbelzinnig ambiguous, equivocal.
duchten fear, dread, apprehend.
duchtig strong, fearful.
duel *o.* duel.
duelleren duel, fight a duel.
duet *o.* duet.
duf fusty; stuffy; musty.
duidelijk clear, plain, distinct, obvious.
duif pigeon, dove.
duig *in –en vallen,* fall through,
    miscarry, fail.
duikboot submarine, U-boat.
duiken plunge, dip, dive.
duiker diver.
duikplank diving board.
duim thumb; *(maat)* inch = 2,5 cm.
duimstok folding rule.
duin *v./m. en o.* dune.
duister dark, obscure, dim.
duisternis darkness, obscurity.
duit *(historisch)* doit; penny, cent.
Duits German.
Duitsland *o.* Germany.
duivel devil, demon.
duivels devilish, diabolic(al).
duivenmelker pigeon-fancier.
duiventil pigeon-house, dovecot.
duizelig dizzy, giddy.
duizelingwekkend vertiginous,
    giddy(ing).
duizend a (one) thousand.
duizendpoot centipede, millipede.
dulden bear, endure, suffer, tolerate.
dun thin, slender.
dunk opinion.
dunken think; *me dunkt,* I think, it
    seems to me.
dupe dupe, victim; *ik ben er de – van,*
    I am to suffer for it.
duplicaat *o.* duplicate.
duren last, continue, endure.

durf daring, pluck.
durven dare.
dus *voegw.* so, therefore, consequently.
    || *bw.* thus, in that way.
dusdanig *bn.* such. || *bw.* in such a
    manner (way).
dutje *o.* doze, snooze, nap; *een – doen,*
    take a nap.
duur *bn.* dear, expensive, costly.
    || duration, length.
duurte expensiveness, dearness.
duurzaam durable, lasting; hard-
    wearong.
duw push, thrust.
duwen push, thrust.
dwaallicht *o.* will-o'-the-wisp.
dwaalspoor *o.* wrong track; *op een –
    geraken,* go astray.
dwaas fool. || *bn.* foolish, silly.
dwaasheid folly, foolishness.
dwalen err, wander.
dwaling error, mistake.
dwang constraint, compulsion.
dwangarbeid hard labour.
dwangbuis *o.* strait-jacket.
dwars diagonal, transverse; across; *(fig.)*
    wrong-headed, contrary.
dwarsbomen cross, thwart.
dwarskop a stubborn/pig-headed
    person,.
dwarsligger *(spoorw.)* sleeper.
dweepziek fanatic(al).
dweil floor-cloth, mop, swab.
dwepen be fanatic(al), be enthusiastic
    (about).
dwerg dwarf, pygmy.
dwingeland tyrant.
dwingen force, compel, constrain.
dynamisch dynamic.
dynamo dynamo.
dynastie dynasty.
dysenterie dysentery.

E

eb, ebbe *v*, ebb(-tide).

ebbenhout *o.*, **ebbenhouten** *bn.* ebony.

echo echo.

echografie ultra-sound scan.

echt *bn.* real, genuine, authentic. || *bw. (versterkend)* really. || *zn.* marriage, matrimony.

echtbreuk adultery.

echtelijk conjugal, matrimonial.

echter however, nevertheless, though.

echtgenoot husband, spouse.

echtgenote wife, spouse, lady.

echtpaar *o.* (married) couple.

echtscheiding divorce.

ecologie ecology.

economie economy.

economisch economic(al).

ecstasy ecstasy.

ecu European currency unit, ecu.

eczeem *o.* eczema.

e.d. and the like.

edel noble; *(metaal, stenen)*, precious.

edelmoedig noble(-minded); generous.

edelsteen jewel, gem, precious stone.

eed oath.

EEG EEC, European Economic Community.

eekhoorn squirrel.

eelt *o.* callus, callosity.

een *lidw.* a, an. || *telw.* one.

eenakter act play.

eend duck.

eender equal, the same.

eendracht union, concord, harmony; *– maakt macht*, union is strength.

eenheid unity, uniformity.

eenhoofdig monocratic, monarchical.

eenmaal once; *–, andermaal, verkocht!*, going, going, gone!

eenparig unanimous.

eenpersoons for one person, one-man.

eenpersoonkamer single room

eenrichtingsverkeer *o.* one-way traffic.

eens once; one day; *op–*, all at once.

eensgezind unanimous, in harmony.

eensklaps suddenly, all of a sudden, all at once.

eensluidend identical, uniform, similar.

eenstemmig *(muziek)* for one voice, *(fig.)* unanimous.

eentonig monotonous.

eenvoudig *bn.* simple, plain. || *bw.* simply.

eenzaam lonely, solitary.

eenzijdig one-sided; partial; unilateral.

eer *bijw.* sooner, rather. || *voegw. (alvorens)* before; *(tot dat)* till, up to. || *zn.* honour.

eerbaar virtuous.

eerbetoon *o.* homage, honour.

eerbied respect, reverence.

eerbiedig respectful, reverent.

eerbiedwaardig respectable, venerable.

eerder *bw* en *voegw.* before, sooner, rather.

eergevoel *o.* sense of honour.

eergisteren the day before yesterday.

eerlang shortly, before long.

eerlijk honest.

eerloos infamous.

eerst first.

eerstdaags one of these days.

eerstehulppost first-aid station.

eerstkomend next, following.

eervol honourable.

eerzaam respectable.

eerzucht ambition.

eerzuchtig ambitious.

eetbaar eatable, fit to eat.

eetlepel table-spoon.

eetlust appetite.

eetzaal dining-room.

eeuw century; *de gouden –*, the golden age.

eeuwig eternal, perpetual, everlasting.

effect *o.* effect; *(sport)* spin.
effectenbeurs stock exchange.
effen smooth, even, level.
efficiënt efficient.
eg ook **egge** harrow, drag.
egel hedgehog.
egoïsme *o.* egoism.
EHBO first aid.
ei *o.* egg; *gebakken –,* fried egg.
eicel egg.
eierdooier yolk, egg-yolk.
eierdop *o.* egg-cup.
eierschaal egg-shell.
eigen own, proper; peculiar to, characteristic.
eigenaar owner, proprietor.
eigenaardig peculiar, curious.
eigenbaat self-interest.
eigendom *m. en o.* property, possession.
eigenhandig with one's own hands.
eigenliefde self-love.
eigenlijk proper, actual.
eigenmachtig arbitrary, high-handed.
eigennaam proper name, proper noun.
eigenschap quality, property.
eigenwaan presumption, conceitedness.
eigenwaarde self-respect, self-esteem.
eigenwijs conceited, pigheaded.
eigenzinnig wilful, self-willed.
eik oak.
eikel acorn; *(penis)* glans.
eiken oaken, oak.
eiland *o.* island, isle.
einde *o.* end, ending, conclusion; *ten – raad zijn,* to be at one's wit's end.
eindelijk at last, finally, ultimately, at length.
eindeloos endless, infinite.
eindexamen *o.* final examination, leaving examination.
eindigen end, finish, terminate.

eindpunt *o.* terminal point, end.
eis claim, demand, requirement.
eisen claim, demand, require.
eiwit *o.* white of egg, albumen; protein.
ekster magpie.
eksteroog *o.* corn.
el ell = 69 cm, *(Eng.)* yard = 91 cm.
eland elk.
elastiek *o.* elastic.
elders elsewhere.
elegant elegant, stylish.
elektricien electrician.
elektriciteit electricity.
elektrisch electric.
elektronica electronics.
element *o.* element.
elf *telw.* eleven. || *zn.* elf
elite élite.
elk every, each, any.
elkaar, each (one) another; *bij –,* together.
elkeen every one (body).
elleboog elbow.
ellende misery, distress.
ellendeling wretch, villain.
ellendig miserable, wretched.
ellips ellipsis.
els *(boom)* alder; *(priem)* awl.
email *o.* enamel.
e-mail electronic mail.
emancipatie emancipation.
embargo *o.* embargo.
embryo *o.* embryo.
emigrant emigrant.
emigratie emigration.
emissiebank bank of issue.
emmer pail, bucket.
emotie emotion.
en and.
encyclopedie encyclopaedia.
energie energy; power.
energiek energetic.
eng narrow, tight; creepy, eerie, weird.

engagement *o.* engagement; *politiek –,* commitment.
engel angel.
Engeland England.
Engels English; *–e sleutel,* monkeywrench.
Engelsman Englishman.
engte narrow passage, strait.
enig sole, single, only, unique.
enigermate in some degree.
enigszins somewhat, a little, slightly.
enkel ankle. ‖ *bn.* single; *een –e keer,* occasionally; *–e reis,* single fare. ‖ *bw.* merely, only.
enkelvoud *o.* singular.
enorm enormous, huge, immense.
enquête inquiry, poll.
ensemble *o.* ensemble, company.
enten graft (upon).
enthousiasme *o.* enthusiasm.
entree entrance, admission, entry.
envelop envelope.
enz. etc., etc., and so on.
epidemie epidemic.
epilepsie epilepsy.
epistel epistle.
epos *o.* epic, epopee.
equivalent *bn.* equivalent. ‖ *o.* equivalent, counterpart.
er there.
erbarmelijk pitiable, pitiful, miserable.
erectie erection.
eredienst public worship, cult.
erelid *o.* honorary member.
eren honour, revere.
erewoord *o* word of honour; *(mil.)* parole; *op mijn –,* upon my word.
erf *o.* grounds, yard.
erfdeel *o.* heritage.
erfelijk hereditary.
erfenis heritage, inheritance; legacy.
erfgenaam heir.
erfpacht long lease, hereditary tenure.

erfzonde original sin.
erg bad, evil, ill.
ergens somewhere, anywhere.
ergeren annoy, irritate; scandalize.
ergerlijk annoying, irritating; scandalous, offensive.
ergernis annoyance, nuisance; scandal, offence.
erkennen acknowledge; admit, confess.
erkenning acknowledgment, admission.
erkentelijk grateful, thankful.
ernst earnest(ness), seriousness, gravity.
ernstig earnest, serious, grave.
erosie erosion.
erotisch erotic.
erts *o.* ore.
ervaren *ww.* experience, learn. ‖ *bn.* expert, experienced, skilled.
ervaring experience, practice.
erven inherit.
erwt pea.
erwtensoep pea-soup.
es ash(-tree).
escorte *o.* escort.
esp aspen.
essay *o.* essay.
essentie substance.
estafette relay.
esthetisch aesthetic.
Estland Estonia.
etablissement *o.* establishment.
etage floor, stor(e)y.
etalage shop-window.
eten *ww.* eat, dine. ‖ *o.* food.
etenswaar food, provisions.
ethisch ethical.
etiket *o.* label.
ets etching.
etsen etch.
ettelijk several, some.
etter, pus, purulent matter; *(pers.)* nuisance, rotter.
etui *o.* case, etui.

EU European Union, EU.
euforie euphoria.
Europa Europe.
Europeaan *zn.*, **Europees** *bn.* European.
euthanasie euthanasia.
euvel, *o.* evil, fault.
evacuatie evacuation.
evaluatie evaluation.
evangelie *o.* gospel.
even *bn.* even. ‖ *bw.* equally; just.
evenaar equator.
evenals just as, like.
evenaren equal, match.
evenbeeld *o.* image, (exact) likeness.
eveneens as well, too, also.
evenement *o.* event.
evenmin no more.
evenredig proportional; *recht
(omgekeerd)* –, directly (inversely)
proportional to.
eventjes just, a minute.
eventueel *bn.* possible, potential. ‖ *bw.*
this being the case, if necessary.
evenveel as much, as many.
evenwel however, nevertheless.
evenwicht *o.* balance, equilibrium.
evenwijdig parallel.
evenzeer as much.
evolutie evolution.
examen *o.* examination; *(fam.)* exam.

excellentie excellency.
exclusief exclusive, excluding.
excursie excursion.
excuseren excuse, apologize.
excuus *o.* excuse, apology.
executeur executor.
executie execution.
exemplaar *o.* specimen, copy.
expansie expansion.
expediteur forwarding-agent, shipping-
agent.
expeditie expedition.
experiment *o.* experiment.
expert expert.
expliciet explicit.
exploitatie working, exploitation.
exploiteren exploit, work, run.
explosie explosion.
export export(ation).
expositie exhibition; show.
expres *bn.* en *bw.* on purpose,
deliberately, intentionally.
expresbrief express(-delivery) letter.
extase ecstasy, rapture.
extern non-resident.
extra extra, additional.
extract *o.* extract, excerpt.
ezel ass, donkey; *(v. schilder)* easel.
ezelsbruggetje study aid, memory aid.

F

faam fame, reputation.
fabel fable; *(fig.)* myth.
fabelachtig fabulous.
fabriceren manufacture.
fabriek factory.
fabrieksmerk *o.* trade mark.
factor factor.
factuur invoice (bill).

facultatief optional.
failliet, faillissement *o.* failure,
bankrupt(cy).
fakkel torch.
falen fail, miss, err.
fameus famous, enormous.
familiair familiar, informal.
familie family, relatives.

familiekring family (domestic) circle.
fan fan.
fanatiek fanatic(al).
fanfare brass band.
fantasie phantasy, fancy, (rich) imagination.
farao pharaoh.
farizeeër pharisee; hypocrite.
fascinatie fascination.
fascisme *o.* fascism.
fascist *zn.*, **fascistisch** *bn.* fascist.
fase phase, stage.
fastfood *o.* fastfood.
fat dandy, fop.
fataal fatal.
fatalistisch fatalistic.
fatsoen *o.* good manners; *(vorm)* cut, fashion.
fatsoenlijk decent, respectable.
fauteuil arm-chair, easy chair.
fax fax.
fazant pheasant.
februari February.
federalisme *o.* federalism.
federatie federation.
fee fairy.
feeks shrew, vixen.
feest *o.* feast, festivity, festival; party.
feestdag feast-day, festive day, public holiday; bank holiday.
feestmaal *o.* banquet.
feestvieren feast, celebrate.
feilbaar fallible.
feilloos faultless, indefectible.
feit *o.* fact.
feitelijk actual, real.
fel fierce, intense, sharp.
felicitatie congratulation.
feliciteren congratulate.
fenomeen *o.* phenomenon.
ferm fine, smart.
ferry ferry(boat).
festival *o.* festival.

fiche *o.* index card, filing card.
fictie fiction.
fielt rogue, rascal, scoundrel.
fier proud.
fiets (bi)cycle; *(fam.)* bike.
fietsbel cycle bell.
fietsen cycle, bike.
fietsenmaker cycle repairer.
fietspad *o.* cycling-track, *(Am.)* bike-way.
fietspomp inflator, cycle-pump.
fietstocht cycling-tour.
figurant walk-on.
figuur figure; form, shape.
figuurlijk figurative.
fijn fine, nice, lovely; *(uitgelezen)* exquisite.
fijngevoelig delicate, sensitive.
fijnproever connoisseur.
fiks good, sound.
file row, file, queue, line.
filet *m. en o.* fillet.
filiaal *o.* branch office.
film film, *(Am.)* movie.
filmcamera film camera.
filmrol film.
filmster film star.
filosofie philosophy.
filter *m. en o.* filter, percolator.
filterzakje *o.* filter bag; coffee filter.
finale final.
financieel financial.
financieren finance.
fingeren feign, simulate.
Finland Finland.
Fins Finnish.
firma firm, house, company.
firmament firmament, sky.
fiscus treasury, exchequer.
fistel fistula.
fitting fitting, lampholder.
fjord *m. en o.* fjord.
fladderen flutter, flit, flitter, hover.

flambouw torch.
flamingant Flemish movement supporter.
flanel *o*. flannel.
flank flank, side.
flarden rags, tatters
flashback flashback.
flat flat, *(Am.)* apartment.
flater blunder, howler.
flauw faint, weak, pale.
flauwte swoon, fainting-fit, faint.
flegmatiek, flegmatisch phlegmatic, stolid.
flemen coax.
flensje *o*. thin pancake.
fles bottle.
flesopener bottle opener.
flets pale, faded.
fleur prime, bloom, flower.
flikkeren flicker, glitter, twinkle.
flink good, considerable; fine, sturdy.
flipperkast pinball machine.
flitslamp flash lamp, flash bulb.
floers *o*. (black) crape; veil.
flop flop, fiasco.
floppy floppy disk.
flossen floss.
fluisteren whisper.
fluit flute.
fluiten whistle; *(muz.)* play the flute; *(vogels)* sing, warble; *(neg.)* hiss.
fluks quickly.
fluor *v./m. en o*. fluorine.
fluweel *o*., **fluwelen** *bn*. velvet.
fnuikend fatal, pernicious.
fobie phobia.
foedraal *o*. case, cover, sheath.
foei! fie! for shame!
foetus foetus.
föhn hair-drier.
fokken breed, rear.
fokkenmast foremast.
folder folder.

folklore folklore.
folteren torture, torment; put to the rack.
fonds *o*. fund, stock; *(uitgever)* (publisher's) list.
fondue fondue.
fonkelen sparkle.
fontein fountain.
fonteintje *o*. wash-bassin.
fooi tip, gratuity.
foppen fool, cheat.
fopspeen comforter, dummy.
forel trout.
formaat *o*. size, format.
formaliteit formality.
formeel formal.
formidabel formidable.
formule formula; *(mv. ook formulae)*.
formulier form; *een – invullen*, to fill out a form.
fornuis *o*. cooker.
fors strong, robust.
fort *o*. fort, fortress.
fortuin *o*. fortune; *zijn – maken*, make one's fortune.
fosfor *m. en o*. phosphorus.
foto photograph, photo; picture.
fotograaf photographer.
fotograferen photograph.
fotografie photography.
fotokopie photocopy.
fotokopiëren photocopy.
fototoestel *o*. camera.
fouilleren search (a suspect).
fout mistake, fault, error, blunder.
fraai beautiful, nice, pretty, handsome.
fractie fraction; *(pol.)* group, party.
framboos raspberry.
frame *o*. frame.
franco post-free, post-paid.
franje fringe; *(fig.)* frills.
frankeren prepay; *gefrankeerd*, post-paid.

Frankrijk France.
Frans French.
Fransman Frenchman.
frappant striking.
fraude fraud.
freelance freelance.
fris fresh, refreshing, cool.
frisdrank soft drink.
frites French fries, chips.
fronsen frown.
front *o.* front, façade, frontage.
frontaal frontal; *frontale botsing*, head-

on collision
fruit *o.* fruit.
fruiten fry.
fuif spree, party.
fuik trap.
functie function.
fundament *o.* foundation.
fundamenteel fundamental.
fusie merger, union.
fut spirit, spunk.
fysica physics.

G

gaaf *bn.* sound, whole, entire; pure, perfect.
gaan go; *(voor infinitieven)* go and ..., go to ...; *ik ga*, I'm off.
gaanderij gallery.
gaar done, well-done; *niet –*, underdone, raw.
gaarkeuken eating-house.
gaarne readily, willingly, gladly.
gaas *o.* gauze; wire-netting.
gading liking; *dat is mijn – niet*, it is not what I want.
gal bile, gall.
galei galley.
galerij gallery.
galg gallows.
galm sound, resounding.
galmen sound, resound.
galon *o.* lace, braid, galloon.
galopperen gallop.
gang walk, gait; pace, spee; course. || passage, corridor.
gangbaar valid, current; popular.
gangster gangster.
gans *zn.* goose; *sprookjes van Moeder de –*, Mother Goose's tales. || *bn.*

whole, all; *– Londen*, the whole of London.
ganzenleverpastei pâté de foie gras, goose liver pâté.
gapen gape, yawn.
garage garage.
garanderen guarantee, warrant.
garantie guarantee, warranty.
garantiebewijs warranty.
garderobe wardrobe; cloakroom.
garen *o.* thread, yarn; *– en band*, haberdashery.
garnaal shrimp.
garneren *o.* trim, garnish.
garnizoen *o.* garrison.
gas *o.* gas.
gasaansteker gas lighter.
gasfitter gas-fitter.
gasfles gas cylinder.
gaskomfoor *o.* gas-ring.
gaskraan gas-tap.
gasmasker *o.* gas-mask.
gaspedaal *o.* accelerator.
gaspit gas-burner.
gast guest, visitor.
gastarbeider foreign worker.

gastheer host.
gasthuis o. hospital.
gastronomie gastronomy.
gastvrij hospitable.
gastvrijheid hospitality.
gastvrouw hostess.
gasvrouw hostess
gat o. hole, opening, gap; *(het achterste)* bottom; *(gehucht)* hole.
gauw quick, swift; *(spoedig)* quickly, soon.
gave gift.
gazon lawn, green.
geadresseerde addressee.
gearmd arm in arm.
gebaar o. gesture, gesticulation, motion.
gebak o. cake, pastry.
gebarentaal sign-language.
gebed o. prayer.
gebeente o. bones.
gebergte o. (chain of) mountains.
gebeuren *ww.* occur, happen, chance, come about. || *zn. o.* event.
gebeurtenis event, occurrence.
gebied o. territory, area, dominion; jurisdiction; *(fig.)* domain, sphere.
gebieden order, command.
gebit o. (set of) teeth; *vals –*, false teeth.
gebod o. command.
geboorte birth.
geboorteakte birth-certificate.
geboortebeperking birth-control.
geboortedag birthday.
geboortedatum date of birth.
geboorteland o. native country, country of birth.
geboorteplaats birth-place, place of birth.
geboorteregeling birth control.
geboren born.
gebouw o. building, edifice.
gebraad o. roast (meat).

gebraden roasted.
gebrek o. *(gemis)* want, lack; *(fout)* defect, fault, shortcoming.
gebrekkig invalid, disabled, infirm.
gebroeders *mv.* brothers.
gebroken broken; fractured.
gebrom o. humming, grumbling, growling.
gebruik o. use; *(gewoonte)* habit, custom, usage; *buiten –*, out of use.
gebruikelijk usual, customary.
gebruiken use, make use of; partake of; consume.
gebruiker user.
gebruiksaanwijzing directions for use, operating instructions.
gebruiksvoorwerp o. article of use.
gebrul o. howling, roar(ing).
gedaan done, finished.
gedaante shape, figure, form.
gedaanteverwisseling metamorphosis, transformation.
gedachte thought, idea, notion; *in –n verzonken*, lost in thought.
gedachteloos thoughtless.
gedachtenis memory, remembrance.
gedachtestreep dash.
gedecideerd decided, resolute.
gedeelte o. part, section, piece; instalment.
gedeeltelijk partial, partly.
gedenkboek o. memorial book.
gedenkdag anniversary.
gedenkteken o. memorial, monument.
gedenkwaardig memorable.
gedicht o. poem.
gedienstig obliging.
gedijen prosper, thrive, flourish.
gedrag o. conduct, behaviour.
gedragen, zich conduct, behave oneself.
gedrang o. crowd, crush, throng.
gedrocht o. monster.

gedrongen compact, terse.
gedruis *o.* noise; buzzing, humming.
gedrukt *(drukw.)* printed; *(neerslacht.)* depressed, dejected.
geducht *(gevreesd)* dreadful, doughty; *(flink)* tremendous, enormous.
geduld *o.* patience, forbearance.
geduldig patient
gedurende during, for.
gedwee meek, submissive, docile.
gedwongen forced; constrained.
geel yellow.
geelzucht jaundice.
geëmancipeerd emancipated, liberated.
geen no, none, not any, not one.
geenszins not at all, by no means.
geest spirit, mind; ghost, phantom.
geestdrift enthusiasm.
geestelijk *(v.d. geest)* intellectual, mental, spiritual; *(kerkelijk)* ecclesiastical, religious.
geestelijke clergyman, priest.
geestelijkheid clergy.
geesteziekte mental illness.
geestig smart, witty.
geestkracht energy, strength of mind.
geeuw yawn.
gegeven *zn. o.* datum (mv. data), information. ǁ *bn.* given.
gegoed well-off, well-to-do.
gegrond well-grounded, founded; *–e redenen*, strong reasons for.
gehaat hated, hateful, odious.
gehakt *o.* minced meat.
gehalte *o.* grade, alloy, standard; *(fig.) van gering –*, of a low standard.
gehandicapt handicapped.
gehard hardened, hardy; tempered.
gehavend battered, damaged.
gehecht *– aan*, attached to.
geheel *o.* whole. ǁ *bn.* en *bw.* whole, entire, complete; *– en al*, completely, quite.

geheelonthouder total abstainer, teetotaller.
geheim *bn.* secret, clandestine. ǁ *o.* mystery, secret.
geheimschrift *o.* cryptography, cipher.
geheimzinnig mysterious.
geheugen *o.* memory.
gehoor *o.* hearing; *(toehoorders)* audience; *(muz.) op het – spelen*, play by ear.
gehoorzaam obedient.
gehoorzaamheid obedience.
gehoorzamen obey.
gehouden *– te*, bound (obliged) to...
gehucht *o.* hamlet.
gehuil *o.* crying, howling.
gehuwd married.
geijkt *–e termen*, standard terms, expressions.
geil randy, horny.
geit goat.
gejaagd hurried, agitated, nervous.
gejuich *o.* cheers, cheering, shouting.
gek *bn.* mad, crazy; *(vreemd)* odd, funny, queer. ǁ *zn. (krankzinnige)* lunatic, madman; *(dwaas)* fool.
gekant *o. – tegen*, set against, opposed to.
gekheid folly, madness, foolishness; *(scherts)* joke(s), fun.
gekkenhuis *o.* madhouse.
gekleed dressed; *een geklede jas*, a frock-coat.
geklets *o.* twaddle, drivel.
gekleurd coloured; *– glas*, stained glass.
geknoei *o.* bungling.
gekoeld cooled, frozen.
gekonkel *o.* intriguing, plotting.
gekookt cooked.
gekruid spicy.
gekscheren jest, joke, banter.
gekunsteld artificial, affected, unnatural.

gel gel.
gelaat *o.* face, countenance.
gelaatskleur complexion.
gelach *o.* laughter, laughing.
gelag *o.* het – betalen, foot the bill.
gelasten order, instruct, charge.
gelaten resigned.
geld *o.* money; *klein*–, change, small coin.
geldautomaat cash dispenser, cashpoint.
geldboete money-fine.
gelden *(v. kracht zijn)* be in force, be valid; *(betrekk. hebben)* concern, apply to.
geldgebrek *o.* want of money.
geldig valid.
geldigheid validity
geldstuk *o.* coin.
geleden ago; *het is lang –*, it's long since.
geleerd learned.
geleerde learned man (woman), scholar; scientist.
gelegen situated, lying; *(passend)* convenient.
gelegenheid occasion, opportunity.
geleide *o.* guidance, care; *(mil.)* escort; *(scheepv.)* convoy.
geleidehond guide-dog.
geleidelijk *bn.* gradual. || *bw.* gradually, by degrees, little by little.
geleiden lead, accompany, conduct.
geleider *(warmte)* conductor.
gelid *o.* in – opstellen, align.
geliefd dear, beloved.
geliefkoosd favourite.
gelieven please; *gelieve mij te zenden* , please send me.
gelijk *bn.* similar, identical, equal, alike; equivalent. || *bw.* alike, similarly, equally; *(tegelijk)* simultaneously, at the same time. || *o.* right; – *hebben*, be right.

gelijken, – *op*, be like, resemble.
gelijkenis likeness, resemblance; *(parabel)* parable.
gelijkluidend, – *afschrift*, true copy; *(spraakl.)* homonymous.
gelijkmaken equalize, level; *met de grond –*, raze to the ground.
gelijkmatig equable, even, uniform.
gelijknamig of the same name; similar.
gelijksoortig homogeneous, similar.
gelijkstroom direct current.
gelijktijdig simultaneous, synchronous.
gelijkvloers on the ground-floor.
gelijkvormig of the same form, similar.
gelijkwaardig equivalent, equal.
geloei *o.* (bel)lowing, roaring.
gelofte vow, promise.
geloof *o.* faith, belief; credit, trust.
geloofsbrieven credentials, letters of credence.
geloofwaardig credible, reliable, thrustworthy.
geloven believe; think.
gelovig faithful, believing, religious.
geluid *o.* sound, noise.
geluidsinstallatie sound equipment.
geluidsoverlast noise pollution.
geluimd, in the mood; *goed–*, good-humoured; *slecht–*, in a bad temper.
geluk *o.* happiness, felicity; fortune, luck, chance; *op goed –*, at random.
gelukken succeed.
gelukkig happy; fortunate, lucky.
geluksvogel lucky dog.
gelukwensen congratulate (on); wish sbd. good luck.
gelukzalig blessed, blissful.
gelukzoeker fortune-hunter, adventurer.
gemaal husband, spouse.
gemak *o.* ease, facility; comfort, convenience; *niet op zijn –*, ill at ease.
gemakkelijk easy; commodious, comfortable.

gemakzucht love of ease.
gemalin spouse, consort.
gemaskerd masked.
gematigd moderate.
gember ginger.
gemeen common, ordinary; *(laag)* low, mean, base.
gemeenschap community, fellowship; *(geslachtsgemeenschap)* intercourse.
gemeenschappelijk common; joint.
gemeente *(burgerl.)* municipality; *(kerk.)* parish; *(kerkgangers)* congregation.
gemeenteraad (municipal) council.
gemeentereiniging municipal scavenging system.
gemeenzaam familiar.
gemelijk peevish, morose, irritable.
gemengd mixed, miscellaneous.
gemerkt marked.
gemeubileerd furnished.
gemiddeld average.
gemis *o.* lack, want.
gemoed *o.* mind, heart.
gemoedelijk kind(-hearted), good-natured.
gemotoriseerd motorized.
genaamd named, called.
genade grace, mercy; *(recht.)* pardon.
genadeloos merciless, ruthless.
genadeslag death-blow.
genadig merciful, gracious.
geneesheer doctor, physician.
geneeskunde medicine.
geneeskundig medical.
geneesmiddel *o.* remedy, medicine.
genegen inclined, disposed.
genegenheid affection, inclination.
geneigd, – *te (tot)*, inclined (disposed) to.
generaal general. || *bn.* general.
generatie generation.
generen, zich, feel embarrassed.
genetica genetics.

genezen *ov. ww.* cure, heal. || *onov. ww.* get well (better) again.
genie *o.* genius.
geniep *o.* in 't –, secretly.
geniepig sneaking.
genieten enjoy.
genocide genocide.
genoeg enough, sufficient(ly); *er – van hebben*, be fed up with.
genoegdoening satisfaction.
genoegen *o.* pleasure, delight, joy.
genoeglijk agreeable, enjoyable.
genoegzaam sufficient.
genoemd mentioned, named, called.
genootschap *o.* society.
genot *o.* joy, pleasure, delight; enjoyment.
genre *o.* genre, kind.
geoefend practised, trained, expert.
geografie geography.
geoorloofd allowed, permitted.
gepast fit, proper, suitable.
gepeins *o.* meditation, pondering.
gepensioneerd retired.
gepeupel *o.* populace, rabble, mob.
gepraat *o.* talking; talk, gossip.
geprononceerd pronounced.
geraakt hit, touched; *(fig.)* offended.
geraamte *o.* skeleton; *(v. huis, enz.)* frame (work).
geraas *o.* noise, roar(ing).
geraden advisable.
geraken get, arrive, attain.
gerecht *o.* court (of justice); *(eten)* course, dish.
gerechtelijk judicial, legal.
gerechtigd authorized, entitled.
gerechtshof *o.* court (of justice).
gereed ready, finished.
gereedschap *o.* tools, instruments, utensils.
geregeld regular, orderly, fixed.
gereserveerd reserved.

geriefelijk convenient, comfortable.

gering small, scant(y), slight.

geringschatten have a low opinion of, disparage.

geritsel *o.* rustle, rustling.

geronk *o.* droning; *(gesnurk)* snoring.

geronnen curdled (milk); clotted (blood).

gerookt smoked.

gerst barley.

gerucht *o. (geluid)* noise; *(praatje)* rumour, whisper.

geruim *–e* tijd, a considerable time.

geruit checked, chequered.

gerust quiet, calm; easy.

geruststellen reassure.

gescheiden separated; divided; divorced; apart.

geschenk *o.* present, gift.

geschieden occur, happen, come to pass.

geschiedenis history; story.

geschikt fit, proper, suitable; able, capable.

geschil *o.* dispute, quarrel, difference.

geschoold trained; *–e arbeiders,* skilled labourers.

geschreeuw *o.* cry, shouts.

geschrift *o.* writing; document.

geschut *o.* artillery; guns, cannon.

gesel scourge, lash, whip.

geselen scourge, lash, flagellate.

geslacht *o.* generation; race, family; genus, sex; gender.

geslachtsgemeenschap sexual intercourse.

geslachtsziekte venereal disease.

geslepen sharp(ened), whetted; *(fig.)* sly, cunning.

gesloten closed, shut; *(v. personen)* reticent, reserved.

gesp clasp, buckle.

gespannen *(boog)* bent; *(touw)* tight; *(nerveus)* nervous, tense.

gespierd muscular.

gespikkeld spotted, speckled.

gesprek *o.* conversation; *in –,* engaged.

gespuis *o.* rabble, riff-raff, scum.

gestadig steady, constant, continual.

gestalte stature, figure, shape.

gesteente *o.* (precious) stone(s); stone, rock.

gestel *o.* constitution, system.

gesteld *voegw.* supposing ‖ *bn. – zijn op,* to be fond of.

gesteldheid state, condition.

gestemd tuned; *(fig.)* disposed.

gesternte *o.* star(s), constellation.

gesticht *o.* mental institution, mental home.

gestreept striped.

getal *o.* number.

getand toothed.

getij *o.* tide.

getiteld *(pers.)* titled; *(boek, enz.)* entitled.

getreuzel *o.* dawdling, loitering.

getroosten, *zich veel moeite –,* spare no pains.

getrouw faithful, loyal.

getrouwd married.

getuige witness; *(bij huwelijk)* best man.

getuigen *ov. ww.* testify. ‖ *onov. ww.* bear testimony.

getuigenis *v. en o.* testimony, evidence.

getuigschrift *o.* certificate, testimonial.

geul channel, gully.

geur odour, smell; scent, perfume.

geurig fragrant, sweet-smelling.

gevaar *o.* danger, peril, risk.

gevaarlijk dangerous, perilous, risky.

geval *o.* case; affair.

gevangen captive, caught; imprisoned.

gevangenis prison, gaol, jail.

gevangennemen arrest, capture.

gevangenschap imprisonment.

gevat quick-witted.
gevecht *o.* battle, fight, combat.
gevederd feathered.
geveinsd simulated, feigned.
gevel front(age), façade.
geven give, hand; *(kaartspel)* deal; *(opleveren)* produce, afford.
gevoeglijk decently.
gevoel *o.* touch, feeling; sensation, sense.
gevoelen *o.* feeling, opinion. || *ov. ww.* feel.
gevoelig sensitive; *(gevoelerig)* touchy.
gevoelloos unfeeling, insensible.
gevogelte *o.* birds, fowl(s), poultry.
gevolg *o. (pers.)* train, suite; *(resultaat)* result, effect, consequence.
gevolgtrekking conclusion.
gevreesd dreaded.
gevuld full, plump; filled, stuffed.
gewaad *o.* garment(s), dress.
gewaagd risky, hazardous.
gewaand supposed, feigned.
gewaarwording sensation, perception.
gewag *o. – maken van*, mention.
gewapend armed; *– beton*, reinforced concrete.
gewas *o.* herb, plant, crop, growth.
geweer *o.* gun, rifle.
gewei *o.* antlers, horns.
geweld *o.* violence, force; *(fig.) – aandoen*, strain.
geweldig vehement, violent; *(versterkend)* enormous, terrible.
gewelf *o.* arch, vault.
gewemel *o.* swarming, confusion.
gewennen accustom, habituate.
gewenst desired, wished for; desirable.
gewest *o.* region, province.
gewestelijk regional.
geweten *o.* conscience.
gewetenloos unscrupulous, unprincipled.

gewetensbezwaar *o.* scruple.
gewetensvol conscientious, scrupulous.
gewettigd justified, legitimate.
gewezen late, former, ex.
gewicht *o.* weight; *(fig.)* importance.
gewichtig important, weighty.
gewijd consecrated; *–e muziek*, sacred music.
gewild in demand, popular.
gewillig willing.
gewis certain, sure.
gewoel *o.* bustle, stir, turmoil; crowd.
gewond wounded, injured.
gewoon accustomed, used to; common, usual.
gewoonlijk usually, generally.
gewoonte custom, use; habit.
gewricht *o.* joint, articulation.
gewrocht *o.* creation, masterpiece.
gewrongen distorted.
gezag *o.* authority.
gezaghebbend, authoritative.
gezagvoerder master, captain; *(luchtv.)* chief pilot, captain.
gezamenlijk joint, total; complete (works of).
gezang *o.* singing, warbling; song.
gezant ambassador, envoy; *(pausel.)* nuncio.
gezantschap *o.* embassy, legation.
gezegde *o.* saying, expression; *(gram.)* predicate.
gezegend blessed.
gezel mate, companion; journey-man, workman.
gezellig companionable; *(vertrek)* snug, cosy.
gezelschap *o.* company, society.
gezelschapsspel round game.
gezet *bn.* corpulent, thickset. || *bw. op –te tijden*, at set times.
gezicht *o.* sight; *(uitzicht)* view; *(aangezicht)* face; *–en trekken*, pull faces.

gezichtsbedrog optical illusion.
gezichtspunt point of view.
gezichtsverlies *(aanzien)* loss of face.
gezien *voorz.* in view of.
gezin *o.* family, household.
gezind disposed, inclined.
gezindheid disposition, inclination; *(overtuiging)* persuasion.
gezocht in demand (request), sought after; *(onnatuurl.)* affected; *(vergzocht)* far-fetched.
gezond healthy; sound; *(fig.)* sane.
gezondheid health.
gezondheidszorg health care.
gezusters sisters.
gezwel *o.* swelling, tumour.
gezwind swift, quick.
gezwollen swollen; *(fig.)* bombastic.
gezworene juror, juryman, jurywoman.
gids guide.
gier vulture.
gierig avaricious, stingy.
gierigheid miser, skinflint.
gieten pour; found; *(ijzer, enz.)* cast; *het regent dat het giet*, it's raining cats and dogs.
gieter watering can.
gieterij foundry.
gietijzer *o.* cast iron.
gif *o.* poison; *(v. dier)* venom.
gift present, gift.
giftig poisonous, venomous.
gijzelaar hostage.
gijzelen seize and keep as hostage.
gil yell, shriek, scream.
gilde *o.* guild, corporation.
gillen yell, shriek, scream.
ginds *bw.* over there. ‖ *bn.* yonder.
gips *o.* plaster; *(mineraal)* gyps.
giraf(fe) giraffe.
giro giro.
gironummer *o.* giro number.
gissen guess, surmise.

gist yeast, barm.
gisten ferment.
gisteren yesterday.
git *o.* jet.
gitaar guitar.
glad smooth; *(glibberig)* slippery; *(tong)*, glib; *(fig.)* cunning, slick, smooth-faced.
gladheid smoothness, slipperiness.
gladweg clean (forgotten); – *weigeren*, refuse flatly.
glans *(haar)* gloss; *(schoenen)* shine; glory, splendour.
glanzen *ov. ww.* gloss, glaze. ‖ *onov. ww.* shine, gleam.
glas *o.* glass.
glasblazer glass-blower.
glashelder clear as glass; *(fig.)* crystal clear.
glasvezel glass fibre.
glazen of glass, glassy.
glazig glassy; *(aardappel)* waxy.
glazuur *o.(v. tanden)* enamel; *(v. aardew.)* glaze.
gletsjer glacier.
gleuf groove, slit, slot.
glibberig slippery, slithery.
glijbaan slide.
glijden slide, glide; *(uitglijden)* slip.
glijmiddel *o.* lubricant.
glimlach smile.
glimlachen smile; – *tegen*, smile at (on); – *over*, smile at.
glimmen shine, glimmer; glow.
glimp glimpse.
glinsteren glitter, sparkle, glint.
globaal rough; roughly.
gloed glow, blaze; *(fig.)* ardour, fervour.
gloeien glow, be red-hot.
gloeiend glowing, red-hot.
gloeilamp light bulb.
glooiing slope.
glorie glory, lustre, splendour.

gluiperig sneaky, underhand.
gluren peep, leer.
goal goal.
God God.
goddelijk divine, heavenly.
goddeloos godless, impious.
godenleer mythology.
godgeleerdheid theology.
godin goddess.
godsdienst religion.
godsdienstoefening divine service.
godslastering blasphemy.
godsvrucht piety, devotion.
goed *bn.* good; right, correct; kind. ‖ *o.* goods, property; clothes; things; *(stof)* stuff; *roerende –eren,* movables; *onroerende –eren,* immovables; real estate (property).
goedaardig good-natured, kindhearted.
goeddunken *o. naar –,* at you think fit, at discretion.
goedemiddag good afternoon.
goedenavond good evening.
goedendag good day.
goederentrein goods train, *(Am.)* freight train.
goederenwagen goods-van, truck.
goedhartig good-natured, kindhearted.
goedig good-natured.
goedkeuren approve (of).
goedkeuring approval, approbation.
goedkoop cheap.
goedschiks willingly; *– of kwaadschiks,* willy-nilly.
gok gamble.
gokken gamble.
golf wave, billow; *(baai)* bay, gulf. ‖ *o.* *(sport)* golf.
golfbreker breakwater.
golflengte wave-length.
golfslag dash of the waves.
gom gum.

gondel gondola.
gonzen hum, buzz, drone.
goochelaar juggler, conjurer, illusionist.
goochelen juggle, conjure.
gooien fling, throw, cast.
goor dingy; nasty.
goot gutter, gully, drain.
gootsteen (kitchen) sink.
gordel girdle, belt.
gordijn *o.* curtain, blind.
gorgelen gargle.
gorilla gorilla.
gort groats, grits.
gotiek gothic.
goud *o.* gold.
goudblond golden.
goudenregen laburnum.
goudsmid goldsmith.
goudvis goldfish.
goulasj goulash.
gouvernante governess; *(fam.)* nanny.
gouverneur governor.
gouverneur-generaal governorgeneral.
graad *(hoeken, thermom., enz.)* degree; *(rang)* rank, degree, grade; *(verwantschap)* remove.
graaf *(Eng.)* earl; *(elders)* count.
graafschap *o.* county, shire.
graag *bn.* eager. ‖ *bw.* gladly, readily, willingly.
graan *o.* corn, grain; *granen,* cereals.
graat fish-bone.
gracht ditch, moat; canal.
gracieus graceful.
graf *o.* grave; tomb, sepulchre.
gram *o.* gramme.
grammofoonplaat record, disc.
gramschap anger, wrath.
granaat *(projectiel)* shell; *(steen)* garnet.
granaatappel pomegranate.
graniet *o.* granite.
grap joke, gag, jest.

grapefruit grapefruit.

grappenmaker joker, jester, wag.

grappig funny, droll, comic.

gras *o.* grass; *er geen – over laten groeien*, don't let the grass grow under your feeth.

grasduinen browse.

grasmaaier lawn-mower.

grasveld *o.* grass-field, lawn.

gratie grace, pardon, reprieve.

gratis free, gratis.

grauw grey.

graven dig (a hole, a canal); sink (a well); *(v. konijn)* burrow.

graveren engrave.

graveur engraver.

gravin countess.

gravure engraving; plate.

grazen graze, feed, pasture.

greep handful. ‖ *(handvat)* grip, clutch, handle.

grendel bolt, slot.

grendelen bolt.

grens limit, boundary; frontier, border.

grensgebied *o.* border area, borderland; *(fig.)* borderland, twilight zone.

grensrechter (sport) linesman.

grenzeloos boundless, unlimited.

grenzen border (on).

greppel ditch, trench, furrow.

gretig eager (for), avid (of), greedy (of).

grief grievance; wrong.

Griekenland Greece.

Grieks Greek.

griep influenza; *(fam.)* flu(e).

griesmeel *o.* semolina.

grieven hurt, offend.

griezelen shudder, shiver.

griezelfilm horror film.

griezelig creepy, gruesome, scary.

griffel slate-pencil.

griffier clerk (of the court), recorder.

grijns, grijnslach grin, smirk, sneer.

grijnzen grin, smirk, sneer.

grijpen seize, catch, grasp, gripe.

grijs *o.* grey, grey-haired.

grijsaard grey-haired man, old man.

gril caprice, whim, fancy, freak.

grill grill.

grillig capricious, whimsical.

grimas grimace, wry face.

grimmig grim, truculent.

grind *o.* gravel.

grinniken snigger, chuckle.

groef groove; *(in molensteen)* trench; *(rimpel)* furrow; *(in zuil)* flute.

groei growth.

groeien grow.

groen *bn.* green; *– e kaart*, international motor insurance card.
‖ *o. (kleur)* green; *(plant.)* greenery, verdure; *(persoon)* greenhorn.

Groenen, de *(pol.)* the Greens, the Green Party.

groente vegetables, greens.

groentesoep vegetable soup.

groep group; *(bomen, enz.)* cluster, clump.

groet greeting, salutation; *met vriendelijke –en*, with kind regards.

groeten greet, salute.

groeve groove; *(rimpel)* furrow, wrinkle, line; *(steen)* quarry.

grof coarse, rude, rough; *(onbewerkt)* crude.

grond ground, earth, soil; land; *(reden)* reason, ground; *vaste –*, firm ground.

grondbeginsel *o.* fundamental principle; *(wetenschap)* elements.

grondbelasting land-tax.

grondbezitter landholder, landed proprietor.

grondgebied *o.* territory.

grondig thorough, profound; exhaustive.

grondlaag bottom layer.
grondlegger founder.
grondslag foundation(s); *(fig.)* basis, *-en*, grass-roots.
grondstof raw material, element.
grondvesten *ov. ww.* found, ground. || *zn.mv.* foundations.
grondwet constitution, fundamental law.
grondwettelijk constitutional.
grondwettig constitutional.
grondzeil *o.* ground sheet.
groot large, great, big; vast; *(lengte)*, tall.
grootboek, *o.* ledger.
Groot-Brittannië Great-Britain.
groothandel wholesale trade.
groothandelaar wholesale dealer.
grootheidswaanzin megalomania.
groothertog grand duke.
groothertogdom grand duchy
grootmoedig generous, magnanimous.
grootouders grandparents.
groots grand, grandiose, ambitious.
grootspraak boast(ing), brag.
grootstad city, metropolis.
grootte size, largeness, bigness.
gros *o.* gross, mass, main body; (12 x 12) gross.
grossier wholesale dealer.
grot grotto, cave.

grotendeels for the greater (most) part.
grotesk grotesque.
gruis *o.* coal-dust; grit.
grut *o. het kleine –,* the small fry.
gruwel atrocity, horror; *(afkeer)* abomination.
gruweldaad atrocity.
gruwelijk atrocious, horrible; abominable.
gruwen shudder.
gsm mobile phone.
guerrilla guer(r)illa.
guirlande garland, festoon.
guit rogue, wag.
guitig roguish, arch.
gul generous, liberal, openhanded.
gulden *bn.(verguld)* gilt, gilded; *de – middenweg,* the happy (golden) mean (medium). || *zn.* guilder.
gulp *(broek)* fly.
gulzig gluttonous, greedy.
gunnen grant.
gunst favour.
gunsteling favourite.
gunstig favourable, propitious.
guur bleak, raw.
gymnastiek gymnastics, gym.
gymschoenen gym shoes, pumps, *(Am.)* sneakers.
gynaecoloog gynaecologist.

H

haai shark.
haak hook.
haakpen crochet-hook.
haakwerk *o.* crochet-work.
haal stroke.
haalbaar feasible.
haan cock.

haar *pers. vnw* her; *van –,* hers. || *zn.* hair.
haard hearth, fireside; *(infection)* centre; *eigen – is goud waard,* there's no place like home.
haardroger hair drier.
haarkam hair-comb.

haarkloverij hair-splitting.
haarlak hair spray.
haarlint o. hair-ribbon.
haarspeld hairpin, hair-slide.
haarspeldbocht hairpin bend.
haas hare; *(vlees)* fillet, tenderloin.
haasje-over o. leap-frog.
haast haste, speed, hurry. || *bw.* almost, nearly.
haasten, *zich – ,* hasten, make haste.
haastig hasty, hurried. || *bw.* hastily, in a hurry.
haat hatred.
haatdragend rancorous.
hachee o. hash.
hachelijk precarious, critical, dangerous.
hagedis lizard.
hagel hail; *(munitie)* shot.
hagelbui hail-storm, shower of hail.
hak *(werktuig)* hoe; *(v.d. voet, schoen)* heel; *schoenen met hoge –ken,* high-heeled shoes; *iemand een – zetten,* play sb. a nasty trick.
haken hook, hitch; crochet.
hakenkruis o. swastika.
hakhout o. coppice, copse.
hakkelen stammer, stutter.
hakken chop, cut, hack.
hakmes o. chopping-knife.
hal hall.
halen fetch, get; *(naar zich toe halen)* draw, pull; *laten –,* send for go for.
half half; *– één,* half past twelve.
halfbloed half-bred.
halfrond o. hemisphere.
halftime half-time.
hallo hello.
hallucinatie hallucination.
halm stalk, blade.
hals neck.
halsband collar.
halsstarrig obstinate, stubborn.
halster halter.

halt, *– houden,* make a halt, stop.
halte stopping place, stop.
halter dumb-bell, bar-bell.
halvemaan half-moon, crescent.
halveren halve.
halverwege halfway.
ham ham.
hamburger hamburger, beefburger.
hamer hammer; mallet; *de man met de – tegenkomen,* hit the wall; *tussen – en aambeeld,* between the devil and the deep blue sea.
hamster hamster.
hamsteren hoard (food).
hamvraag, *dat is de hamvraag,* that is the crucial question.
hand hand; *iemand de – drukken,* shake hands with sb.; *van de – wijzen,* refuse, decline.
handbagage hand-luggage.
handboeien handcuffs, manacles.
handboek o. manual, handbook.
handdoek towel.
handdruk handshake.
handel trade, commerce; business; *zijn – en wandel,* his conduct.
handelaar merchant, trader, dealer.
handelbaar docile; *(voorwerpen)* manageable.
handelen trade, deal; *(te werk gaan)* act.
handeling act, action, proceeding.
handelsmerk o. trade mark.
handelsreiziger salesman, commercial traveller.
handelsverdrag o. treaty of commerce.
handelswaarde market value.
handelwijze proceeding, method, way of acting.
handenarbeid manual labour; handicraft.
handgebaar o. gesture; motion of the hand.
handgemaakt handmade.

handgemeen *o.* hand-to-hand fight.
handgranaat (hand-)grenade.
handhaven maintain, vindicate; *zich –,*
  hold one's own.
handicap handicap.
handig skilful, clever, adroit, handy.
handkus kiss on the hand.
handlanger helper; *(ongunstig)*
  accomplice.
handleiding manual, guide.
handrem handbrake.
handschoen glove; *(hist., werk–)*
  gauntlet.
handschrift *o.* handwriting, manuscript.
handtas handbag.
handtastelijk violent, intimate.
handtastelijkheden physical violence,
  pawings.
handtekening signature.
handvat *o.* handle.
handwerk *o.* trade, (handi)craft; *(teg.v.*
  machinaal werk) handwork.
hangen hang, suspend.
hangmat hammock.
hangslot *o.* padlock.
hansworst buffoon, clown.
hanteren handle, manipulate.
hap bite; morsel, bit, mouthful.
haperen falter, stammer; stick.
happen snap, bite.
hard hard, harsh, tough.
harddisk harddisk.
harden harden, temper.
hardhandig hard-handed, rude, violent.
hardheid hardness, harshness.
hardhorig dull of hearing.
hardloper runner, racer, jogger.
hardnekkig obstinate, stubborn,
  persistent.
hardop aloud.
hardvochtig heartless, hard-hearted,
  callous.
harem harem.

harig hairy.
haring herring; *(tent)* tent-peg.
hark rake; *zo stijf als een –,* as stiff as a
  poker.
harlekijn harlequin; buffoon.
harmonica accordion.
harmonie harmony.
harmoniëren harmonize.
harnas *o.* armour, cuirass.
harp harp.
harpoen harpoon.
hars *m. en o.* resin, rosin.
hart *o.* heart.
hartaanval heart attack.
hartelijk hearty, cordial, warm.
harten *o.* hearts.
hartig salt, hearty.
hartklopping palpitation (of the heart).
hartkwaal heart disease.
hartpatiënt heart patient, cardiac
  patient.
hartroerend moving, pathetic.
hartstilstand cardiac arrest.
hartstocht passion.
hartverscheurend heartrending.
hartzeer *o.* heartache, sorrow, grief.
hasj hash.
hatelijk spiteful, odious, malicious.
haten hate.
have property, goods; *– en goed,* goods
  and chattels.
haveloos ragged, shabby.
haven harbour, docks, port.
havengelden harbour dues, dock dues.
havenhoofd *o.* jetty, pier, mole.
havenmeester harbour master.
haver oats.
havermout *o.* rolled oats; *(pap)*
  porridge.
havik hawk, goshawk.
hazelaar hazel(-tree).
hazelnoot hazel-nut, filbert.
hazelworm blindworm, slowworm.

hazenpeper jugged hare.
hazewind greyhound.
hebben *ww.* have. || *zn.* zijn hele – *en houden* all his belongings.
hebzucht greed, avarice.
hebzuchtig greedy, grasping, covetous.
hecht *bn.* firm, solid.
hechten attach, fasten.
hechtenis custody, detention.
hechtpleister sticking-plaster, adhesive plaster.
hectare hectare.
heden to-day.
hedendaags *bw.* nowadays. || *bn.* modern, present, present-day.
heel *bn.* whole, entire. || *bw.* quite, very.
heelal *o.* universe.
heelhuids unscathed.
heelkunde surgery.
heelmeester surgeon.
heen away; – *en weer,* to and fro.
heengaan leave, go away; *(sterven)* pass away.
heenreis outward journey.
heer gentleman; lord; *(kaartspel)* king.
heerlijk delicious; glorious, splendid, delightful.
heerschappij mastery, lordship, dominion, empire.
heersen rule, reign, govern.
heerszuchtig imperious.
hees hoarse.
heester shrub.
heet hot; *(luchtstreek)* torrid.
heetgebakerd hot-tempered.
heethoofdig hot-headed.
hefboom lever.
heffen *(optillen)* raise, lift; *(belasting)* levy.
heft *o.* handle, grip; *(zwaard)* hilt.
heftig violent, vehement.
heg hedge.
heide heath, moor; *(plant)* heather.

heiden heathen, pagan.
heidens heathen, pagan.
heil *o.* welfare, well-being, prosperity; salvation.
Heiland Saviour.
heilbot halibut.
heildronk toast, health.
heilig holy, sacred, saint.
heiligdom *o.* sanctuary.
heiligschennis sacrilege, profanation.
heilloos fatal; wicked.
heilwens congratulation.
heilzaam salutary, beneficial.
heimelijk secret, clandestine.
heimwee *o.* nostalgia, homesickness.
heinde en ver far and near.
hek *o.(omheining)* fence, barrier; *(ijzer)* railing(s); *(toegangs–)* gate.
hekel *(gevoel)* hate, dislike; *over de – halen,* criticize.
hekeldicht *o.* satire.
hekelen criticize, satirize.
heks witch; *(fig.)* vixen.
hel *zn.* hell. || *bn.* bright, clear.
helaas! alas!
held hero.
heldendaad heroic deed.
helder clear, bright; *(klank)* sonorous; clean.
helderheid clearness, brightness, sonority; cleanness.
helderziend clairvoyant, psychic.
heldhaftig heroic.
heldin heroine.
helemaal wholly, totally.
helen *ov. ww. en onov. ww.* heal, cure. || *ww.* receive, secrete (stolen goods).
helft half; *de beste –,* the better half.
helikopter helicopter, chopper.
hellen incline, slope, slant.
helling slope, incline.
helm helmet.
helmgras marram.

helpen help, aid, assist; *(baten)* avail, be of avail (use).
hels hellish, infernal, devilish.
hem *vnw.* him; *het is van –*, it is his.
hemd *o.* shirt.
hemdsmouw shirt-sleeve.
hemel heaven; sky, firmament, heaven(s); *onder de blote –*, in the open air.
hemellichaam *o.* heavenly body.
hemels celestial, heavenly.
hemelsblauw sky-blue, azure.
Hemelvaartsdag Ascension Day.
hen *zn.* hen. || *pers. vnw.* them; *voor – die*, for those who.
hengel fishing-rod.
hengelen angle.
hengsel *o.* handle; *(v. deur)* hinge.
hengst stallion, stud-horse.
hennep hemp.
hepatitis hepaptitis.
herademen breathe again.
heraut herald.
herberg inn, public-house.
herbergier inn-keeper, host, landlord.
herbergzaam (in)habitable.
herboren born again, regenerate.
herdenken commemorate.
herdenking commemoration.
herder shepherd; herdsman.
herdruk reprint, new edition.
herexamen *o.* re-examination.
herfst autumn; *(Am.)* fall.
herhaald repeated; *–e malen*, repeatedly.
herhalen repeat, reiterate.
herinneren remind; *zich –*, remember.
herkauwer ruminant.
herkennen recognize.
herkiezen re-elect.
herkomst origin.
herleiden reduce; convert.
herleven revive, return to life.

hermelijn *o. (wit)* ermine; *(bruin)* stoat.
hermetisch hermetical.
hernemen take again; *(plaats)* resume; *(antwoord)* resume, reply.
hernieuwen renew.
heroïne heroin.
heroveren reconquer, recapture, recover.
herrie row; hubhub, racket, din, uproar.
herroepen revoke, recall.
herscheppen recreate, create anew.
hersenen *(orgaan)* brain; *(massa, verstand)* brains.
hersenschim chimera, illusion.
hersenschudding concussion.
hersenvliesontsteking meningitis.
herstel *o.* reparation, repair; restoration; *(genezing)* recovery.
herstellen *ov. ww.* repair, mend; restore. || *onov. ww.* recover from.
herstellingsoord *o.* health-resort, sanatorium.
hert *o.* deer; *(man)* stag; *vliegend –*, stag beetle.
hertog duke.
hertogdom *o.* duchy.
hertogin duchess.
hertrouwen remarry, marry again.
hervatten resume, return to.
hervormd reformed.
hervorming reform; *(kerk.)* reformation.
herzien revise, review; reconsider.
herziening revision, review; reconsideration.
het *lidw.* the. || *vnw.* it; (he, she).
heten *ov. ww.* name, call. || *onov. ww.* be called.
heterdaad *iem. op heterdaad betrappen*, catch sb. red-handed.
heterogeen heterogeneous.
heteroseksueel heterosexual.
hetgeen that which, what; which.

hetzelfde the same.
hetzij either... or.
heug *tegen – en meug*, against one's liking (wish).
heuglijk memorable; joyful, pleasant.
heulen, *– met*, collaborate, be in league with.
heup hip.
heus *bn. (beleefd)* courteous, polite, kind; *(werkelijk)* real. ‖ *bw.* courteously; really.
heuvel hill.
heuvelachtig hilly.
hevig *(storm)* violent, vehement; *(regen)* heavy; *(hitte)* intense;
hiel heel.
hier here.
hiërarchie hierarchy.
hierbij *(ingesloten)* herewith, enclosed; hereby.
hierdoor by this; through here.
hierheen hither, here; this way.
hierlangs past here, this way.
hiernaast next door.
hiernamaals *bw.* hereafter. ‖ *o. het –*, the hereafter.
hieromtrent about this, on this subject.
hiervan of this, hereof.
hifi hi-fi, high fidelity.
hij he.
hijgen pant, gasp.
hijsen hoist, pull up.
hik hiccup, hiccough.
hikken hiccup, hiccough.
hinde hind, doe.
hinderen hinder, impede; trouble; *dat hindert niet*, it doesn't matter.
hinderlaag ambush, ambuscade.
hinderlijk annoying, troublesome; inconvenient.
hindernis hindrance, obstacle; *wedren met –sen*, obstacle race.
hinderpaal obstacle, impediment.

hinken limp, hobble, hop.
hinniken neigh, whinny.
hint hint, clue.
historisch historical, historic.
hit pony, nag; hit (record).
hitparade hit parade, charts.
hitte heat.
hittebestendig heat-resistent.
hittegolf heat-wave.
HIV *o.* Humane Immunodeficiency Virus, HIV.
hobbelig rugged, uneven, rough.
hobbelpaard *o.* rocking-horse.
hobo oboe.
hoe how.
hoed hat.
hoedanigheid quality; *in zijn – van*, in his capacity as/of.
hoede guard, care, protection.
hoedenmaakster milliner.
hoef hoof.
hoefijzer *o.* horseshoe.
hoefsmid farrier.
hoek angle; *(in kamer, v. straat)* corner.
hoekschop corner.
hoektand canine tooth.
hoepel hoop.
hoer whore, prostitute.
hoera hurrah.
hoes cover; *(grammofoonplaat)* sleeve.
hoeslaken *o.* fitted sheet.
hoest cough.
hoesten cough.
hoestpastille cough lozenge.
hoeve farm, farmstead.
hoeveel *enk.* how much; *mv.* how many.
hoeveelheid amount, quantity.
hoeven, *dat hoeft niet*, that's not necessary.
hoewel though, although.
hof garden. ‖ *o.* court.
hofdame court lady.

hoffelijk courteous.
hofhouding household, court.
hofmeester steward.
hogedrukgebied o. high-pressure area; anticyclone.
hogeschool college, university.
hogesnelheidstrein high-speed train.
hok o. *(honden)* kennel; *(kooi)* pen; *(zwijnen)* sty; *(wilde d.)* cage; *(duiven, hennen)* house; *(bergruimte)* shed.
hol *op – slaan,* bolt, run away. ‖ o. hole, cave, cavern, hole, den. ‖ *bn.* hollow, empty; concave (lenses). ‖ *bw.* hollow.
hollen run.
holocaust holocaust.
holte hollow, cavity.
hom milt, soft roe.
homeopathie homoeopathy.
hommel humble-bee.
homo queer.
homofiel homosexual; (fam.) gay.
homogeen homogeneous.
homoseksueel homosexual.
hond dog; *(jacht)* hound; *(ziekte) rode–,* German measles, rubella.
hondenhok o. (dog-)kennel.
hondenleven dog's life.
hondenweer o. beastly weather.
honderd a (one) hundred.
hondsbrutaal as bold as brass, shameless.
hondsdagen dog-days.
hondsdolheid rabies, canine madness.
honen jeer at, taunt, insult.
Hongarije Hungary.
honger hunger; *– hebben,* be hungry.
hongerig hungry.
hongersnood famine.
honing honey.
honingraat honeycomb.
honkbal o. baseball.
honorarium o. fee.
hoofd o. *(v. lichaam)* head; *(v. zaak, gezin)* head, chief, leader; *(gedrukte brief, artikel)* heading.
hoofdartikel o. leading article, leader.
hoofddeksel o. head-gear.
hoofddoek kerchief.
hoofdeinde o. head (of a bed, table).
hoofdelijk, per capita.
hoofdgebouw o. main building.
hoofdkussen o. pillow.
hoofdkwartier o. headquarters.
hoofdletter capital (letter).
hoofdonderwijzer head-master (-teacher).
hoofdpersoon principal person; *(toneel)* principal character, protagonist.
hoofdpijn headache.
hoofdschotel principal dish.
hoofdschuddend *(meewarig)* pityingly; *(afkeurend)* disapprovingly.
hoofdstad capital city, metropolis.
hoofdstuk o. chapter.
hoofdzakelijk principally, chiefly, mainly.
hoofs courtly.
hoog high; *(boom)* tall; *(dak)* lofty; *het hoge Noorden,* the extreme North.
hoogachten respect, esteem.
hoogachtend yours faithfully (sincerely, truly).
hoogdravend high-sounding, high-flown.
hooggeacht highly esteemed.
hooggespannen high-strung.
hooghartig proud, haughty.
hoogheid highness, grandeur.
hoogleraar professor.
hoogmis high mass.
hoogmoed pride, haughtiness.
hoognodig very necessary, urgently.
hoogseizoen high season, peak season.
hoogsteigen, *in – persoon,* in his own proper person.
hoogstens at the utmost, at best, at (the) most.

hoogte height, altitude, elevation; *(stem)* pitch; *op de – zijn van*, be well-informed.
hoogtepunt *o.* culminating point, peak.
hoogtevrees acrophobia, height fear.
hoogtij *o. – vieren*, be rampant, reign supreme.
hoogverraad *o.* high-treason.
hoogvlakte plateau, tableland.
hooi *o.* hay.
hooikoorts hay fever.
hooimijt haystack.
hoon insult, taunt.
hoop heap, pile; lot of. ‖ hope.
hoopvol hopeful, optimistic.
hoorapparaat *o.* hearing aid.
hoorbaar audible.
hoorn *m. en o.* horn; *(tel.)* receiver; *(mil.)* bugle.
hoornvlies *o.* cornea.
hop hop, hops.
hopelijk it is to be hoped.
hopeloos hopeless, desperate.
hopen hope (for).
horde troop, band, horde; *(sport)* hurdle.
horen hear.
horizon horizon, skyline.
horizontaal horizontal; *(kruiswoordraadsel)* across.
horloge *o.* watch.
hormoon *o.* hormone.
hortensia hydrangea.
horzel horse-fly, hornet.
hospitaal *o.* hospital.
hostess hostess.
hostie host.
hotel *o.* hotel.
hotelhouder hotel-keeper.
houden hold; *(inhouden)* hold, contain; *(erop nahouden, behouden)* keep, retain; *– van*, like, be fond of, love.
houding carriage, bearing, posture, attitude.

house house (music).
hout *o.* wood, timber.
houten wooden, timber.
houterig wooden; *(fig.)* stiff.
houtskool charcoal.
houtsnede woodcut.
houtvester forester.
houvast handhold, hold.
houw cut, gash.
houweel *o.* pickaxe, mattock.
houwen hew, cut, hack, slash.
houwitser howitzer.
hovaardig proud, haughty.
hoveling courtier.
hovenier gardener.
huichelaar hypocrite, dissembler.
huichelachtig hypocritical.
huichelen simulate, feign, sham.
huid skin, hide, fell.
huidig present-day, modern.
huidkleur complexion, colour of the skin.
huiduitslag rash, eruption (of the skin).
huif tilt, hood, awning.
huifkar tilt-cart, hooded cart.
huig uvula.
huilen *(mens)* cry, weep; *(hond, wolf)* howl, whine; *(wind)* howl.
huilerig tearful.
huis *o.* house, home.
huisbaas landlord.
huisdier domestic animal
huiselijk domestic, household; homy.
huisgenoot inmate, housemate.
huisgezin *o.* family household.
huishoudelijk household, domestic.
huishouden *o.* housekeeping, management. ‖ *ww.* keep house; *lelijk – onder*, play havoc (with).
huishoudster housekeeper.
huishuur rent.
huisraad *o.* furniture, household goods.
huisvesting lodging, accommodation.

huisvrouw housewife.
huiswaarts homeward(s).
huiswerk *o. (school)* home-work.
huiveren shiver; *(v. afschuw)* shudder.
huivering shiver(s), shudder; *(fig.)* hesitation.
huiveringwekkend horrible.
huizen house, live.
hulde homage, tribute.
huldigen do (pay,) homage to.
hulp help, aid, assistance.
hulpbehoevend helpless, infirm.
hulpbron resource.
hulpeloos helpless.
hulpmiddel *o.* aid, help; expedient.
hulppost aid post.
hulpvaardig helpful, willing to help.
hulpwerkwoord *o.* auxiliary (verb).
huls *(plant.)* pod, shell, husk; *(v. patroon)* (cartridge-)case.
hulst holly.
humeur *o.* humour, temper, mood.
humor humour.
hun *pers. vnw.* them; *bez. vnw.* their.
hunkeren hanker after.
huppelen hop, skip.
huren hire, engage, rent.

hurken squat down.
hut cottage; hut; *(v. schip)* cabin.
hutspot hotchpotch, hodgepodge.
huur hire, (house) rent; *huis te –,* house to let.
huurauto hire(d) car.
huurcontract *o.* lease.
huurder hirer, tenant.
huurhuis *o.* hired (rented) house.
huwbaar marriageable, nubile.
huwelijk *o.* marriage, wedding; *(staat)* matrimony, wedlock.
huwelijksaanzoek *o.* proposal, offer of marriage.
huwelijksreis wedding-trip, honeymoon.
huwen marry, wed.
huzaar hussar.
hyacint hyacinth.
hygiëne hygiene.
hyperventilatie hyperventilation.
hypnose hypnosis.
hypocriet hypocrite.
hypotheek mortgage.
hypothese hypothesis.
hysterisch hysterical.

I

ideaal *bn.* ideal. ‖ *o.* ideal.
idee *v. en o.* idea, notion, conception.
idem the same, ditto, do.
identiek identical.
identificeren identify.
identiteit identity.
identiteitsbewijs *o.* identity card.
idioot *bn.* idiotic, foolish. ‖ idiot, fool.
idool *o.* idol.
idylle idyl(l).
ieder *bn.* each, every. ‖ *zn.* everyone,

everybody, anyone, anybody.
iedereen everybody, everyone.
iemand somebody, someone, anybody.
iep elm.
Ierland Ireland.
Iers Irish.
iets *vnw.* something, anything. ‖ *bw.* a little, somewhat.
iglo igloo.
ijdel vain, idle, empty; *(vergeefs)* useless, fruitless.

ijken gauge.
ijl *bn.* thin; rarefied (air). ‖ *in aller–*, in great haste,with all speed.
ijlen *(haasten)* hasten, speed, hurry (on); *(wartaal spreken)* be delirious, wander, rave.
ijlings hastily.
ijs *o.* ice; ice-cream.
ijsbaan skating-rink, ice-rink.
ijsbeer white (polar) bear.
ijsberen walk up and down.
ijsblokje *o.* ice-cube.
ijsbreker ice-breaker.
ijselijk horrible, terrible, frightful.
ijskast refrigerator, icebox; *(fam.)* fridge.
ijskegel icicle.
ijsland Iceland.
ijssalon ice-cream parlour; *(Am.)* soda fountain.
ijsschol, ijsschots ice floe, flake of ice.
ijsvogel kingfisher.
ijswater *o.* iced water.
ijszee polar sea, frozen ocean.
ijver diligence, zeal.
ijveren be zealous.
ijverig diligent, industrious, zealous.
ijzel glazed frost.
ijzen shudder.
ijzer *o.* iron; *(v. schaats)* blade.
ijzerdraad *m. en o.* (iron) wire.
ijzeren iron.
ijzerhoudend ferruginous.
ijzersterk strong as iron; iron.
ijzig icy, as cold as ice.
ijzingwekkend gruesome, appalling.
ik I.
illegaal illegal, unlawful; clandestine.
illusie illusion.
imago *o.* image.
imitatie imitation.
imker beekeeper.
immer ever.
immers for, after all.

immigrant immigrant.
immigratie immigration.
immoreel immoral.
immuun immune.
imperiaal *v./m. en o.* roof rack.
impliciet implicit.
importeren import.
imposant imposing, impressive.
impressie impression.
improviseren improvise.
impuls impulsion.
in *voorz.* in, into, within, at, inside. ‖ *bw. in zijn*, be in, be trendy.
inademen breathe (in), inhale.
inbeelding imagination; (self-)conceit.
inbegrepen inclusive, included.
inbegrip *o. met – van de kosten*, charges included.
inbeslagneming seizure, attachment.
inbinden *(boeken)* bind; *(fig.)* climb down.
inblazen blow into; *(fig.)* suggest, prompt; *leven –*, breathe life into.
inboedel furniture, household goods.
inboezemen inspire with; strike into.
inboorling native, aborigine.
inborst character, nature.
inbraak burglary, housebreaking.
inbreker burglar, housebreaker.
inbrengen bring in, carry in.
inbreuk infringement, violation.
incapabel incompetent.
incasseren collect; *(wissel)* cash; *(fig.)* take (a blow).
incest incest.
inchecken check in.
incident *o.* incident.
incluis, inclusief included; inclusive (of).
inconsequent inconsistent.
indachtig mindful of.
indelen divide, classify, group.
indeling division, classification.
inderdaad indeed, really.

Indiaan Indian.
indien if, in case.
indienen present, bring in, bring forward; submit (a claim); make (a protest).
individu *o.* individual.
individueel individual.
indommelen doze off.
indringen intrude, penetrate (into).
indringend profound, emphatic.
indruisen *(tegen)* run counter to, interfere with; contrary to.
indruk impression, imprint.
indrukwekkend impressive, imposing.
industrie industry.
indutten doze off.
ineen together.
ineenkrimpen writhe, curl up.
ineens all at once.
ineenslaan strike together.
ineenstorten collapse.
ineenzakken collapse.
inenting vaccination, inoculation.
infecteren infect.
infectie infection.
inflatie inflation.
influisteren whisper; suggest, prompt.
informatica computer science, informatics.
informatie information; *(navraag)* inquiry.
infrarood infra-red.
infrastructuur infrastructure.
ingang entrance, entry, way in; met – van, (as) from.
ingebeeld imaginary, fancied; (self-)conceited, pretentious.
ingeboren innate; native.
ingelegd inlaid; preserved, pickled.
ingenaaid stitched.
ingenieur engineer.
ingenomen taken; pleased.
ingesloten enclosed; inclusive.

ingetogen modest.
ingeval in case.
ingeving inspiration, suggestion.
ingevolge in compliance with, in response to, in pursuance of.
ingewanden bowels, entrails; intestines.
ingewijde insider, initiated.
ingewikkeld complicated, intricate.
ingezetene inhabitant, resident.
ingezonden sent in; – *stuk*, letter to the editor.
ingooien throw in; smash.
ingrediënt *o.* ingredient.
ingreep operation, surgery.
ingrijpen intervene.
inhaalstrook overtaking lane.
inhaalverbod *o.* overtaking prohibition.
inhalen take in, haul in; come up with, overtake; *de achterstand –*, make up arrears.
inhaleren inhale.
inhalig greedy, covetous.
inham creek, bay.
inhechtenisneming arrest.
inheems native, indigenous; –*e producten*, home products.
inhoud contents; *korte –*, abstract, summary.
inhouden contain, hold; keep in; *(niet uitbetalen)*, deduct, stop.
inhuldigen inaugurate, install.
inhuldiging inauguration.
initiatief *o.* initiative.
injectie injection.
inkeer repentance.
inkeping indentation, notch, cup.
inklaren clear (goods).
inkomen *o.* income. ‖ *ww.* come in, enter.
inkomsten income, earnings.
inkomstenbelasting income tax.
inkoop purchase.
inkopen buy, purchase.

inkrimpen *onov. ww.* shrink, contract.
‖ *ov. ww.* retrench, cut back.
inkt ink; *Oost-Indische* –, Indian ink.
inktpot inkpot, inkwell.
inktvis ink-fish, cuttle-fish.
inktvlek inkblot.
inkwartiering billeting, quartering.
inladen load.
inlands native, home(-made).
inlassen insert, intercalate.
inlaten let in, admit; *zich – met*, have to
do with.
inleg entrance money; *(spel)* stakes; *(in
bank)* deposit.
inleiden introduce, usher in.
inleiding introduction.
inleveren give in, hand in, deliver up.
inlichting(en) information; *–en
inwinnen*, gather information, make
inquiries.
inlichtingenbureau *o.* inquiry office.
inlijven incorporate, annex.
inlossen redeem.
inmaak preservation.
inmaken preserve; *(in blik)* tin; pickle;
(sport) overwhelm.
inmenging meddling; interference.
inmiddels meanwhile, in the mean
time.
innemen take in, occupy, capture.
innemend taking, winning; engaging;
endearing.
innen collect; cash.
innerlijk inner, inward, internal; intrinsic
(value).
innig heartfelt, tender, close.
inpakken pack, wrap up.
inplakken paste in.
inprenten imprint, inculcate on.
inreisvisum *o.* entry visa.
inrichten arrange, organize; furnish, fit
up.
inrichting arrangement; establishment;

furnishing, fitting up.
inrijden run in, drive in.
inrit way in entrance.
inroepen call in, invoke.
inruilen exchange, barter.
inruimen, *plaats* –, make room.
inrukken march into.
inschenken pour (out).
inschepen ship, embark.
inschieten, *er het leven bij* –, lose one's
life; *dat is erbij ingeschoten*, there was
no time left for it.
inschikkelijk compliant, obliging.
inschrijven inscribe, book, enrol,
register.
insect *o.* insect.
insecteneter insectivore
insectenpoeder *o.* insectpowder.
insecticide *o.* insecticide, pesticide.
inseminatie insemination.
insgelijks likewise; in the same manner.
insigne *o.* badge.
insinuatie insinuation, innuendo.
insinueren insinuate.
inslag *(projectiel)* striking; *(fig.)*
tendency, strain.
inslapen fall asleep; *(sterven)* pass
away.
inslikken swallow.
insluiten enclose; lock in.
insmeren grease, oil, smear.
insnijden cut into, incise.
inspannen exert; *(v. paarden)* put to;
zich –, exert oneself.
inspanning exertion, effort.
inspecteren inspect.
inspecteur inspector.
inspectie inspection.
inspiratie inspiration.
inspraak participation, say; dictate(s).
inspuiting injection.
instaan, *– voor*, guarantee, answer for.
installeren install, inaugurate.

instandhouding maintenance, preservation; upkeep.

instantie instance, resort; *(overheid)* authority.

instapkaart boarding pass.

instappen step in; get in.

instellen adjust, focus; establish, set up, institute.

instelling adjustment; institution, establishment.

instemming agreement, approval.

instinct *o.* instinct.

instituut *o.* institution; institute.

instorten fall down; collapse; *(zieken)* relapse.

instructie instruction, briefing.

insubordinatie insubordination.

insuline insulin.

intact intact, unimpaired.

integendeel on the contrary.

integratie integration.

intekenen subscribe.

intekenlijst subscription list.

intelligent intelligent.

intens, intensief intense, intensive.

intensive care intensive care.

interessant interesting.

interesse interest.

interest interest.

interlokaal, – *gesprek*, trunk call.

intern internal; resident.

internationaal international.

internering internment.

interpellatie interpellation, question.

interpretatie interpretation.

interview *o.* interview.

intiem intimate; *–e kring*, inner circle.

intocht entry.

intrek, *zijn – nemen*, put up at.

intrekken draw in; *(fig.)* withdraw; revoke; *(in een stad)* march into; *(in een huis)* move into.

intrigant intriguer, plotter.

intrige intrigue, plot.

introduceren introduce.

intuïtie intuition.

intussen meanwhile, in the meantime.

inval invasion; irruption, raid; idea.

invalide *bn.* invalid. ‖ *zn.* invalid; disabled.

invalidenwagen invalid chair.

invallen fall in; collapse; invade; *(gesprek)* cut in; *(gedachte)* occur (to); *(v. vorst)* set in; *(muziek)* join in.

inventaris inventory.

invitatie invitation.

inviteren invite.

invloed influence, impact.

invoegen put in, insert; *(auto)* filter in.

invoegstrook slip road; accaleration lane.

invoer import, importation.

invoeren import; introduce; *(computer)* enter.

invoerrechten import duties.

invoervergunning import license.

invorderen collect.

invreten eat into, corrode.

invullen fill in (up).

inwendig *bn* inward, interior, internal. ‖ *bw.* inwardly, internally, on the inside.

inwerken(op) act (work, operate) upon, affect, influence; *zich –*, post oneself up.

inwijden consecrate; initiate; inaugurate.

inwilligen grant.

inwinnen, *inlichtingen –*, gather information, make inquiries.

inwisselen change; convert.

inwoner inhabitant, resident.

inwrijven rub in(to).

inzage *ter –*, on approval.

inzameling collection, gathering.

inzegenen consecrate, bless.

inzenden send in.
inzending *(in krant)* contribution; *(tentoonstelling)* exhibit.
inzet stake(s); *(toewijding)* devotion, effort; *(muziek)* start.
inzicht *o.* insight; *(mening)* opinion, view.
inzien *ww.* look into, glance over; see, realize. ‖ *o.* mijns *–s,* in my opinion; *bij nader –,* on second thought.
inzonderheid especially.

iris iris.
ironisch ironical.
irrigeren irrigate.
islam Islam.
isolatie isolation.
isoleren isolate; insulate.
Italië Italy.
Italiaan(s) Italian.
ivoor *o.* ivory.
ivoren ivory.

J

ja yes.
jaagpad *o.* tow-path.
jaar *o.* year.
jaarbeurs industries fair, trade fair.
jaarboek *o.* year-book.
jaargang annual volume; *(wijn)* vintage.
jaargetijde *o.* season.
jaarlijks yearly, annual.
jaartal *o.* date; year.
jaartelling era.
jaarverslag *o.* annual report.
jacht hunting, shooting, chase. ‖ *o.* yacht.
jachthond sporting-dog, hound.
jack *o.* jacket.
jagen chase, hunt, shoot; *(fig.)* drive, hurry on.
jager sportsman, hunter.
jakhals jackal.
jaloers jealous, envious.
jaloezie jealousy, envy; *(luik)* Venetian blind.
jam jam.
jammer *o.* misery, pity.
jammeren lament, moan.
jammerlijk miserable, woeful; pitiable.
Jan John.

janken yelp, whine.
januari Januari.
Japan Japan
Japans Japanese.
japon dress, gown.
jarig, *zij is –,* it's her birthday.
jas coat.
jasmijn jasmine.
jawoord consent.
jazz jazz.
je *pers. vnw.* you. ‖ *bez. vnw.* your.
jeans jeans.
jeep jeep.
jegens towards, to; with.
jenever gin, Hollands.
jeneverbes juniper-berry.
jetlag jet lag.
jeugd youth.
jeugdherberg youth hostel.
jeugdig youthful.
jeugdvereniging youth-association.
jeuk itching, itch.
jeuken itch.
jicht gout.
jij you.
job job.
Jobstijding bad news.

jodelen yodel.
Jodin Jewess.
jodium *o.* iodine.
Joegoslavië Yogoslavia.
joint joint.
joker joker.
jokken fib, tell stories.
jol yawl, jolly-boat.
jolig jolly, merry.
jong *bn.* young. || *o.* young one, cub.
jongeling young man, lad, youth.
jongen *zn.* boy, lad. || *ww.* bring forth young ones, litter.
jongensachtig boyish.
jongstleden last.
Jood Jew.
Joods Jewish, Judaic.
jou *pers. vnw.* you.
journaal *o.* news; journal.
journalist journalist.
jouw your.

jubelen jubilate, exult.
jubileum *o.* jubilee.
judo judo.
juffrouw miss.
juichen shout, jubilate.
juist *bn.* exact, right, just, correct. || *bw.* just now; exactly.
juistheid exactness, correctness; *(nauwkeurig)* precision.
juk *o.* yoke.
juli July.
jullie you.
juni June.
junk junk.
juridisch juridical, legal.
jurk dress, frock, gown.
jury jury.
jus *o.* gravy.
justitie justice; judicature.
juweel *o.* jewel, gem.
juwelier jeweller.

K

kaaiman caiman, alligator.
kaak *(anat.)* jaw, *(wang)* cheek, *(vis)* gill.
kaakbeen *o.* jawbone.
kaal bald; bare, leafless; barren.
kaalhoofdig baldheaded.
kaap cape, headland.
kaars candle; *(dun)* taper.
kaarslicht candlelight.
kaarsrecht straight as an arrow, bolt upright.
kaart card; *(land–)* map; *(zee–)* chart; *(toegangs–)* ticket.
kaartje *o.* card, ticket.
kaartlegster fortune-teller.
kaarttelefoon cardphone.
kaas cheese.
kaatsen bounce.

kabaal *o.* noise, hubbub, racket.
kabbelen ripple, babble, lap.
kabel cable.
kabelbaan cable-railway.
kabeljauw cod, cod-fish.
kabeltelevisie cable television.
kabinet *o.* cabinet; *(kunstverzameling)* picture-gallery; closet; *(regering)* cabinet, government.
kabouter dwarf, elf, gnome; *(jeugdbeweging)* Brownie.
kachel stove.
kadaster *o.* land registry.
kade quay, wharf.
kader *o.* frame(work); *(in kranten)* box; *(bestuurders)* executives.
kadetje *o.* (French) roll.

kaf *o.* chaff; *het – van het koren scheiden,* separate chaff from wheat.
kaffer boor, brute.
kaft cover, wrapper, jacket.
kajak kayak.
kajuit cabin.
kakelen cackle; *(fig.)* chatter, gabble.
kakkerlak cockroach, blackbeetle.
kalebas gourd.
kalender calendar.
kalf *o.* calf.
kalfsle(d)er *o.* calf, calfleather, calfskin.
kalfsvlees *o.* veal.
kaliber *o.* calibre.
kalk lime; *(pleister)* plaster.
kalkoen turkey.
kalm calm, quiet, composed.
kalmeren calm, quiet.
kalmeringsmiddel *o.* sedative, tranquillizer.
kalmpjes calmly.
kalmte calm, calmness, composure; quiet.
kam comb; *(v. haan)* crest; *(v. viool)* bridge; *(v. berg)* ridge.
kameel camel.
kamer room, chamber; *(v. hart)* ventricle; *Eerste Kamer,* Upper House; *Tweede Kamer,* Lower House.
kameraad comrade, mate, fellow.
kamerjas dressing gown.
kamerlid *o.* member of Parliament.
kamermeisje *o.* chambermaid.
kamfer camphor.
kamgaren *o.* worsted.
kamille camomile.
kammen comb.
kamp *o.* camp ‖ *ww.* fight, struggle, combat.
kampeerterrein *o.* camping ground.
kamperen camp (out), encamp.
kamperfoelie honeysuckle.

kampioen champion.
kampioenschap *o.* championship.
kampvuur *o.* camp fire.
kan jug, can, mug.
kanaal *o.* canal; *(v. natuur)* channel; *het Kanaal,* the Channel.
kanaaltunnel Chunnel, Eurotunnel.
kanaliseren canalize.
kanarie canary.
kandelaar candlestick.
kandidaat candidate; *(betrekking)* applicant; *– in de Rechten,* Bachelor of Laws.
kandidatuur candidature.
kandij candy.
kaneel *m. en o.* cinnamon.
kangoeroe kangaroo.
kanker cancer; *(v. planten)* canker.
kankerverwekkend carcinogenic.
kannibaal cannibal.
kano canoe.
kanon *o.* gun; cannon.
kans chance, opportunity.
kansel pulpit.
kanselarij chancellery.
kanselier chancellor.
kant side, direction; *(rand)* border, edge, margin; *(oever)* bank, border; *(afgrond)* brink. ‖ *(weefsel)* lace.
kantelen *ov. ww.* cant, tilt. ‖ *onov. ww.* topple over, turn over; *(v. schip)* capsize.
kanten *ww. zich – tegen,* oppose. ‖ *bn.* (of) lace.
kant-en-klaar ready-made; *(antwoord, formulering)* cut and dried.
kantine canteen, cafetaria.
kantlijn marginal line.
kantonrechter justice of the peace.
kantoor *o.* office.
kantoortijd office hours.
kanttekening marginal note.
kanunnik canon.

kap cap, hood; *(v. monnik)* cowl; *(v. huis)* roof.

kapel chapel; *(vlinder)* butterfly; *(muziek–)* band.

kapelaan chaplain, curate.

kapelmeester bandmaster.

kaper privateer; hijacker (of aircraft).

kapitaal *o.* capital.

kapitalisme *o.* capitalism.

kapiteel *o.* capital.

kapitein captain; *(v. schip ook)* master.

kaplaars top-boot.

kapmes *o.* chopper, cleaver.

kapoen rascal.

kapok kapok.

kapot *bn.* broken, gone in pieces.

kapotgooien smash.

kappen chop, cut, fell (trees); dress (the hair).

kapper hairdresser.

kapsalon *m. en o.* hairdresser's salon.

kapsel *o.* coiffure, hairdo, hairstyle.

kapstok coathanger, hallstand, hatstand; row of pegs.

kapucijners marrowfat peas.

kar cart; (auto) car.

karaat *o.* carat.

karabijn carbine.

karaf water-bottle; *(v. wijn)* decanter.

karakter *o.* character, nature; *(letterteken)* character.

karakteristiek characteristic.

karakterloos characterless.

karavaan caravan.

karbonade chop, cutlet.

kardinaal cardinal.

karig scanty, sparse, frugal.

karikatuur caricature.

karmijn *o.* carmine.

karnemelk buttermilk.

karper carp.

karpet *o.* carpet.

kartelen notch; *(v. munten)* mill.

karton *o.* cardboard, pasteboard.

kartonnen cardboard, pasteboard.

karwats horsewhip.

karwei *v./m. en o.* job.

kas case; *(tuinbouw)* hothouse, greenhouse.

kasboek *o.* cashbook.

kassa *(machine)* cash register; *(plaats)* cash desk, check-out; *(theater enz.)* box-office.

kassabon receipt.

kassaldo cash balance.

kassier cashier.

kassucces *o.* box-office success.

kast cupboard, wardrobe, chest.

kastanje chestnut.

kaste caste.

kasteel *o.* castle.

kastelein inn-keeper, landlord.

kastijden chastise, castigate, punish.

kat cat.

kater tomcat; *een – hebben,* a hangover.

katheder chair.

kathedraal cathedral.

katholiek (Roman) Catholic.

katoen *o.* cotton.

katoenen cotton.

katrol pulley.

kattenkwaad *o.* mischief, naughty tricks.

kauw daw, jackdaw.

kauwen chew, masticate.

kauwgom chewing gum.

kavel parcel, lot.

kaviaar caviar, caviare.

kazerne barrack(s).

keel throat; *het hangt me de – uit,* I am fed up with it.

keelgat *o.* gullet.

keelklank guttural (sound).

keelpijn pain in the throat; *– hebben,* have a sore throat.

keep notch, nick, indentation.

keer *(draai)* turn, change. || *(maal)* time;
  een – of vier, about four times.
keerkring tropic.
keerpunt *o.* turning point.
keerzijde reverse, back; *(fig.)* seamy
  side.
keet shed.
keffen yap, yelp.
kegel cone; *(v. spel)* skittle, ninepin.
kegelbaan skittle-alley.
kegelen play at skittles, at ninepins.
kegelvormig conical.
kei cobble(-stone); *(straatkei)* paving-
  stone; *(fig.)* crack.
keizer emperor.
keizerin empress.
keizerlijk imperial.
keizersnede caesarian operation.
kelder cellar.
kelk cup, chalice; *(plantkunde)* calyx.
kelner waiter.
kenbaar knowable.
kenmerk *o.* distinguishing mark,
  characteristic feature.
kenmerken characterize, mark.
kenmerkend characteristic.
kennelijk obvious, clear.
kennen know, understand, be
  acquainted.
kenner judge, connoisseur.
kennis knowledge; *(persoon)*
  acquaintance.
kennisgeving notice, information.
kennismaken get acquainted.
kennismaking getting acquainted,
  acquaintance.
kenschetsen characterize.
kenteken *o.* distinguishing mark, token,
  badge; *(v. auto)* registration number.
kentering turn, turning (of the tide).
keper twill, *(op dak)* beam; *op de –
  beschouwd*, after all.
kerel fellow, chap.

keren turn; *(tegenhouden)* stop, arrest.
kerk church.
kerkdienst divine, religious service.
kerkelijk ecclesiastical.
kerkenraad church council.
kerker dungeon, prison.
kerkgenootschap *o* denomination.
kerkhof *o.* churchyard, graveyard,
  cemetery.
kermen groan, moan.
kermis fair.
kermistent (fair-)booth.
kern *(noot)* kernel; *(v. perzik)* stone;
  (natuurk.) nucleus (mv; nuclei);
  fig. substance, heart, core.
kernachtig pithy, terse.
kerncentrale nuclear power station.
kernenergie nuclear energy, nuclear
  power.
kernreactor nuclear power.
kernwapen *o.* nuclear weapon.
kerrie curry.
kers cherry.
kerstboom Christmas tree.
kerstdag, *eerste –*, Christmasday;
  tweede –, Boxing day.
kerstman Father Chrismas, Santa Claus.
Kerstmis Christmas, Xmas,
kersvers quite fresh, quite new.
kervel chervil.
kerven notch, carve, cut.
ketel kettle, boiler, ca(u)ldron.
ketelsteen *m. en o.* (boiler)-scale, fur.
keten chain.
ketenen chain, enchain, shackle.
ketter heretic.
ketting chain.
kettingbotsing pile-up.
kettingkast gear-case.
kettingroker chain-smoker.
keu (billiard-)cue.
keuken kitchen; cooking; *Franse –*,
  French cuisine.

keukenhanddoek dish towel.
Keulen o. Cologne.
keur choice, selection; *(merk)* hall-mark.
keuren *(vlees)* inspect; *(proeven)* taste; *(med.)* examine.
keurig exquisite, choice, nice.
keuring inspection; tasting; examination.
keurvorst elector.
keus choice, selection.
kever beetle.
kibbelen bicker, wrangle.
kiekje o. snapshot.
kiel blouse, smock-frock; *(v. schip)* keel.
kielwater o., **kielzog** o. wake, backwash.
kiem germ.
kier narrow opening; chink; *op een –,* ajar.
kies *zn.* molar. || *bn.* delicate, considerate.
kiesdistrict o. constituency; borough.
kieskeurig dainty, fastidious, delicate.
kiespijn toothache.
kiesrecht o. franchise, suffrage.
kietelen tickle.
kieuw gill.
kiezel *m./v. en o. (stofnaam)* gravel, grit; *(voorwerp)* pebble.
kiezen choose; select; elect; vote.
kiezer elector, voter, constituent.
kijf, *buiten –,* beyond dispute, beyond question.
kijk view, look.
kijk- en luistergeld television and radio license fee.
kijkcijfer o. rating.
kijken look, have a look, *(fam.)* peep; *(televisie)* watch.
kijker looker-on, spectator; *(television)* viewer; *(verrekijker)* spy-glass.
kijven quarrel, wrangle; *– op,* scold (at).
kikker frog.

kikkerbilletje frog's leg.
kikvors frog.
kil chilly, cool.
kilo(gram) o. kilogramme.
kilometer kilometre.
kilometerteller mil(e)ometer.
kim horizon, skyline.
kin chin.
kind o. child.
kinderachtig childish.
kinderbijslag family allowance.
kinderdagverblijf o. day nursery.
kinderkamer nursery.
kinderlijk childish, childlike; filial.
kinderloos childless.
kinderstoel baby chair.
kinderverlamming infantile paralysis, polio.
kinderwagen perambulator, pram.
kinderziekte children's complaint.
kinds doting.
kinine quinine.
kinkel boor, lout, bumpkin.
kinkhoest (w)hooping-cough.
kiosk kiosk.
kip hen, fowl; *(gerecht)* chicken.
kippenhok o. hen-house.
kippensoep chicken broth.
kippenvel o. *(fig.)* gooseflesh, goose pimples.
kippig shortsighted.
kist chest, box, case; *(dood–)* coffin.
klaaglied o lament(ation).
Klaagmuur Wailing Wall.
klaar clear, evident; ready, finished.
klaarblijkelijk evident, manifest, clear.
klaarheid clearness, clarity.
klaarmaken *en zich –* get ready, prepare.
klacht complaint, lamentation; *(aanklacht)* charge, complaint, indictment.
klad (ink)blot, stain, spot. || o. rough draught, rough copy.

kladden blot, stain; *(v. schilder)* daub.
kladpapier *o.* scribbling-paper.
klagen complain, lament; *– bij,* complain to; *– over,* complain of.
klak cap.
klakkeloos *bw.* rash, unthinking.
klam clammy, damp, moist.
klamp clamp, cleat.
klandizie custom, clientele.
klank sound, ring.
klant customer, client.
klap clap, smack, blow.
klapband blow-out.
klaploper sponger, parasite.
klappen *(met de handen)* clap; *(uit elkaar)* burst.
klapper *(register)* index, register, file index; *(succes)* winner, succes.
klapperolie coconut oil.
klappertanden, *zij –,* their teeth chatter.
klaproos poppy.
klapwieken clap the wings.
klarinet clarinet, clarionet.
klas class; *(secundair onderwijs)* form; *(Am.)* grade; *(lokaal)* classroom.
klasse *(v. dieren, sociale –)* class.
klassenstrijd class-struggle, class-war.
klassiek classic, classical.
klatergoud *o.* tinsel, Dutch gold.
klauteren clamber, scramble.
klauw claw, talon.
klaver clover.
klaveren *(kaartsp.)* clubs.
kleden dress; clothe.
klederdracht costume, dress.
kleding clothes, dress.
kleed *o.* garment, garb, dress; *(vloerkleed)* carpet; *(tafelkleed)* table-cover.
kleedhokje *o.* dressing-cubicle.
kleefpleister sticking plaster.
kleerborstel clothes-brush.

kleerhanger coat hanger.
kleermaker tailor.
klei clay.
klein little, small, petty.
kleineren denigrate, disparage.
kleingeestig small-minded, narrow-minded.
kleingeld *o.* change.
kleinhandel retail trade.
kleinigheid trifle, small thing.
kleinkind *o.* grandchild.
kleinood *o.* jewel, gem.
kleinzerig squeamish, frightened of pain, touchy.
kleinzielig small-minded, petty.
klem catch, (man)trap, gintrap; *(nadruk)* stress, accent; *(ziekte)* tetanus.
klemmen *ov. ww.* pinch, clasp. ‖ *onov. ww.* stick, jam.
klemtoon stress, accent.
klep flap; *(v. pet)* peak; *(techn.)* valve; *(v. muziekinstrument)* key.
klepel clapper, tonque.
kleppen clack, clapp.
klerikaal clerical.
klerk clerk.
klets *(slag)* smack, slap; splash.
kletsen chatter, talk nonsense, gossip; splash.
kletsnat soaking wet.
kletspraat rubbish, twaddle, gossip.
kletteren clatter, rattle.
kleur colour; *(gelaatskleur)* complexion; *(kaartspel)* suit.
kleuren colour, paint; *(foto)* tone, *(blozen)* blush.
kleurenblind colour-blind.
kleurenfilm colour film.
kleurling coloured man.
kleuter toddler, kid.
kleuterleidster nursery school teacher, kindergarten teacher.

kleven stick, adhere, cling.

kleverig sticky, gluey.

klier gland.

klieven cleave.

klikken *(verklappen)* tell tales; click.

klikspaan telltale.

klimaat *o.* climate.

klimaatregeling climate regulation.

klimmen climb, mount, ascend.

klimop *o.* ivy.

kling blade; *over de – jagen*, put to the sword.

klink latch.

klinken *onov. ww.* sound, ring; clink (glasses).

klinker *(taal)* vowel; *(steen)* clinker, brick.

klinknagel rivet.

klip rock, reef.

kloek *bn.* brave, bold, stout. || *zn.* mother hen.

klok bell; *(uurwerk)* clock.

klokhuis *o.* core.

klokkenspel *o.* chimes, carillon.

klokslag stroke of the clock; *– drie uur*, on the stroke of three.

klomp lump; *(schoeisel)* clog, wooden shoe.

klontje *o.* lump; *(boter)* knob.

kloof cleft, gap; *(v. huid)* chap; *(fig.)* gap.

kloon clone.

klooster *o.* cloister; *(mannen–)* monastery; *(vrouwen–)* convent.

kloosterling monk.

kloppen knock, tap; beat; *(v. hart)* palpitate.

klopper knocker.

klos bobbin, spool; *(elektr.)* coil.

klotsen dash, slosh; *(biljart)* kiss.

kloven cleave; *(hout)* chop.

klucht farce.

kluif bone.

kluis strong-room, safe-deposit; *(v. kluizenaar)* hermitage, cell.

kluit clod, lump; *met een –je in 't riet sturen*, put off with fair words.

kluiven pick; gnaw, nibble.

kluizenaar hermit, recluse.

klusje *o.* odd job.

kluts, *de – kwijtraken*, lose one's head.

klutsen beat up.

kluwen *o.* clew; ball.

knaagdier *o.* rodent.

knaap boy, fellow, lad.

knabbelen nibble.

knagen gnaw.

knakken break, snap.

knal crack, bang, detonation, pop.

knalpot silencer.

knap handsome, good-looking, smart; clever, able.

knapzak knapsack, haversack.

knarsen creak, grind.

knarsetanden gnash one's teeth.

knecht servant.

kneden knead; *(fig.)* mould.

kneep pinch, *(fig.)* trick, dodge.

knel, *in de – zitten*, be in a cleft stick. || *bn. – zitten*, be stuck.

knellen pinch, squeeze.

knelpunt *o.* bottle-neck.

knetteren crackle, sputter.

kneukel knuckle.

kneuzen bruise, contuse.

kneuzing bruise, contusion.

knevel moustache.

knevelen tie, pinion; *fig.* gag, muzzle.

knie knee.

knielen kneel.

kniezen mope, fret.

knijpen pinch; *(fig.)* squeeze.

knijptang pincers, nippers.

knik nod; *(breuk)* crack; *(kromming)* bend.

knikkebollen nod, doze.

knikken nod.
knikker marble.
knip snap, snip; *(insnijding)* cut. || *(v. deur)* catch.
knipmes *o.* clasp-knife, jack-knife.
knipogen blink, wink.
knippen cut; *zich laten –*, have a hair-cut.
knipperlicht *o.* flashing light, winker.
knipsel cutting, clipping.
knobbel bump, swelling; *(med.)* tubercle.
knoeiboel mess.
knoeien make a mess, mess; *(fouten maken)* blunder; *(oneerlijk handelen)* swindle, cheat.
knoest knot.
knoflook *o.* garlic.
knokkel knuckle.
knol bulb, tuber; *(knolraap)* turnip; *(paard)* jade.
knolgewas *o.* tuberous plant.
knolselderij turnip-rooted celery.
knoop *(in een touw)* knot; *(v. kleren)* button; *een – leggen*, tie a knot.
knoopsgat *o.* buttonhole.
knop knob; *(v. elektr. bel)* button, push; *(v. bloem)* bud.
knopen knot, tie , button.
knorren *(varken)* grunt; *(fig.)* grumble, growl.
knorrepot grumbler.
knots *zn.* club, bludgeon. || *bn.* mad, crazy.
knotwilg pollard-willow.
knuffelen hug, cuddle.
knul fellow, guy.
knuppel club, cudgel; *(stuurknuppel)* joy-stick.
knutselen do handicraft, do small jobs; *in elkaar –*, put together.
koddig comical, droll, odd.
koe cow.

koek cake; gingerbread; biscuit; *(Am.)* cooky.
koekeloeren peer
koekenpan frying-pan.
koekoek cuckoo.
koel cool, cold; *in –en bloede*, in cold blood.
koelbloedig cool-headed, level-headed.
koelbox cool-box.
koelen cool.
koelie coolie.
koelte coolness, cool.
koeltjes coolly, coldly.
koen bold, daring.
koepel cupola, dome.
koerier courier.
koers course, direction, *(handel)* price, rate, *(fig.)* course, line of action.
koersdaling fall in prices.
koesteren cherish.
koeterwaals *o.* gibberish, double Dutch.
koets coach, carriage.
koevoet crowbar.
koffer suitcase, bag, trunk; *(auto)* boot, *(Am.)* trunk.
koffie coffee.
koffieautomaat coffee machine.
koffieboon coffee-bean.
koffiehuis *o.* coffee-house.
koffiezetapparaat percolator, coffee machine.
kogel bullet, ball; *(atletiek)* shot.
kogellager ball-bearing.
kogelvrij bullet-proof, shot-proof.
kok cook.
koken *ov. ww.* boil, cook. || *onov. ww.* boil, seethe.
koker case, sheath, tube.
koket coquettish, coy.
kokosnoot coconut.
kolder nonsense.
kolen coal(s).
kolenmijn coal-mine.

kolf *(v. geweer)* butt; *(maïs)* spike, cob; *(v. distilleren)* receiver.
kolfje *o. dat is een – naar mijn hand,* that's just the thing for me.
kolibrie humming-bird.
koliek *v. en o.* colic.
kolk whirlpool; *(sluis)* chamber.
kolom column.
kolonel colonel.
koloniaal *bn.* colonial.
kolonie colony, settlement.
kolossaal colossal, gigantic, huge.
kom basin, bowl; *(v. gewricht)* socket; *bebouwde –,* built-up area.
kombuis galley.
komedie comedy; *– spelen,* put up an act.
komeet comet.
komen come; *er door –,* get through; *ergens in kunnen –,* understand.
komfoor *o.* chafing-dish, brazier.
komiek *bn.* comical, funny, droll. ‖ *zn.* comedian, clown.
komijnekaas cum(m)in-seed cheese.
komisch comical, comic.
komkommer cucumber.
komkommertijd dully (dead) season.
komma *v./m. en o.* comma.
kommer trouble, grief, sorrow.
kompas *o.* compass.
kompres *o.* compress.
komst coming, arrival; *(plechtig)* advent.
kond, *– doen,* make known.
konijn *o.* rabbit.
koning king.
koningin queen.
koninklijk royal, regal, kingly.
koninkrijk *o.* kingdom.
konkelen intrigue, plot.
konvooi *o.* convoy.
kooi cage; *(v. schapen)* fold, pen; *(v. eenden)* decoy; *(v. schip)* berth, bunk.

kookboek *o.* cookery book.
kookpunt *o.* boiling-point.
kool *(groente)* cabbage; *(steenkool)* coal; *iem. een – stoven,* play sb. a trick.
koolraap Swedish turnip.
koolstof carbon; *–dioxide,* carbon dioxide; *–monoxide,* carbon monoxide.
koolwitje *o.* cabbage butterfly.
koolzaad *o.* rapeseed.
koolzuur *o.* carbonic acid.
koop bargain, purchase; *een – sluiten,* strike a bargain.
koopje *o.* bargain.
koopkracht buying power, purchasing power.
koopman merchant, dealer.
koopsom purchase money.
koopwaar merchandise, commoditie, wares.
koor *o. (zangers)* choir; *(plaats in de kerk)* chancel, choir; *in –,* in chorus.
koord *v./m. en o.* cord, rope, string.
koorddanser rope-dancer.
koorknaap chorister, choirboy.
koorts fever.
koortsachtig, koortsig feverish.
koortsthermometer fever thermometer.
kop head; *(v. krant)* headline, heading; *(v. drank)* cup.
kopen buy, purchase.
koper buyer, purchaser. ‖ *o.* copper.
koperdraad *m. en o.* brass-wire.
koperen *bn.* copper, brass.
kopergravure copperplate.
koperslager copper-smith, brazier.
koperwerk *o.* brass-ware.
kopie copy; replica.
kopiëren copy.
kopje *o.* head; cup; *– onder gaan,* take a header, get a ducking.
koplamp headlamp.
koppel couple.

koppelaar matchmaker, procurer.
koppelbaas contractor, recruiter.
koppeling clutch.
koppelteken *o.* hyphen.
koppig obstinate, headstrong;
   (v. dranken) heady.
kopschuw shy.
koptelefoon headphone.
koraal *o. (muz.)* chorale; *(kleur, stof)*
   coral.
koraalrif *o.* coral reef.
koralen coral(line).
Koran Koran.
kordaat determined, resolute, firm.
koren *o.* corn; grain.
korenaar ear of corn.
korenbloem cornflower, bluebottle.
korf basket, hamper.
kornuit comrade, companion.
korporaal corporal.
korrel grain.
korrelig granular.
korset *o.* corset.
korst crust; *(op wonde)* scab; *(kaas)* rind.
kort short, brief.
kortademig short of breath, asthmatic,
   short-winded.
kortaf curt, abrupt.
kortelings recently.
korting deduction; discount, rebate,
   allowance.
kortom in short, in a word.
kortsluiting short-circuit(ing).
kortstondig short, of short duration.
kortwieken clip the wings.
kortzichtig short-sighted.
korzelig crabbed, crusty.
kosmos cosmos.
kost food, victuals, board; *–en,* costs,
   expenses, charges.
kostbaar expensive, costly; valuable;
   precious.
kostelijk exquisite, delicious; splendid;

we hebben ons – vermaakt, we had a
   marvellous time.
kosteloos free, gratis.
kosten cost; *wat kost het?,* how much is
   it?; *het zal mij twee dagen –,* it will
   take me two days.
koster secton, verger.
kostganger boarder.
kostschool boarding-school.
kostuum *o. (dames)* costume, suit;
   (heren) suit (of clothes).
kostwinner bread-winner.
kostwinning livelihood.
kotelet cutlet, chop.
kotsen throw up, puke.
kou cold; *– vatten,* catch a cold.
koud cold.
koudvuur *o.* gangrene.
kous stocking.
kousenband garter.
kouwelijk chilly.
kozijn *o.* window-frame.
kraag collar.
kraai crow.
kraaien crow.
kraakbeen *o.* cartilage, gristle.
kraal bead; *(v. vee)* kraal.
kraam booth, stall, stand.
kraamafdeling maternity ward.
kraambed *o.* childbed.
kraaminrichting maternity ward.
kraan *(v. vat, enz.)* tap, cock, *(Am.)*
   faucet; *(hijswerktuig)* crane, derrick.
kraanvogel crane.
kraanwagen breakdown lorry.
krab crab.
krabbelen scratch, scrawl, scribble.
kracht strength, force, power, energy;
   van – worden, come into force; *met
   vereende –,* with united efforts.
krachtdadig energetic, strong,
   powerful.
krachteloos powerless, impotent.

krachtens in (by) virtue of.
krachtig strong, powerful, energetic.
krakelen quarrel, wrangle.
krakeling cracknel.
kraken *ov. ww. (noot)* crack; *(v. huizen)* squat (in); *(computer)* hack. ‖ *onov. ww.* crack; *(v. deur, schoenen)* creak.
kram cramp(-iron), staple.
kramp cramp, spasm.
krampachtig spasmodic, convulsive.
kranig brave, smart.
krankzinnig insane, mad, lunatic.
krans wreath, garland, crown.
krant (news)paper.
krantenjongen newsboy.
krap narrow, tight.
kras *zn.* scratch. ‖ *bn.* strong; stiff.
krassen scratch, scrape; *(v. vogels)* croak, caw; screech.
krat *o.* crate.
krater crater.
krediet *o.* credit; *op –*, on credit.
kredietkaart credit card.
kredietwaardig solvent.
kreeft crawfish, crayfish; *(zeekreeft)* lobster; *(sterrenk.)* Cancer.
kreek creek.
kreet cry, scream.
kregel(ig) peevish, touchy.
krekel (house-)cricket.
kreng *o.* carrion; *(fig.)* beast, rotter.
krenken hurt, offend, injure; *iems gevoelens –*, wound sbd.'s feelings.
krent currant.
krenterig *(gierig)* mean; niggardly.
kreuk(el) crease.
kreunen groan, moan.
kreupel lame.
kreupelhout *o.* underwood.
krib crib, manger; *(slaapplaats)* cot.
kribbig peevish, crabby, testy.
kriebelen tickle.
kriek black cherry.

krijgen get, receive, obtain, acquire.
krijgsdienst military service.
krijgshaftig martial, warlike.
krijsen scream, screech, cry.
krijt *o.* chalk; crayon; *in het – staan*, be in debt.
krik jack.
krimpen shrink, *(wind)* back.
krimpvrij unshrinkable.
kring circle, ring.
kringloop circular course; recycling; cycle.
krioelen swarm; crawl (with).
kristal *o.* crystal.
kritiek *zn.* criticism; critique, review. ‖ *bn.* critical, crucial.
kritisch critical.
Kroatië Croatia.
kroeg pub.
kroes cup, mug; *(smeltkroes)* crucible.
kroeshaar *o.* frizzy hair.
krokant crisp, crunchy.
kroket croquette.
krokodil crocodile.
krokus crocus.
krom crooked, bent, curved.
krommen bow, bend curve.
kromming bend, curve.
kromtrekken warp.
kronen crown.
kroniek chronicle.
kroning crowning, coronation.
kronkelen wind, twist; *(v. rivier)* meander.
kroon crown; *(boom)* top; *(licht)* chandelier, lustre.
kroonkurk crown cap.
kroonlijst cornice.
kroonprins crown prince.
kroonprinses crown princess.
kroos *o.* duck-weed.
kroost *o.* issue, progeny, offspring, children.

kroot beetroot.
krop crop, gizzard; *(ziekte)* goitre.
kropgezwel o. goitre.
kropsla cabbage lettuce.
krot o. hovel, shack.
kruid o. herb.
kruiden season, spice.
kruidenier grocer.
kruidje-roer-me-niet sensitive plant; *(fig.)* touch-me-not.
kruidnagel clove.
kruier porter.
kruik stone bottle, pitcher.
kruim(el) crumb.
kruimeldief petty thief, magpie.
kruin crown, top.
kruipen creep, crawl; *(fig.)* cringe.
kruiperig cringing.
kruis o. cross; *(muz.)* sharp; *(v. dier)* croup; *(v. broek)* seat.
kruisband *(anat.)* cruciate ligament.
kruisbeeld o. crucifix.
kruisbes gooseberry.
kruiselings crosswise, crossways.
kruisen cross; *elkaar –*, cross each other.
kruiser cruiser.
kruisiging crucifixion.
kruising cross-breeding; crossing.
kruispunt o. crossing, crossroad; (point of) intersection.
kruistocht crusade.
kruisweg crossroad.
kruit o. powder, gunpowder.
kruk *(hulpmiddel)* crutch; *(v. deur)* handle; *(techn.)* crank.
krukas crank-shaft.
krul curl.
krulhaar o. curly hair.
krullen *ov. ww.* curl, crisp, friz(zle). || *onov. ww.* curl.
kubus cube.
kuch cough.
kudde herd, flock.

kuieren stroll, walk.
kuif *(haar)* forelock; *(v. vogels)* tuft, crest.
kuiken chicken.
kuil pit, hole.
kuip tub, vat.
kuis chaste, pure.
kuit *(v. been)* calf; *(v. vis)* spawn, roe.
kunde knowledge.
kunne sex.
kunnen be able; can, may.
kunst art; trick; *beeldende –en* plastic arts; *schone –en*, fine arts.
kunstenaar artist.
kunstgebit o. artificial teeth.
kunstgreep trick, artifice.
kunstig ingenious.
kunstje o. trick, dodge.
kunstmatig artificial.
kunstschaatsen figure-skating.
kunststof synthetic.
kunststuk o. masterpiece; feat, performance.
kunstwerk o. work of art; constructional work.
kurk *v./m. en* o. cork.
kurkdroog bone-dry.
kurkentrekker corkscrew.
kus kiss.
kussen *ww.* kiss. || o. pillow; *(v. stoelen)* cushion, bolster.
kussensloop pillow-case.
kust coast, shore.
kustvaart coasting-trade.
kuur whim, freak, caprice; *(v. zieken)* cure.
kwaad *bn.* bad, ill, evil; *(boos)* angry. || o. evil, wrong, harm.
kwaadaardig ill-natured, malicious; malignant.
kwaadspreken, *– van iem.*, speak ill of.
kwaadwillig malevolent, ill-disposed.
kwaal complaint, disease, evil.

kwadraat *o.* square.
kwajongen mischievous boy.
kwaken croak; quack.
kwakzalver quack.
kwal jelly-fish.
kwalificeren qualify.
kwalijk, *neem me niet –,* excuse me; sorry; *iem; iets – nemen,* take it ill of someone.
kwaliteit quality, capacity.
kwantiteit quantity.
kwark curds.
kwart *o.* quarter, fourth part; *(muziek)* crotchet.
kwartaal *o.* quarter of a year; three months.
kwartel quail.
kwartet *o.* quartet(te).
kwartier *o.* quarter (of an hour).
kwast brush, mop; *(in hout)* knot; *(persoon)* fop, fool. || *(v. drank)* lemon-squash.
kwee quince.
kweken grow, cultivate; *(vee en fig.)* breed.
kwekerij nursery.
kwelen carol, warble.

kwellen vex, tease, plague, torment.
kwelling vexation, torment, trouble.
kwestie question, matter.
kwetsbaar vulnerable.
kwetsen wound, hurt, injure; *(fig.)* offend.
kwiek lively, spry, sprightly.
kwijl slaver, drool.
kwijlen slaver, slobber, dribble.
kwijnen languish, pine (away); *(v. plant)* droop, wither.
kwijt, *ik ben het –,* I have lost it, it has slipped my memory.
kwijten, *zich van een taak –,* acquit oneself of a task.
kwijtraken lose; get rid of.
kwijtschelden remit.
kwijtschelding remission; *(v. straf)* pardon, amnesty.
kwik *o.* mercury, quicksilver.
kwikstaart wagtail.
kwinkslag witticism, jest, joke.
kwintessens quintessence.
kwispelstaarten wag the tail.
kwistig lavish, liberal.
kwitantie receipt.

L

la *(muz.)* la.
laadvermogen *o.* carrying-capacity.
laag *zn.* layer, stratum *(mv. strata),* bed; *(verf)* coat. || *bn.* low; *(fig.)* mean, base.
laaghartig base, vile, mean.
laagte lowness.
laagvlakte low-lying plain.
laakbaar condemnable, blamable.
laan avenue.
laars boot.

laat late.
laatdunkend self-conceited, arrogant.
laatst last, final; *(jongst)* latest, most recent; *(van twee)* latter; *ten –e,* lastly; *op zijn –,* at the latest.
laatstgenoemd last-named; latter.
laatstleden last.
label *o.* label.
labiel unstable.
laboratorium *o.* laboratory.
lach laugh, laughter.

lachen laugh; *tegen iem. –*, smile at sb.; *het is niet om te –*, it is no laughing matter.
ladder ladder.
lade drawer; *(v. winkel)* till.
laden load, charge, freight.
lading load; *(elektr.)* charge.
laf cowardly; *(flauw)* insipid.
lafaard coward, poltroon.
lafenis refreshment, comfort.
lafhartig cowardly.
lagedrukgebied *o.* low pressure area.
lager *o. (techn.)* bearings.
lagune lagoon.
lak *m. en o.* lacquer, varnish; *(zegel–)* sealing-wax. ‖ *daar heb ik – aan*, fat lot I care.
lakei footman, lackey.
laken *o.* cloth; *(op bed)* sheet.
lakken lacquer, varnish.
lakmoes *o.* litmus.
laks lax, slack, indolent.
lam *zn.o.* lamb. ‖ *bn.(verlamd)* paralytic, paralysed; *(kreupel)* lame.
lamentabel pitiful.
lamlendig miserable.
lamp lamp; *(gloeilamp)* bulb; *tegen de – lopen*, get caught.
lampenkap lamp-shade.
lampion Chinese lantern.
lamsvlees *o.* lamb.
lanceren launch.
lancet *o.* lancet.
land *o.* land; country, nation; field; *de Lage Landen*, the Low Countries; *het – hebben aan*, hate (detest).
landbouw agriculture.
landbouwer farmer, agriculturist.
landbouwkundig agricultural.
landelijk rural, rustic; national.
landen land, disembark.
landengte isthmus.
landerig blue.

landerijen landed estates.
landgenoot compatriot, (fellow) countryman.
landgoed *o.* country-seat, estate, manor.
landing descent, landing; *(v. troepen)* landing.
landingsbaan runway.
landinwaarts inland.
landloper vagabond, vagrant, tramp.
landmeter surveyor.
landschap *o.* landscape.
landstreek region, district.
landtong spit of land.
landverhuizer emigrant.
landverraad *o.* high treason.
landweg country-road; overland route.
lang long; *(v. gestalte)* tall, high; *zijn leven –*, all his life.
langdradig long-winded, prolix.
langdurig long, prolonged, protracted.
langlauf cross-country skiing, langlauf.
langs along, past; by.
langsgaan pass (by); call in.
langspeelplaat long-playing record, long player.
langszij alongside.
languit (at) full length.
langwerpig oblong.
langzaam slow, tardy.
langzaam-aan-actie go slow.
langzamerhand gradually, by degrees, little by little.
lankmoedig long-suffering, patient.
lans lance.
lansier lancer.
lantaarn streetlight; *(zaklantaarn)* torch.
lantaarnpaal lamp-post.
lanterfanten idle, laze about.
lap piece, rag, tatter; *(om te verstellen)* patch; *(om te wrijven)* cloth.
lapmiddel *o.* palliative, makeshift.

lappen *(herstellen)* patch, mend; *(ramen)* wash.
laptop laptop computer.
larderen lard.
larie nonsense, rubbish.
larve larva *(mv. –e)*, grub.
las weld, join.
laser laser.
lassen weld, joint.
last load, burden, weight; *(iets moeilijks)* trouble, nuisance; *–en,* charges, rates and taxes.
lastdier pack animal.
laster calumny, slander.
lastercampagne campaign of calumny.
lasteren calumny, slander.
lasterlijk slanderous, defamatory.
lastgever principal.
lastig difficult, hard, troublesome; annoying.
lastpost nuisance.
lat lath.
laten *hulpww.* let. || *zn. ww.* leave; *(nalaten)* omit, forbear, give up; *(toelaten)* let, allow, permit; *– bouwen,* have built.
latent latent.
lat-relatie l.a.t.-relationship.
laurier laurel, bay.
laurierblad laurel-leaf, bay-leaf.
lauw tepid, lukewarm; *(fig.)* half-hearted.
lauweren crown with laurels, laurel.
lava lava.
laven refresh.
lavendel lavender.
laveren tack (about), beat up against the wind; *(fig.)* manoeuvre.
lawaai *o.* tumult, uproar, noise.
lawine avalanche.
laxeermiddel *o.* laxative, aperient.
lay-out layout.
lectuur reading-matter.

ledematen limbs.
leder *zie* leer.
lederen *zie* leren.
lederwaren leather goods.
ledigen empty.
ledikant *o.* bedstead.
leed *o.* grief, sorrow; harm, injury; *met lede ogen,* with regret.
leedvermaak *o.* enjoyment of others' misfortune.
leedwezen *o.* regret.
leefregel diet, regimen.
leeftijd age; lifetime.
leeftijdsgenoot contemporary.
leeftijdsgrens age limit.
leefwijze manner of life.
leeg empty, vacant; idle.
leeghoofd empty-headed person.
leeglopen empty, go flat; *laten –,* deflate, drain; *(lanterfanten)* idle (about).
leegte emptiness; *(fig.)* blank, void.
leek layman, outsider.
leemte gap, lacuna, hiatus.
leep cunning, shrewd.
leer *o.* leather. || *(ladder)* ladder; *(leerstelsel)* doctrine; theorie; apprenticeship.
leerboek *o.* text-book.
leergierig studious, eager to learn.
leerling pupil, disciple.
leerlooier tanner.
leerplicht compulsory education.
leerstoel chair.
leerzaam instructive.
leesbaar readable; *(schrift)* legible.
leesbibliotheek lending-library.
leesblind dyslexic.
leesbril reading-glasses.
leesmoeder parent volunteer.
leespen bar code reader.
leest waist; *(schoenmaker)* last.
leesteken *o.* punctuation mark.

leeuw lion.
leeuwerik lark.
leeuwin lioness.
lef pluck, courage, nerve.
legaal legal.
legaat *o.* legacy; legate.
legende legend.
leger *o.* army; *(v. haas)* form; *Leger des Heils,* Salvation army.
legéren alloy.
legeren encamp.
leggen lay, put, place.
legioen *o.* legion.
legitimatie legitimation.
legitimatiebewijs *o.* identity card.
lei *o.* slate.
leiband leading-string.
leiden lead, guide, conduct, direct.
leider leader, guide, director.
leiding leadership, conduct, guidance, direction; *(buis)* pipe, conduit; *(elektr.)* wire.
leidraad guide(line).
leien slate; *het gaat van een – dakje,* it goes smoothly.
lek *o.* leak, leakage, escape; *(in fietsband)* puncture. || *bn.* leaky; *een –ke band,* a flat tyre, a punctured tyre.
lekken leak, have a leak.
lekker nice, delicious; sweet; *(weer)* fine.
lekkerbek epicure, gourmet.
lekkernij dainty, titbit, delicacy.
lel lobe; *(v. haan)* gill; *(in keel)* uvula.
lelie lily.
lelietje-van-dalen *o.* lily of the valley.
lelijk ugly; plain, nasty; badly.
lemmet *o.* blade.
lende loin.
lendenbiefstuk sirloin.
lenen *(aan)* lend (to); *(van)* borrow (from, of).
lengen become longer, lengthen.
lengte length; *(van persoon)* height;

longitude.
lengtemaat linear measure.
lenig supple, lithe.
lenigen alleviate, relieve.
lening loan; *een – uitschrijven,* issue a loan.
lens lens.
lente spring.
lepel spoon; ladle.
lepelen spoon; use one's spoon.
leperd slyboots, cunning fellow.
lepra leprosy.
leraar, lerares teacher.
leren *ww. (onderwijzen)* teach; *(kennis opdoen)* learn. || *bn.* of leather.
lering *ergens – uit trekken,* learn from something.
les lesson.
lesbienne lesbian.
lessen quench, slake.
lessenaar desk.
Letland Latvia.
letsel *o.* injury, harm, hurt.
letten *– op,* pay attention to, mind, attend to; *wat let me,* what prevents me.
letter letter, character.
lettergreep syllable.
letterkunde literature.
letterlijk literal.
letterslot *o.* letterlock.
letterwoord acronym.
leugen lie, falsehood.
leugenaar liar.
leuk amusing, arch, jolly; *(onverschillig)* cool, dry.
leukoplast *m. en o.* sticking plaster.
leunen lean (on, against).
leuning rail, banister; *(stoel)* back.
leunstoel armchair.
leuren hawk.
leus slogan, watch-word, catch-phrase.
leuteren *(talmen)* loiter; *(babbelen)*

drivel, twaddle.
leven *o.* life; noise. ‖ *ww.* live.
levend living; alive.
levendig lively, animated, vivid, vivacious.
levenloos lifeless, inanimate.
levensbehoeften necessaries of life.
levensbeschrijving biography.
levensduurte cost of living.
levensgevaar *o.* peril (danger) of life.
levensgezel(lin) partner for life.
levenslang for life, lifelong.
levensloop course of life, career.
levenslust love of life.
levenslustig cheerful, vivacious.
levensmiddelen foodstuffs, provisions.
levensverzekering life-insurance.
lever liver.
leverancier supplier, purveyor.
leveren supply, furnish, deliver.
leveringstermijn time (term) of delivery.
leveringsvoorwaarden terms of delivery.
leverpastei liver pie.
levertraan cod-liver oil.
leverworst liver sausage.
lezen read; *(aren)* glean; gather.
lezing reading; *(voorlezing)* lecture; *(variante)* version.
liaan liane, liana.
libel dragonfly.
liberalisme *o.* liberalism.
licentiaat master.
lichaam *o.* body.
lichaamsdeel *o.* part of the body.
lichaamsoefening bodily exercise.
lichamelijk bodily, corporal; physical.
licht *bn.* light(coloured), bright, fair; *(niet zwaar)* light, mild. ‖ *o.* light; *(fig.)* luminary.
lichtbeeld *o.* lantern view.
lichtblauw light blue.
lichten *ov. ww.* lift, raise; *(anker)* weigh;

(post) clear. ‖ *onov. ww.* lighten, get light, dawn.
lichter lighter.
lichterlaaie, *in –,* be ablaze.
lichtgelovig credulous.
lichtgeraakt touchy, quick to take offence.
lichtgevend luminous.
lichting *(post)* collection.
lichtreclame illuminated sign(s), advertising.
lichtsein *o.* light-signal.
lichtstraal ray of light, beam of light.
lichtvaardig rash.
lichtzinnig thoughtless, frivolous, light.
lid *o.* member; *(v. lichaam)* limb.
lidmaatschap *o.* membership.
lidstaat member state.
lidwoord *o.* article.
lied *o.* song; *(kerk.)* hymn.
lieden people, folks, men.
liederlijk debauched, dissolute.
liedje song, tune, ballad.
liedjeszanger ballad-singer.
lief *o.* love, sweetheart. ‖ *bn.* beloved, dear, *(aardig)* lovely, pretty, nice.
liefdadig charitable.
liefde love.
liefderijk charitable.
liefelijk sweet, lovely.
liefhebben love.
liefhebber lover; amateur.
liefje *o.* darling; sweetheart, love.
liefkozen fondle, caress.
lieftallig sweet.
liegen lie, tell stories.
lier lyre; *(hijswerktuig)* winch.
lies groin.
lieveheersbeestje *o.* ladybird.
lieveling darling, pet, favourite.
liever rather.
lift lift; *(Am.)* elevator.
liften hitch-hike.

liggen lie, be situated.
ligging situation, lie; (geographical) position.
ligstoel reclining-chair.
lijdelijk passive.
lijden *ww.* suffer; endure, bear. ‖ *o.* suffering.
lijdensweg *(fig.)* martyrdom.
lijdzaam patient,meek.
lijf *o.* body.
lijfrente annuity.
lijfwacht life-guard, bodyguard.
lijk *o.* corpse, dead body.
lijkbleek deathly pale.
lijken resemble, be like; *(schijnen)* seem, appear.
lijkenhuis *o.* mortuary.
lijkschouwing postmortem examination.
lijm glue.
lijmen glue.
lijn *(spoor, tram, streep)* line; *(touw)* cord, rope, string.
lijnolie linseed oil.
lijnrecht straight, perpendicular, diametrical.
lijnrechter linesman.
lijntoestel, lijnvliegtuig *o.* airliner.
lijnvlucht scheduled flight.
lijnzaad *o.* linseed.
lijst *(schilderij)* frame; *(register)* list, register.
lijster trush.
lijsterbes mountain-ash, rowan.
lijvig *(persoon)* corpulent; *(boek)* voluminous, bulky.
lijzig slow, drawling.
likdoorn corn.
likeur liqueur.
likkebaarden lick one's lips (chops).
likken lick.
lila *zn., o.* en *bn.* lilac.
limiet limit.

limonade lemonade.
linde lime tree, linden(tree).
lingerie lingerie.
liniaal *v./m.* en *o.* ruler.
linie line; *over de hele –,* on all points.
linkerarm left arm.
linkerkant left side.
links *bn.* left; left-handed; *(onhandig)* gauche. ‖ *bw.* to (on, at) the left.
linksachter *(sport)* left back.
linksaf to the left.
linksbuiten *(sport)* left winger.
linkshandig left-handed.
linksom to the left.
linnen *o.* linen.
linnengoed *o.* linen.
lint *o.* ribbon.
lintworm tapeworm.
linze lentil.
lip lip.
lippenstift stick.
liquideren wind up, liquidate; eliminate.
lis *o.,* **lisbloem** iris, blue flag, yellow flag.
lispelen lisp.
list ploy, stratagem.
listig sly, cunning.
litanie litany.
liter litre.
literatuur literature.
lithographie lithography.
litteken *o.* scar, cicatrice.
Litouwen Lithuania.
livrei livery.
loco-burgemeester deputy mayor.
locomotief locomotive, engine.
lodderig drowsy.
loden *bn.* lead, leaden. ‖ *een – jas,* a loden coat.
loef, *iem. de – afsteken,* outdo sbd.
loeien *(v. koeien)* low, moo; *(v. stier)* bellow; *(v. wind)* roar; *(v. sirene)* wail.

loens squint-eyed.

loer *op de – liggen*, lie in wait, lie on the look-out; *iem. een – draaien*, play sbd a dirty trick.

loeren peer, spy.

lof praise.

loffelijk laudable, praise-worthy.

lofrede laudatory speech.

loftrompet, *de – steken over*, sing sbd's praises.

log heavy, unwieldly.

logé guest, visitor.

loge lodge; *(schouwburg)* box.

logeerkamer visitor's room, spare bedroom.

logement *o.* boarding house, lodging.

logenstraffen give the lie, belie.

logeren stay (at someone's place), put up at.

logies *o.* accomodation, lodging.

logisch logical.

lok lock, curl.

lokaal *bn.* local. || *o.* room, hall.

lokaas *o.* decoy, allurement, bait.

loket *o.* ticket-office; box-office; counter.

lokken decoy, allure, entice; attract.

lol fun.

lolly lollipop, lolly.

lommerd pawnshop, pawnbroker's shop.

lomp *zn.* rag, tatter. || *bn. (vorm)* inelegant, ponderous; *(onbeschaafd)* rude; *(onhandig)* clumsy, ungainly.

lomperd boor, lout.

lonen pay; *het loont de moeite niet*, it is not worth while.

long lung.

longontsteking pneumonia.

lonken ogle, *naar iemand lonken*, make eyes at somebody.

lont fuse, match; *– ruiken*, smell a rat.

loochenen deny.

lood *o.* lead; *(diep–)* sounding-lead.

loodgieter plumber.

loodlijn *(meetkunde)* perpendicular line.

loodrecht perpendicular.

loods *(scheepv.)* pilot. || shed; *(v. vliegtuigen)* hangar.

loodvergiftiging lead poisoning.

loodvrij lead-free.

loof *o.* leaves, foliage.

loofboom broad-leaved tree.

loog lye.

looien tan.

look *o.* garlic.

loom slow; *(lusteloos)* languid.

loon *o.* wages, pay; reward; *zijn verdiende – krijgen*, serve one right.

loop run; walk; course, march (of events); *(v. geweer)* barrel.

loopbaan career.

loopgraaf trench.

loopje *o. (muz.)* run, passage; *een – nemen met*, pull sbd's leg.

looppas double time.

loopplank gangway.

loot shoot.

lopen *ww.* run, walk, go; *het is een uur –*, it is an hour's walk.

lopend running; current; *als een – vuurtje*, like wild-fire.

loper runner; *(bode)* messenger; *(schaken)* bishop; *(tapijt)* carpet; *(sleutel)* master-key.

lor rag.

lorgnet *o.* eye-glasses.

lorrie lorry, trolley, truck.

los *bn.* loose. || *bw.* loosely. || *zn.* lynx.

losbandig licentious, dissolute, profligate.

losbarsten break out, burst.

losbol rake, profligate.

losdraaien unscrew, loosen.

losgaan get loose.

losgeld *o.* ransom.

losmaken loosen, untie; *zich –*,

disengage oneself.
losprijs ransom.
lossen unload, discharge; *(geweer)* fire.
losweg casually.
lot *o. (noodlot)* fate, destiny;
    (loterijbriefje) lottery-ticket.
loten draw lots.
loterij lottery.
lotgenoot companion in distress.
lotgeval *o.* adventure.
loting drawing of lots.
lotion lotion.
louter pure, mere, sheer.
louteren purify, refine.
loven praise, extol; *– en bieden,* haggle,
    bargain.
loyaal loyal.
lozen *(water)* void; drain; *een zucht –,*
    heave a sigh.
lucht air; *(hemel)* sky; *(geur)* smell, scent.
luchtballon (air-)balloon.
luchtband pneumatic tyre.
luchtbed *o.* air-bed.
luchtdicht hermetic(al), airtight.
luchten air, ventilate, *(fig.)* vent.
luchter chandelier.
luchtgat *o.* air-hole, ventilator.
luchthartig light-hearted.
luchthaven airport.
luchtig airy, light, thin; *(niet ernstig)*
    airy, light-hearted.
luchtkasteel *o.* castle in the air.
luchtledig void of air; *–e ruimte,* vacuum.
luchtmatras air-mattress.
luchtpijp windpipe, trachea (mv. –e).
luchtpost air mail.
luchtspiegeling mirage, fata morgana.
luchtstreek climate, zone.
luchtvaart aviation.
luchtverontreiniging air pollution.
luchtziek airsick.
lucifer match.

lui lazy, idle.
luiaard lazy-bones, sluggard; *(dier)* sloth.
luid loud.
luiden sound; *(klok)* ring, toll.
luidkeels at the top of one's voice.
luidruchtig loud, noisy, clamorous.
luidspreker loud-speaker.
luier napkin, *(Am.)* diaper.
luieren be idle, idle, laze.
luifel penthouse.
luik *o. (venster)* shutter; trap-door;
    (v. schilderij) panel.
luilak lazy-bones.
luilekkerland *o.* land of Cockaigne.
luim humour, mood; whim, caprice; fun.
luis louse (*mv.* lice).
luister splendour, lustre, pomp.
luisteren listen.
luisterrijk splendid, glorious.
luistervink eavesdropper.
luit lute.
luitenant lieutenant.
lukken succeed.
lukraak at random, haphazardly.
lummel lout.
lunch lunch(eon).
lunchpakket *o.* packed lunch.
lurf *iem. bij de lurven pakken,* grab sbd.
lus loop; noose.
lust desire, mind; delight, appetite; lust.
lusteloos listless; apathetic.
lusten like.
lusthof pleasure-ground; *(fig.)* garden of
    Eden.
lustrum *o.* lustrum.
luttel little *(mv.* few).
luwen abate; *(v. wind)* drop, fall; die
    down; calm down, quiet down; *(v.*
    vriendschap) cool down.
luxe luxury.
Luxemburg Luxemb(o)urg.
lyrisch lyrical.

maag stomach.
maagd maid(en), virgin.
maagdelijk virginal.
maagpijn stomach ache.
maagzuur *o.* gastric juice; *(med.)* heartburn.
maaien *(gras)* mow, cut; *(koorn)* reap.
maaier mower, reaper.
maak *in de –*, under repair, in preparation.
maaksel *o.* make.
maal *v./m. en o.* time; *een–, twee–, drie– enz.*, once, twice, three times. || *o. (maaltijd)* meal.
maalstroom whirlpool, vortex.
maaltijd meal, repast.
maan moon; *nieuwe, halve, volle –*, new, half, full moon.
maand month.
maandag Monday.
maandblad *o.* monthly (magazine).
maandelijks monthly.
maandstonden menstruation.
maandverband *o.* sanitary towel.
maanzaad *o.* poppy seed.
maar *bw.* but, only, merely. || *voegw.* but.
maarschalk marshal.
maart March.
maas mesh; *door de mazen van het net kruipen*, slipp through the meshes.
maat measure, size; *(muziek)* time, measure; *(verskunst)* metre, measure. || mate, companion; *(spel)* partner.
maatjesharing young herring.
maatkleding custom-made clothes.
maatregel measure; *–en treffen*, take measures.
maatschappelijk social; *– assistent*, social worker; *– werk*, social welfare.
maatschappij society, company.
maatstaf measuring-rod, standard; *(fig.)* measure, gauge, criterion.

maatstok rule; *(muz.)* baton.
macaroni macaroni.
Macedonië Macedonia.
machinaal mechanical, automatic(al).
machine engine, machine.
machinist *(schip)* engineer; *(spoor)* engine-driver.
macht power, might.
machteloos powerless, impotent.
machthebber ruler, man in power.
machtig powerful, mighty; *een taal – zijn*, have mastered a language.
machtigen authorize, empower.
machtiging authorization.
machtsvertoon *o.* display of power.
machtswellust lust for power.
made maggot, larva, grub.
madeliefje *o.* daisy.
maf nuts, crackers.
maffia mafia.
magazijn *o.* warehouse, storehouse; *(v. geweer)* magazine; *(winkel)* store(s).
magazine *o.* magazine, weekly, monthly.
mager thin, lean; gaunt, skinny; *(resultaten)* meagre.
magertjes scantily.
maggiblokje *o.* stock cube.
magistraat magistrate.
magneet magnet.
magnetron(oven) microwave oven.
mahoniehout *o.* mahogany.
maïs maize.
maïzena cornflour.
majesteit majesty.
majestueus majestic.
majoor major.
mak tame, meek, manageable.
make-up make-up.
makelaar broker; *– in effecten*, stockbroker.
makelaarsloon *o.* brokerage.
maken make, produce; repair, fix;

opwerpingen –; raise objections; *hoe maakt u het?*, how do you do?
makkelijk easy.
makker mate, comrade.
makreel mackerel.
mal *zn.* model, mould. || *bn.* foolish, mad, silly; *ben je mal?* are you kidding?
malaise malaise; *(handel)* depression.
malaria malaria.
malen grind; *wie maalt erom?* who cares?
maliënkolder hauberk, coat of mail.
mallemolen merry-go-round.
malligheid foolishness, folly.
mals tender.
mammoet mammoth.
man man; *(echtgenoot)* husband.
management *o.* management.
manager manager.
manchet cuff.
manchetknoop cufflink.
mand basket, hamper.
mandaat *o.* mandate; *(aanhoudings-mandaat)* warrant of arrest.
mandarijn tangerine, mandarine.
manege manege, riding-school.
manen *mv.* mane. || *ww.* dun, press for payment.
maneschijn moonlight.
mangel mangle, mangling-machine.
mangelen mangle.
maniak maniac, freak.
manicure manicure.
manie mania, rage, craze.
manier manner, way, fashion; *goede –en*, good manners.
manifestatie demonstration; manifestation.
manipuleren manipulate.
mank lame, crippled.
mankement *o.* defect, trouble.
mankeren fail.

mannelijk male, masculine.
mannequin fashion model, mannequin.
mannetje *o.* manikin, little man.
manoeuvre *o.* manoeuvre.
manschappen crew, ratings.
mantel cloak, coat; *iem. de – uitvegen*, scold sbd.
manuscript *o.* manuscript.
map folder, portfolio.
marathon marathon.
marcheren march.
marechaussee military police, constabulary.
maretak mistletoe.
margarine margarine.
marginaal marginal.
marihuana marihuana, marijuana.
marinier marine.
marjolein marjoram.
markant striking; outstanding.
marketing marketing.
markies marquis.
markt market; *van alle –en thuis zijn*, be an all-round man.
marktaandeel *o.* market share.
marktkraam market stall, booth.
marktprijs market price.
marmelade marmalade.
marmer *o.* marble.
marmeren marble.
marmot marmot; guinea-pig.
Marokko Morocco.
mars march.
marsepein *m. en o.* marzipan.
marskramer pedlar, peddler, hawker.
martelaar martyr.
martelen torture, torment.
marteling torture.
marter marten.
masker *o.* mask.
maskerade masquerade.
massa mass, crowd.
massaal wholesale, mass, massive.

massage massage.
masseren massage.
massief solid, massive.
mast mast.
masturbatie masturbation.
mat *zn.* mat ‖ *bn.* dull, dim; tired, weary. ‖ *(schaakmat)* checkmate.
match match.
materiaal material(s).
materialisme *o.* materialism.
materie matter.
matglas *o.* frosted glass.
matigen moderate, temper.
matras mattress.
matrijs matrix, mould.
matroos sailor.
maximaal maximum.
maximaliseren maximize.
maximumsnelheid speed limit; top speed.
mayonaise mayonnaise.
mazelen measles.
mazen darn.
mecanicien mechanic.
mechanica mechanics.
mechanisme *o.* mechanism.
medaille medal.
mede *(drank)* mead.
mededeelzaam communicative, expansive.
mededelen communicate, announce, inform.
mededeling communication, announcement, information.
mededinger rival, competitor.
medeklinker consonant.
medelijden *o.* pity, compassion.
medelijdend compassionate.
medemens fellow-man.
medeplichtig accessary.
medestander supporter, partisan.
medewerking co-operation.
medeweten *o.* knowledge.

media media.
medicijn medicine.
medisch medical.
meebrengen bring, bring along with one.
meedingen compete (for).
meedogenloos pitiless, merciless, ruthless, relentless.
mee-eter comedo.
meegaand accomodating, pliable, compliant, yielding.
meel *o.* flour; meal.
meeldraad stamen.
meenemen take away, take (along) with.
meer *bw.* more; *hij kwam niet meer*, he didn't come any more. ‖ *o.* lake.
meerder greater, more; superior.
meerderheid majority.
meerderjarig of age.
meerekenen count (in), include (in the reckoning); *niet meegerekend*, exclusive (of).
meerkeuzevraag multiple-choice question.
meerkoet coot.
meermalen repeatedly, more than once.
meermin mermaid.
meervoud *o.* plural.
mees titmouse, tit.
meeslepen carry (drag) along.
meeslepend moving, compelling.
meest most.
meestal mostly, usually.
meester master; *(school–.)* teacher.
meesteres mistress.
meestergast foreman.
meesterlijk masterly.
meesterstuk *o.* masterpiece.
meet *van – af*, from the beginning.
meetbaar measurable.
meeting meeting.
meetkunde geometry.

meeuw seagull.
meevallen, *het valt niet mee*, it is more difficult than expected.
meevaller piece of good luck, windfall.
meewarig compassionate.
meewerken co-operate, participate in.
mei May.
meid girl.
meidoorn hawthorn.
meikever cockchafer, maybug.
meineed perjury.
meisje *o.* girl; *(vriendin)* girl-friend.
meisjesachtig girlish.
meisjesnaam *(voornaam)* girl's name; *(v. getrouwde vrouw)* maiden name.
melaats leprous.
melancholie melancholy.
melden mention, inform (of) report, announce, state.
melding mention.
melk milk.
melkboer milkman.
melken milk.
melkkoe dairy cow, milch cow.
melkpoeder *o.* milk-powder.
melktand milk-tooth.
Melkweg Milky Way, galaxy.
melodie melody, air, tune.
melodieus melodious, tuneful.
meloen melon.
memorandum *o.* memorandum.
memorie memory; *(geschrift)* memorial.
men one, people, man, a man, they, we, you.
menagerie menagerie.
meneer gentleman; *(met naam)* Mr.
menen mean; suppose, think.
mengelmoes *m./v. en o.* medley, jumble, hodge-podge.
mengen mix, mingle; blend; alloy.
mengsel *o.* mixture.
menie red lead.
menig many (a).

menigmaal often, repeatedly.
menigte crowd, multitude.
mening opinion, view; *voor zijn – uitkomen*, to speak one's mind.
meningsverschil *o.* difference of opinion.
mennen drive.
menopauze menopause.
mens man; *een –*, a human being; *–en*, people, men; *geen –*, nobody, no one.
mens-erger-je-niet ludo.
mensdom *o.* mankind.
menselijk human.
menseneter cannibal, maneater.
mensenhater misanthrope.
mensenkennis knowledge of men.
mensenrechten human rights.
mensenschuw shy, unsociable.
mensheid mankind.
menslievend humane, philanthropic.
menstruatie menstruation.
menswetenschappen social sciences.
mentaliteit mentality.
menu *o.* menu, bill of fare.
menuet *o.* minuet.
meppen slap, strike.
merel blackbird.
meren moor.
merendeels mostly, for the greater part.
merg *o.* marrow; *(in plant)* pith; *het gaat door – en been*, it pierces you to the very marrow.
mergel marl.
mergpijp marrow-bone.
meridiaan meridian.
merk *o.(kenteken)* mark; *(soort)* brand; *(v. auto)* make.
merkbaar perceptible, noticeable, visible.
merkelijk considerable.
merken mark; perceive, notice.
merkteken *o.* mark, sign, token.
merkwaardig remarkable, curious.

merrie mare.

mes *o.* knife.

messing *o.* brass.

mest dung, manure.

mesten *(land)* dung, manure; *(dier)* fat(ten).

mesthoop dunghill, manure heap.

met with; – *de trein,* by train; *wij zijn – vijf,* there are the five of us.

metaal *o.* metal.

metalen metal.

metamorfose metamorphosis.

meteen at the same time; *(dadelijk)* immediately, presently, at once.

meten measure; *hij meet twee meter,* he stands two metres.

meteoor meteor.

meteorologie meteorology.

meter *(lengtemaat)* metre; *(gas)* meter; *(pers.)* measurer. ‖ *(doop)* godmother.

metgezel companion, mate.

methode method.

methodisch methodical.

metro underground, tube, *(Am.)* subway.

metselaar bricklayer.

metselen lay bricks.

metterdaad actually.

mettertijd in course of time.

meubel *o.* piece of furniture.

meubelmaker cabinet-maker, joiner.

meubilair *o.* furniture.

meubileren furnish, fit up.

meug liking.

mevrouw madam; *(met naam)* Mrs.; *(zonder naam)* lady.

miauwen miaow, mew.

mica *o.* mica.

micro micro.

microbe microbe.

microfoon microphone.

microscoop microscope.

middag midday, noon; afternoon.

middageten *o.* lunch, middaymeal.

middagmaal *o.* midday-meal, lunch.

middel *o.* means, expedient, medium; *(v.h. lichaam)* waist, middle; *(tot genezing)* remedy; *door – van,* by means of, through.

middelbaar middle, medium; average; *(school)* secondary.

middeleeuwen Middle Ages.

middeleeuws medieval.

middellijn diameter.

middelmatig average, medium; moderate.

middelpunt *o.* centre.

middelste middle, middlemost.

midden *o.* middle, centre, midst; – *in,* in the middle of.

middenstand middle classes; tradespeople.

middenweg middle course, middle way; *de gulden –,* the golden mean.

middernacht midnight.

mier ant, emmet, pismire.

mierikswortel horseradish.

miezerig *(weer)* drizzly, dull; *(v. pers.)* measly.

migraine migraine.

migrant migrant.

migratie migration.

mij *pers. vnw.* (to) me; *dat is van –,* it is mine.

mijden avoid, shun.

mijl mile (= 1609 meter); league.

mijlpaal milestone; *(fig.)* landmark.

mijmeren dream, muse.

mijn *vnw.* my. ‖ *zn.* mine.

mijnbouw mining.

mijnenveger mine sweeper.

mijnheer gentleman; *(met naam)* Mr.

mijnwerker miner.

mijt *(insect)* mite; *(stapel)* stack.

mijter mitre.

mijzelf myself.

mikken take aim, aim (at).
mikpunt *o.* aim; *(fig.)* butt, target.
mild *(vrijgevig)* generous, liberal; *(zacht)* soft; *(niet streng)* lenient.
milicien conscript.
milieu *o.* environment.
milieubewust eco-conscious.
milieuverontreiniging environmental pollution.
milieuvriendelijk eco-friendly.
militair *bn.* military; *-e dienst,* national service. ‖ *zn.* soldier, military (wo)man.
miljard *o.* milliard, *(Am.)* billion.
miljoen *o.* million.
miljonair millionaire.
millimeter millimetre.
milt spleen.
mimiek mimicry.
min *zn.(plechtig)* love; *(voedster)* nurse. ‖ *bn.* mean, base. ‖ *bw.* less; *– of meer,* more or less.
minachten disdain, scorn.
minaret minaret.
minder *telw.* less, fewer. ‖ *bn.* inferior, worse, minor.
minderen diminish, decrease.
minderheid minority.
minderjarig under age.
mindervalide handicapped person.
minderwaardig inferior; base, mean.
mineraal *o.* mineral.
mineraalwater *o.* mineral water.
miniem small, trifling; *(sport)* junior.
mimuminkomen *o.* minimum income.
minister minister, secretary; *eerste –,* prime minister; *– van Binnenlandse Zaken,* Home secretary.
minister-president prime minister, premier.
ministerie *o.* ministry, department; *– van Binnenlandse Zaken,* Home Office.
minnaar lover.

minnelijk amicable, friendly; *bij –e schikking,* amicably.
minst least, slightest; fewest; *op zijn –,* at least.
minstens at (the) least.
minuut minute; *op de – af,* to the minute.
minuutwijzer minute-hand.
minzaam affable, suave.
mirre myrrh.
mis *zn. (kerk)* mass. ‖ *bw.* wrong, amiss; *het – hebben,* be wrong, be mistaken.
misbaar *o.* clamour, uproar.
misbruik *o.* abuse, misuse.
misdaad crime.
misdadig criminal.
misdadiger criminal, malefactor.
misdrijf *o.* crime, criminal offence.
misdruk mackle, spoilt sheet.
misgooien miss.
misgreep mistake, error.
misgunnen envy, grudge.
mishagen displease.
mishandelen maltreat, ill-treat.
miskennen misjudge, undervalue.
miskenning lack of appreciation.
miskraam miscarriage, abortion.
misleiden mislead, deceive.
mislukken miscarry, fail.
mismaakt deformed, misshapen.
misnoegd displeased, dissatisfied.
misnoegdheid displeasure, dissatisfaction.
mispel medlar.
misplaatst misplaced, out of place.
misprijzen disapprove (of), condemn; despise.
misrekening miscalculation.
misschien perhaps, maybe.
misselijk *(ziek)* sick, queasy; *(weerzin-wekkend)* disgusting, sickening; *het maakt me –,* it makes me sick.
missen miss.

missie mission.
missionaris missionary.
mist *(nevel)* mist; *(dikke mist)* fog.
mistig misty, foggy.
mistroostig sad, dejected.
misvatting misconception, misunderstanding.
misverstand *o.* misunderstanding, misapprehension.
misvormen deform, disfigure.
mits provided (that).
mixer mixer.
mobilofoon radiotelephone.
modder mud, mire, ooze.
modderig muddy, miry, oozy.
modderpoel slough, quagmire.
mode fashion.
model *o.* model, pattern.
modelwoning show-house.
modem *o.* modem.
modern modern.
modeshow fashion parade.
modieus fashionable.
moe tired, fatigued, weary.
moed courage, heart, spirit.
moedeloos dejected, heavy-hearted.
moeder mother.
moederhuis maternity hospital.
moederlijk motherly, maternal.
moederschap *o.* motherhood, maternity.
moedertaal mother tongue, native tongue.
moedervlek birth-mark, mole.
moedig courageous, brave.
moedwil wantonness.
moedwillig wanton.
moeilijk difficult, hard, troublesome.
moeite trouble, difficulty; pains, labour.
moeizaam labourious, hard.
moer mother; *(schroef)* nut; *(v. dier, vooral paard)* dam.
moeras *o.* marsh, swamp, morass.

moerassig marshy, boggy, swampy.
moerbei mulberry.
moersleutel monkey-wrench.
moes *m./v. en o.* stewed greens/fruit; pulp, mash.
moesson monsoon.
moestuin kitchen garden.
moeten must, have to, be obliged to; should, ought to.
mof muff.
mogelijk possible.
mogelijkheid possibility.
mogen can, be allowed to; may; *(houden van)* like, be fond of.
mogendheid power.
moker maul, sledge.
mokka mocha.
mokken sulk.
mol *(dier)* mole; *(muz.)* flat.
molecule molecule.
molen mill.
molenaar miller.
mollig plump, chubby.
molm *m. en o.* mouldered wood; *(v. turf)* peat dust.
molshoop mole-hill.
moment *o.* moment.
momentopname snapshot, instantaneous photo(graph).
mompelen mutter, mumble.
monarchie monarchy.
mond mouth; *(v. kanon)* muzzle.
mond-en klauwzeer *o.* foot-and-mouth disease.
mond-op-mondbeademing mouth-to-mouth resuscitation.
mondeling verbal, oral.
mondig of age.
monding mouth.
mondstuk *o.* mouth-piece.
mondvol mouthful.
mondvoorraad provisions.
monitor monitor.

monnik monk, friar.
monnikenwerk *(fig.)* time-consuming, painstaking task.
monocle monocle, (single) eye-glass.
monopolie *o.* monopoly.
monster *o.* monster; *(staal)* sample, pattern.
monsterachtig monstrous.
monsteren *(inspecteren)* muster.
monter brisk, lively.
monteren fix, fit up; assemble (a car); cut (a film).
monteur mechanic; serviceman.
montuur *o.* frame, mount.
monument *o.* monument.
mooi handsome, fine, pretty.
moord murder; *– en brand schreeuwen*, cry blue murder.
moorddadig murderous.
moordenaar murderer.
moot fillet, slice.
mop *(grap)* joke, gag.
moppentapper joker.
mopperen grumble, grouse.
moraal moral.
moreel moral.
morel morello.
morgen *zn.* morning. || *bw.* tomorrow; *'s –s*, in the morning.
morgenstond early morning; *de – heeft goud in de mond*, the early bird catches the worm.
mormel *o.* monster.
morning-afterpil morning-after pill.
morren grumble, murmur.
morsdood stone-dead.
morsen spill, mess.
morsig dirty, untidy.
mortel mortar.
mos *o.* moss.
moskee mosque.
mossel mussel.
mosterd mustard.

mot (clothes-)moth.
motie motion; resolution; *– van vertrouwen*, vote of confidence.
motief *o.* motive; *(muz., enz.)* motif.
motivatie motivation.
motorfiets motorcycle; *(fam.)* motorbike.
motorkap bonnet; *(Am.)* hood.
motorpech engine trouble.
motregen drizzling rain, drizzle.
motto *o.* motto, device.
mountainbike mountain bike.
mousseren effervesce, sparkle; *–de wijn*, sparkling wine.
mout *o.* malt.
mouw sleeve.
mozaïek *o.* mosaic (work).
mud *v./m. en o.* hectolitre.
muffig musty, fusty.
mug gnat, midge; *van een olifant een – maken*, make a mountain out of a molehill.
muggenzifter hair-splitter.
muil mouth, muzzle. || *(pantoffel)* slipper.
muildier *o.* mule.
muilezel hinny.
muilkorf muzzle.
muilpeer cuff, slap, a box on the ear.
muis *(dier, computer)* mouse (*mv.* mice); *(v.d. hand)* ball of the tumb.
muiten mutiny, rebel.
muiter mutineer, rebel.
muiterij muting, rebellion.
muizenissen worries.
muizenval mousetrap.
mul loose, sandy.
mummie mummy.
munitie (am)munition.
munt coin, money; *(gebouw)* mint; *(plant)* mint.
munten coin, mint.
muntstuk *o.* coin.
murmelen murmur.

murw soft, tender, mellow.
mus sparrow.
museum *o.* museum.
musical musical comedy.
musicus musician.
muskaatnoot nutmeg.
muskiet mosquito.
muskus musk.
mutiple sclerose multiple sclerosis.
muts cap, bonnet.

muur wall.
muurbloem wallflower.
muze muse.
muziek music.
muziekkorps *o.* band (of musicians).
muzikaal musical.
muzikant musician, bandsman.
mystiek *zn.* mysticism. ‖ *bn.* mystic(al).
mythe myth.
mythologie mythology.

N

na *voorz.* after; – *elkaar*, one after the other. ‖ *bw.* near; *op één –*, except one.
naad seam; *(v. wonde)* suture.
naaf nave, hub.
naaidoos sewing-box.
naaien sew.
naaigaren *o.* sewing thread.
naaimachine sewing-machine.
naaister seamstress.
naakt naked, bare, nude; *de –e waarheid*, the bare (naked, plain) truth.
naaktslak slug.
naaktstrand *o.* nudist beach.
naald needle.
naaldboom conifer.
naaldbos pine forest.
naaldhak stiletto heel.
naam name.
naambord *o.* name-plate.
naamgenoot namesake.
naamloos nameless, anonymous.
naamloze vennootschap limited (liability) company.
naamval *(gramm.)* case.
naamwoord *o.* noun.
na-apen ape, mimic, imitate.

naar *voorz.* to, according to, after, by ‖ *bn.* unpleasant, sad, disagreeable.
naargelang according as, as.
naarmate according as, as.
naarstig industrious, diligent, assiduous.
naast *voorz.* next (to), beside. ‖ *bn.* nearest, next.
naastenliefde charity.
nabestaande relation, relatives.
nabij near, close.
nabijgelegen neighbouring, adjacent.
nabijheid neighbourhood, proximity.
nabootsen imitate, mimic.
naburig neighbouring.
nacht night; *'s nachts*, at night.
nachtbraker night-reveller.
nachtclub night club.
nachtegaal nightingale.
nachtelijk nocturnal.
nachtjapon night-gown.
nachtmerrie nightmare.
nachtslot *o.* double lock; *op – doen*, double-lock.
nachtwacht night-watch; *De Nachtwacht (v.Rembrandt)*, the Midnight round.
nadat after.
nadeel *o.* disadvantage; *ten nadele van*, at the cost of.

nadelig disadvantageous, prejudicial.
nadenken think (about), reflect (upon).
nader nearer; *(information)* further.
naderen approach, draw near.
naderhand afterwards, later on.
nadien since.
nadoen imitate, mimic.
nadruk *(klem)* emphasis, accent, stress; *(druk)* reprint; *met –*, emphatically; *– verboden*, all rights reserved.
nadrukkelijk emphatic.
nagaan *(volgen)* follow; *(toezien op)* keep an eye on, look after; *(onderzoeken)* trace, verify.
nagedachtenis memory, remembrance.
nagel nail.
nagellak *m. en o.* nail varnish.
nagelschaar nail scissors.
nagelvijl nail file.
nagenoeg almost, nearly, all but.
nagerecht *o.* dessert.
nageslacht *o.* posterity, progeny, offspring.
naief naive, artless.
naijver envy, jealousy; emulation.
najaar *o.* autumn.
najagen chase, pursue.
nakend approaching.
nakijken, look after, follow with one's eyes; correct; go over one's lessons.
nakomeling(e) descendant.
nakomen come later, come afterwards; *(volbrengen)* fulfil, make good, meet.
nalaten *(achterlaten)* leave behind; *(verzuimen)* omit, neglect; *(ophouden)* leave off.
nalatenschap inheritance.
nalatig negligent, neglectful, careless.
naleven live up to; observe (rule).
nalopen run after, follow.
namaak imitation, counterfeit.
namaken imitate, copy; counterfeit, forge.

namelijk namely, viz., that is.
namens in the name of, on behalf of.
namiddag (late) afternoon.
napluizen investigate.
nar fool, jester.
narcis narcissus, daffodil.
narcose narcosis.
narede epilogue.
narekenen check, verify.
narigheid misery, trouble.
naschrift *o.* postscript.
naslagwerk reference book, work of reference.
nasleep train (of consequences).
nasmaak after-taste, tang.
naspel *o.* afterplay; *(fig.)* sequel, aftermath.
naspeuren track, trace, investigate.
nastreven pursue, strive after.
nasturen send after, forward.
nat *bn.* wet, moist, damp. ‖ *o.* wet, liquid, fluid.
natie nation.
nationaal national.
nationalisme *o.* nationalism.
nationaliteit nationality.
natrappen kick sbd. who is down.
natrekken trace; verify, check.
naturaliseren nationalize, naturalize.
naturisme *o.* naturism.
natuur nature.
natuurbescherming preservation of natural beauty.
natuurgebied *o.* nature reserve.
natuurgetrouw true to nature.
natuurkunde physics.
natuurlijk *bn.* natural. ‖ *bw.* of course, naturally.
natuurramp natural calamity.
natuurreservaat *o.* nature reserve.
natuurverschijnsel *o.* natural phenomenon (*mv.* phenomena).
nauw *bn.* narrow, tight; *(fig.)* close. ‖ *o.*

strait(s); *N– van Calais*, the Straits of Dover.

nauwelijks scarcely, hardly, barely.

nauwgezet conscientious, painstakign, thorough.

nauwkeurig accurate, exact.

nauwlettend close, exact, accurate.

navel navel.

navenant in proportion, correspondingly.

navigatie navigation.

navolgen follow up, imitate.

navraag inquiry.

naweeën *mw.* after-pains; *(fig.)* after effects, aftermath.

nazaat descendant.

nazenden send after, forward.

nazi Nazi.

nazicht *(onderhoud)* maintenance.

nazien look after; examine; correct.

nectar nectar.

nederig humble.

nederlaag defeat, overthrow.

Nederland the Netherlands, Holland.

Nederlands Dutch.

nederzetting settlement.

neef *(oomzeggerr)* nephew; *(neefzegger)* cousin.

neen no.

neerbuigend condescending.

neerdalen descend, come down.

neerlaten let down, lower; drop.

neerleggen lay down, put down; *zijn ambt –*, resign; *het werk –*, strike work.

neerslachtig dejected, depressed.

neerslag precipitation.

neerstorten fall down; *(vliegt.)* crash.

neervallen fall down.

neerzetten set down, put down.

negatief negative.

negende ninth.

negentien nineteen.

neger black, black man.

negeren *(zaak)* ignore; *(pers.)* cut.

negerin black woman.

negligé *o.* négligé, underdress.

negorij hole (of a place).

neigen bend, incline.

neiging inclination, leaning; bent, tendency; *de – voelen om*, feel inclined to.

nek nape (back) of the neck.

nemen take.

neonazi neo-Nazi.

nep fake.

nergens nowhere.

nering trade, retail trade.

nerts *o.* mink.

nerveus nervous; *(fam.)* nervy.

nest *o.* nest; litter, set.

nestel lace.

nestelen nest; *(fig.)* *zich –*, nestle, snuggle.

net *o.* *(visser)* net; network, system ‖ *bn.* *(proper)* neat, tidy, clean; *(fatsoenlijk)* decent, respectable. ‖ *iets in het – schrijven*, make a fair copy.

netel nettle.

netelig thorny, knotty, ticklish; *een –e positie*, a plight.

netelroos nettle rash.

netheid neatness, tidiness, cleanness.

netjes neatly, nicely.

netto net.

netvlies *o.* retina.

neuriën hum.

neus nose; *(v. schoen)* toecap.

neusgat *o.* nostril.

neushoorn rhinoceros.

neuslengte *met een – verschil*, by a nose.

neutraal neutral.

neuzen nose.

nevel haze, mist.

nevelig hazy, misty.

nevengeschikt co-ordinate.
nicht *(oomzegster)* niece; *(neefzegster)* cousin.
niemand nobody, no one, none.
niemandal nothing at all.
niemandsland *o.* no man's land.
nier kidney.
niersteen renal calculus.
niesbui sneezing fit.
niet *bw.* not. ‖ *o.* nothingness.
niet-gebonden *(pol.)* non-aligned.
nietig insignificant; miserable; *(ongeldig)* (null and) void; – *verklaren*, nullify.
niets nothing.
nietsbetekend insignificant.
nietsnut good-for-nothing.
niettegenstaande *voorz.* notwithstanding, in spite of. ‖ *voegw.* although.
niettemin nevertheless.
nieuw new, fresh; recent, novel; *de –ste mode*, the latest fashion.
nieuweling novice, new-comer, beginner.
nieuwerwets new-fashioned, novel.
nieuwigheid novelty, innovation.
nieuwjaar *o.* New Year.
nieuws *o.* news, tidings.
nieuwsagentschap *o.* news agency.
nieuwsbericht *o.* news item (report).
nieuwsgierig curious, inquisitive.
nieuwtje *o.* novelty.
niezen sneeze.
nijd envy.
nijdig angry.
nijging bow, curtsy.
nijlpaard *o.* hippopotamus; *(fam.)* hippo.
nijpen pinch.
nijptang (pair of) pincers.
nijver industrious, diligent.
nijverheid industry.
niks nothing.

nimf nymph.
nimmer never.
nipt *bn.* narrow ‖ *bw.* just, barely.
nis niche.
niveau *o.* level.
nobel noble.
Nobelprijs Nobel Prize.
noch, neither ... nor.
nochtans nevertheless, yet.
node reluctantly.
nodeloos needless.
noden invite.
nodig necessary, requisite, needful; – *hebben*, want, be in need of; – *zijn*, be necessary, be needed.
noemen name, call, denominate, mention.
noemenswaard(ig) worth mentioning.
noemer denominator.
noest diligent, industrious.
nog yet, still, besides, further; *hoeveel –?* how many more?; – *iets?* anything else?; *tot – toe*, up to now.
noga nougat.
nogal rather, fairly.
nogmaals once more (again).
nok *(dak)* ridge; *(scheepv.)* yard-arm.
nominaal nominal.
non nun.
non-actief, *op – stellen*, suspend.
nonchalant nonchalant, careless.
nonsens nonsense, rubbish.
nood need, necessity, want, distress.
noodbrug temporary bridge.
nooddruftig needy, indigent, destitute.
noodgedwongen compelled by necessity.
noodhulp *(pers.)* emergency worker, assistant; *(zaak)* makeshift.
noodkreet cry of distress.
noodlanding forced landing.
noodlijdend necessitous, distressed, indigent.

noodlot *o.* destiny, fate.
noodlottig fatal.
noodrantsoen *o.* emergency ration.
noodrem safety-brake.
noodstop emergency stop.
noodtoestand state of emergency.
nooduitgang emergency exit.
noodverband *o.* first dressing.
noodweer *o.* heavy weather.
noodzakelijk necessary.
noodzaken compel, oblige, force, constrain.
nooit never.
noord north.
noordelijk northern.
noorden *o.* north.
noordenwind north wind.
noorderbreedte north latitude.
noorderlicht *o.* northern lights, aurura borealis.
Noord-Ierland Northern-Ireland.
noordoost *o.* north-east.
noordpool North Pole.
Noorwegen Norway.
noordwest *o.* north-west.
Noor(s) Norwegian.
noot *(vrucht)* nut. || *(muz.)* note.
|| *(aantekening)* note; *(onderaan)* footnote.
nootmuskaat nutmeg.
nopen induce, urge, compel.
nopens concerning, with regard to.
nopje *o.* erg in zijn –s zijn, be in high feather.
norm norm, rule, standard.
normaal normal.
nors gruff, surly.

nota bene nota bene, mark you.
nota note; *(rekening)* account, bill.
notabele notable.
notarieel notarial.
notaris notary.
notenbalk staff.
notendop nutshell.
notenkraker nutcracker.
noteren note, write down, put down.
notitie note; – *van iets nemen*, take notice of sth.
notitieblok *o.* notepad.
notulen *mv.* minutes.
november November.
nu *voegw.* now that, now. || *bw.* now, at present, by now; *tot – toe*, so far.
nuance nuance, shade.
nuchter sober; *op de –e maag*, on an empty stomach; *(fig.)* matter-of-fact, down-to-earth.
nucleair nuclear.
nuf prude.
nuffig prudish, prim.
nuk whim, caprice, freak.
nukkig whimsical, capricious, freakish.
nul cipher, zero, nought; *(tennis)* love.
nulpunt *o.* zero.
numeriek numerical.
nummer *o.* number, item; *(op cd)* track; act; issue (of a newspaper).
nummerplaat number plate.
nut *o.* use, benefit, profit, utility.
nutteloos useless, in vain.
nuttig useful, profitable.
nuttigen take, partake of, eat or drink.
nv limited (liability) company.
nylon nylon.

O

oase oasis (*mv.* oases).

o-benen bow-legs.

ober waiter.

object *o.* object, thing.

objectief *bn.* objective. ‖ *zn.* (*v. verre-kijker*) object-lens.

obligatie debenture, bond.

observatie observation.

observatorium *o.* observatory.

obsessie obsession.

obstakel *o.* obstacle, hindrance.

oceaan ocean; *de Stille O–,* the Pacific.

ochtend morning.

ochtendgloren *o.* daybreak, dawn.

ochtendjas dressing-gown.

ochtendspits morning rush.

octaaf *v./m. en o.* octave.

octrooi *o.* patent.

ode *o.* ode.

oefenen exercise, practise, train.

oefening practice, exercise.

Oekraïne Ukraine.

oertijd primeval times, prehistory.

oerwoud *o.* primeval forest, virgin forest.

oester oyster.

oeuvre *o.* works; writings.

oever (*rivier, kanaal*) bank; (*zee, meer*) shore.

of (*nevenschikk.*) or; (*onderschikk.*) if, whether.

offensief *o.* offensive.

offer *o.* sacrifice, offering.

offerte offer.

officieel official(ly); formal.

officier (military) officer; *– van justitie,* public prosecutor.

officieus semi-official.

offreren offer.

ofschoon (al)though.

ofwel or; –..–, either ..or.

ogenblik *o.* moment, instant; *zonder een – na te denken,* without a moment's thought.

ogenblikkelijk momentary; immediate.

ogenschijnlijk apparent, seeming.

ogenschouw *in – nemen,* inspect, examine.

oker ochre.

okkernoot walnut.

oksel armpit.

oktober October.

oleander oleander.

olie oil.

oliesel *o.* extreme unction.

olifant elephant.

olijf olive.

olijfboom olive-tree.

olijfolie olive oil.

olijk waggish.

olm elm.

o.l.v. conducted by, led by.

olympisch olympic; *O–e Spelen,* Olympic Games.

om round; about; round about; at; *– een uur of tien,* about ten o'clock; *– tien uur,* at ten o'clock; *– de drie dagen,* every three days.

oma grandmother, grandma, granny.

omarmen embrace.

ombrengen destroy, kill.

ombudsman ombudsman.

omcirkelen encircle, ring.

omdat because, as, since.

omdraaien turn, turn round.

omelet omelette, (*Am.*) omelet.

omgaan go round (about); *een hoek –,* turn a corner; *een eindje –,* take a walk; (*gebeuren*) happen; *– met,* associate with, (*v. gereedschap*) handle.

omgaand *per –e,* by return (of post).

omgang (social) intercourse, association; (*v. toren*) gallery.

omgangstaal colloquial language.

omgangsvormen manners.

omgekeerd *bn.* (turned) upside down, turned down, upturned. ‖ *bw.* reversely.

omgeving surroundings, environs, environment; *(v. pers.)* entourage.
omgooien overturn, upturn.
omgorden gird (on), gird round.
omhaal ceremony fun; *(sport)* overhead kick; *– v. woorden*, verbiage.
omheen (round) about.
omheining fence, enclosure.
omhelzen embrace.
omhoog on high, aloft; up, upwards.
omhulsel *o.* envelope, wrapping, wrapper, cover.
omkantelen topple over.
omkeer change, turn; reversal, revolution.
omkeerbaar reversible; convertible.
omkijken look back at, look round.
omkleden change (clothes).
omkomen perish.
omkoopbaar bribable, corruptible.
omkopen bribe, buy off.
omkoperij bribery, corruption.
omlaag below, down.
omleggen turn; divert traffic; apply a bandage.
omleiding diversion.
omliggend surrounding.
omlijsten frame.
omloop *(v. bloed, geld)* circulation; *in – zijn*, be in circulation, *(v. geruchten)* be abroad, be current.
ommezien, *in een –*, in a trice, in no time.
ommezijde back; *aan –*, overleaf.
ommezwaai volte-face, reversal.
omniumverzekering comprehensive insurance.
omploegen plough (up).
omrekenen convert.
omrijden ride down, knock over; make a detour.
omringen surround, encircle.
omroep broadcasting.

omroeper announcer.
omroeren stir.
omruilen exchange.
omschakelen change over.
omschrijven define, paraphrase; describe.
omschrijving definition, paraphrase; description.
omsingelen surround, encircle.
omslaan knock down, turn down, turn up; *(omkeren)*, turn over; *de hoek –*, turn around the corner; *(veranderen)* change, break (of the weather).
omslachtig cumbersome, clumsy.
omslag *(kleding)* cuff, trun-up; *(boek)* cover, wrapper; *(brief)* envelope.
omslagdoek shawl, wrap.
omspitten dig up.
omstander bystander.
omstandig detailed, circumstantial.
omstandigheid circumstance; *(uitvoerigh.)* circumstantiality.
omstreden controversial.
omstreeks about.
omstreken *mv.* environs, neighbourhood.
omstrengelen entwine, wind about.
omtoveren change, transform.
omtrek outline, contour; *(cirkel)* circumference; *(omgeving)* neighbourhood.
omtrent *bw.* about. ‖ *voorz.* about, concerning, with regard to.
omvallen fall down, overturn; *– van verbazing*, be knocked over with surprise.
omvang extent; *(v. boom)* girth.
omvangrijk extensive, voluminous.
omvatten enclose, encircle; *(fig.)* comprise, include.
omver down, over.
omvormen remodel, transform.
omvouwen fold down, turn down.

omweg detour; roundabout way.
omwenteling revolution, rotation.
omwille – *van*, because of, for the sake of.
omwisselen change.
omzeilen *moeilijkheden* –, get round difficulties.
omzet turnover.
omzetten arrange differently, transpose; – *in*, convert into.
omzichtig cautious, circumspect.
omzien look back; look out for; *niet* – *naar*, neglect.
omzomen hem; *(een zoom vormen)* border, fringe.
onaangenaam disagreeable, unpleasant; unwelcome.
onaannemelijk implausable, improbable.
onaardig unkind, unpleasant.
onachtzaam inattentive, careless.
onafgebroken uninterrupted, continuous.
onafhankelijk independent.
onafscheidelijk inseparable.
onbaatzuchtig desinterested, unselfish.
onbarmhartig merciless, pitiless.
onbedachtzaam thoughtless.
onbedorven unspoiled, innocent.
onbedreven unskilled, inexperienced.
onbeduidend insignificant; trivial.
onbedwingbaar indomitable, uncontrolable.
onbegaanbaar impassable.
onbegonnen, *dat is* – *werk*, that is an endless task.
onbegrensd unlimited, unbounded.
onbegrijpelijk incomprehensible, inconceivable.
onbegrip *o.* incomprehension.
onbehaaglijk disagreeable, unpleasant, uneasy.
onbeheerd unattended.
onbeholpen awkward, clumsy.

onbehoorlijk improper, unseemly.
onbekend unknown, unfamiliar; *(actief)* *ik ben hier* –, I am a stranger here.
onbekende stranger; *het* –, the unknown.
onbekrompen unstinting, liberal, lavish.
onbekwaam incapable, unable, incompetent.
onbelangrijk unimportant, insignificant.
onbelast unburdened, unencumbered; *(belastingvrij)* untaxed.
onbeleefd impolite, uncivil.
onbemind un(be)loved.
onbepaald indefinite, vague.
onbeperkt unlimited, boundless, unrestrained.
onbereikbaar inaccessible; *(fig.)* unattainable, unreachable.
onberekenbaar incalculable; unpredictable.
onberijdbaar impassable.
onberispelijk blameless, irreproachable, immaculate.
onbeschaafd rude, impolite; *(volk)* uncivilized.
onbeschaamd impudent, unashamed, unabashed.
onbescheiden immodest, arrogant.
onbeschoft impertinent, insolent, impudent.
onbeschrijflijk indescribable, beyond words.
onbeslist undecided; draw.
onbesproken undiscussed; *(gedrag)* blameless.
onbestelbaar undeliverable, dead (letter).
onbestemd vague, indeterminate.
onbestendig unsettled, unstable.
onbesuisd rash, hotheaded.
onbetamelijk unbecoming, unseemly.
onbetekenend insignificant, unimportant.

onbetwistbaar indisputable.

onbevangen unprejudiced, openminded.

onbevlekt unstained; *de –e Ontvangenis*, the Immaculate conception.

onbevredigd unsatisfied.

onbevreesd undaunted, fearless.

onbewaakt unguarded.

onbeweeglijk immovable, immobile.

onbewogen unmoved, impassive.

onbewoond uninhabited; unoccupied.

onbezonnen thoughtless, rash.

onbezorgd unconcerned, carefree.

onbillijk unfair, unjust, unreasonable.

onbruik *o. in – geraken*, go out of use.

onbuigzaam inflexible; unbending.

ondank ingratitude, thanklessness; *– is 's werelds loon*, ingratitude is the way of the world.

ondanks in spite of, notwithstanding.

ondeelbaar indivisible.

onder *voorz.* under; beneath, underneath; *(te midden v.)* among; *(gedurende)* during. ‖ *bw.* below; *van–*, from below; *naar –*, down.

onderaards subterranean, underground.

onderbreken break off, interrupt.

onderbroek underpants, pants.

onderdaan at the bottom.

onderdak *o.* shelter; *– verschaffen*, accomodate.

onderdanig submissive, humble.

onderdeel *o.* part, unit.

onderdirecteur submanager.

onderdoen *voor niemand –*, yield to none.

onderdompelen submerge.

onderdrukken keep down, oppress, suppress.

ondergaan go down, sink; *(v. zon)* set.

ondergáán undergo, suffer, endure.

ondergang *(v. zon)* setting; ruin,

ruination; *(v. een land)* down(fall).

ondergeschikt subordinate, inferior; *van – belang*, of minor importance.

ondergetekende undersigned.

ondergoed *o.* underclothes, underwear.

ondergronds underground, subterranean.

onderhandeling negotiation.

onderhands private.

onderhavig, *in het –e geval*, in the present case.

onderhevig, *– aan*, liable, subject to.

onderhorig dependent, subordinate.

onderhoud *o.(verzorging)* maintenance, support; *(gesprek)* interview, conversation.

onderhouden maintain, support, provide for.

onderhoudplichtig liable for maintenance.

onderhuurder subtenant.

onderin at the bottom.

onderjurk (under)slip.

onderkaak lower jaw.

onderkant bottom.

onderkin double chin.

onderkomen *o.* shelter, lodging.

onderkoning viceroy.

onderlegd, *– in*, well-grounded.

onderlichaam, onderlijf *o.* lower aprt of the body.

onderling mutual.

ondermaans sublunary.

ondermaats undersized; inferior.

ondermijnen undermine, sap.

ondernemen undertake, attempt.

ondernemend enterprising.

onderneming enterprise, undertaking; company concern.

onderofficier non-commissioned officer (N.C.O.).

onderonsje *o.* private business; informal gathering.

onderpand *o.* pledge, guarantee.
onderricht *o.* instruction, tuition.
onderschatten undervalue, underestimate.
onderscheid *o.* distinction, difference.
onderscheiding distinction; decoration; *(prijs)* award.
onderscheidingsvermogen *o.* discrimination, discernment.
onderscheppen intercept.
onderschrift *o.* caption, inscription, legend.
onderspit *o. het – delven,* be worsted.
onderst(e)boven upside down, bottom up topsy-turvy.
onderstaand subjoined, undermentioned.
ondersteunen support.
ondersteuning support, relief.
onderstrepen underline.
ondertekenen sign.
ondertekening signature.
ondertitel subtitle.
ondertoon overtone, undertone.
ondertrouw betrothal.
ondertussen meanwhile, in the mean time.
onderuit from below (beneath).
ondervinden experience, meet with.
ondervinding experience.
ondervoeding underfeeding, malnutrition.
ondervragen interrogate, question; examine (a student).
onderweg on the way.
onderwereld underworld.
onderwerp *o.* theme, subject, topic.
onderwerpen subject, subdue; *zich –,* submit.
onderwijl meanwhile, in the meantime.
onderwijs *o.* education, instruction, tuition.
onderwijzen teach, instruct.

onderwijzer(es) teacher.
onderzeeboot, onderzeeër submarine.
onderzees submarine.
onderzoek *o.* inquiry, examination, investigation; *(wetensch.)* research.
onderzoeken examine, inquire into, investigate; research.
onderzoeksrechter examining magistrate.
ondeugd vice, mischief; *(pers)* naughty boy (girl).
ondeugend naughty, mischievous.
ondiep shallow.
ondier *o.* monster, brute.
onding *o.* absurdity.
ondoenlijk unfeasible, impacticable.
ondoordringbaar impenetrable; *(voor water)* impermeable to.
ondoorgrondelijk inscrutable.
ondraaglijk unbearable, insupportable.
ondubbelzinnig unambiguous.
onecht not genuine, false; *(fig.) (gevoelens)* sham, mock.
oneens, *het – zijn met,* disagree with.
oneerbaar indecent, immodest.
oneerbiedig irreverent, disrespectful.
oneffen uneven, rough, rugged.
oneindig infinite, endless.
oneindigheid infinity.
oneven odd.
onevenredig disproportionate.
ongaarne unwillingly, reluctantly.
ongeacht *bn.* unesteemed. ‖ *voorz.* in spite of, notwithstanding.
ongebonden unbound, in sheets; *(fig.)* dissolute, loose.
ongedeerd unhurt, uninjured.
ongedierte *o.* vermin.
ongedurig inconstant, restless.
ongedwongen unconstrained; natural, easy.
ongeëvenaard unequalled, unparalleled.

ongegrond unfounded, groundless, baseless.

ongehoord unheard (of); *iets –s*, a thing unheard-of.

ongekunsteld artless, unaffected.

ongelegen inopportune, inconvenient, unseasonable.

ongelofelijk incredible, unbelievable.

ongelovig unbelieving, incredulous.

ongeluk *o.* unhappiness, misfortune; *(ongeval)* accident, mishap.

ongelukkig unhappy; unfortunate; ill-fated, unlucky.

ongemak *o.* inconvenience, discomfort; trouble.

ongemakkelijk uneasy, uncomfortable; difficult.

ongemanierd unmannerly, ill-mannered.

ongemeen uncommon, extraordinary, rare.

ongemerkt unperceived; *(linnen)* unmarked.

ongemoeid unmolested, undisturbed.

ongenaakbaar unapproachable, inaccessible.

ongenade disgrace, disfavour; *bij iem. in – vallen*, fall out of favour with sbd.

ongenadig merciless, pitiless.

ongeneeslijk incurable.

ongenoegen *o.* displeasure.

ongerechtigheid iniquity, injustice.

ongeregeld irregular, disorderly.

ongeregeldheden disturbances, riots.

ongerept untouched, intact; pure.

ongerief *o.* trouble, inconvenience.

ongerijmd absurd, preposterous.

ongerust uneasy, anxious, worried about.

ongeschonden undamaged, intact.

ongesteld unwell, indisposed; *(menstrueren) – zijn*, have one's period.

ongesteldheid indisposition; menstruation.

ongestoord undisturbed.

ongetemd untamed.

ongetwijfeld undoubted, doubtless.

ongeval *o.* accident; mishap.

ongevallenverzekering accident insurance.

ongeveer about, nearly, approximately.

ongevoelig unfeeling, impassive.

ongewoon unusual, uncommon, unfamiliar.

ongezellig *(pers.)* unsociable; *(vertrek, enz.)* cheerless.

onguur *(weer)* rough; *(taal)* sinister; unsavoury.

onhandig clumsy, unhandy, awkward.

onhebbelijk unmannerly, rude.

onheil *o.* calamity, disaster; mischief.

onheilspellend ominous, menacing.

onherkenbaar unrecognizable.

onherroepelijk irrevocable.

onherstelbaar irreparable, irremediable.

onheuglijk immemorial.

onheus discourteous, ungracious.

onhoudbaar untenable, unbearable; unstoppable.

onkies indelicate, immodest.

onkosten expenses, costs.

onkreukbaar unimpeachable.

onkruid *o.* weeds; *– vergaat niet*, ill weeds grow apace.

onkunde ignorance.

onlangs the other day, lately, recently.

onledig *zich – houden met*, busy oneself with.

onlogisch illogical.

onloochenbaar undeniable.

onlusten disturbances, riots.

onmacht impotence; *(flauwte)* swoon.

onmatig immoderate, intemperate.

onmenselijk inhuman, brutal.

onmetelijk immense.

onmiddelijk immediate, direct.

onmin discord, dissension.

onmisbaar indispensable, essential.

onmogelijk impossible.
onmondig under age.
onnadenkend thoughtless, unthinking.
onnavolgbaar inimitable.
onnoemelijk countless, innumerable.
onnozel silly, simple, stupid; innocent.
onomstotelijk irrefutable, indisputable.
onontbeerlijk indispensable.
onooglijk unsightly.
onophoudelijk incessant.
onoverkomelijk insurmountable.
onoverwinnelijk invincible,
  unconquerable.
onpartijdig impartial.
onpasselijk unwell, sick.
onraad *o.* trouble, danger.
onrecht *o.* wrong, injustice.
onrechtvaardig unjust, unfair.
onregelmatig irregular.
onroerend immovable; *-e goederen*,
  immovables.
onrust unrest, commotion.
onrustbarend alarming.
onrustig restless, unquiet; troubled.
ons *zn. o. (Eng.)* ounce (+ 28 gr.);
  (metriekst.) hectogram(me). || *pers.
  vnw. us.* || *bezit. vnw.* our.
onsamenhangend incoherent,
  disconnected.
onschadelijk harmless, inoffensive.
onschatbaar invaluable, inestimable.
onschendbaar inviolable.
onschuld innocence.
onschuldig innocent, guiltless;
  harmless.
onsmakelijk unsavoury; unpalatable,
  distasteful.
onstandvastig inconstant, unstable.
onsterfelijk immortal.
onstuimig *(pers.)* impetuous;
  (stormachtig) tempestuous.
ontaarden degenerate (into),
  deteriorate.

ontberen lack, be in want of.
ontbering want, privation.
ontbieden summon, send for.
ontbijt *o.* breakfast.
ontbinden untie, undo; *(scheik.)*
  decompose.
ontbinding decomposition; dissolution;
  (huwelijk) divorce.
ontbloot bare, naked.
ontboezeming effusion, outburst.
ontbossen disafforest.
ontbreken be absent; be wanting; *het
  ontbreekt hem aan*, he lacks.
ontcijferen decipher; decode.
ontdaan upset, disconcerted; *– van*,
  stripped of.
ontdekken *(land, enz.)* discover; *(fout)*
  detect; find out.
ontdekking discovery.
ontdoen, *– van*, strip; *zich – van*, get rid
  of, dispose of.
ontdooien thraw; melt; defrost (a
  refrigerator).
ontduiken elude, evade.
ontegenzeglijk incontestable,
  undeniable.
onteigenen expropriate.
onteigening expropriation.
ontelbaar innumerable, countless,
  numberless.
ontembaar untamable, indomitable.
onterven disinherit.
ontevreden discontented; *– over*,
  discontented with.
ontfermen, *zich – over*, take pity on,
  have mercy on.
ontgaan escape, elude.
ontgelden pay (suffer) for.
ontginnen reclaim (land), exploit (a
  mine), develop (a region).
ontginning reclamation, exploitation,
  development.
ontgoochelen disillusion, undeceive.

onthaal *o.* reception.
onthaalmoeder minder.
ontharing depilation .
ontharingsmiddel *o.* depilatory.
ontheffen *iem. van zijn ambt –*, relieve sbd. of his functions.
ontheiligen desecrate, profane.
onthoofding decapitation.
onthouden, *iem. iets –*, keep (withhold) sth. from sbd.; *zich – van*, abstain from; *(niet vergeten)* remember, bear in mind.
onthouding abstinence, abstemiousness; *(bij stemming)* abstention.
onthullen *(monument)* unveil; *(fig.)* reveal, disclose.
onthutst disconcerted, upset.
ontijdig untimely; *(te vroeg)* premature.
ontkennen deny.
ontketenen unleash; launch (an attack); start (a war).
ontkiemen germinate.
ontkleden undress.
ontknoping dénouement, unravelling.
ontkomen escape.
ontladen unload; discharge.
ontlasting discharge, relief; *(stoelg.)* stools.
ontleden analyse; *(taalk.)* parse; *(anat.)* dissect, anatomize.
ontlenen *– aan*, borrow (adopt) from.
ontlopen run away from, avoid, escape.
ontluiken open, expand.
ontmaskeren unmask.
ontmoedigen discourage.
ontmoeten meet with, meet; *(fig.)* encounter.
ontmoeting meeting; encounter.
ontnemen take (away) from, deprive of.
ontnuchteren sober; *(fig.)* disenchant, disillusion.
ontoegankelijk inaccessible, unapproachable.

ontoerekeningsvatbaar not responsible, not accountable.
ontploffen explode, detonate.
ontploffing explosion, detonation.
ontplooien unfurl, unfold; display, show (initiatives); develop (talents).
ontpoppen, *zich – als*, turn out to be.
ontraadselen unriddle, unravel.
ontreddered disabled, out of joint.
ontroering emotion.
ontroostbaar disconsolate, inconsolable.
ontrouw disloyal, unfaithful.
ontruimen evacuate, clear.
ontrukken tear from, snatch away from.
ontschepen embark; unship.
ontslaan discharge, dismiss, fire.
ontslag *o.* discharge, dismissal; *(uit gevangenis)* release.
ontslapen pass away.
ontsmetten disinfect.
ontsnappen escape.
ontsnapping escape.
ontspannen unbend; *zich –*, relax.
ontspanning relaxation, relief; *(vermaak)* diversion, recreation.
ontsporen be derailed, run off the rails.
ontspruiten sprout, spring.
ontstaan *ww.* come into existence, originate. || *o.* origin.
ontsteken kindle, ignite; *(wond)* inflame; *in toorn –*, fly into passion.
ontsteking kindling, ignition; *(wond)* inflammation.
ontsteld alarmed, frightened, dismayed.
ontstellen alarm, frighten, startle.
ontsteltenis consternation, alarm, dismay.
ontstemmen *(muz.)* put out of tune; *(fig.)* displease.
ontstemming dissatisfaction, displeasure.
ontstentenis, *bij – van*, in the absence of, in default of.

ontstoken *(wond)* inflamed.
onttrekken withdraw from; *aan het oog –,* hide.
ontucht vice, lewdness.
ontvangen receive, take delivery of.
ontvanger recipient; tax-collector; *(toestel)* receiver.
ontvangst receipt, reception.
ontvangstbewijs *o.* receipt.
ontvankelijk receptive, susceptible; *– voor,* accessible (amenable) to.
ontvlammen inflame, kindle.
ontvluchten escape, fly, flee.
ontvoeren carry off, abduct, kidnap.
ontvolken depopulate.
ontvouwen unfold.
ontvreemden steal.
ontwaken awake, wake up.
ontwapenen disarm.
ontwaren perceive, descry.
ontwennen get out of the habit.
ontwerp *o.* project, plan, draft, design; *(v. wet)* bill.
ontwerpen draft, draw up, plan, project.
ontwijden desecrate, profane.
ontwijken dodge, evade, avoid; *(pers., plaats)* shun.
ontwikkelen develop.
ontwikkeling development; *algemene –,* general education.
ontwikkelingsgebied *o.* development area.
ontwikkelingshulp development aid.
ontwortelen uproot.
ontwrichten dislocate, disjoint.
ontzag *o.* awe, respect, veneration.
ontzaglijk awful, tremendous; *(menigte)* vast.
ontzeggen deny.
ontzenuwen unnerve, enervate; *(fig.)* invalidate.
ontzet aghast, appalled.
ontzettend appalling, dreadful, terrible.

ontzetting *(stad)* relief, rescue; *(uit ambt)* dismissal, deprivation; *(schrik)* dismay, horror.
ontzield inanimate, lifeless.
ontzien *(sparen)* spare, consider.
onuitputtelijk inexhaustible, unfailing.
onuitstaanbaar intolerable, insufferable, unbearable.
onvast unsteady, unstable; uncertain; light (sleep).
onveilig unsafe, insecure.
onveranderlijk invariable, unchangeable, immutable.
onverantwoordelijk irresponsible; unjustifiable.
onverbeterlijk incorrigible.
onverbiddelijk inexorable, relentless.
onverdeeld undivided, entire; *(succes)* unqualified .
onverdraagzaam intolerant.
onverdroten indefatigable, unwearying.
onverenigbaar incompatible.
onvergankelijk imperishable.
onvergeeflijk unpardonable, unforgivable.
onvergetelijk unforgettable.
onverhoeds *bw.* unawares, unexpectedly, suddenly. ‖ *bn.* unexpected, sudden.
onverholen undisguised, unconcealed.
onverhoopt unexpected, unlooked-for.
onverkwikkelijk unpleasant, unpalatable, unsavoury.
onverlaat miscreant, wretch, vile.
onvermijdelijk inevitable.
onverminderd *bn.* undiminished, unabated; *(behoudens)* without prejudice to.
onvermoeid untired, tireless.
onvermogen *o.* irnpotence, inability.
onvermurwbaar unrelenting, inexorable.
onverrichter zake without success.

onversaagd undaunted, intrepid.
onverschillig indifferent, careless.
onverschrokken undaunted, intrepid.
onverstaanbaar unintelligible.
onverstandig unwise.
onverstoorbaar imperturbable.
onverteerbaar indigestible.
onvertogen unseemly.
onvervaard undaunted, fearless.
onvervalst unadulterated, genuine, unalloyed.
onverwachts unexpectedly, unawares.
onverwijld immediate, without delay.
onverzadigbaar insatiable.
onverzettelijk immovable; *(fig.)* unyielding, inflexible.
onverzoenlijk implacable, irreconcilable.
onvoldaan unsatisfied, dissatisfied; *(rekening)* unpaid, unsettled.
onvoldoende *bn.* insufficient. || *zn.* insufficient mark.
onvolledig incomplete, defective.
onvolmaakt imperfect, defective.
onvoltooid unfinished, incomplete; *(gram.)* imperfect.
onvoorwaardelijk unconditional, implicit.
onvoorzichtig imprudent.
onvoorzien unforeseen, unexpected.
onvriendelijk unkind.
onvruchtbaar unfertile, sterile, barren.
onwaarachtig insincere, untruthful.
onwaardig unworthy; undignified.
onwaarheid untruth, lie.
onwaarschijnlijk improbable, unlikely.
onwankelbaar unshakable; unswerving.
onweer *o.* (thunder)storm.
onweerlegbaar irrefutable, unanswerable.
onweerstaanbaar irresistible.
onwel unwell, indisposed.
onwetend *bn.* ignorant.

onwettig unlawful, illegal.
onwijs unwise, foolish.
onwil unwillingness.
onwillekeurig involuntary.
onwillig unwilling, reluctant.
onwrikbaar immovable, unshakable.
onzacht rough, rude.
onzedelijk immoral.
onzeker uncertain; insecure, unsafe.
onzekerheid uncertainty, insecurity.
onzelieveheersbeestje *o.* ladybird.
onzichtbaar invisible.
onzijdig neutral; *(gramm.)* neuter.
onzin nonsense, rubbish; – *uitkramen*, talk stuff and nonsense.
onzindelijk uncleanly, dirty.
onzuiver impure; false, out of tune.
oog *o.* eye; *(op dobbelst., enz.)* point, spot.
oogappel eyeball, apple of the eye.
oogarst oculist.
oogdruppels eye-drops.
ooggetuige eye-witness.
oogklep blinker.
ooglid *o.* eyelid.
oogluikend, – *toelaten*, connive at.
oogmerk *o.* aim, object in view, purpose.
oogopslag look, glance.
oogpunt *o.* point of view, viewpoint.
oogschaduw eyeshadow.
oogst harvest.
oogsten reap, harvest, gather.
oogverblindend dazzling.
oogwenk wink; *in een* –, in no time.
ooi ewe.
ooievaar stork.
ooit ever, at any time.
ook also, too, as well, likewise.
oom uncle.
oor *o.* ear.
oorbel earring, ear-drop.
oord *o.* region, place.

oordeel *o.* judg(e)ment, opinion, sentence; *(v. jury)* verdict.
oordelen judge; deem, think.
oordopje *o.* earplug.
oorkonde charter, deed, document.
oorlel earlob.
oorlog war, warfare.
oorlogsmisdadiger war criminal.
oorlogszuchtig bellicose, warlike.
oorontsteking inflammation of the ear.
oorsprong origin, fountainhead, source.
oorspronkelijk original.
oorveeg box on the ear.
oorverdovend deafening.
oorwarmer earmuff.
oorworm earwig.
oorzaak cause, origin.
oost east.
oostelijk eastern, easterly.
oosten *o.* east; *het Oosten*, the East, the Orient; *het verre (het nabije)* –, the Far (Near) East.
Oostenrijk Austria.
oosters Eastern, Oriental.
ootmoed humility, meekness.
op *voorz.* on, upon, at, in; *de zon is* –, the sun has risen; *hij is* –, he is out of bed; *hij is* – *(afgemat)*, he is knocked up.
opa grandfather, grandad.
opbellen ring up, call up, phone.
opbergen put away, stow away.
opbeuren lift up; cheer (up), comfort.
opbiechten confess.
opblazen blow up, inflate; magnify, exaggerate.
opbloei revival.
opbod *o. verkopen bij* –, sell by auction.
opborrelen bubble up.
opbouwen build up; *–de kritiek*, constructive criticism.
opbrengen bring up, rear; *(opleveren)* bringin, realize; *(betalen)* pay, afford; *(inrekenen)* take to the police station.

opbrengst produce, yield, proceeds.
opdat that, in order that.
opdienen serve up, dish up.
opdirken dress up.
opdoemen loom (up).
opdoen, *ondervinding* –, experience; *een ziekte* –, catch a disease; *(inslaan)* lay in, get in.
opdracht *(toewijding)* dedication; *(taak)* order, mandate; *(aan kunstenaar)* commission.
opdragen *(gelasten)* charge, instruct, commission; *de mis* –, celebrate (say) Mass; dedicate.
opdrijven force up.
opdringen press on (forward); *iem. iets* –, thrust sth. upon sbd.
opdringerig intrusive, obtrusive.
opdrinken drink up, empty, drink off.
opdrogen dry up.
opeen together, one upon another.
opeenhopen heap up, accumulation.
opeenvolging succession, sequence.
opeisen claim.
open open; vacant.
openbaar public.
openbaring revelation, disclosure.
openbreken break open, burst.
openen open.
opengaan open.
openhartig open-hearted, outspoken.
opening opening; hole, aperture.
openleggen lay open; *(fig.)* disclose, reveal.
openlijk open, public.
openluchtmuseum *o.* open-air museum.
openluchtvoorstelling open-air performance.
openslaan *(boek)* open; *–d*, folding (door).
opentrekken draw back; uncork (a bottle).
opera opera.

operationeel operational.
opereren operate.
operette operetta, musical comedy.
opeten eat up, eat.
opfrissen refresh, freshen, revive.
opgaan *(in de hoogte)* go up, rise; *(opraken)* run out; *(juist zijn)* hold; *in zijn werk –*, be absorbed in one's work.
opgave *(taak)* task, *(oefening)* exercise; *(vraagst.)* problem; *(v. belasting)* return.
opgeblazen blown up, puffed; *(fig,)* puffed up.
opgeld *o.* agio.
opgeruimd cheerful, in high spirits.
opgesmukt ornate, elaborate.
opgetogen delighted, elated.
opgeven *(laten varen)* give up, abandon; *(toereiken)* hand up; *(vermelden)* give, state, record; *(braken)* spit, expectorate; *(als taak)* set, ask; *zich –*, enter one's name, apply.
opgewassen, *– zijn tegen*, be a match for, be equal to.
opgewekt cheerful, in high spirits.
opgewonden excited.
opgraven dig up, dig out; exhume.
opgroeien grow up.
ophaalbrug drawbridge, liftbridge.
ophalen *(in de hoogte)* draw up, raise, hitch up, weigh (the anchor); *de schouders –*, shrug one's shoulders; *(herinneren aan)* revive; collect.
ophanden zijn at hand, approaching.
ophangen hang (up); suspend.
ophef fuss.
opheffen lift (up), raise; *(afschaffen)* abolish, remove, close.
ophelderen clear up, explain, clarify.
opheldering explanation, elucidation.
ophemelen extol (to the skies), cry up.

ophijsen hoist (up).
ophitsen set on; *(fig.)* set on, incite, instigate.
ophogen raise, heighten.
ophouden hold up; *(afhouden v. bezigh.)* detain, keep; *(hooghouden)* keep up, uphold; *(tegenhouden)* cease, stop, pause.
opinie opinion.
opium opium.
opjagen *(fig.)* force up, send up.
opkijken look up (at).
opklaren clear up, brighten, elucidate.
opklimmen climb (up), mount, ascend.
opknappen *(in orde brengen)* tidy (clean) up.
opknopen tie up, string up, hang.
opkomen come up, come out; *(zon)* rise; *– tegen iets*, protest against sth.
opkomst rise, origin; *(v. vergadering, enz.)* attendance; *(verkiezingen)* turnout.
opkoper buyer-up.
opkroppen bottle up; *opgekropte woede*, pent-up wrath.
oplage impression, circulation.
opleggen lay on, impose; *(belasten met)* charge with, impose upon; *(gelasten)* lay upon.
opleiding training, education.
opletten pay attention, attend.
oplettend attentive.
opleveren yield, produce, bring in; present.
oplichter swindler, sharper.
oplopend rising, advancing.
oplosbaar soluble, dissoluble.
oploskoffie instant coffee.
oplosmiddel *o.* solvent.
oplossen, *een vraagstuk –*, solve a problem; dissolve (in a liquid).
oplossing solution.
opluisteren grace, add lustre to, adorn.

opmaken use up, spend; *(in orde maken)* make, do, dress, make up (one's hair); *zich –,* get ready, prepare; make up.

opmars advance.

opmerkelijk remarkable, noteworthy.

opmerken notice, observe, note, mark.

opmerkenswaard(ig) remarkable, noteworthy.

opmerking observation, remark, comment.

opmerkzaam attentive, observant.

opname record, recording, shooting (of a film).

opnemen take up, lift; *(dweilen)* mop up; record, shoot; measure; *(hervatten)* resume.

opnieuw again, anew, once more.

opnoemen name, mention; enumerate.

opofferen sacrifice, offer up.

opoffering sacrifice.

oponthoud *o.* stay, stopover; stoppage, delay.

oppas baby-sitter.

oppasmoeder minder.

oppassen take care of, wait on; attend, pay attention.

oppassend well-behaved.

oppasser *(v. dieren)* attendant, keeper.

oppeppen pep up.

opperbevelhebber commander-in-chief.

opperen propose, suggest.

opperhoofd *o.* chief, head.

oppermacht supremacy.

opperman hodman.

oppervlakkig superficial; *(fig.)* shallow.

oppervlakte surface; *(grootte)* area, superficies.

oppikken pick up.

oppoetsen polish, rub up.

oppompen blow out, inflate.

opportunisme *o.* opportunism.

oppositie opposition.

oprakelen *(h. vuur)* poke (stir) up; *(fig.)* rake (dig) up.

oprapen pick up, take up.

oprecht sincere, straightforward.

oprechtheid sincerity, straightforwardness.

oprichten raise, set up; *(standb.)* erect; *(een zaak, enz.)* establish.

oprichting erection, establishment.

oprijlaan drive, sweep.

oprisping belch.

oprit approach road, slip-road; drive-way.

oproepen call (up), summon; *(vergad.)* convoke.

oproer *o.* rebellion, revolt, insurrection; riots.

oproerig rebellious, mutinous.

oproerling rebel, insurgent.

oprollen roll up.

opruien incite, instigate.

opruimen clear (away); *(uitverkopen)* sell off, clear (off); *(kamer, enz.)* tidy up.

opruiming clearing away; *(handel)* selling-off, clearance (-sale).

oprukken advance.

opscheppen laddle out, serve out; boast, brag.

opschepper braggart.

opschieten *(v. plant en pers.)* shoot up; *(fig.)* get on, make progress, proceed; *schiet op!* hurry up!

opschik finery, trappings.

opschorten *(een werk)* suspend; *(oordeel)* reserve; *(beslissing)* postpone.

opschrift *o.* inscription; *(v. artikel)* heading.

opschrijven write down, take down.

opschudding commotion, bustle.

opslaan turn up, raise; *(prijzen)* raise; *(in entrepot)* store; *(comp.)* store.

opslag *(verhoging)* rise, advance; *(in magaz.)* storage, warehousing; *(comp.)* storage.

opslorpen lap up, absorb; *(opkopen)* take over.

opsluiten lock (shut) up; confine (a thief).

opsnijden boast, brag, swank.

opsnijder braggart, swanker.

opsommen enumerate, sum up.

opspelen cut up rough, kick up a row; *mijn maag speelt op*, my stomach is playing up.

opsporen track down, trace.

opsporingsdienst criminal investigation department.

opspraak scandal; *in – brengen*, compromise; *in – komen*, get talked about.

opstaan get up, rise; *(in opst. komen)* rise, rebel, revolt.

opstand rising, revolt, rebellion, insurrection; *(bouwk.)* elevation.

opstandeling rebel, insurgent.

opstanding resurrection.

opstapelen pile up, heap up, stack up, accumulate.

opstapje *o.* step; *denk aan het –;* mind the step.

opsteken hold up, lift, put up; *(leren)* learn; *(sigaar, lamp)* light.

opstel *o.* composition, theme; *(fam.)* paper.

opstellen mount; *(redigeren)* draft, draw up, redact; *(sport)* be lined up.

opstijgen rise, ascend, mount; *(v. vliegt.)* take off.

opstoken poke (stir) (up); *(fig.)* incite, instigate.

opstootje *o.* disturbance, riot.

opstopping stoppage, congestion; traffic jam.

opstrijken *(gladstrijken)* iron *(fig.) (geld)* pocket.

opstropen *(mouwen)* tuck up, roll up.

optekenen note (take, jot) down, note, record.

optellen cast up, add (up), tot up.

opticien optician.

optillen lift up, raise.

optimisme *o.* optimism.

optocht procession; *(historisch)* pageant.

optornen, *– tegen*, struggle against.

optreden *o.* appearance; *(fig.)* action, proceeding. ‖ *ww.* appear; act; *(op toneel)* enter.

optrekje *o.* cottage.

optuigen, *een schip –*, rig a boat; *(paard)* harness.

opvallend striking.

opvatting view, conception, opinion.

opvliegend irascible, short-(quick-)tempered.

opvoeden educate, bring up, raise.

opvoeding raising, bringing-up, education.

opvoedkundig pedagogic(al).

opvoering performance.

opvolgen, *iem. –*, succeed sbd; follow.

opvolger successor.

opvouwen fold up.

opvrolijken cheer (brighten) up, enliven.

opvullen fill up, fill out; stuff, pad.

opwaarts upward(s).

opwachten wait for; *(m. vijandige bedoel.)* waylay.

opwachting *zijn – maken*, pay one's respects to.

opwarmen warm (heat) up.

opwekken awake, rouse *(ook fig.)*, stir up, arouse, excite, stimulate.

opwelling ebullition, outburst; flush.

opwerpen throw up, put up; *(fig.)* raise; *zich –*, constitute oneself.

opwinden *(uurw.)* wind (up); *(fig.)* excite, thrill; *zich –*, get excited.

opwinding winding up; excitement, agitation, thrill.

opzadelen saddle.

opzeggen *(gedicht, les)* say, repeat, recite; *(intrekken)* cancel, revoke, recall.

opzegging cancellation, revocation; *met drie maanden –*, at three months' notice.

opzegtermijn term of notice.

opzet design, intention; *boos –*, malice; *met –*, on purpose.

opzettelijk intentional, premeditated.

opzetten *ov. ww.* set up, put up; establish; *(kraag)* turn (pull) up. ‖ *onov. ww.* swell (up), come on.

opzicht *o.* supervision; *in ieder –*, in every respect, in every way; *ten –e van*, with respect to.

opzichter overseer, superintendent.

opzichtig showy, gaudy, loud.

opzien *o. – baren*, make (cause, create) a sensation, make a stir.

opzienbarend sensational.

opzoeken seek, look for, look up (a word); *(bezoeken)* call on.

opzwellen swell.

opzwepen whip up; *(fig.)* stir up, work up.

oraal oral.

orakel *o.* oracle.

oranje orange.

orchidee orchid.

orde order; *in –!* all right! *– handhaven*, maintain order.

ordelijk orderly.

ordeloos disorderly.

ordentelijk *(fatsoenl.)* decent; *(redelijk)* reasonable, fair.

order order, command; *tot uw –s*, at your service.

ordinair vulgar, low, inferior.

ordonnans orderly.

orgaan *o.* organ.

organisatie organization.

organisme *o.* organism.

organist organist.

orgasme *o.* orgasm.

orgel *o.* organ.

orgeldraaier organ-grinder.

orgie orgy.

oriënteren, *zich*, take (find) one's bearings.

origineel *o.* en *bn.* original.

orkaan hurricane.

orkest *o.* orchestra, band.

os ox. *(mv.* oxen), bullock.

ossenstaartsoep oxtail soup .

ostentatief ostentatious.

otter otter.

oud old, aged; antique, ancient; former, ex-.

oudbakken stale.

oudejaarsavond New Year's eve.

ouder parent. ‖ *bn.* older, elder.

ouderdom age; *(hoge leeft.)* old age.

ouderlijk parental.

ouderwets old-fashioned (-fangled).

oudheid antiquity.

oudje *o.* old man (woman).

oudoom great-uncle.

oudtante great-aunt.

ouwel wafer.

ovaal oval.

ovatie ovation.

oven oven, furnace.

over *voorz.* over; *(over... heen)* over, across; *(overzijde)* beyond; *(meer dan)* above, upwards of, over; *(via)* via Paris; *(na)* in *(a week)*; *(tegen over)* opposite; *in een boek – Engeland*, in a book on England.

overal everywhere.

overbekend generally known; notorious.

overbelasten overburden, overload.

overbevolking over-population; overcrowding.

overblijfsel *o.* remainder, remnant; relic, remains.

overbluffen bluff.

overbodig superfluous.

overboeken transfer.

overboord overboard.

overbrengen transfer, transport, remove; *(warmte, licht, enz.)* transmit.

overbrieven tell, repeat.

overbruggen bridge over.

overbuur opposite neighbour.

overdaad excess, superabundance.

overdadig excessive, superabundant.

overdag by day, in the day-time.

overdenking reflection, reflection.

overdosis overdose.

overdracht transfer, conveyance.

overdreven exaggerated, overdone; excessive, immoderate.

overdrijven *(v. onweer, enz. en fig)* blow over; exaggerate, overdo.

overdruk *(v. artikel)* offprint, separate copy; overpressure.

overeenkomen agree with (on).

overeenkomst *(gelijkenis)* resemblance, similarity; agreement.

overeenkomstig conformable, corresponding, in accordance with.

overeenstemmen agree, concur,

overeenstemming agreement, concurrence, harmony.

overeind upright, on end, up, erect.

overgaan go, ring; *(onderwijs)* move up, be promoted; *(ophouden)* pass off, wear off; *(– in iets anders)* change; *in elkaar –*, merge.

overgang transition, change.

overgangsjaren the change of life, menopause.

overgangsmaatregel transition measure.

overgave handing over, delivery; surrender, giving up.

overgeven hand over, pass; deliver up, give over; *(braken)* vomit; *zich –*, surrender.

overgevoelig over-sensitive; allergic.

overgewicht *o.* overweight.

overgrootmoeder great-grandmother.

overgrootvader great-grandfather.

overhaasten hurry.

overhalen pull (a switch); *(overreden)* talk round, persuade.

overhand, *de – hebben*, have the upper hand; prevail.

overhandigen hand (over), deliver, present.

overhebben have left.

overheen over, across; on top.

overheersen domineer over, dominate.

overheersing rule, domination.

overheid government, authorities.

overhellen lean (hang) over, incline.

overhemd *o.* shirt.

overhoop in a heap, in a mess, pell-mell.

overhoren test.

overhouden *(geld)* save money, have left.

overigens after all, moreover, by the way.

overjas overcoat, top-coat, greatcoat.

overkant other side, opposite side.

overkomen befall, happen to.

overkomen come over; *goed –*, come across.

overladen *(boot, trein)* tranship; *(v. wagon op wagon)* transfer; *(opnieuw laden)* re-load.

overláden overload, overburden; *(fig.)* overstock; overcrowd.

overlangs lengthwise, longitudinally.

overlappen overlap.

overlast inconvenience, annoyance, nuisance.

overlaten leave.

overleden deceased, dead.

overleg o. deliberation; – *plegen*, consult; *met* –, with deliberation.

overleggen deliberate, consult; consider.

overleven survive, outlive.

overleveren transmit, hand down.

overlevering tradition.

overlijden ww. die, pass away. ‖ o. death, decease.

overlopen run over; go over, desert.

overloper deserter, turncoat, defector.

overmaat over-measure; *(fig.)* excess; *tot – van ramp*, on top of all that.

overmacht superior power, superiority; *voor de bezwijken*, succumb to superior numbers.

overmaken *(geld)* remit; do over again; *(overdragen)* make over; *(toezenden)* send forward.

overmannen overpower, overcome.

overmatig excessive.

overmeesteren overpower, overmaster.

overmoed recklessness.

overmorgen the day after tomorrow.

overnachten stay overnight.

overnemen take over; adopt (a word); borrow, copy; *gewoonten* –, adopt habits.

overpeinzen meditate on, reflect upon.

overpeinzing meditation, reflection.

overplaatsen remove; *(fig.)* transfer.

overplanten transplant.

overproductie overproduction.

overreden persuade, prevail on.

overredingskracht power of persuasion, persuasiveness.

overrijden run over.

overrompelen surprise, take by surprise.

overschatten overestimate, overrate.

overschot o. remainder, rest; *(teveel)* surplus.

overschrijden step across, cross; *(fig.)* exceed.

overschrijven write out, copy (out); *(handel)* transfer; *(comp.)* overwrite.

overschrijving transcript, copy; *(handel)* transfer.

overslaan *(weglaten)* omit, skip, jump; *(geen beurt geven)* pass over.

overspannen ov. ww. span, overstrain. ‖ *zich* –, overexert oneself. ‖ bn. overstrung, overwrought.

overspel o. adultery.

overstaan *ten – van*, before, in the presence of.

overstappen change (train); transfer.

overste *(v. klooster)* prior, prioress; superior, head.

oversteekplaats pedestrian crossing.

oversteken cross.

overstelpen overwhelm.

overstemmen drown; *(bij stemming)* outvote, vote down.

overstromen overflow; inundate, flood.

overstuur upset.

overtocht passage, crossing.

overtollig superfluous, redundant.

overtreding transgression, contravention, trespass.

overtreffen surpass, exceed.

overtrékken *(bekleden)* upholster, cover; *(overdrijven)* exaggerate, overdraw.

overtrekken pull across; cross (a river); *(tekening)* trace; *(onweer)* blow over.

overtuigen convince.

overtuiging conviction.

overuren mv. overtime, hours of overtime.

overval hold-up, raid.

oververmoeidheid over-fatigue.

overvleugelen surpass.

overvloed abundance, plenty, profusion.

overvloedig abundant, plentiful, profuse.

overvragen overcharge, ask too much.

overweg *zn.* level crossing, cross-over road. || *bw.* met iets – kunnen, know how to manage sth.; *ik kan goed met hem –*, I can get on with him very well.

overwégen contemplate, consider, weigh.

overwegend preponderant; *dat is van – belang*, that is of paramount importance.

overweging consideration, reflection; *in – nemen*, take into consideration.

overweldigen *(persoon)* overpower; *(troon)* usurp.

overwerk *o.* overwork, extra work.

overwinnen conquer, vanquish; *(moeilijk.)* overcome, surmount.

overwinning victory.

overwinningsroes flush of victory.

overwinteren winter, hibernate.

overzees oversea(s).

overzetten ferry over, take across.

overzicht *o.* survey, synopsis, (general) view, summary.

OV-jaarkaart public transport season ticket.

ovulatie ovulation.

oxidatie oxidation.

ozon ozone.

ozonlaag ozone layer.

P

paal pile, pole, post; stake; *dat staat als een – boven water*, that's a fact.

paaldorp *o.* lake-village, settlement.

paar *o.* pair, couple; *(enige)* few.

paard *o.* horse; *(schaakspel)* knight; *(gymnastiek)* vaulting-horse.

paardebloem dandelion.

paardenkracht horse-power (h.p.).

paardenmiddel *o.* kill or cure remedy.

paardensport equestrianism.

paardenstaart horse-tail; *(haardracht)* pony tail.

paardenvlees *o.* horsemeat.

paardenvlieg horse-fly.

paardrijden *o.* horse-riding; horsemanship.

paarlemoer *o.* mother-of-pearl.

paars violet, purple.

paarsgewijze in pairs, two and two.

paasbest Easter best, Sunday best.

paasdag Easter day.

paasei *o.* Easter egg.

paashaas Easter bunny.

pacemaker pace-maker.

pacht rent; lease.

pachter tenant (farmer).

pad *o.* path, walk, gangway.

pad toad.

paddestoel toadstool; mushroom.

padvinder (boy) scout.

pagaai paddle.

page page.

pagina page.

pak *o.* pack(age); parcel; bundle; *(kleren)* suit.

pakhuis *o.* warehouse, storehouse.

pakijs *o.* pack-ice.

pakken pack, do (wrap) up; *(grijpen)* take, seize, catch.

pakket *o.* parcel, packet.

pakpapier *o.* packing-paper.

pal *zn.* click, ratchet. || *bn.* firm. || *bw.*

firmly; right; – *noord*, due north.
paleis *o.* palace.
palet *o.* palette, pallet.
paling eel.
palissade palisade.
paljas buffoon, clown.
palm *(v. hand)* palm; palm(tree).
palmolie palm-oil.
pamflet pamphlet.
pan pan; *(dak)* tile.
pand *o.* pledge, security, pawn; *(huis en erf)* premises; *(v. een jas)* flap, skirt, tail.
pandbrief mortgage bond.
pandjeshuis *o.* pawnshop.
paneel *o.* panel.
paneermeel *o.* bread-crumbs.
paniek panic; *(oorlog)* scare; *in – raken*, panic.
paniekzaaier scare-monger
panne breakdown.
pannenkoek pancake.
panorama *o.* panorama.
pantalon pair of trousers, *(Am.)* pants.
panter panther.
pantoffel slipper.
pantser *o.* cuirass; armour(-plating).
panty panty-hose, tights.
pap porridge, pap; *(med.)* poultice.
papa papa.
papaver poppy.
papegaai parrot.
paperassen *mv.* papers.
paperback paperback.
paperclip paper-clip.
papier *o.* paper.
papier-maché papier mâché.
papieren paper.
papillot curl-paper.
paplepel pap-spoon.
paprika paprika.
paraaf initials.
paraat ready, prepared.

parachute parachute.
parachutist parachutist.
parade parade, review.
paradijs *o.* paradise.
paradox paradox.
paraferen initial.
paraffine paraffin.
paragraaf paragraph, section.
parallel parallel.
paraplu umbrella.
parasiet parasite.
parasol sun-shade, parasol.
pardon *o.* pardon; –, sorry! beg your pardon! excuse me!
parel pearl.
parelhoen guinea-fowl.
parelmoer *o.* mother-of-pearl.
pareloester pearl-oyster.
parelsnoer *o.* pearl-necklace.
paren couple, unite; pair.
parfum *m. en o.* perfume, scent.
parfumerie perfumery.
park *o.* park, (pleasure) grounds.
parkeergarage parking garage.
parkeermeter parking meter.
parkeerplaats car park.
parkeerschijf parking disc.
parkeerterrein *o.* car park.
parkeerverbod *o.* parking ban.
parkeerwachter traffic warden.
parkeren park.
parket *o.* parquet; *(justitie)* Public Prosecutor's office.
parketvloer parquet floor.
parkiet parakeet, paroquet.
parlement *o.* parliament.
parmantig pert, perky.
parochie parish.
parodie parody.
part *o.* portion, part, share; *voor mijn –*, as for me.
parterre *o.* ground-floor.
participatie participation.

particulier private person. || *bn.* private, special, particular.
partij patry; *(spel)* game; *(goederen)* lot, parcel; *(muz.)* part.
partijdig partial, biassed.
partijgenoot party member.
partituur score.
partner partner.
parttime part-time.
parvenu parvenu, upstart.
pas *bw.* just, only, recently. || *zn.* pace, step; *(berg–)* pass, defile; *(paspoort)* passport.
pascontrole passport check.
Pasen Easter.
pasfoto passport photo.
pasgeboren newborn.
pasgeld *o.* small money, change.
pasmunt small money.
paspoort *o.* passport.
passaatwind trade wind.
passage passage; *(galerie)* arcade; *(gedeelte)* passage.
passagier passenger.
passagiersvliegtuig *o.* passenger plane.
passant *(v. uniform)* shoulder-knot; *(voorbijtrekkende)* passer-by, passing traveller.
passe-partout passepartout.
passen fit, try on; become, suit; *(bij kaartsp.)* pass.
passer (pair of) compasses.
passerdoos box (case) of mathematical instruments.
passeren pass (by); *(gebeuren)* happen, occur; *(inhalen)* pass, overtake; *(overslaan)* pass over.
passie passion; *(manie)* craze.
passief *bn.* passive.
passiespel *o.* passion play.
pasta paste.
pastei pie, pasty.
pastille pastille, lozenge.

pastoor pastor.
pastorie (parochial) presbytery; *(protestants)* rectory, vicarage.
patent *bn.* excellent, capital, first-rate. || *zn.o.* patent, licence.
patiënt patient.
patriarchaal patriarchal.
patrijs partridge.
patrijspoort porthole.
patriot patriot.
patroon *(heilige)* patron saint; *(baas)* principal, master, employer. || *o.* pattern, design. || *(in vuurwapen)* cartridge.
patrouille patrol.
pauk kettledrum.
paus pope.
pauselijk papal.
pauw peacock.
pauze break, pause; interval.
paviljoen *o.* pavilion.
pc personal computer, pc.
pech bad luck, hard luck.
pedaal *o.* pedal.
pedant pedant. || *bn.* pedantic.
peddelen pedal; paddle.
pedel beadle, mace-bearer.
pedicure pedicure, chiropody.
pedofiel paedophile.
peen carrot; *witte –*, parsnip.
peer pear; *(lamp)* bulb.
pees tendon; *(v. boog)* string.
peetoom godfather.
peignoir dressing gown; *(Am.)* robe.
peil *o.* water-mark, gauge; *(fig.)* standard, level.
peilen gauge, sound, fathom.
peillood *o.* sounding-lead.
peilloos unfathomable, fathomless.
peinzen meditate, ponder, muse (upon).
pek *o.* pitch.
pekel brine, pickle.

pekelharing salt herring.
pelgrim pilgrim.
pelikaan pelican.
pellen peel, shell, hull.
peloton platoon; *(sport)* bunch, pack.
pels fur.
pelsmantel fur coat.
pen pen; nib; *(om te breien)* needle.
penalty penalty.
penarie *in de – zitten*, be in the soup, be in a scrape.
pendelaar commuter.
pendelen commute, shuttle.
pendule mantelpiece clock, pendulum.
penis penis.
penitentie penance.
pennenmes *o.* penknife.
pennenstrijd paper war.
penning penny; *(gedenkpenning)* medal.
penningmeester treasurer.
pens *(v. dieren)* paunch; *(als gerecht)* tripe; *(bloedworst)* black pudding.
penseel *o.* paint-brush, pencil.
pensioen *o.* pension; *met – gaan*, take one's pension, retire.
pension *o.* boarding-house.
pensioneren pension off.
peper pepper; *Spaanse –*, chilli.
peperbus pepper-box, peppercastor.
peperkoek gingerbread.
pepermunt peppermint.
pepmiddel *o.* stimulant.
per per, by, via.
perceel *o.* lot, parcel, allotment, plot; *(huis en erf)* premises, property.
percent *o.* per cent.
percentage *o.* percentage.
perfect perfect.
perfectie perfection; *in de –*, perfectly.
periode period.
periodiek periodical.
periscoop periscope.
perk *o.* (flower-)bed; *binnen de –en*

blijven, remain within the bounds of decency.
perkament *o.* parchment, vellum.
permanent *bn.* permanent, lasting, standing. || *zn.* permanent (wave).
permissie permission; *met –*, with your leave.
perron *o.* platform.
pers press; *ter –e gaan*, go to press.
persbureau *o.* news-agency, press bureau.
persconferentie press conference.
persen press, squeeze.
persklaar ready for (the) press.
personeel *o.* personnel, staff, servants. || *bn.* personal.
persoon person.
persoonlijk personal, individual.
perspectief *v./m. en o.* perspective.
persvrijheid press freedom.
pervers perverse.
perzik peach.
pessimisme *o.* pessimism.
pest plague, pestilence; *de – aan iets hebben*, hate and detest sth.
pesticide *o.* pesticide.
pet cap.
petekind *o.* godchild.
peter godfather.
peterselie parsley.
petitie petition, memorial.
petroleum oil, petroleum.
peuk (cigarette-, cigar)end, stub.
peul pod, shell, husk.
peulvrucht pulse, leguminous plant.
peuter toddler.
peuteren niggle, finger.
peuterig tiny, minute.
peuzelen munch.
piano piano.
pick-up record player.
picknick picnic.
piek pike; *(bergtop)* peak.

piekeren worry, brood, reflect.
piekfijn smart, spick and span.
piekuur *o.* peak hour.
pienter clever, smart, brainy.
piepen peep, chirp, creak; *(v. muizen)* squeak.
piepjong very young.
piepkuiken *o.* springchicken.
piepschuim polystyrene foam.
pier *(worm)* worm, earthworm; *(dam)* pier, jetty.
pierewaaier rake, rip.
piëteit piety, reverence.
pigment *o.* pigment.
pij frock, habit.
pijl arrow, bolt; *(sport)* dart.
pijler pillar, column; *(v. brug)* pier.
pijlsnel (as) swift as an arrow.
pijn pain; ache.
pijnappel pine-cone.
pijnbank rack.
pijnboom pine-tree, pine.
pijnigen torture, rack, torment.
pijnlijk painful.
pijnloos painless.
pijnstillend soothing, pain-killing.
pijnstiller painkiller, anodyne.
pijp pipe; *(v. broek)* leg; *(buis)* pipe, tube.
pijpleiding pipe-line.
pik, *hij heeft de – op mij,* he has (holds) a grudge against me.
pikdonker pitch-dark.
pikeur riding-master; ringmaster.
pikken *(v. vogels)* pick, peck; *(stelen)* bag, filch.
pil pill; *(dik boek)* tome.
pilaar pillar, post.
piloot pilot.
pin peg, pin.
pincet *o.* tweezers.
pinda peanut.
pindakaas peanut butter.

pingpong *o.* ping-pong.
pinguïn penguin.
pink little finger.
pinken blink, wink; *(auto)* indicate direction.
Pinksteren Pentecost .
pint pint.
pioen peony.
pion pawn.
pionier pioneer.
piraat pirate.
piramide pyramid.
pisang banana.
pissebed sow-bug.
pistache pistachio.
piste ring; *(v. wielrenners)*, track.
pistool *o.* pistol.
pit kernel, pip, stone; *(v. kaars)* wick; *(fig.)* pith, spirit.
pittig pithy, spirited; spicy, savoury.
pizza pizza.
plaag plague, nuisance, pest.
plaagziek fond of teasing.
plaat plate, sheet; *(prent)* print, picture; *(grammofoon–)* record.
plaats place, room; court, yard; *(zit–)* seat; *(betrekking)* place, situation, post.
plaatsbespreking advance booking.
plaatsbewijs *o.* ticket.
plaatselijk local.
plaatsen place, put; seat; *(bericht)* insert
plaatsgebrek *o.* want of space.
plaatshebben take place.
plaatsing placing; insertion; *(benoeming)* appointment
plaatsvervanger substitute, deputy.
pladijs plaice.
plafond *o.* ceiling.
plag sod (of turf).
plagen vex; *(voor de grap)* tease.
plagiaat *o.* plagiarism.
plaid plaid; rug.

plak slice, slab.
plakband *o.* adhesive tape.
plakkaat *o.* placard; edict.
plakken paste, stick, glue.
plan *o.* plan, design, scheme; project.
planeet planet.
plank board; *(dik)* plank; *(in boekenkast)* shelf.
planken made of boards, plank, wooden.
plankenkoorts stage-fright.
plankgas *o.* step on it.
plannen plan.
plant plant.
plantaardig vegetable.
plantage plantation; estate.
planten plant.
plantengroei vegetation, plant-growth.
planter planter.
plantkunde botany.
plantsoen *o.* public garden, pleasure grounds, park.
plas *(op straat)* puddle, pool; *(meer)* lake.
plassen splash; *(urineren)* make water, pee.
plastic plastic.
plastiek plastic art; plastic.
plat *o.* leads, flat. ‖ *bn.* flat, plain, level; *(v. taal)* broad, vulgar.
plataan plane-tree.
platheid flatness; *(uitdrukking)* vulgarity.
platina *o.* platinum.
plattegrond ground-plan; *(v. stad)* map.
platteland *o.* country.
platvoet flat-foot.
platzak – *zijn,* have an empty purse.
plaveisel *o.* pavement.
playboy playboy.
plechtanker *o.* sheet-anchor.
plechtig solemn, ceremonial, stately.
plechtigheid solemnity, ceremony.

pleegkind *o.* foster-child.
plegen *(gewoon zijn)* use, be accustomed; *(begaan)* commit, perpetrate.
pleidooi *o.* pleading, plea, defence.
plein *o.* square; *(rond)* circus.
pleinvrees agoraphobia.
pleister *(op wonde)* plaster. ‖ *o.* stucco.
pleisterplaats halting place, pull-up.
pleiten plead.
pleiter pleader.
plek *(plaats)* place, spot, patch; *(vlek)* stain, spot.
plengen shed; *(wijn)* pour out.
pletten flatten, roll.
pleuris pleurisy.
plezier *o.* pleasure.
plezierig pleasant, amusing.
plicht duty, obligation.
plichtmatig dutiful.
plichtpleging compliment.
plichtsbesef *o.* sense of duty.
plichtsverzuim *o.* neglect of duty.
ploeg *(werktuig)* plough; *(arbeiders)* gang, shift; *(sport)* team.
ploegen plough.
ploert cad, scoundrel.
plof thud.
ploffen plump, flop, plop.
plomberen plug, fill, stop.
plomp *zn.* plump, flop. ‖ *zn.* white waterlily. ‖ *bn.* clumsy, rude.
plompverloren plump.
plonzen splash.
plooi fold, pleat; *(in broek)* crease; wrinkle.
plooibaar pliable, pliant; flexible.
plooien fold, pleat, crease; *(rimpelen)* wrinkle; *(fig. schikken)* arrange; *(buigen)* bend.
plot plot.
plotseling *bn.* sudden. ‖ *bw.* all of a sudden, suddenly.

pluche plush.

pluim plume, feather, crest.

pluimgedierte *o.* poultry, barndoor fowls.

pluimpje *o. iem. een – geven,* compliment sbd.

pluimvee *o.* poultry.

pluis *het is er niet –,* it's rather fishy out there.

plukken gather, pick; *(pluimvee)* pluck; *(bestelen)* fleece.

plumeau feather-duster, feather-brush.

plunderen plunder, pillage, rob.

plundering plundering, pillage, *(v. een stad)* sack.

plunje togs.

plus *bw.* plus.

plusminus about.

po chamber pot.

pochen boast, brag.

pocket paperback.

poedel poodle; *(sport)* miss.

poeder *o.* powder.

poedersuiker powdered, soft sugar.

poel pool, puddle, slough.

poelier poulterer.

poes puss(y), cat.

poeslief bland, suave.

poets trick, prank, practical joke.

poetsen polish, clean.

poëzie poetry.

pogen *ww.* endeavour, attempt, try.

poging attempt, effort, endeavour.

pokdalig pock-marked.

poken, poke (stir) the fire.

pokken *mv.* small-pox, variola.

polder polder.

polemiek polemic, controversy.

Polen Poland.

poliep *(dier)* polyp; *(gezwel)* polypus.

polijsten polish, smooth.

polikliniek policlinic.

polio polio.

polis (insurance) policy.

politie police.

politieagent policeman, police officer, constable.

politiebureau police station.

politiek politics; policy. || *bn.* political, politic.

politieverordening police regulation.

pollepel ladle.

pollutie pollution.

pols wrist; *(slagader)* pulse.

polsen, *iem. –,* sound sbd.

polsslag pulsation.

polsstok leaping-pole, jumping-pole.

pommade pomatum, pomade.

pomp pump.

pompelmoes grape fruit, pomelo.

pompeus pompous.

pompstation *o.* pumping-station; *(v. benzine)* filling-station.

pond *o.* pound.

pont ferry-boat.

pontificaal pontifical.

ponton pontoon.

pooier pimp.

pook poker; *(auto)* gear-level.

pool pole.

poolcirkel polar circle.

poolshoogte *– nemen,* see how the land lies.

poort gate(way), doorway.

poos time, while.

poot paw, foot, leg, pad; *(v. meubels)* leg.

pop doll; puppet; *(insect)* nymph, pupa *(mv.* pupae).

popcorn *o.* popcorn.

popelen throb, quiver.

popmuziek pop music.

poppenhuis doll's house.

poppenkast puppet-show.

populair popular.

populier poplar.

poreus porous, permeable.
porie pore.
porno porno.
porren prod (sbd.); *(aansporen)* rouse, urge.
porselein *o.* china(-ware), porcelain.
port port(-wine). ‖ *o.* postage.
portaal *o.* hall, porch; *(v. trap)* landing.
portefeuille wallet; portfolio.
portemonnee purse.
portie portion, share, part; *(eten)* helping; *(fig.)* dose.
portier *(v. voertuig)* door.
portier doorman; porter.
porto postage.
portret *o.* portrait; photo(graph).
portretschilder portrait-painter.
Portugal Portugal.
Portugees Portuguese.
portvrij post-paid, free.
positie position, *(betrekking)* situation, position.
positief *bn.* en *o.* positive, affirmative; favourable.
positieven *mv. bij zijn – komen,* come to one's senses.
post post, mail; post office; *per kerende –,* by return of post. ‖ *(betrekking)* post, position.
postbode postman.
postbus post-office box, box.
postcode postal code, postcode; *(Am.)* zip code.
postduif carrier-pigeon.
poste restante to be (left till) called for.
postelein purslane.
postkantoor *o.* post office.
postpakket *o.* postal parcel.
postpapier *o.* note-paper, letterpaper.
postscriptum *o.* postscript.
postspaarbank post office savings bank.
postuum posthumous.
postuur *o.* shape, figure, build.

postwissel postal order.
postzegel stamp.
pot pot, jar, mug; *(bij het spel)* stakes, pool; *(kook–)* pan.
potdicht tightly closed, close.
potdoof stone-deaf.
poten plant; set.
potentaat potentate.
potentieel potential.
potig strong, robust.
potlood *o.* (lead-)pencil.
potsierlijk ludicrous, comical.
potten pot; *(sparen)* hoard (up) money.
pottenbakkerij pottery.
pover poor, shabby.
praaien hail, speak.
praal magnificence, pomp, splendour.
praalgraf *o.* mausoleum.
praalwagen float.
praat talk, tattle.
praatje *o.* chat, talk; *dat zijn maar –s,* it is all idle talk.
praatpaal roadside emergency telephone.
praatziek loquacious, talkative, garrulous.
pracht magnificence, splendour, pomp.
prachtig magnificent, splendid, superb.
prakkizeren think, muse.
praktijk practice; experience; *in de –,* in practice.
praktisch practical; *–e kennis,* working knowledge.
pralen shine, glitter; *(ongunstig)* flaunt.
praline praline.
prat *– gaan op,* pride oneself on.
praten talk, chat.
precies precise, exact.
predikant clergyman, vicar.
prediken preach.
preek sermon.
preekstoel pulpit.
preferent preferential; *– aandeel,* preference share.

prefereren, – *boven*, prefer to.
prei leek.
prelaat prelate.
premie premium; bonus; *(van AOW)* contribution.
premier premier, prime minister.
première première, first night; first run (of a film).
prent print, picture, engraving.
prentbriefkaart picture postcard.
prentenboek *o.* picture-book.
present *o.* en *bn.* present.
presentatie presentation.
presentator presenter, anchor man; host.
presenteerblad *o.* salver, tray.
president president; chairman.
presse-papier *o.* paperweight.
prestatie performance; achievement.
presteren achieve.
prestige *o.* prestige; *zijn – redden*, save one's face.
pret pleasure, fun.
pretendent pretender.
pretentie pretension claim; *zonder –*, unpretentious.
pretentieus pretentious.
pretpark pleasure ground, amusement park.
prettig pleasant, amusing, enjoyable, nice.
preuts prudish, squeamish, prim.
prevelen mutter, mumble.
preventief preventive.
prieel *o.* summerhouse, bower, arbour.
priem awl, pricker; *(breinaald)* knitting needle.
priester priest.
prijken shine, blaze, glitter.
prijs price; *(in loterij, beloning)* prize, award.
prijsbewust price conscious.
prijsgeven abandon, give up; yield, surrender.

prijslijst price-list.
prijsverhoging increase, rise (in prices).
prijsverlaging reduction.
prijsvraag competition.
prijzen praise, commend; *(prijs aangeven)* price.
prijzenswaardig praiseworthy, laudable.
prik *(steek)* prick, sting, stab; *(vis)* lamprey.
prikbord billboard, notice-board.
prikkel sting; *(fig.)* stimulus.
prikkelbaar irritable, excitable.
prikkeldraad *o.* barbed wire.
prikkelen prickle; *(irriteren)* irritate, provoke; *(fig.)* stimulate; excite.
prikken prick; tack, pin.
prikklok time-clock.
pril early, first; *– geluk*, budding happiness.
prima first class (rate), prime.
primair primary.
primitief primitive.
primus primus.
principe *o.* principle.
principieel fundamental, essential.
prins prince.
prins-gemaal prince consort.
prinses princess.
prinsessenboon butter-bean.
printer printer.
prisma *o.* prism.
privaat private.
privaatrecht private law.
privacy privacy.
privilege *o.* privilege.
pro pro; *het – en het contra*, the pro(s) and the con(s).
probaat approved, efficacious, sovereign.
proberen try, test, attempt.
probleem problem.
procedure procedure.
procent *o.* per cent.

proces *o.* lawsuit, action, legal proceeding, process.
proces-verbaal *o.* warrant; *(verslag)* official report, minutes.
processie procession.
proclamatie proclamation.
procuratie procuration.
procuratiehouder confidential clerk, proxy.
procureur attorney, solicitor.
procureur-generaal attorney-general.
product *o.* product.
productie production, output.
productief productive.
proef trial, test; *(drukproef)* proof; *(natuurk.)* experiment; *(voorbeeld)* specimen, sample; *de – op de som nemen*, put to the test.
proefballon pilot-balloon; *(fig.)* kite; *een – oplaten*, throw out a feeler.
proefkonijn *o. (fig.)* guinea-pig.
proeflokaal *o.* pub.
proefneming experiment; experimentation.
proefondervindelijk experimental.
proefperiode probationary period.
proefrit trial run, test drive.
proefschrift *o.* thesis *(mv.* theses).
proeftijd time (period) of probation, apprenticeship; *(klooster)* noviciate.
proefvlucht test flight.
proefwerk *o.* (test) paper.
proesten sneeze.
proeven taste; sample.
profeet prophet.
professie profession.
professioneel professional.
professor professor.
profetie prophecy.
proficiat congratulations (on).
profiel *o.* profile; side-view.
profiteren profit.
programma *o.* program(me);

(schouwburg) play-bill; *(school)* curriculum.
programmeren programme.
project *o.* project, planning.
projectiel *o.* projectile, missile.
projector projector.
proletariaat *o.* proletariat.
proletariër proletarian.
promesse promissory note, note of hand.
promille *o.* out of every thousand.
promotie *(bevordering)* promotion, advancement; *(tot doctor)* graduation.
promoveren be promoted; take one's doctoral degree.
prompt prompt, ready.
pronken strut, show off.
pronkstuk showpiece.
prooi prey.
proost! cheers!
prop wad; gag; *(in de keel)* lump; *op de –pen komen*, turn up.
propaganda propaganda.
proper clean, tidy.
proportie proportion; *buiten –*, out of scale.
propvol cram-full, chock-full, crammed.
prospectus *o.* prospectus *(mv.* prospectuses).
prostituee prostitute.
prostitutie prostitution.
protectie protection; *(neg.)* patronage, favouritism.
proteïne protein.
protest *o.* protest(ation).
protestant protestant.
protesteren (make a) protest.
proviand provision(s), victuals, stores.
provinciaal *zn.* en *bn.* provincial.
provincie province.
provisie provision, supply, stock; *(loon)* commission.
provisiekast pantry, larder.

pruik wig, peruke, periwig.
pruilen pout, sulk.
pruim plum; *(gedroogde)* prune; *(tabak)* quid.
pruimen *(tabak)* chew; *dit is niet te –,* it is disgusting.
prul *o.* rubbish stuff; bauble.
prullenmand waste-paper basket.
prutsen potter, tinker.
pruttelen grumble; *(bij 't koken)* simmer.
pseudoniem *o.* pseudonym, pen-name.
psychiatrie psychiatry.
psychologie psychology.
puber adolescent.
public relations public relations.
publicatie publication.
publiciteit publicity.
publiek *o.* public. ‖ *bn.* public; open; *iets – maken,* publish sth.
pudding pudding.
puffen puff.
pui underfront of a building, shop front.
puik *bn.* choice, first rate, prime, excellent. ‖ *o.* choice, best.
puimsteen *m. en o.* pumice-(stone).
puin *o.* rubbish, debris, rubble.
puinhoop heap of rubbish, heap of ruins, ruins.
puist tumour, pustule, pimple.
pukkel pimple.
pull-over pullover.

pulp pulp; *(fig.)* trash.
punaise drawing-pin.
punctueel punctual.
punker punk.
punt point, dot, tip; corner; *(zinteken)* full stop. ‖ *o.* point, item; *(op school)* mark.
puntdicht *o.* epigram.
puntenslijper pencil sharpener.
punthoofd *o.* ik krijg er een – van, it drives me to the wall.
puntig sharp, pointed.
puntje *o.* point; *(v. sigaar)* tip; *(van i)* dot; *de –s op de i zetten,* dot one's i's and cross one's t's.
puntkomma semicolon.
puntzak cornet, screw.
pupil *(oog)* pupil; *(v. een voogd)* pupil, ward; *(leerling)* pupil, student.
puree puree; mashed potatoes.
purgeermiddel *o.* purgative, laxative.
purper *o.* purple.
purperen purple.
put well; *(kuil)* pit, hole; *(v. mijn)* mine (shaft).
putten draw.
puur pure; *(v. drank)* neat, raw; *(enkel)* sheer, pure, bare; *pure chocolade,* plain chocolate.
puzzel puzzle.
pyjama pyjamas.
python python.

Q

quarantaine quarantine.
quasi quasi, seeming, pretended; nearly, almost.
queue queue, line.
quiche quiche.

quitte quits.
quiz quiz.
quota, quotum *o.* quota, share.
quotiënt *o.* quotient.

R

ra yard.
raad counsel, advice; *(raadgever)* counsellor; *(middel)* remedy; *(zitting)* council; – *van beheer*, board of directors; *iem. raadgeven*, advise sbd.
raadgeving advice, counsel.
raadhuis *o.* town hall.
raadplegen consult.
raadsel *o.* riddle, enigma, puzzle.
raadselachtig enigmatical, mysterious.
raadsheer councillor; *(schaakspel)* bishop.
raadslid *o.* councillor, town councillor.
raadsman legal counel, advisor.
raadzaam advisable.
raaf raven; *witte* –, white crow.
raak telling (blow, effect); – *slaan*, hit home.
raam *o.* window; *(omlijsting)* frame, *(kader)* framework.
raamkozijn *o.* windowframe.
raap turnip.
raar queer, strange; *(zeldzaam)* rare.
raaskallen talk nonsense, rave.
rabarber rhubarb.
rabat discount, reduction, rebate.
rabbijn rabbi(n).
racisme racism.
rad *o.* wheel. || *bn.* quick, nimble; *(tong)* glib.
radar radar.
radbraken *ik voel me geradbraakt*, I am deadbeat.
raddraaier ringleader.
radeermesje *o.* erasing-knife, eraser.
radeloos desperate.
raden advise, counsel; *(goed gissen)* guess.
raderwerk *o.* wheels.
radicaal radical.
radijs radish.
radio radio.
radio-omroep broadcasting corporation.
radioactiviteit radioactivity.

radiowekker radio alarm.
radiozender radio transmitter.
rafelen fray, unravel, ravel out.
raffinaderij refinery.
rag *o.* cobweb.
ragebol Turk's head, mop.
ragfijn filmy, fine-spun.
ragout ragout.
rail rail.
rakelings hard by, close by; – *voorbijgaan*, brush (past).
raken hit; *(aanraken)* touch; *(aangaan)* concern, affect.
raket missile, rocket.
rakker rascal, scapegrace.
ram ram; *(dierenriem)* Aries.
ramen – *op*, estimate at.
raming estimate.
rammelaar *(v. kinderen)* rattle; *(konijn)* buck rabbit.
rammelen rattle, clatter; *ik rammel van de honger*, I'm starving.
rammelkast *(v. wagen)* rattletrap, ramshackle car; *(piano)* old piano.
rammen ram.
rammenas black radish.
ramp disaster, calamity, catastrophe.
rampenfonds *o.* disaster fund.
rampenplan contingency plan.
rampspoed adversity.
ramptoerisme *o.* onlookers at disaster.
rampzalig miserable, wretched; fatal.
rand brim, rim; *(v. bladzijde)* margin, *(v. tafel)* edge; border.
randfiguur background character.
randgemeente adjoining town.
rang rank, degree, grade; row.
rangeren shunt.
rangorde order.
rangschikken range, arrange, rank, file; *(fig.)* marshal.
rangschikking arrangement, classification.

rank *zn.* tendril. || *bn.* slender.
ranonkel ranunculus.
ransel knapsack, pack; *(slaag)* flogging.
ranselen drub, wallop.
ransig rancid.
rantsoen *o.* ration, allowance.
rantsoeneren ration, put on rations.
rap quick, agile, nimble.
rapen pick up, gather.
rapport *o.* report, statement, account.
rariteit curiosity, curio.
ras *zn.o.* race; *(v. dieren)* breed. || *bn.* quick, speedy.
rasecht thoroughbred.
rashond pedigree dog.
rasp rasp, grater.
rassendiscriminatie racial discrimination.
rassenstrijd racial conflict.
rasterwerk *o.* lattice, trellis-work, railing.
rat rat.
ratel rattle.
ratelslang rattlesnake
rationeel rational.
rattenkruit *o.* arsenic.
rattenvanger rat-catcher; *de – van Hameln,* the pied piper of Hamelin.
rauw *(voedsel)* raw, uncooked; *(stem)* hoarse; *(fig.)* crude.
rauwkost raw food, raw vegetables.
ravijn *o.* ravine.
ravotten romp.
razen rage, rave.
razend raving, raging, mad.
razernij madness, frenzy, rage.
razzia razzia, raid.
reactie reaction.
reageerbuisbaby test-tube baby.
reageerbuisje *o.* test-tube.
realiseren realize.
realisme *o.* realism.
realiteit reality.
reanimatie resuscitation.
rebel rebel, mutineer.

recensie review, critique.
recent recent.
recent recent.
recept *o.* recipe, receipt; *(med.)* prescription.
receptie reception.
recette takings, receipts.
rechercheur detective.
recht *bn.* right, straight. || *o.* justice, right; law; right, title, claim.
rechtbank court of justice, law-court.
rechtdoor straight on.
rechter *zn.* judge, justice. || *bn.* right, right-hand.
rechterarm right arm.
rechterhand right hand; assistent, right-hand man.
rechterkant right side.
rechterlijk judicial, legal.
rechthoek rectangle.
rechtmatig lawful, rightful, legitimate.
rechtop upright, erect.
rechts to the right; *een –e regering,* a right-wing government; right-handed.
rechtsaf to the right.
rechtsbijstand legal assistance.
rechtschapen honest, upright.
rechtsgebied *o.* jurisdiction.
rechtsgeleerde lawyer, jurist.
rechtsgeleerdheid jurisprudence.
rechtsom to the right.
rechtspersoon corporate body, corporation.
rechtspleging administration of justice.
rechtspraak jurisdiction.
rechtstaat constitutional state.
rechtstreeks direct(ly).
rechtsvervolging prosecution.
rechtsvordering action, legal claim.
rechtswege *van –,* by rights, in justice.
rechtswinkel citizen's (legal) advice bureau.
rechtszekerheid legal security.

rechtuit straight on; *(fig.)* frankly.
rechtvaardig righteous, just.
rechtvaardigen justify.
rechtzetten straighten, adjust; *(fig.)* correct, rectify.
rechtzinnig orthodox.
recidive relapse.
reclame advertising, publicity; *(vordering)* claim, complaint.
reclameren claim; complain.
reclamespot commercial.
reconstructie reconstruction.
record *o.* record; *het – breken*, beat the record.
recreatie recreation.
rector rector; *(v. gymnasium)* headmaster, principal.
reçu *o.* receipt; (luggage) ticket.
recycling recycling.
redacteur editor.
redactie editorship; editorial staff; *(v. een stuk, artikel)* wording.
reddeloos past help, past recovery; irretrievable.
redden save, retrieve, rescue.
redding rescue, deliverance, saving, salvation; *(fig.)* retrieval.
reddingsboot lifeboat, rescue boat.
rede reason, sense; *(redevoering)* speech, discourse; *in de – vallen*, interrupt.
‖ *(scheepvaart)* road(s), roadstead.
redelijk reasonable, rational; *(betamelijk)* moderate, reasonable; *(tamelijk)* passable.
redeloos void of reason, irrational.
reden reason, cause, ground.
redenaar orator.
redeneren reason, argue (about).
reder (ship-)owner.
rederijker *(vroeger)* rhetorician.
redetwisten dispute.
redevoering speech, address, harangue, oration.

redmiddel *o.* remedy, expedient.
reduceren reduce.
reductie reduction.
ree roe, hind.
reeds already.
reëel real; reasonable.
reeks series, sequence; television series.
reep strip; *(chocolade)* bar.
reet cleft, crack, crevice; *(gemeenz.)* arse, ass.
refereren refer.
reflector reflector.
reformwinkel health food shop.
refrein *o.* burden (of a song), chorus, refrain.
refter canteen.
regel rule, *(druk, geschrift)* line; *tussen de –s lezen*, read between the lines.
regelen regulate, arrange, settle; control.
regeling regulation, arrangement, settlement.
regelmatig regular
regelrecht straight(away), right.
regen rain.
regenachtig rainy.
regenboog rainbow.
regenbui shower of rain.
regenen rain; *het regent dat het giet*, it's raining cats and dogs.
regenjas raincoat, mackintosh.
regent regent.
regenworm earthworm.
regenwoud rain forest.
regeren reign, govern, rule.
regering reign, government, rule.
regeringsvorm form of government.
regie *(toneel)* stage-management, staging; *(film)* direction.
regime *o.* regime.
regiment *o.* regiment.
regio region.
regisseur stage-manager, director.

register *o.* register, index.
registratie registration.
registreren register, record.
reglement *o.* regulations, rules.
reglementair *bn.* regulation, prescribed.
‖ *bw.* according to the regulations.
regressie regression.
rei chorus; (round)dance.
reiger heron.
reiken reach; stretch, extend; *zover het oog reikt*, as far as the eye can reach.
reikhalzen naar long for.
rein pure, clean, chaste.
reïncarnatie reincarnation.
reinigen clean, purify, cleanse.
reis journey, *(op zee)* voyage, *(rond de wereld)* tour, trip; *hij is op –*, he is away on a journey.
reisbureau *o.* travel agency, tourist agency.
reisgids guide-book, travellers' guide.
reiskosten *mv.* travelling-expenses.
reisleider tour-conductor.
reistas travelling-bag.
reisvaardig ready to set out.
reiswekker travel alarm.
reizen travel, journey.
reiziger traveller; passenger.
rek *o.* *(v. boeken, enz.)* rack; *(voor kleren)* clothes-horse; *(v. handdoeken)* towel-horse; *(v. gymnastiek)* horizontal bar.
‖ *m. (in elastiek)* elasticity.
rekbaar elastic, extensible.
rekel *(kwajongen)* rascal.
rekencentrum computing centre.
rekenen cipher, reckon, count, calculate, *(in rekening brengen)* charge; *(onderwijs)* do sums.
rekening bill, account; *(berekening)* calculation, reckoning.
rekening-courant account current, current account.
rekenkamer Government audit-office.

rekenkundig arithmetic.
rekenschap account; *– geven van*, render an account of.
rekken stretch, extend, draw out, spin out; *(verblijf)* protract.
rekstok horizontal bar.
rel row, riot.
relaas *o.* story, account, narrative.
relatie relation, connection.
relatief relative.
release release.
reliëf *o.* relief.
religieus religious.
relikwie relic.
rem brake, drag.
rembours *o.* cash on delivery.
remedie remedy.
remgeld *o.* patient's contribution towards medical services.
remise *(loods voor tram)* depot; *(sport)* draw.
remmen brake.
remschijf brake disc.
remspoor *o.* skid mark.
remvloeistof brake fluid.
remweg braking distance.
ren race, run, gallop. ‖ *(v. kippen)* chicken-run.
Renaissance Renaissance.
renbaan race-track, race-course.
rendement *o.* yield, output; *(techn.)* efficiency.
rendez-vous *o.* rendezvous.
rendier *o.* reindeer.
rennen run, race, gallop.
rente interest.
rentegevend interest-bearing.
renteloos without interest, bearing no interest.
rentenier man of independent means, rentier, retired tradesman.
rentevoet rate of interest.
rentmeester steward, land-agent.

reorganisatie reorganization.
reorganiseren reorganize.
reparateur repairer.
reparatie reparation, repair(s); *in – zijn*, be under repair.
repareren repair, mend.
repertoire *o.* repertoire, repertory.
repeteren repeat; go over; *(toneel)* rehearse.
repetitie repetition; *(school)* test-paper; *(toneel)* rehearsal.
reportage reporting; *(radio, television)* commentary (on).
reportagewagen recording van.
reporter reporter, commentator.
reppen *– van*, make mention of; *zich –*, hurry, make haste; *geen woord – van*, do not breathe a word of.
reproduceren reproduce, duplicate.
reptiel *o.* reptile.
republiek republic.
reputatie reputation, name.
research research.
reservaat *o.* reserve, sanctuary.
reserve reserve(s); *(sport)* substitute.
reserveband spare tyre.
reserveonderdelen spare parts.
reserveren reserve.
reservewiel *o.* spare wheel.
reservoir *o.* reservoir, tank.
residentie royal residence, court capital.
resistent resistant.
resoluut resolute, determined.
respect *o.* respect.
respectievelijk respectively.
respijt *o.* respite, delay.
ressort *o.* jurisdiction, resort, province.
rest rest, remainder.
restant *o.* remnant, remainder.
restaurant *o.* restaurant.
restauratie restoration, renovation, renewal; *(eethuis)* restaurant, refreshment room.

restauratiewagen restaurant car, dining-car.
resten, resteren remain, be left.
resultaat *o.* result, outcome.
resumeren summarize, sum up.
resusfactor Rhesus factor.
retoucheren retouch, touch up.
retourbiljet, retourkaartje *o.* return ticket.
retraite retreat.
reuk *(geur)* scent, smell, odour; *(zintuig)* sense of smell.
reukloos odourless.
reukwater perfumed water.
reumatiek rheumatism.
reus giant, colossus.
reusachtig gigantic, colossal, huge.
reutelen rattle.
reuzel lard.
reuzenrad *o.* Ferris wheel, giant wheel.
reuzenslalom giant slalom.
revalidatie rehabilitation.
revanche revenge.
revers revers, lapel.
revisie revision; review.
revolutie revolution.
revolver revolver.
revue review; *(toneel)* revue.
ribbe rib.
ribbenkast body, carcass.
ribfluweel *o.* corduroy.
ribstuk *o.* rib.
richel border, ledge, edge.
richten direct, aim, point; *zich – tot*, address oneself to.
richting direction; trend, set.
richtingaanwijzer direction indicator, traffic indicator.
richtlijn line of action, directive.
ridder knight.
ridderlijk chivalrous, knightly.
ridderorde order of knighthood; decoration.

riem strap; sling; *(gordel)* girdle, belt; *(papier)* ream.

riet *o.* reed, cane; *(v. daken)* thatch; *(bies)* rush.

rieten reed; – *dak*, thatched roof; – *stoel*, cane chair.

rif *o.* reef.

rij range, file, row.

rijbaan roadway.

rijbewijs *o.* driving license.

rijden *(rijtuig)* drive; *(paard)* ride; *(fiets)* ride, cycle.

rijexamen *o.* driving-test.

rijgen *(schoenen)* lace; *(parels)* string, thread.

rijglaars lace-up boot.

rijgveter lace.

rij-instructeur driving-instructor.

rijk *bn.* rich, wealthy; – *aan*, rich in. ‖ *zn.o.* empire, kingdom, realm.

rijkdom wealth, riches; *(fig.)* abundance, richness; *natuurlijke –men*, natural resources.

rijksambtenaar government official, civil servant.

rijksbegroting national budget.

rijksdaalder two and a half guilder piece.

rijksdag diet; *(Duits)* Reichstag.

rijkspolitie state police.

rijksweg national highway.

rijlaars riding-boot.

rijm *o.* rime, rhyme. ‖ *m.* rime, frost.

rijmelaar paltry rhymer, poetaster.

rijmen rhyme.

rijp *bn.* rip, mature. ‖ *zn.* hoar-frost, rime.

rijpaard *o.* riding-horse.

rijpen ripe, mature.

rijpheid ripeness, maturity.

rijs *o.* twig, osier.

rijschool driving-school.

rijshout *o.* twigs, osier.

rijst rice.

rijstebrij rice-milk.

rijstrook traffic lane, carriage way.

rijsttafel rice-table, tiffin.

rijstveld *o.* rice-field, paddyfield.

rijten tear.

rijtjeshuis *o.* terraced house, *(Am.)* row house.

rijtuig *o.* carriage.

rijweg carriage-way (-road).

rijwiel *o.* (bi)cycle, bike.

rijzen rise, arise.

rijzig tall.

rijzweep riding-whip, horse-whip.

rillen shiver (with), shudder (at).

rilling shiver, shudder.

rimpel wrinkle; furrow.

rimpelen wrinkle, ruffle, ripple.

ring ring.

ringvinger ring-finger.

ringweg ringroad.

rinkelen jingle, tinkle, chink.

riool *o.* sewer, drain.

risico *m. en o.* risk, hazard; *voor uw –*, at your risk.

risicogroep high-risk group.

riskant risky, hazardous.

rit ride, drive.

ritme *o.* rhythm.

ritmeester cavalry captain.

ritmisch rhythmic(al).

ritselen rustle.

ritssluiting zip (fastening).

rivaliteit rivalry.

rivier river.

rob seal.

robbedoes rowping boy (girl); *(meisje)* hoyden, tomboy.

robber *(kaarten)* rubber.

robijn ruby.

robot robot.

rochelen hawk (up); *(vooral v. stervende)* rattle.

rock-'n-roll rock-'n'-roll.
roddelen gossip, talk.
Rode Kruis *o.* International Red Cross.
rodehond German measles.
rodekool red cabbage.
roede *(strafwerktuig)* rod; *takkenbos* birch(rod); *(v. gordijn)* (curtain) rod; *(anatomie)* penis.
roeiboot row(ing)-boat.
roeien row, pull.
roeiriem, roeispaan oar, scull.
roekeloos rash, reckless.
roem glory, fame, renown.
roemen praise; boast.
Roemenië Rumania.
roemrijk glorious, renowned, illustrious.
roep cry, call; demand.
roepen call, cry, shout; send for.
roeping vocation, call(ing).
roer *o.* rudder, helm; *het – omgooien,* shift the helm.
roerei *o.* scrambled egg.
roeren stir; *(fig.)* move, touch.
roerend moving, touching.
roerloos motionless; *(fig.)* impassive.
roes intoxicating glow; ecstacy.
roest *m. en o.* rust.
roesten rust.
roestvrij rust-proof, stainless.
roet *o.* soot.
roezemoezen buzz, bustle, hum.
roffel roll, ruffle.
rog ray, thornback.
rogge rye.
roggebrood *o.* rye-bread, black bread.
rok skirt; underskirt; *(v. heren)* dress-coat.
roken smoke.
rol roll; cylinder; *(toneel)* part, role, character.
rollade collared beef, rolled roast.
rollen roll, tumble; *(zakken–)* pick pockets.

rolluik *o.* rolling-shutter.
rolschaats roller-skate.
rolstoel wheelchair.
roltrap escalator, moving staircase.
roman novel.
romance romance.
romantisch romantic.
Romeins Roman.
rommel lumber, rubbish; litter.
rommelen rummage, rumble.
rommelkamer lumber-room.
rommelmarkt flea market, junk market.
romp trunk; *(schip)* hull; *(v. vliegt.)* fuselage.
rond round, circular; *een –e som,* a round sum.
rondborstig candid, frank, openhearted.
ronddolen rove about, wander about.
ronde round; *(v. politieagent)* beat; *(sport)* lap.
rondedans round dance.
rondgaan go about; *laten –,* circulate.
rondhout *o. (scheepv.)* spar.
ronding rounding, curve.
rondkijken look about.
rondkomen make both ends meet, manage with.
rondleiden lead about; *iem. –,* show sbd. over the place.
rondom round about, all round.
rondreis *o.* round trip, (circular) tour.
rondrit tour.
rondschrijven *o.* circular letter.
ronduit straight (forward), frank, plain spoken.
rondvaart round trip, cruise.
rondvlucht sight-seeing flight.
ronken snore; *(v. machines)* snort, hum, drone.
röntgenstralen X-rays.
rood red; *– worden,* redden, blush.
roodborstje robin.

roodhuid redskin, red Indian.
Roodkapje Little Red Ridinghood.
roodvonk *o.* scarlet fever, scarlatina.
roof plunder, robbery. || *(op wond)* scab, slough.
roofdier *o.* beast of prey, predator.
roofmoord murder with robbery.
roofvogel bird of prey.
rooien lift, dig (up); pull up (trees).
rooilijn alignment, building-line.
rook smoke.
rookcoupé smoking-compartment.
rookgordijn smoke-screen.
rookvlees *o.* smoked beef.
room cream.
roomboter dairy butter.
roomijs *o.* ice-cream.
roomkaas cream cheese.
Rooms Roman Catholic, Roman.
roomservice room service.
roos rose; *(op hoofd)* dandruff; *(huidziekte)* erysipelas; *(v. schietschijf)* bull's eye.
rooskleurig rosy, rose-colour; *(fig.)* bright.
rooster grill, grate; *(afsluiting)* grating; time-table.
roosteren broil, grill, roast; *(brood)* toast.
ros *o.* steed. || *bn.* ruddy, reddish.
rosbief roast beef.
rosé rosé.
roskam curry-comb.
rossig reddish, ruddy, sandy.
rot rotten, putrid, putrefied; bad (fruit, teeth).
rotatiepers rotary press.
roteren rotate.
rotonde roundabout.
rots rock; cliff.
rotsachtig rocky.
rotsschildering cave painting.
rotstreek dirty trick.

rotten rot, putrefy; decay.
route route, way.
routine routine; experience.
rouw mourning.
rouwband mourning band.
rouwen go in mourning; mourn.
rouwig sorry.
rouwstoet funeral procession.
roven rob, plunder; steal.
rover robber, brigand.
royaal liberal, open-handed, free-handed.
roze pink.
rozemarijn rosemary.
rozenbottel rose-hip.
rozenkrans garland of roses; *(kath.)* rosary.
rozet rosette.
rozijn raisin.
rubber *m. en o.* rubber.
rubriek column, feature, section.
ruchtbaar public, known; – *maken*, make public, spread abroad.
rug back; *(v. gebergte)* ridge; *(v. neus)* bridge.
ruggelings backward(s), back to back.
ruggengraat backbone; vertebral column, spine.
ruggenmerg *o.* spinal marrow.
ruggespraak consultation; – *houden met*, consult.
rugleuning back (of a chair).
rugzak rucksack.
ruien moult.
ruif rack.
ruig rough; *(harig)* hairy, shaggy.
ruiken scent, smell; – *naar*, smell of.
ruiker nosegay, bouquet.
ruil exchange, barter.
ruilen exchange, barter.
ruilhandel (trade by) barter.
ruilhart donor heart.
ruilverkaveling re-allotment.

ruim *bn.* large, wide, ample, spacious, roomy. || *zn. o.* hold (of a ship).
ruimdenkend broad-minded, tolerant.
ruimen empty, evacuate; *(wegruimen)* clear away; *(v. wind)* veer aft.
ruimschoots amply, plentifully, largely.
ruimte room, space, capacity.
ruimtelijk spatial.
ruimtestation *o.* space station.
ruimteveer *o.* space shuttle.
ruin gelding.
ruïne ruin(s).
ruisen rustle; *(v. beekje)* murmur.
ruit pane; *(meetkunde)* rhomb; *(dammen, schaken)* square; *(op stoffen)* check.
ruiten *(kaartspel)* diamonds.
ruitensproeier windscreen washer.
ruitenwisser windscreen wiper.
ruiter horseman, rider.
ruiterij cavalry.
ruiterlijk frank, plain.
ruk pul, tug.
rukken pull, tug, jerk.
rukwind gust of wind, squall.
rul loose, sandy.

rum rum.
rumoer *o.* noise, uproar.
rund *o.* cow, ox; *–eren,* cattle.
rundergehakt *o.* minced beef.
rundvlees *o.* beef.
runnen run (a business).
rups caterpillar.
Rusland Russia.
rust rest, quiet, repose; tranquillity; *(muz.)* rest; *(sport)* half-time.
rustbank couch.
rustdag day of rest, holiday.
rusteloos restless.
rusten rest, repose.
rustend retired.
rustig quiet, calm, tranquil.
rustoord *o.* resting place.
rustverstoorder peace-breaker, disturber of the peace.
ruw *(onbewerkt)* raw, crude; *(oneffen)* rough; *(niet fijn)* coarse; *(fig.)* rude, coarse, rough.
ruzie quarrel, brawl.
ruziemaker quarrelsome person, brawler.
ruziën quarrel

S

saai *bn.* dull, slow, tedious.
sabel sword.
sabelbont *o.* sable (fur).
saboteren sabotage.
sacrament *o.* sacrament.
sadisme *o.* sadism.
sadomasochisme *o.* sado-masochism.
saffier *o.* sapphire.
saffraan saffron.
sage legend, tradition, myth.
salade salad.

salamander salamander.
salami salami.
salaris *o.* salary, pay.
saldo *o.* balance; *batig –,* surplus; *nadelig –,* deficit; *per –* on balance.
salie sage.
salon *o.* drawing-room; *(meubels)* drawing-room furniture.
salpeter *o.* saltpetre, nitre.
salpeterzuur *o.* nitric acid.
salueren salute.

salvo o. *(ook fig.)* volley, round, salvo.
samen together.
samengesteld compound; complex, composite.
samenhang cohesion, coherence; context.
samenhorigheid solidarity.
samenkomen come together, gather, meet, assemble.
samenkomst meeting, gathering, assembly.
samenleving society.
samenloop concourse, concurrence, convergence; – *van omstandigheden*, coincidence.
samenraapsel o. hotch-potch.
samenscholen assemble, gather.
samensmelten melt together, fuse; amalgamate.
samenspannen plot, conspire.
samenspel o. *(muz., toneel)* ensemble; combined action; *(sport)* team-work.
samenspraak dialogue, conversation.
samenstellen compose, compile, make up; *–de delen*, component parts.
samentrekken *(troepen)* concentrate; gather, draw together, unite.
samentrekking concentration, contraction.
samenvatten summarize, sum up.
samenvoegen join, unite.
samenwerking cooperation, collaboration; *in – met*, in cooperation with.
samenwonen live together, cohabit.
samenzweren plot, conspire.
sanatorium o. sanatorium, health-resort.
sanctie sanction.
sandaal sandal.
sandelhout o. sandalwood.
sandwich sandwich.
saneren reorganize, reconstruct.

sanitair *bn* sanitary. ‖ *zn.o.* sanitary fittings.
sap o.*(in plant)* sap; juice.
sappig juicy, succulent; *een – verhaal*, a juicy story.
sarcastisch sarcastic.
sardine sardine.
sarren tease, bait.
sas o. *(sluis, kolk)* lock(-chamber), sluice. ‖ *in zijn – zijn*, be in good humour.
satanisch satanic.
satelliet satellite.
satijn o. satin.
satire satire.
saucijzebroodje o. sausage-roll.
sauna sauna.
saus sauce.
savooikool savoy (cabbage).
scanner scanner.
scenario o. scenario, script.
scène scene.
scepter sceptre.
sceptisch sceptical.
schaaf plane; slicer.
schaafwond graze, scrape.
schaak o. check; *partij –*, game of chess.
schaakbord o. chess-board.
schaakmat check-mate.
schaakspel o. *(game of)* chess; *(bord en stukken)* chess-board and men.
schaal *(graadverdeling)* scale; *(v. schaald., ei, enz.)* shell; scale, crust; *(schotel)* dish, bowl; *(v. collecte)* plate.
schaaldier o. crustacean.
schaamhaar o. pubic hair.
schaamte shame.
schaamtegevoel o. sense of shame.
schaamteloos shameless, impudent, barefaced.
schaap o. sheep.
schaapherder shepherd.
schaapskooi sheep-fold.

schaar (pair of) scissors; *(v. heggen, schapen, enz.)* (pair of) shears; *(v. ploeg)* share; *(v. kreeft)* pincers; claws, nippers.

schaars scarse, scanty.

schaarste scarcity of; shortage; *(v.voedsel)* famine.

schaats skate.

schaatsbaan skating rink.

schaatsenrijden *ww.* skate. || *o.* skating.

schacht *(mijn, lift, lans, pijl)* shaft; *(v. veer)* quill; *(v. laars)* leg.

schade damage, harm, injury; – *toebrengen*, inflict damage on.

schadelijk harm- (hurt)ful, injurious, noxious.

schadeloos *iem. –stellen*, idemnify sbd.

schadeloosstelling indemnification, compensation.

schaden damage, hurt, harm.

schadepost unexpected loss.

schadevergoeding indemnification, compensation.

schaduw *(zonder bep. omtrek)* shade; *(met bep. omtrek)* shadow.

schaduwbeeld *o.* silhouette.

schaduwzijde shady side; *(fig.)* drawback.

schafttijd lunch-time, lunch-hour.

schakel link.

schakelaar switch.

schakelbord *o.* switch-board.

schakelen link (together), connect; *(elektr.)* switch; *(versnelling)* shift gear.

schakeling linking, connection.

schakelwoning semi-detached house.

schaken *(spel)* play at chess; *(ontvoeren)* run away with, abduct.

schakering grade, variegation, nuance.

schaking elopement, abduction.

schalks waggish, roguish.

schallen sound, resound.

schamel poor, humble.

schamen *zich –*, feel (be) ashamed, feel shame.

schamper scornful, sarcastic.

schampschot *o.* grazing shot, graze.

schandaal *o.* scandal, shame, disgrace.

schandalig scandalous, shameful, disgraceful.

schande shame, disgrace, scandal, infamy.

schandelijk shameful, disgraceful, scandalous, infamous.

schandvlek stain, stigma; *de – van de familie*, the disgrace of the family.

schans entrenchment, redoubt.

schap *v./m. en o.* shelf.

schapenvacht fleece.

schapenvlees *o.* mutton.

schappelijk fair; *(prijs)* moderate, tolerable, reasonable; *(pers.)* decent.

schar *(vis)* dab.

scharen range, draw up; *zich – aan de zijde van...*, to range oneself on the side of.

scharenslijper knife grinder.

scharlaken *o.* en *bn.* scarlet.

scharnier *o.* hinge.

scharrelei *o.* free-range egg.

scharrelen *(v. kippen)* scratch, scrape; *(rommelen)* rummage; *(losse verkering)* flirt.

scharrelkip free-range chicken.

schat treasure; darling, dear; *een – aan informatie* a wealth of information.

schateren, *– van 't lachen*, roar with laughter.

schaterlach burst of laughter, loud laugh.

schatkist public treasury, exchequer.

schatplichtig tributary.

schatrijk very rich.

schatten *(taxeren)* appraise, assess, value; *(afstand)* estimate, value, gauge.

schattig sweet, lovely.
schatting estimation, estimate, valuation; *(cijns)* tribute, contribution.
schaven plane.
schavot *o.* scaffold.
schavuit rascal, rogue, knave.
schede sheath, scabbard; *(vagina)* vagina.
schedel skull, brain-pan.
scheef oblique; on one side; slanting; sloping; *de scheve toren van Pisa,* the leaning tower of pisa.
scheel *bn.* squinting, squint-, cross-eyed; *schele hoofdpijn,* migraine, bilious headache.
scheen shin.
scheenbeen *o.* shin-bone.
scheenbeschermer shin guard.
scheepsjongen ship-boy, cabin-boy.
scheepslading cargo, shipload.
scheepvaart navigation, shipping.
scheerapparaat *o.* electric razor.
scheerkwast shaving-brush.
scheermes *o.* razor.
scheerzeep shaving-soap.
scheidbaar separable.
scheiden separate, divide, disconnect, disjoin, disunite; *(huwelijk)* divorce.
scheiding separation, division, disjunction; *(haar)* parting; *(huwelijk)* divorce.
scheidsrechter arbiter; *(sport)* referee, umpire.
scheikunde chemistry.
scheikundige chemist.
schel *zn.* bell.‖ *bn.* *(v. geluid)* shrill, strident, piercing; *(v. licht)* glaring, vivid.
schelden call names.
scheldnaam nickname.
scheldwoord *o.* term of abuse, invective.
schelen *(verschillen)* differ; *(ontbreken)* want; *wat kan het –?* what does it

matter?; *het kan me niet –,* I don't care.
schelm rascal, knave, rogue.
schelp shell.
schelvis haddock.
schema *o.* diagram, outline, skeleton, scheme, sketch.
schemerdonker *o.* twilight, dusk.
schemerig dim, dusky.
schemering twilight, dusk; *('s ochtends)* dawn.
schemerlamp shaded lamp, table lamp.
schenden *(beschadigen)* damage; *(verminken)* disfigure; *(verdrag, wet)* violate.
schending disfigurement, defacement; violation, infringement.
schenken *(gieten)* pour; *(geven)* give, grant, present with; *vergiffenis –,* pardon.
schenker *(die inschenkt)* cupbearer; *(gever)* donor.
schenking donation, gift, benefaction.
schep *(werkt.)* scoop, shovel; *(hoeveelh.)* spoonful, shovelful.
schepen sheriff; *(wethouder)* alderman.
schepnet *o.* landingnet.
scheppen scoop, ladle; *(tot stand brengen)* create, make.
schepper creator; maker; *(werkt.)* scoop.
schepping creation.
scheprad *o.* paddle-wheel.
schepsel *o.* creature.
scheren shave; *(schapen)* shear; *over het water –,* skim the water.
scherf potherd; *(v. glas)* fragment, splinter.
scherm *o.* screen; *(toneel)* curtain; *(plant)* umbel; *achter de –en,* behind the scenes.
schermen fence.
schermutseling skirmish.
scherp *bn.* sharp; keen, trenchant; acute; *(kruiden)* hot; *(fig.)* pungent.

‖ *o. (mes)* edge; *met – schieten,* use ball ammunition.
scherpen sharpen.
scherprechter executioner.
scherpschutter sharpshooter, marksman; sniper.
scherpte sharpness, edge.
scherpziend sharp- (keen-) sighted, penetrating.
scherpzinnig sharp(-witted), acute.
scherts pleasantry, raillery, jest, joke.
schertsen jest, joke.
schets sketch, draught, (sketchy) outline.
schetsen sketch, draw, outline.
schetteren *(v. trompet, enz.)* bray, blare.
scheur rent, tear, slit, split.
scheurbuik scurvy.
scheuren *(aan stukken)* tear up; *(kleed)* rend; *in stukken –,* tear to pieces.
scheuring rupture, split, schism.
scheurkalender tear-off calendar.
scheut *(plant)* shoot, sprig; *(kleine hoeveelheid)* dash.
scheutig open-handed, liberal.
schichtig shy, skittish.
schielijk sudden; quick, swift, rapid.
schiereiland *o.* peninsula.
schieten shoot, fire; *(snel bewegen)* dash, rush; *iets laten –,* let go sth.
schietgat *o.* loop-hole.
schietlood *o.* plummet, plumb.
schietschijf target, mark.
schiften sort, separate; *(v. melk)* curdle.
schifting sorting; curdling.
schijf *(v. ham, enz.)* slice; *(damspel)* man; *(v. wiel)* disc, disk; *(techn.)* sheave.
schijn *(v. licht)* shine, glimmer; *(voorkomen)* appearance, semblance, seeming; *– bedriegt,* appearances are deceptive.
schijnbaar seeming(ly), apparent(ly).

schijndood apparently dead.
schijnen *(v. zon, enz.)* shine; glimmer; *(lijken)* seem, look.
schijnheilig hypocritical.
schijnsel *o.* glimmer.
schijnwerper searchlight, spotlight.
schik *in zijn – zijn,* be pleased, be in high spirits.
schikken *(ordenen)* arrange, order; settle (the matter); *als het je schikt,* if it is convenient to you; *zich – naar,* conform to.
schikking arrangement, settlement, agreement.
schil peel, skin, rind.
schild *o.* shield, buckler; *(wapen–)* escutcheon.
schilder painter, artist.
schilderachtig picturesque.
schilderen paint; *(fig. ook)* picture, portray.
schilderij *v. en o.* picture, painting.
schildersezel (painter's) easel.
schildklier thyroid gland.
schildpad *(land)* tortoise; *(zee)* turtle.
schildwacht sentry, sentinel.
schilfer scale, flake.
schilferen scale (off), peel (off).
schillen peel.
schimmel grey(horse); mildew, mould.
schimp scorn, taunt.
schimpdicht *o.* satire.
schimpen scoff.
schimpscheut gibe, taunt.
schip *o.* ship, vessel; *(v. kerk)* nave.
schipbreuk shipwreck.
schipper bargeman, boatman; captain.
schitteren shine; glitter; *(diamant)* sparkle; *– door zijn afwezigheid,* be conspicuous by one's absence.
schitterend brilliant, glorious, splendid.
schizofrenie schizophrenia.

schmink make-up, grease-paint.
schobbejak scallywag, scamp, rogue.
schoeien shoe.
schoeisel *o.* shoes, foot-wear.
schoen shoe; *daar wringt hem de –,* that's where the shoe pinches.
schoenborstel shoe-brush, blacking-brush.
schoener schooner.
schoenlepel shoehorn; shoelift.
schoenmaker shoemaker.
schoensmeer *o.* blacking, shoepolish.
schoenveter shoe-lace, boot-lace.
schoffel hoe.
schoft *(schavuit)* scoundrel, rascal, knave; *(v. paard)* withers *mv.*
schok *m. (in algem.)* shock; bump; impact, concussion.
schokbreker shock absorber.
schokken shake, jerk, convulse.
schol plaice; *(ijs)* floe.
scholier pupil.
schommel swing.
schommelen swing; *(v. schip)* roll; wobble; *(v. prijzen)* fluctuate.
schommeling swinging, rocking, fluctuation.
schoof sheaf.
schooier beggar; *(landloper)* tramp, vagrant.
school school; academy, college; *(v. haringen)* shoal.
schoolbord *o.* blackboard.
schoolhoofd *o.* headmaster.
schoolplein school yard, play ground.
schools scholastic.
schoolslag breast-stroke.
schoon *(mooi)* beautiful. handsome, fine; *(zindelijk)* clean, pure.
schoonbroer brother-in-law.
schoonfamilie in-laws.
schoonheid beauty.
schoonheidsinstituut *o.* beauty parlour.

schoonheidswedstrijd beauty contest, beauty competition.
schoonmaak *(house-)*cleaning, clean-up.
schoonmaken clean.
schoonschrift *o.* calligraphic writing.
schoorsteen chimney; *(op 't dak ook)* chimney-stack; *(v. stoomb., locomotief)* funnel.
schoorsteenmantel mantelpiece.
schoorsteenveger chimney-sweeper.
schoorvoetend hesitatingly, reluctantly.
schoot lap, womb.
schoothondje *o.* lap-dog, toy-dog.
schop kick; *(sport)* vrije –, free kick. ‖ shovel, spade.
schoppen *(kaartspel)* spades. ‖ *ww.* kick.
schor hoarse, husky.
schoren shore (buttress) up, prop.
schorpioen scorpion; *(dierenriem)* Scorpio.
schors bark.
schorsen adjourn; suspend.
schorsing suspension.
schort *v./m. en o.* apron.
schot *o.* shot, report, crack; *(wand)* partition; *(scheepvaart)* bulkhead.
schotel dish; *(voor kopje)* saucer; *vliegende –,* flying saucer.
Schotland Scotland.
schots floe, ice-floe. ‖ *bw. – en scheef,* higgledy-piggledy.
schotschrift *o.* libel, lampoon.
schouder shoulder; *de –s ophalen,* shrug the shoulders.
schouderblad *o.* shoulder-blade.
schouderklopje *o.* pat on the back.
schouw chimney; *(schouwing)* inspection, survey.
schouwburg theatre, playhouse.
schouwspel *o.* spectacle, scene.
schraag trestle, support.
schraal *(persoon)* gaunt, thin; *(inkomen)*

slender; *(voedsel)* meagre, scanty, poor; *(grond)* poor; *(wind)* bleak.
schraapzucht stinginess, covetousness.
schragen prop (up), support.
schram scratch, graze.
schrander sagacious, clever, intelligent.
schranderheid sagacity, cleverness.
schrap scratch. || *bw. zich – zetten,* take a firm stand.
schrapen scrape; *zich de keel –,* clear one's throat.
schrappen *(wortels, enz.)* scrape; *(doorhalen)* strike out, delete, cancel.
schrede step, pace, stride.
schreeuwen cry, shout, bawl; *(v. zwijn)* squeal.
schreeuwerig screaming; clamorous; *–e kleuren,* loud colours.
schreien weep, cry.
schriel *(gierig)* stingy, niggardly; *(schraal)* scanty.
schrift *o. (h. geschrevene)* writing; *(schriftsoort)* script; *(schrijfboek)* notebook.
schriftelijk written, in writing.
schriftvervalsing forgery.
schrijden stride.
schrijffout clerical error, slip of the pen.
schrijfmachine typewriter.
schrijfpapier *o.* writing-paper.
schrijfster authoress, woman writer.
schrijftaal written language.
schrijlings astride.
schrijn *m. en o.* shrine.
schrijnend bitter.
schrijnwerker joiner, carpenter.
schrijven *ww.* write. || *zn.o.* letter.
schrijver author, writer.
schrik fright, terror.
schrikaanjagend terrifying.
schrikbarend frightful, dreadful.
schrikbewind *o.* reign of terror.
schrikdraad electric (wire) fence.

schrikkeljaar *o.* leap-year.
schrikken be scared, be frightened; *(opschrikken)* start; *iem. doen –,* frighten sbd.
schril *(stem)* shrill, strident; *(kleur, licht)* glaring.
schrobben scrub, scour.
schroef screw; *(op werkbank)* vice; *(scheepvaart, luchtvaart)* propeller.
schroefdeksel screw-cap.
schroeien *(gras)* scorch; *(kleren, haar)* singe.
schroeven screw.
schroevendraaier screwdriver.
schrokken eat gluttonously, guzzle.
schromelijk gross, awful, frightul.
schrompelen shrivel (up).
schroom diffidence, fear, scruple.
schroomvallig diffident, timorous, timid.
schroot *o.* scrap(iron).
schub scale.
schuchter timid, timorous, shy, bashful.
schudden shake; *(d. kaarten)* shuffle.
schuier brush.
schuif slide; *(grendel)* bolt; *(lade)* drawer.
schuifdeur sliding-door.
schuifelen shuffle, shamble; *(v. slang)* hiss.
schuifraam *o.* sash-window.
schuilen (take)shelter; hide.
schuilhouden *zich –,* hide; *(fam.)* lie low.
schuilplaats hiding-place, shelter; refuge, asylum.
schuim *o.* foam; *(op bier)* froth; scum.
schuimblusser foam extinguisher.
schuimen foam, froth.
schuimgebakje *o.* meringue.
schuimspaan skimmer.
schuin slanting, sloping, oblique; *(fig.)* obscene, broad; *– tegenover,* nearly opposite.
schuit boat, barge.

schuiven shove, push; slip; *de schuld op een ander –*, lay the guilt at another man's door.

schuld debt; *(fout)* fault, guilt.

schuldbekentenis confession of guilt.

schuldeiser creditor.

schuldenaar debtor.

schuldig guilty, culpable.

schuldvordering claim.

schunnig mean, shabby, shady, scurvy.

schuren scour; scrub; *(met schuurpapier)* sand, sandpaper.

schurft *v./m. en o. (v. mensen)* cabies, itch; *(v. dieren)* mange, scab.

schurftig itchy, mangy, scabby.

schurk rascal, rogue, knave.

schut *o.* screen, partition; *voor – staan*, look a fool.

schutsluis lock.

schutspatroon patron saint.

schutter marksman.

schutting fence.

schuur barn, shed.

schuurpapier *o.* emery- (sand-)paper.

schuw shy, timid, bashful.

schuwen shun, avoid; *iets – als de pest*, shun sth. like the plague.

sciencefiction science fiction.

scoren score.

scout scout.

scriptie special paper.

scrupule scruple.

scrupuleus scrupulous.

seconde second.

secretaresse,secretaris *(algemeen)* secretary; *(v. gemeente)* town clerk.

sectie section; *(v. lijk)* dissection.

sector sector.

secundair secondary.

secuur accurate, precise.

sedert *bijw.* since. ‖ *voorz.* since, for; *– vijf jaar*, for five years past, these five years.

segment *o.* segment.

sein *o.* signal, sign.

seinen signal; telegraph, wire.

seizoen *o.* season.

seizoenarbeider seasonal worker.

seks sex.

sekse sex.

seksualiteit sexuality.

sekte sect.

selderie, selderij celery.

selectie selection.

selectief selective.

selfservice self service.

semafoor semaphore.

semester *o.* semester.

seminarium *o.* seminary.

senaat senate.

sensatie sensation.

sensatieblad *o.* tabloid.

sensatiepers yellow press, gutter press.

sensitief sensitive.

sensueel sensual.

sentimenteel sentimental.

separatisme *o.* separatism.

september September.

sereen serene.

serenade serenade.

serie series *(mv.)*; *(bilj.)* break; *(televisie)* serial.

serieus serious.

sering lilac.

seropositief HIV positive.

serpent *o.* serpent; *(fig.)* shrew.

serre *(v. planten)* conservatory, greenhouse, hothouse. *(aan huis)* closed veranda.

serveren serve.

servet *o.* napkin, serviette.

servetring napkin ring.

Servië Serbia.

servies *o.* dinner-set, tea-set.

sex-appeal sex-appeal.

sexy sexy.

sfeer sphere, atmosphere.

shag shag, cigarette tobacco.

shampoo shampoo.

sherry sherry.

shier almost, nearly, all but.

shim shadow, shade, ghost.

shock shock.

short shorts.

shot shot.

show show.

sidderen tremble, shudder, quake.

siddering trembling, trembling.

sieraad *o.* ornament.

sieren adorn, decorate, ornament.

sierheester ornamental shrub.

sierlijk graceful, elegant.

sigaar cigar.

sigaret cigarette.

sigarettenpeuk fag-end.

signaal *o.* signal.

signalement *o.* description.

significant significant.

sijpelen ooze, trickle.

sijs *o.* siskin.

sik *(dier)* goat; *(baard)* goat's beard.

sikkel sickle; reaping-hook.

sikkepit *o.* bit; *geen –*, not the least bit.

simpel simple, mere; *(onnozel)* simpel-minded.

simuleren simulate.

simultaan simultaneous.

sinaasappel orange.

sinaasappel orange.

sinaasappelsap *o.* orange juice.

sinds *voorz.* since. ‖ *voorz.* since, for; *– vijf jaar*, for five years past, these five years.

singel *(v. paard)* girth, cingle; *(gracht)* moat; *(wal)* rampart.

sint saint.

sintel cinder.

sinterklaas St Nicholas.

sip, *– kijken*, look blue.

sirene siren, *(fabriek)* hooter; *(mythologie)* sire, syren.

siroop *(stroop)* treacle; *(hoest drank)* syrup.

sissen hiss.

situatie situation.

sjaal shawl, scarf.

sjacheraar barterer, huckster.

sjalot shallot.

sjeik sheik(h).

sjerp sash, scarf.

sjofel shabby, seedy.

sjorren lash, seize.

sjouwen *ov. ww.* carry; *(sleuren)* lug, drag. ‖ *onov. ww.* *(zwaar werken, studeren)* toil and moil.

skateboard *o.* skateboard.

skelet *o.* skeleton.

skelter go-kart.

ski ski.

skibril snow-glasses.

skiën ski; skiing.

skinhead skinhead.

sla salad; *(plant)* lettuce.

slaaf slave, bondman.

slaafs slavish, servile.

slaag, *– krijgen*, get the stick.

slaags, *– raken*, come to blows.

slaan beat, slap; *(een keer)* strike; *(bij schaken)* take, capture; *(v. klok)* strike.

slaap *(v. voorhoofd)* temple; *(het slapen)* sleep.

slaapdrank sleeping-draught.

slaapkamer bedroom.

slaapmuts *(borrel)* night-cap.

slaapplaats sleeping place.

slaapwandelaar sleep-walker, somnambulist.

slaapzaal dormitory.

slaapzak sleeping-bag.

slab bib.

slachtbank butcher's board, shambles.

slachten kill, slaughter.

slachter butcher.
slachthuis *o.* slaughterhouse, abattoir.
slachting slaughter, butchery.
slachtoffer *o.* victim.
slag blow, stroke, hit, slap; *(v. klok, v. zwemmer)* stroke; *(in kaartspel)* trick. ‖ *o.* kind, sort.
slagader artery.
slagboom barrier.
slagen succeed.
slager butcher.
slagerij butcher's shop.
slaghoedje *o.* percussion-cap.
slaginstrument *o.* percussion instrument.
slagorde order of battle.
slagregen downpour.
slagroom whipping cream, whipped cream.
slagtand *(v. wolf, hond)* fang; *(v. olifant)* tusk.
slagvaardig ready for battle.
slagveld *o.* battle-field.
slak *(m. huisje)* snail; *(z. huisje)* slug; *(v. metaal)* slag.
slaken *een kreet* –, utter a cry.
slang serpent, snake; *(v. brand-, tuinspuit)* hose; *(fig.)* serpent, viper.
slangenbezweerder snake-charmer.
slangenmens contortionist.
slank slender, slim.
slaolie salad oil.
slap soft, supple, slack, limp, flabby, weak.
slapeloos sleepless.
slapen sleep, be asleep.
slaper sleeper.
slaperig sleepy, drowsy.
slasaus salad dressing.
slavendrijver slave-driver.
slavernij slavery, bondage, servitude.
slavin (female) slave, bondwoman.
slecht bad; evil; *(nog sterker)* wicked.

slechten level (with the ground), raze, demolish.
slechts only, but, merely.
slede, slee sledge, sleigh, sled.
sleep train.
sleepboot tug-boat.
sleepkabel towing-line.
sleeptouw *o.* tow-rope; *op – nemen,* take in tow.
slem *m. en o.* slam.
slemppartij carousal.
slenteren saunter, lounge.
slepen drag, trail; *een –de ziekte,* a lingering disease; drag, haul; *(scheepvaart)* tow.
slet slut.
sleuf groove, slot, slit.
sleur routine, rut.
sleuren drag, trail.
sleutel key; *(muz.)* clef.
sleutelbeen *o.* clavicle, collarbone.
sleutelbloem primula, primrose.
sleutelbos bunch of keys.
sleutelfiguur key figure.
sleutelgat *o.* keyhole.
sleutelhanger key-ring.
slib *o.* ooze, slit, mud.
slibberig slippery.
slijk *o.* mud, mire, dirt.
slijm *o.* slime, phlegm.
slijmerig slimy.
slijmvlies *o.* mucous membrane.
slijpen grind, sharpen, whet; *(glas, diamant)* cut, polish.
slijtage wastage, wear and tear.
slijten *(kleren)* wear out; *(sterke drank)* sell over the counter; *(z. dagen, tijd)* pass, spend.
slikken swallow.
slim clever, bright; astute, sly.
slimmerd, slimmerik slyboots, sly dog.
slinger *(v. uurwerk)* pendulum;

(werptuig) sling; *(v. pomp)* handle; *(guirlande)* festoon.

slingeren *ov. ww.* fling, hurl, swing. || *onov. ww. (algemeen, ook v. slinger)* swing, oscillate; *(v. schip)* roll, lurch.

slingerplant climber, trailer.

slinken shrink.

slinks cunning, artful.

slip lappet, tail, flap.

slipgevaar *o.* danger of skidding.

slipje *o. (mannen)* briefs; *(vrouwen)* panties, knickers.

slippen slip; *(v. auto)* skid.

slippertje *o.*fling.

sloddervos sloven.

sloep boat, shallop, sloop.

slof slipper, mule; *(v. sigaretten)* carton.

sloffen shuffle, shamble.

slogan slogan.

slok draught, swallow.

slokdarm gullet, esophagus.

slokken swallow, guzzle.

slons slut, sloven, slattern.

sloof *(persoon)* drudge.

sloom lazy, slow.

sloop pillow-slip (-case).

sloot ditch.

slop *o.* slum, blind alley; *in het – raken*, fall into neglect.

slopen *(huizen)* pull down, demolish; *(schepen)* break up; *(ook fig.)* undermine, sap.

slordig slovenly, sloppy, careless, untidy.

slot *o.(v. deur)* lock; *(v. boek)* clasp; *(v. armband)* snap; *(einde)* conclusion, end, close; *(kasteel)* castle; *ten –te* finally, lastly.

slotenmaker locksmith.

slotsom conclusion, result.

slotwoord *o.* concluding words.

Slovakije Slovakia.

Slovenië Slovenia.

sluier veil.

sluik lank (hair).

sluikhandel smuggling.

sluimeren slumber, doze.

sluipen steal, slink, sneak.

sluipmoord assassination.

sluipschutter sniper.

sluis sluice, lock.

sluiswachter lock-keeper.

sluiten shut, lock, close; *(voorgoed)* close down, shut up; *(tot stand brengen)* close, strike, conclude.

sluiting closing, shutting, locking.

sluitingstijd closing time.

slungel lout.

slurf *(v. olifant)* trunk; *(v. insect)* proboscis.

slurpen lap, sip, gulp.

sluw sly, cunning, crafty.

smaad slander, libel.

smaak taste, savour, relish.

smaakvol tasteful, in good taste.

smachten languish.

smachtend yearning.

smadelijk opprobrious, scornful.

smakelijk savoury, tasty.

smakeloos tasteless.

smaken taste.

smakken *(smijten)* fling, dash, smash; *(m. mond)* smack.

smal narrow; thin.

smaldeel *o.* squadron.

smalen rail.

smaragd *m. en o.* emerald.

smart pain, grief, sorrow.

smartelijk painful, grievous.

smeden forge, weld; *(fig)* forge; *(complot)* plan, lay.

smederij forge, smithy.

smeekbede supplication, entreaty.

smeer *o.* grease, fat.

smeergeld *o.* bribe.

smeerlap *(fig.)* blackguard, rogamuffin, shunk.

smeermiddel *o*. lubricant.
smeersel *o*. ointment, unguent; paste.
smeken beseech, implore, entreat, supplicate.
smelten melt, fuse.
smeltkroes melting-pot.
smeltpunt *o*. melting-point.
smeren grease, smear, oil; lubricate.
smerig greasy, dirty.
smet spot, stain; *(fig.)* blemish.
smetteloos stainless, spotless, immaculate.
smeulen smoulder.
smid (black)smith.
smidse forge, smithy.
smijten cast, throw, fling.
smoesje *o*. story, pretext, poor excuse.
smog smog.
smoking dinner-jacket; *(Am.)* tuxedo.
smokkelaar smuggler.
smoren smother, suffocate; *(geluid)* stifle.
smullen feast.
smulpartij banquet.
snaak wag.
snaaks droll, waggish.
snaar string, cord.
snaarinstrument *o*. stringed instrument.
snack snack.
snakken, *naar adem* –, gasp (pant) for breath.
snappen snatch, catch; *(begrijpen)* understand, see.
snars, *geen* –, not a bit.
snateren chatter.
snauwen snarl, snap.
snavel bill; *(krom)* beak.
snede, snee *(wond)* cut; *(schijf)* slice, rasher.
snedig witty.
sneeuw snow.
sneeuwbaleffect *o*. snowball.

sneeuwen snow.
sneeuwketting non-skid chain.
sneeuwklokje *o*. snowdrop.
sneeuwman *de verschrikkelijke* –, the abominable snowman, yeti.
sneeuwpop snow-man.
sneeuwstorm snowstorm; blizzard.
sneeuwvlok snowflake.
Sneeuwwitje Snow White.
snel swift, quick, fast, rapid.
snelbinder carrier straps.
snelbuffet *o*. snack-bar.
snelheid swiftness, speed, velocity, rapidity.
snelheidsbeperking *zone met* –, restricted area .
snelkoker quick heater.
snelkookpan pressure-cooker.
snellen hasten, rush.
sneltrein express, fast train.
snelwandelen walking race.
snelweg highway, motorway; *(Am.)* freeway.
sneren sneer (at).
snerpen bite, cut; *een –de koude*, a (biting) cold.
snert pea-soup; *(rotzooi)* trash.
sneuvelen, sneven perish, fall, be killed (in battle).
snibbig snappish.
snijbloem cut flower.
snijboon French bean, haricot bean.
snijden cut; *(kaartspel)* finesse.
snijlijn secant, intersecting line.
snijpunt *o*. point of intersection.
snijwerk *o*. carving(s), carved work.
snik gasp, sob. ‖ *bn. niet goed* –, not quite right in the head.
snikken sob.
snip snipe.
snipper cutting, clipping.
snipperdag extra day off.
snit cut.

snob snob.

snoeien *(v. bomen)* lop; *(v. fruitbomen)* prune; *(geld)* clip.

snoeimes *o.* pruning-knife, bill.

snoek pike.

snoekbaars pike-perch.

snoep sweets; *(Am.)* candy.

snoepen eat sweets.

snoer *o.* string, cord, line; *(elektr.)* flex.

snoes darling.

snoet snout, muzzle.

snoeven brag, boast, bluster.

snoever braggart, boaster, blusterer.

snoezig sweet.

snood *(misdaad)* heinous; *(praktijken)* wicked, nefarious.

snor moustache; *(v. kat)* whiskers.

snorfiets moped.

snorkel snorkel.

snorkel snorkel.

snorren *(zacht v. auto)* purr, hum; *(v. machine)* whir. drone.

snot *o.* mucus; *(fam.)* snot.

snotneus *(eig.)* snivelling nose; *(jongen)* whippersnapper.

snuffelen nose, ferret.

snufje *o. het nieuwste –*, the latest thing.

snugger bright, clever.

snuif snuff.

snuifje *o.* pinch of snuff.

snuisterij knick-knack.

snuit snout, muzzle.

snuiten, *zijn neus –*, blow one's nose.

snuiter *(pers.) een rare –*, a queer customer.

snuiven sniff, snuffle, snort.

snurken snore.

SOA S.T.D. Sexual transmissible diseases.

sober *(matig)* sober, frugal; *(schraal)* scanty.

sociaal social.

sociëteit club(-house).

soda(water) soda(-water).

soep soup, broth.

soepbord *o.* soup-plate.

soepel supple, flexible.

soepkom soup-bowl.

soeplepel soup-ladle; table-spoon.

soes *(gebak)* puff-cake, cream puff.

soezen doze.

softdrugs soft drugs.

software software.

soja soy.

sok sock; *(techn.)* socket.

soldaat soldier; *de Onbekende Soldaat,* the Unknown Warrior.

solidair solidary.

solide *(v. zaken)* solid, strong; *(betrouwbaar)* steady; *(handel)* respectable; *(belegging)* sound, safe.

solist soloist.

solitair solitary, lonely.

sollicitant candidate, applicant.

sollicitatie application.

solliciteren, *– naar,* apply for.

som *(totaal)* sum, total amount; *(wisk.)* sum, problem.

somber gloomy, sombre.

sommeren summon.

sommige some; *–n,* some (people).

soms sometimes, now and then.

songfestival *o.* songcontest.

sonnet *o.* sonnet.

soort sort, kind; *(natuurk.)* species; *(merk)* brand.

soortelijk specific; *– gewicht,* specific gravity.

soortgelijk similar, suchlike.

soortnaam common noun; generic noun.

sop *o.* suds.

sopraan soprano *(mv. –s,* soprani), treble.

sorbet *o.* sorbet, sherbet.

sorteren sort, assort.

souffleur prompter.
souper *o.* supper.
souperen sup, take supper.
souvenir *o.* souvenir, keepsake.
spa, spade spade.
spaak spoke; – *lopen*, go wrong.
Spaans Spanish.
spaarbank savings-bank.
spaarlamp energy-saving lightbulb.
spaarpot money-box.
spaarzaam saving, economical.
spaghetti spaghetti.
spalk splint.
span *o. (ossen)* team, yoke; *(paarden)* pair, set.
spandoek *m. en o.* banner.
Spanjaard Spaniard.
Spanje Spain.
spannen stretch, tighten; draw, bend; strain (the nerves); flex (one's muscles).
spannend tight; exciting.
spanning *(algemeen)* stretching, tension, *(elektr.)* voltage, tension; stress.
spar spruce-fir.
sparen save, collect; *(ontzien)* spare.
spartelen sprawl, flounder.
spat spot, stain.
spatader varicose vein.
spatbord *o.* splash-board, mudguard.
spatie space.
spatten splash, spatter; *vonken –*, sparkle, emit sparks.
specerij spice.
specht woodpecker.
speciaal special.
specialist specialist.
specialiteit speciality.
specifiek specific.
speculaas sweet spicy biscuit.
speculatie speculation, stock-jobbing.
speech speech.
speeksel *o.* spittle, saliva.

speelautomaat one-armed bandit, fruit machine.
speelbal playing ball; *(fig.)* plaything, toy, sport.
speelfilm motion picture, film; *(Am.)* movie.
speelgoed *o.* playthings, toys.
speelkaart playing-card.
speelruimte *(fig.)* margin, latitude.
speels playful, sportive.
speeltafel *(thuis)* card-table; *(speelzaal)* gaming-table.
speeltuin recreation-ground.
speen teat, nipple; *(fopspeen)* comforter; *(aambeien)* haemorrhoids, piles.
speenvarken *o.* sucking-pig.
speer spear; *(sport)* javelin.
spek *o.(vers)* pork; *(gezouten of gerookt)* bacon.
spekglad slippery.
spektakel *o.* racket, hubbub.
spekvet *o.* bacon dripping.
spel *o.* play, game; *(kaarten)* pack, set; *vrij – hebben*, have free scope.
spelbreker spoil-sport.
speld pin.
speldenknop pin's head.
speldenkussen *o.* pin-cushion.
spelen play; *(gokken)* gamble.
spelenderwijs without effort.
spelevaren be boating.
spelfout spelling-mistake.
speling play, margin.
spellen spell.
spelling spelling, orthography.
spelonk cave, cavern, grotto.
spelregel rule of the game; spelling-rule.
spenderen spend.
spenen wean.
sperma *o.* sperm.
spervuur *o.* barrage.
sperwer sparrow-hawk.

sperziebonen French beans.
speuren trace, track.
speurhond tracker (dog), sleuth (-hound).
spie pin.
spieden spy.
spiegel looking-glass, mirror.
spiegelbeeld *o.* image, reflection.
spiegelei *o.* fried egg, sunny side up.
spiegelen zich –, look in a mirror; *zich – aan*, take example by.
spiegelglas *o.* plate-glass.
spiegelschrift *o.* reflected face (type).
spieken crib.
spier muscle.
spiering smelt; *een – uitwerpen om een kabeljauw te vangen*, throw out a sprat to catch a whale.
spiernaakt stark naked.
spierwit snow-white.
spies spear, javelin, dart.
spijbelen play truant.
spijker nail; *–s met koppen slaan*, get down to brass tacks.
spijkerbroek (blue) jeans.
spijkeren nail.
spijkerschrift *o.* cuniform characters.
spijl bar, spile; banister, baluster.
spijs food; *de spijzen*, the dishes, the food.
spijskaart menu, bill of fare.
spijsvertering digestion.
spijt *zn.* regret. || *voegw.* in spite of, notwithstanding.
spijten, *het spijt me zeer*, I am verry sorry.
spijtig sad, pityful.
spijzen, spijzigen feed, give to eat.
spikkel spot, speckle.
spil spindle, pivot; *(as)* axis, axle; *(voetbal)* centre half.
spillebeen *o.* spindle-leg.
spilziek wasteful, prodigal.

spin spider; *zo nijdig als een –*, as cross as two sticks.
spinazie spinach.
spinnen spin; *(kat)* purr.
spinnenweb *o.* cobweb.
spinnewiel *o.* spinning-wheel.
spion spy; *(spiegel)* spymirror.
spionneren spy, play the spy.
spiraal spiral.
spiraaltje *o.* coil, IUD (intra-uterine device).
spiraalveer coiled spring.
spiritus methylated spirit.
spiritusbrander meths burner.
spit *o.(stang)* spit; *(pijn)* lumbago.
spits *zn.* point; *(v. berg)* peak, top, summit; *(toren)* spire; *(sport)* forward; *de – afbijten*, bear the brunt. || *bn.* pointed, sharp, peaky; *(pienter)* clever.
spitsboog pointed arch.
spitsen *de oren –*, prick up one's ears.
spitsmuis shrew-mouse.
spitsvondig subtle.
spitten dig, spade.
spleet split, cleft, chink, gap, fissure.
splijten split, cleave.
splijtstof fissionable material.
splinter splinter, shiver.
splinternieuw brand-new.
split *o.* slit, slash.
spliterwten split peas.
splitsen split (up) divide; *(touw)* splice.
splitsing splitting (up), division; fork, junction (of a road); splicing.
spoed *m*, speed, haste.
spoedbestelling *v*, express delivery.
spoedgeval emergency (case).
spoedig *bn.* speedy, quick. || *bw.* soon.
spoelen *(d. mond)* wash, rinse; *(weverij)* spool.
spoken haunt.
sponde bed, bedside, couch.
sponning rabbet, groove.

spons sponge.
sponsor sponsor.
spontaan spontaneous.
spook *o.* ghost, phantom.
spookrijder motorist driving into oncoming traffic.
spoor *(v. ruiter)* spur. ‖ *o.* foot-mark, trace, track, trail; *(trein)* track, rails, railway; *(v. geluidsband)* track.
spoorboekje *o.* time-table.
spoorlijn railway.
spoorloos trackless.
spoorslags at full speed.
spoorweg railway.
spoorwegmaatschappij railway company.
spoorwegovergang level crossing.
sporadisch sporadic.
spore *(plantk.)* spore.
sporen go (travel) by railway.
sport *(v. ladder)* rung, round; sport.
sportief sporting, sportmanslike.
sportterrein *o.* sports grounds.
sportvisser angler.
spot mockery, ridicule, derision; *(reclame)* (advertising) spot; *(lampje)* spot(light).
spotgoedkoop dirt-cheap.
spotprent caricature, cartoon.
spotprijs giveaway price.
spotten mock, scoff.
spotvogel mocking-bird.
spraak language, speech, tongue.
spraakkunst grammar.
spraakstoornis speech defect.
spraakzaam loquacius, talkative.
sprakeloos speechless, dumb.
sprankje *o.* spark.
spreekbeurt lecturing engagement.
spreekbuis speaking-tube; *(fig.)* mouthpiece.
spreekkamer consulting-room.
spreektaal spoken language.

spreekuur *o.* consulting-hour; office-hour.
spreekwoord *o.* proverb.
spreekwoordelijk proverbial.
spreeuw starling.
sprei bedspread, coverlet.
spreiden spread.
spreken speak, talk, say; *dat spreekt vanzelf*, of course.
sprekend speaking; – *bewijs*, telling proof, eloquent evidence.
spreker speaker, orator.
sprenkelen sprinkle.
spreuk saying, aphorism, maxim.
spriet *(v. insect)* antenna *(mv. antennae)*, feeler; *(v. gras)* blade.
springen spring, leap, jump; *(barsten)* burst, explode.
springlevend fully alive, alive and kicking.
springplank spring-board.
springschans ski-jump.
springstof explosive.
springtij spring-tide.
sprinkhaan grasshopper, locust.
sprinten sprint.
sproeien sprinkle, water; spray.
sproeimiddel *o.* spray.
sproet freckle.
sprokkelen gather dry sticks.
sprong spring, leap, bound, jump.
sprongsgewijs by jumps.
sprookje *o.* fairy-tale
sprot sprat.
spruit sprout, offshoot.
spruitjes *mv.* (Brussels) sprouts.
spuien sluice; *(fig.)* ventilate.
spuit syringe, squirt; *(v. brandw.)* fire-engine.
spuitbus aerosol.
spuiten spout, squirt.
spuitfles siphon.
spuitgast hoseman.

spuitwater *o.* soda-water.
spul *o.* stuff.
spuwen spit; *(braken)* vomit.
squash squash.
staaf bar; *(goud)* ingot.
staak stake, pole.
staakt-het-vuren *o.* cease-fire.
staal *o.(metaal)* steel; *(monster)* pattern, sample, specimen.
staalkaart sample-card, pattern-card.
staan stand, be; *(passen)* become, suit.
staand standing; *op –e voet,* on the spot.
staanplaats stand.
staart tail.
staat *(rijk)* state; *(toestand)* state, condition; *(tabel)* inventory, specification; *in – stellen,* enable.
staathuishoudkunde political economy.
staatkunde *(algemeen)* politics; *(bepaalde politiek)* policy.
staatsblad *o.* Statute-Book.
staatsburger citizen; national.
staatsgevaarlijk subversive.
staatsgreep coup d'état.
staatsie state, pomp, ceremony.
staatsman statesman.
staatssecretaris minister of state.
stabiel stable.
stad town; city.
stadgenoot fellow-townsman, -citizen.
stadhouder stadtholder.
stadhuis *o.* town (city) hall.
stadium *o.* stage, phase.
stadsbestuur *o.* municipality.
stadsbus metropolitan bus.
stadsdeel district.
stadsschouwburg municipal theatre.
staf staff; *(waardigheidsteken)* rod, scepter.
stage training period, work placement.
staken stop, suspend; *(werk)* strike, go on strike.

staker striker.
staketsel *o.* fence, railing.
staking suspension; *(werk)* strike, industrial action.
stakker poor wretch.
stal *(v. paarden)* stable; *(v. koeien)* cow-shed (-house); *(v. varkens)* pig-sty; *(v. schapen)* sheep-fold.
stalen *bn.* steel; *(fig.)* iron. ‖ *ww.* steel.
stallen *(paard)* stable; *(rundvee)* house; *(fiets, auto)* put up.
stalles *mv.* stalls.
stam stem, trunk, bole; *(woord)* stem; *(afstamming)* stock, race.
stamboek *o. (v. personen)* book of genealogy, register; *(v. dieren)* stud-book.
stamboom family tree, pedigree.
stamelen stammer.
stamgast habitué, regular (customer).
stampen stamp, stamp one's feet; *(van schip)* pitch; *(locomotief)* thud.
stamper stamper, rammer; masher; *(v. bloem)* pistil.
stampvoeten stamp one's feet.
stampvol chock-full, crowded.
stamvader ancestor.
stand attitude, posture; *(hoogte)* height, rate; *(maatschapp.)* status, standing, position; *(sport)* score; *(op tentoonstellingen)* stand, booth.
stand-by stand-by.
standaard *(vaandel)* standard, flag; *(maatstaf)* standard.
standaardtaal standard language.
standbeeld *o.* statue.
standje *o.* scolding.
standplaats standing-place, stand.
standpunt *o.* point of view, standpoint.
standvastig steadfast, firm, constant.
stang rod, bar; *op – jagen,* tease.
stank stench, bad smell.
stap step, pace; *(fig.)* move.

stapel pile, stack, heap.
stapelgek stark (raving) mad.
stappen step, stalk.
stapvoets at a foot pace; step by step.
staren stare, gaze.
startblok starting block.
starten start; take off.
startklaar ready to start.
statief *o.* stand, tripod.
statiegeld *o.* deposit.
statig stately, grave.
station *o.* station.
stationcar estate car; *(Am.)* station-wagon.
stationschef station-master.
statistiek statistics.
status status.
statussymbool *o.* status symbol.
statuut *o.* statute.
staven confirm, substantiate, support.
steak steak.
stedelijk municipal, of the town.
stedeling townsman, town (city-)dweller.
stedenbouw town planning.
steeds always, ever, all the time, continually.
steeg passage, lane, alley.
steek stitch, stab; thrust; *(wesp)* sting; *(hoed)* cocked (three-cornered) hat.
steekhoudend sound, valid.
steekpenning bribe.
steekproef random sample.
steekspel *o.* tournament, tilt.
steekvlam flash.
steel handle; *(v. plant)* stalk.
steelpan saucepan.
steels stealthy.
steen stone; *(gebakken)* brick.
steenbok ibex; *(dierenriem)* Capricorn.
steendruk lithography.
steengroeve quarry, stone-pit.
steenhouwer stone-cutter.
steenkool (pit-)coal.

steenpuist boil.
steenslag broken stones, falling stones.
steiger *(aanlegpl.)* landingstage, pier, jetty; *(bouwwerk)* staging, scaffolding.
steigeren rear, prance.
steil steep, bluff; *(zeer steil)* precipitous.
steilte steepness; precipice.
stek *(v. plant)* slip, cutting.
stekeblind stone-blind.
stekel prickle, sting; *(v. egel)* spine.
stekelig prickly, spiny, thorny; *(fig.)* stinging, sarcastic.
stekelvarken *o.* porcupine.
steken sting, prick; *(v.d. zon)* burn; *(m. dolk)* stab; *(v. wonden)* smart.
stekker plug.
stel *o. (geheel)* set; *(paar)* couple, pair.
stelen steal.
stellen place, put; *(regelen)* adjust, regulate; *het goed kunnen – met*, get on with; *de prijs – op*, fix the price at.
stellig positive.
stelling *(stellage)* scaffolding; *(wetenschap)* thesis *(mv.* theses), theorem; *(wisk.)* proposition; *(mil.)* position.
stelpen sta(u)nch.
stelregel maxim, precept.
stelsel *o.* system.
stelselmatig systematic.
stelt stilt.
stem voice; *(verkiezing, enz.)* vote.
stembanden vocal cords.
stembus ballot-box.
stemgerechtigd entitled to vote.
stemmen vote; *(muz.)* tune, key.
stemmig quiet, sober; *(v. pers.)* grave, sedate.
stemming voting, vote, ballot; *(muz.)* tuning; *(gemoed)* mood, feeling, atmosphere.
stempel stamp; impress, imprint; postmark.

stempelen stamp, hall-mark, mark;
(v. werkloze) sign on, be on the dole.
stemrecht *o.* right to vote, suffrage.
stemvork tuning-fork.
stenen brick, stone.
stengel stalk, stem.
stenigen stone (to death).
stenografie shorthand, stenography.
stenotypist(e) shorthand typist.
steppe steppe.
ster star.
stereotype *o.* stereotype.
sterfbed *o.* death-bed.
sterfelijk mortal.
sterfgeval *o.* death; *wegens –,* owing to
a bereavement.
sterfte mortality.
steriel sterile, barren.
sterk strong, robust, firm; powerful;
(stijging, daling) sharp.
sterkedrank strong drinks, spirits.
sterken fortify, strengthen.
sterkte strength.
sterrenbeeld *o.* constellation.
sterrenkunde astronomy.
sterrenwacht (astronomical)
observatory.
sterrenwichelaar astrologer.
sterretje *o.* little star; asterisk.
sterveling mortal.
sterven die.
stethoscoop stethoscope.
steun support, prop; *(fig.)* stay.
steunen *ov. ww.* support, prop (up);
(fig.) back (up), uphold. ‖ *onov. ww.*
lean; *(kreunen)* moan, groan.
steunpilaar pillar.
steur sturgeon.
steven prow, stem.
stevenen sail, steer.
stevig solid, strong, firm; *– doorstappen,*
walk at a stiff pace.
stewardess air hostess, stewardess.

stichtelijk edifying.
stichten found, establish; edify.
stichting foundation; institution;
edification.
sticker sticker.
stiefbroer step-brother.
stiefmoederlijk stepmotherly.
stiekem underhand.
stier bull; *(dierenriem)* Taurus.
stift pin; pencil-lead.
stigma *o.* stigma.
stijf stiff, starchy.
stijfkop obstinate person.
stijfsel starch; *(om te plakken)* paste.
stijgbeugel stirrup.
stijgen rise, mount; *(vliegt. ook)* climb;
go up.
stijging rise, rising, advance.
stijl style; *(v. deur)* doorpost.
stijlfiguur figure of speech.
stijven stiffen; *(linnen)* starch.
stikdonker pitch-dark.
stikken *(verstikken)* stifle, be stifled,
choke; *(naaien)* stitch.
stikstof nitrogen.
stil still, quiet, silent, calm.
stilhouden stop, come to a stop.
stillen allay, alleviate; *(honger)* appease.
stilletjes secretly; silently.
stilleven *o.* still life.
stilstaan stand still, stop.
stilstand standstill, stoppage,
stagnation.
stilte silence, quiet, stillness.
stilzwijgen, *het – bewaren,* keep silence.
stilzwijgend tacit; implied.
stimuleren stimulate.
stinkdier skunk.
stinken stink, smell (bad).
stip dot, point.
stippellijn dotted line.
stipt punctual, precise.
stiptheidsactie work-to-rule.

stoeien romp, frolic.
stoel chair, seat.
stoelgang stool(s).
stoeltjeslift chair-lift.
stoep pavement, *(Am.)* side-walk.
stoer sturdy, stout.
stoet cortege, procession, train.
stoeterij stud(-farm).
stof *o.* dust. ‖ stuff, material; *(fig.)* substance, subject-matter.
stofdoek duster.
stoffeerder upholsterer.
stoffelijk material; – *overschot*, mortal remains.
stoffen *bn.* cloth. ‖ *ww.* dust.
stoffer brush.
stofferen upholster, furnish.
stoffig dusty.
stofgoud *o.* gold-dust.
stofwisseling metabolism.
stofwolk dust cloud.
stofzuiger vacuum cleaner.
stoïcijn stoic.
stoïcijns stoic(al).
stok stick; *(v. vlag)* pole.
stokbrood *o.* French stick.
stokdoof stone-deaf.
stoken *(hout, olie, enz.)* burn; *(een machine)* fire, stoke; *(st. dranken)* distil.
stokerij distillery.
stokoud very old.
stokpaardje *o.* hobbyhorse.
stokvis stock-fish, dried cod.
stollen coagulate, congeal, curdle.
stolp glass-bell, cover.
stom dumb, mute, speechless; *(dom)* stupid, dull.
stomdronken dead drunk.
stomen steam, smoke.
stomerij dry cleaner's.
stommelen clump, stomp.
stommeling blockhead, idiot.

stommigheid, stommiteit stupidness, stupidity, blunder.
stomp *bn.* dull, blunt; *(fig.)* obtuse. ‖ *zn. (stuk)* stump. ‖ *(stoot)* dig, punch, push.
stompzinnig obtuse.
stoned stoned.
stoof foot-warmer (-stove).
stoofschotel stew.
stookolie oil fuel, liquid fuel.
stoom steam; – *afblazen*, let off steam.
stoomboot steamer.
stoomcursus intensive course, short course.
stoomketel steam-boiler.
stoommachine steam-engine.
stoomstrijkijzer *o.* steam iron.
stoornis disturbance, disorder.
stoot push, punch, thrust; *(biljart)* stroke, shot.
stop *(v. fles)* stopper; *(elektr.)* fuse; *(v. prijzen)* freeze.
stopcontact *o.* socket, (power-)point.
stoplicht *o.* traffic light.
stopnaald darning-needle.
stoppel stubble.
stoppen stop, come to a stop; *(kous)* darn; *(wegbergen)* put; *iets in zijn mond* –, put sth. in his mouth.
stopplaats stopping-place, stop.
stoptrein stopping train.
stopverf putty.
stopwoord *o.* expletive.
stopzetten stop; shut off.
storen disturb, interrupt, derange.
storing disturbance, interruption; failure, breakdown,trouble; *(televisie)* interference.
storm storm, tempest, gale.
stormachtig stormy, tempestuous.
stormen storm.
stormenderhand by storm.
stormklok tocsin, alarm-bell.

stormlamp hurricane lamp.
stortbui downpour, heavy shower.
storten throw, dumb, pour; *(tranen)* shed; pay, contribute; *zich –*, throw oneself.
storting shedding, pouring; payment, deposit, contribution.
stortingsbewijs *o.* paying-in slip, deposit slip.
stortplaats dumping-ground.
stortvloed flood, torrent; fig. shower.
stoten push, butt, thrust, stab; stroke, shot.
stotteren stammer, stutter.
stout *(v. kind)* naughty; *(stoutmoedig)* bold, daring. I
stoutmoedig bold, daring.
stoven stew.
straal ray, beam; *(v. bliksem)* flash.
straaljager jet fighter.
straalstroom jet stream.
straalvliegtuig *o.* jet (plane).
straat street, road; *(zeestraat)* straits.
straatarm as poor as a churchmouse.
straatbeeld streetscape.
straatgevecht *o.* street-fight.
straathond mongrel.
straatjongen street-boy.
straatlantaarn streetlamp.
straatmuzikant street-musician.
straatveger road- (street-)sweeper.
straatverlichting street-lighting.
straatweg highroad.
straf punishment, penalty. II *bn.* severe, stern, stiff.
strafbaar punishable, penal.
strafblad *o.* criminal record.
straffeloos unpunished, with impunity.
straffen punish.
strafinrichting penal establishment.
strafrecht *o.* criminal law.
strafschop penalty kick.
strafwetboek *o.* penal code.

strak tight, taut, stiff; *(fig.)* fixed, set.
straks soon, by and by; *tot –! so long!*
stralenkrans aureole, nimbus.
straling radiation.
stram stiff, rigid.
stramien *o.* canvas.
strand *o.* beach.
stranden strand, run ashore, run aground; *(fig.)* founder.
strandstoel beach chair; deck chair.
strategie strategy, strategics.
streek *(gewest)* region, district; *(streep)* stroke; *(windroos)* point; *(list)* trick.
streekgerecht *o.* regional dish.
streekvervoer *o.* regional transport.
streep stripe, line, stroke; *(horizontaal)* dash.
streepjescode bar code.
strekken stretch, extend, reach.
strekking tendency, purport.
strelen stroke, fondle, caress; *(fig.)* flatter.
streling caress.
stremmen stop, obstruct, block; *(stijf worden)* curdle, coagulate; *(v. bloed)* congeal.
stremsel *o.* rennet.
streng *bn.* severe, stern, austere. II *zn.* *(touw)* strand; *(v. garen)* skein.
strengheid severity, rigour.
stress stress.
streven strive; *– naar*, strive after, aim at. II *o.* efforts, ambition. aspiration.
striemen lash.
strijd fight, combat, battle; *inwendige –,* inward struggle.
strijden fight, combat, battle; struggle.
strijdig conflicting; *(fig.)* contrary, contradictory.
strijdlust pugnacity, combativeness.
strijdvaardig ready to fight.
strijkconcert *o.* concert for strings.
strijken *(linnen)* iron; *(glad–)* smooth; *de*

vlag –, strike, lower.
strijkijzer *o.* (flat-)iron.
strijkinstrument *o.* stringed instrument.
strijkplank ironing-board.
strijkstok bow, fiddlestick.
strik snare, goose, gin; *(v. lint)* knot; *(das)* bow(-tie).
strikken *(das, enz.)* tie; *(vangen)* snare.
strikt strict, precise, rigourous.
strikvraag catch.
striptease striptease.
stripverhaal *o.* comic (strip).
stro *o.* straw.
stroef stiff, harsh, stern.
strofe strophe.
strohalm straw.
stroken, *– met*, be in keeping with.
stromen stream, flow.
stroming current.
strompelen stumble, totter.
stronk *(v. boom)* stump, stub; *(v. kool)* stalk.
strooien *bn.* straw. ‖ *ww.* strew; scatter; *(suiker)* dredge; *(zout)* sprinkle.
strook strip, slip, band; *(v. adres)* label.
stroom stream; *(rivier)* stream, river; *(v. woorden, tranen)* flow; *(elektr.)* current.
stroomafwaarts downstream.
stroomgebied *o.* basin.
stroomopwaarts upstream.
stroomsterkte strength of current.
stroomversnelling rapid.
stroop treacle.
strooptocht predatory incursion, raid.
strop *(om iem. op te hangen)* halter, rope; *(v. wild)* snare; *dat is een –*, bad luck!.
stropdas tie.
stropen poach, maraud; skin.
stroper poacher, marauder.
strot throat.
strottenhoofd *o.* larynx.

strovuur *o.* straw fire.
structuur structure.
struik shrub, bush.
struikelblok *o.* obstacle, stumbling-block.
struikelen stumble, trip.
struikgewas *o.* shrubs, brushwood, scrub.
struikrover highwayman.
struis sturdy, robust.
struisvogel ostrich.
stuc *o.* stucco.
student student.
studentenhaver nuts and raisins.
studentenleven *o.* college life.
studeren study, read; *(piano)* practise.
studie study.
studiebeurs scholarship, grant.
studiereis study tour.
studio studio; apartment, flat; study.
stug stif; *(nors)* surly.
stuifmeel *o.* pollen.
stuifsneeuw flurry of snow.
stuip convulsion, fit; *(fig.)* whim.
stuiptrekking convulsion, twitching.
stuitbeen *o.* coccyx.
stuiten check, stop; *(fig.)* shock, offend.
stuitend shocking, offensive.
stuiven fly about, rush, dash.
stuiver penny; five cent piece.
stuk *bn.* broken, gone to pieces; *(gebarsten)* cracked. ‖ *o.* piece, part, fragment; *(lap)* piece; *(toneel)* play.
stukadoor plasterer, stucco-worker.
stukloon *o.* piece-wage.
stukslaan smash, knock to pieces.
stumper *arme –*, poor wretch.
stunt stunt.
sturen send; *(schip, motor, enz.)* steer; *(auto)* drive.
stut prop, support, stay.
stuur *o. (v. schip)* helm, rudder; *(fiets)* handle-bar; *(v. auto)* wheel.

stuurloos out of control.
stuurman steersman.
stuurs surly, sour.
stuurstang *(v. fiets)* handlebar; *(v. auto)* drag link.
stuwdam weir, dam.
stuwen stow, propel.
subject *o.* subject.
subjectief subjective.
subsidie subsidy, subvention.
substituut substitute, deputy.
subtiel subtle.
succes *o.* success; *–!* good luck!
successierechten death duties.
sudderen simmer.
suf dazed, muzzy, dull.
suffen doze.
suggestie suggestion.
suiker sugar.
suikerbiet sugar-beet.
suikerklontje sugar cube, lump of sugar.
suikeroom rich uncle.
suikerpot sugar-basin (-bowl).
suikerraffinaderij sugar-refinery.
suikerriet *o.* sugar-cane.
suikerspin candy floss.
suikerziekte diabetes.
suite suite of rooms; *(muz.)* suite; *(huwelijk)* procession.
suizen buzz; *(v. oren)* sing, whistle; *(zoeven)* whisk.
sujet *o.* individual, person; *gemeen –,* mean fellow.
sukkelen be ailing; shamble.
sul soft Johnny, softy; noodle.
sullig soft, goody-goody.
sultan sultan.

super *(zn., benzine)* high-grade petrol; high-actane petrol. ‖ *bn.* super, outstanding.
superieur *bn.* superior. ‖ *zn.* superior.
superioriteit superiority.
supermarkt supermarket.
supplement *o.* supplement.
supporter supporter.
surfen surf, windsurf.
surfplank surfboard.
surplus *o.* surplus, excess; *(geld, handel)* cover, margin.
surprise surprise (packet).
surrealisme *o.* surrealism.
surrogaat *o.* substitute.
surveillant master on duty; invigilator
sussen hush, quiet; *(geweten)* pacify.
sweater sweat shirt.
syllabus syllabus.
symbolisch symbolic.
symbool *o.* symbol, emblem.
symfonie symphony.
symmetrisch symmetric(al).
sympathie sympathy, fellow-feeling.
symphonie symphony.
symptoom *o.* symptom.
synagoge synagogue.
synchroniseren synchronyze.
syndicaat *o.* syndicate, pool.
syndroom *o.* syndrome.
synode synod.
synoniem *bn.* synonymous. ‖ *zn. o.* synonym.
synthese synthesis.
synthetisch synthetic.
systeem *o.* system, method.
systematisch systematical.

taai tough; *(sterk)* tenacious; *(vervelend, saai)* dull; *(moed)* dogged.
taak task; *(school)* home-work.
taal language, tongue, speech.
taalfout grammatical error.
taalgrens language boundary.
taalkunde philology, linguistics.
taalkundig philological, grammatical.
taalstrijd language conflict.
taart tart, cake.
tabak tobacco.
tabbaard, tabberd tabard, gown, robe.
tabel table, index, list.
tablet *o.* tablet; lozenge, square.
taboe *m. en o.* taboo.
tact tact.
tactiek tactics.
tactvol tactful.
tafel table; – *van vermenigvuldiging*, the multiplication tables.
tafelkleed *o.* table-cover.
tafellaken *o.* table-cloth.
tafelschuimer sponger.
tafereel *o.* scene, picture.
taille waist.
tak branch; *(dikke)* bough; *(v. gewei)* tine.
takel tackle, pulley.
takelwagen breakdown lorry.
takkenbos faggot.
taks (German) badger-dog, dachshund; share, complement, portion.
tal *o.* number.
talent *o.* talent.
talentvol talented, gifted.
talisman talisman.
talk tallow, talc.
talkshow talk show.
talloos numberless, without number, countless.
talmen linger, loiter, delay.
talon talon.
talrijk numerous.

talud *o.* slope.
tam tame *(ook fig,)*; domesticated, tamed.
tamboer drummer.
tamelijk *bn.* fair, tolerable. ‖ *bw.* fairly, rather.
tampon tampon.
tand tooth *(mv. teeth)*; *(v. wiel)* cog; *(v. vork)* prong.
tandarts dentist.
tandenborstel tooth-brush.
tandenstoker tooth-pick.
tandpasta *m. en o.* tooth-paste.
tandrad *o.* cog-wheel.
tandvlees *o.* gums.
tanen tan; *(fig.)* fade, pale.
tang (pair of) tongs; pincers; *(med.)* forceps; *(vrouw)* shrew.
tanig tawny.
tank tank.
tankauto tank-car, tanker.
tanken fill up.
tankstation *o.* filling station.
tante aunt.
tantième *o.* bonus, royalty.
tap tap; bung.
taperecorder tape recorder.
tapijt *o.* carpet.
tappen tap, draw; *moppen* –, crack jokes.
taptoe tattoo.
tarbot turbot.
tarief *o.* tariff, rate; *(openbaar vervoer)* fare.
tarra tare.
tarten challenge, defy.
tarwe wheat.
tas pile, heap. ‖ *(kopje)* cup. ‖ pocket, bag, pouch; satchel.
tast *op de – zoeken*, grope one's way.
tastbaar tangible, palpable.
tasten feel, grope, fumble; *in het duister* –, be in the dark.

taxeren value, assess.
taxfree duty-free.
taxi taxi(-cab).
taxiën taxi.
taxistandplaats cab stand.
te *voorz.* at, to, in. || *bw.* too.
tearoom tearoom.
technicus technician.
teddybeer teddy bear.
teder tender, delicate, loving.
teef bitch; *(v. vos en fig.)* vixen.
teelaarde (vegetable) mould.
teelbal testicle.
teelt cultivation, culture; *(v. dieren)* breeding.
teen osier (twig). || toe.
teer *m. en o.* tar.
teergevoelig sensitive, tender, delicate.
teerling die.
tegel tile.
tegelijk, tegelijkertijd at the same time.
tegelvloer tiled floor (pavement).
tegemoetkomen (come to) meet.
tegemoetkoming concession; subsidy, grant, compensation.
tegemoetzien look forward to; await.
tegen *voorz.* against; *(omstreeks)* towards, by; *(v. prijs)* at; *(in ruil voor)* for; *(in vergelijking met)* to, against; *(justitie)* versus. || *o. de voors en –s,* the pro(s) and con(s).
tegenaanval counter-attack.
tegenbezoek *o.* return visit.
tegendeel *o.* contrary; *in –,* on the contrary.
tegendraads against the grain.
tegengaan oppose, check, counteract.
tegengesteld opposite, contrary.
tegengif *o.* antidote.
tegenhanger counterpart.
tegenhouden stop, hold (up) check, arrest, retard.
tegenkomen meet, come across.

tegenlopen go to meet; *(mislukken)* go against.
tegennatuurlijk unnatural, contrary to (against) nature.
tegenoffensief *o.* counter-offensive.
tegenover opposite (to), over against.
tegenovergesteld opposed, opposite, contrary.
tegenoverstellen set against, oppose.
tegenpartij adversary, opponent, antagonist.
tegenpruttelen grumble.
tegenslag reverse; *(fam.)* set-back.
tegenspartelen struggle, kick; grumble, protest.
tegenspoed adversity, bad luck.
tegenspraak contradiction.
tegenspreken contradict, answer back.
tegenstaan, *het staat mij tegen,* I dislike it.
tegenstand resistance, opposition.
tegenstander adversary, antagonist, opposer.
tegenstelling contradiction, contrast, antithesis.
tegenstrijdig contradictory, conflicting; *(hand.)* clashing.
tegenstrijdigheid contradiction.
tegenvallen, *dat valt me tegen,* I am disappointed.
tegenvoorstel *o.* counter-proposal.
tegenweer defence, resistance.
tegenwerking opposition.
tegenwerping objection.
tegenwicht *o.* counter-weight, counterpoise.
tegenwind adverse wind, head wind.
tegenwoordig *bn.* present, *(van nu)* present-day. || *bw.* at present, nowadays.
tegenwoordigheid presence.
tegenzin aversion, dislike, antipathy.
tegoed *o.* balance.
tegoedbon credit note.

tehuis *o.* home.

teil pan, tub, basin.

teisteren harass, ravage; visit.

teken *o.* sign, token, mark, signal; *(v. ziekte)* symptom.

tekenaar drawer, designer.

tekenen draw, delineate; *(ondertekenen)* sign; *(merken)* mark.

tekenfilm cartoon (picture, film).

tekening drawing, design; marking(s), pattern.

tekort *o.* shortage; deficiency, *(in geldzaken)* deficit.

tekortkoming shortcoming, failing, deficiency.

tekst text, context; *(bij plaat)* letterpress; *(bij muziek)* words; *(in film)* script.

tekstverwerker word processor.

telecommunicatie telecommunication.

telefoneren telephone.

telefonist(e) telephonist.

telefoon telephone, phone.

telefoonboek *o.* telephone book.

telefooncel phone booth, telephone kiosk.

telefoonkaart phonecard.

telefoonnummer *o.* telephone number.

telegram *o.* telegram, wire.

telegramstijl telegraphese.

telen *(v. planten)* cultivate, grow; *(v. dieren)* breed, raise.

telescoop telescope.

teletekst teletext.

teleurstellen disappoint.

teleurstelling disappointment.

televisie television, telly; – *kijken,* watch television.

televisiezender television broadcasting station.

telg descendant, shoot.

telkens again and again, every time, each time.

tellen count; number.

teller counter, reckoner; *(v. breuk)* numerator.

teloorgaan be lost, get lost.

telwoord *o.* numeral.

temmen tame.

tempel temple; *(plechtig)* fane.

temperament *o.* temperament, temper.

temperatuur temperature.

temperen temper, deaden; damp; soften (the light).

tempo pace, tempo.

ten, – *eerste,* firstly; – *elfde,* in the eleventh place; – *gevolge van,* in consequence of, owing to.

tendens tendency, trend.

tendentieus tendentious.

tenger slight, slender.

tenietdoen cancel, nullify, annul.

tenietgaan come to nothing, perish.

tennis tennis.

tennisbaan tennis-court.

tennissen play (lawn-)tennis.

tenor tenor.

tenslotte after all, finally.

tent tent, marquee; *(overkapping)* awning; *(gemeenz.)* joint.

tentamen *o.* preliminary examination.

tentharing tent-peg.

tentoonstelling exhibition; show.

tentzeil canvas.

tenzij unless.

tepel nipple; *(dier)* dug; *(uier)* teat .

ter at the; in (to) the.

terdege properly, thoroughly.

terecht *bn.* correct, appropriate; be found. ‖ *bw.* rightly.

terechtbrengen *er niets van –,* make a mess of it.

terechtstaan stand one's trial, be committed for trial; be tried.

terechtstelling execution.

terechtwijzing reproof, reprimand.

teren – *op*, live on; *(met teer)* tar.
tergen irritate, provoke.
tering expense; *(ziekte)* pulmonary consumption.
terloops incidentally.
term term.
termijn *(tijdruimte)* term; *(betaling)* instalment.
termijnmarkt futures market.
terminaal terminal.
terminologie terminology.
ternauwernood scarcely, hardly.
terneergeslagen cast down, dejected.
terpentijn turpentine.
terras *o.* terrace.
terrein *o.* ground, plot; *(om op te bouwen)* building-site; *(fig.)* domain; – *verliezen*, lose ground.
terreur terror.
territorium *o.* territory.
terrorisme *o.* terrorism.
tersluiks stealthily, on the sly.
terstond at once, directly, immediately.
tertiair tertiary.
terug back, backward; *(opnieuw)* again, anew.
terugbetalen repay, refund, pay back.
terugblik retrospective view, retrospection, look(ing) backward.
terugbrengen bring back; – *tot*, reduce to.
terugdeinzen shrink back.
teruggaan go back, return.
teruggave restitution, return.
teruggeven give back, return, restore; *(v. geld)* give change.
terughoudend reserved.
terugkaatsen *ov. ww.* strike back, throw back, reflect. ‖ *onov. ww.* be reflected.
terugkeer return, coming back.
terugkomst return, coming back.
terugkrabbelen cry off, back out of, go back on.

terugreis return, return journey, voyage-back.
teruggroepen call back; recall.
terugschakelen change down.
terugslaan *onov. ww.* strike back. ‖ *ov. ww.* strike back, beat back, repulse.
terugstoot rebound, recoil.
terugstuiten rebound.
terugtocht retreat.
terugtraprem back-pedalling brake.
terugtrekken retract, pull back; *zich* –, retire, withdraw (from).
terugweg way back.
terugwerken, –*de kracht*, retroactive force, retrospective effect.
terwijl while, whilst; whereas.
terzijde aside, apart.
testament *o.* (last) will, testament.
tetanus tetanus.
teug draught, pull.
teugel rein; bridle; *de* – *s vieren*, give full rein to.
teugelloos unbridled, unrestrained.
teuten dawdle.
tevens at the same time.
tevergeefs in vain, vainly.
tevoren before(hand), previously.
tevreden content(ed), satisfied.
teweegbrengen bring about, cause.
tewerkstellen engage, employ.
textiel textile.
tezamen together.
TGV high-speed train.
thans at present, now; by this time.
theater *o.* theatre.
thee tea.
theelepel teaspoon.
theemuts tea-cosy.
theepot teapot.
theeservies *o.* tea-set, teaservice.
theezakje *o.* teabag.
theoloog theologian, divinity student.
theorie theory.

therapie therapy.
thermometer thermometer.
thermosfles thermos (flask).
thesis thesis (*mv.* theses).
thriller thriller.
thuis, – *zijn,* be at home.
thuiskomst home-coming, return (home).
thuisvoelen, *zich* –, feel at home.
thuiswedstrijd home game.
ticket *o.* ticket.
tiendelig consisting of ten; decimal.
tiener teenager.
tienkamp decathlon.
tieren (*groeien*) thrive; (*fig.*) flourish; (*razen*) rage, bluster, storm, rant.
tij *o.* tide.
tijd time, season, period; (*gramm.*) tense; *vrije* –, spare time, leisure; *bij – en wijle,* in due time, now and then; *van – tot* –, from time to time.
tijdelijk *bn.* temporary. ‖ *bw.* temporarily.
tijdens during.
tijdgebrek lack of time
tijdgeest spirit of the age.
tijdgenoot contemporary.
tijdig *bn.* timely, seasonable, early. ‖ *bw.* in good time, betimes.
tijding news, tidings.
tijdperk *o.* period, age, era.
tijdrekening chronology; (*christelijke*) era; (*Juliaanse*) calendar.
tijdschrift *o.* periodical, magazine.
tijdstip *o.* point in time, moment.
tijdvak *o.* period.
tijdverdrijf *o.* pastime.
tijdverlies *o.* loss of time.
tijger tiger.
tijm thyme.
tik touch, rap, flick.
tikfout typist's error.
tikken tap, click; (*uurwerk*) tick;

(*schrijfmachine*) typewrite, type.
til, *op* – *zijn,* be at hand.
tillen lift, raise, heave.
timide timid, shy.
timmeren carpenter; construct, build.
timmerhout *o.* timber.
timmerman carpenter.
tin *o.* tin; pewter.
tint tint, tinge, hue.
tintelen twinkle; (*v. geest*) sparkle (with); (*v. koude*) tingle (with).
tip tip; (*v. zakdoek*) corner; (*informatie*) tip.
tiran tyrant.
titanenstrijd gigantic struggle.
titel title; (*v. kolom, enz.*) heading.
titelrol title-role.
titularis teacher.
tjilpen chirp, twitter.
tjokvol chock-full, cram-full.
toast toast.
tobbe tub.
tobben worry, brood; (*zwoegen*) toil, drudge.
toch (*niettegenstaande dat*) yet, for all that, still, after all; (*zeker*) really, surely, to be sure; (*ongeduld uitdrukkend*) over; (*immers*) ... do you not.
tocht expedition, journey, march; (*het tochten*) draught.
tochtband *o.* weather-strip.
tochten, *het tocht,* there is a draught.
tochtig draughty.
toe to, shut; *tot nu* –, up till now; *tot daar* –, thus far.
toe-eigenen, *zich iets* – , appropriate sth.
toebehoren *ww.* belong to. ‖ *zn. o. met* –, with appurtenances, accessoires.
toebereiden prepare.
toebereidselen *mv.* preparations.
toedekken cover (up); (*kind*) tuck in.

toedichten ascribe, impute.

toedoen *ww.* close, shut. ‖ *zn. o. door zijn* –, through him.

toedracht the way it happened.

toegang access, entrance; admittance, admission.

toegangsbewijs *o.* admission ticket.

toegangsprijs entrance fee; admission.

toegankelijk accessible, approachable.

toegeeflijk indulgent.

toegenegen affectionate, devoted to.

toegeven give into the bargain; *(erkennen)* concede, grant; give in, give way.

toegift extra, make-weight; *(in concert)* encore.

toehoorder auditor, listener, hearer.

toejuichen applaud, cheer.

toekennen award, adjudge.

toekijken look on.

toekomend future, next.

toekomst future.

toekomstig future.

toelachen smile at (on, upon).

toelage allowance; gratification, bonus, extra pay (wages).

toelaten permit; tolerate, suffer; *(kandidaat)* pass; *(binnenlaten)* admit.

toelating permission, leave; admission, admittance.

toelatingsexamen *o.* entrance examination.

toeleg attempt, design, purpose, intention.

toelichten clear up, elucidate.

toelichting explanation, elucidation.

toeloop concours.

toen *bw.* then, at that time. ‖ *voegw.* when, as.

toenadering rapprochement.

toename increase, rise.

toenemen increase, grow.

toenmaals then, at that time.

toepasselijk appropriate, apposite, suitable.

toepassen apply.

toepassing application.

toer tour, trip; turn; *(v. motor)* revolution.

toereikend sufficient, enough.

toerekenbaar accountable, responsible.

toeren take a drive (ride).

toerental *o.* number of revolutions.

toerenteller tachometer.

toerisme *o.* tourism.

toernooi *o.* joust, tourney.

toeroepen call to, cry to.

toerusten equip, fit out.

toeschietelijk accommodating, obliging.

toeschrijven ascribe, attribute (to).

toeslaan *(deur)* bang, slam, *(boek)* shut; *(koop)* strike the bargain.

toeslag extra charge; *(trein)* extra fare; *(ondersteuning)* extra allowance; bonus.

toespeling allusion, insinuation.

toespraak allocution, address, speech.

toespreken speak to; address.

toestaan allow, permit, concede.

toestand condition, position, situation.

toestel *o.* appliance, machine; *(turnen)* apparatus *(mv. –es)*.

toestemmen consent; agree to.

toestemming consent, assent.

toestromen flow towards, flock in.

toetakelen knock about, damage; *(v. kleding)* dress up.

toeteren toot.

toetje dessert.

toetreden, – *tot een partij*, join a party.

toetreding joining, accession.

toets *(piano, enz.)* key; *(v. metalen)* test, assay.

toetsen test, try, put to the test.

toetsenbord *o.* keyboard.

toetssteen touchstone.
toeval *o.* accident, chance.
toevallig *bn.* accidental, casual, fortuitous. ‖ *bw.* accidentally, by chance.
toeven stay.
toeverlaat refuge, shield.
toevertrouwen, *iem iets –*, entrust sbd. with sth.
toevloed (in)flow, influx.
toevlucht recourse, refuge.
toevluchtsoord *o.* refuge.
toevoegen add, join; address.
toevoeging addition.
toevoer supply.
toewensen wish.
toewijding devotion.
toewijzen allot, assign, award.
toewijzing allotment, assignment, award.
toezegging promise.
toezenden send, forward; *(geld)* remit.
toezicht *o.* surveillance, supervision, inspection.
toffee toffee.
toga gown, robe, toga.
toilet *o. (kleding)* toilet, dress; dressing-table; lavatory, loo.
toiletpapier *o.* toilet-paper.
tokkelen, *de snaren –*, pluck, touch the strings.
tol toll, tribute, customs, duties; *(speelgoed)* top.
tolerant tolerant.
tolk interpreter, *(fig.)* mouthpiece.
tollen play with a top, spin a top; *(ronddraaien)* whirl.
tolmuur tariff wall.
toltunnel toll tunnel.
tolvrij toll-free, free of duty.
tomaat tomato.
tomatenpuree tomato purée.

tomatensoep tomato-soup.
tombola tombola.
tomeloos unbridled, unrestrained.
ton barrel, cask; *(maat, gewicht)* ton; *(boei)* buoy.
tondeuse hair-clippers.
toneel *o.* theatre, scene; *(planken)* stage; *(film)* set (scene).
toneelbewerking stage version.
toneelkijker opera-glasses.
toneelspeelster actress.
toneelspeler actor, player.
tonen show.
tong tongue; *(vis)* sole.
tongval accent; dialect.
tonic tonic (water).
tonijn tunny.
tonsuur tonsure.
tooien adorn, decorate.
toom bridle, reins.
toon tone; sound; *(fig.)* tone.
toonaangevend leading.
toonbank counter.
toonder bearer.
toonkunstenaar musician.
toonladder scale, gamut.
toonloos toneless; *(gramm.)* unaccented, unstressed.
toonzaal show-room.
toorn anger, wrath; *(plechtig)* ire.
toorts torch.
top top, summit; *(neus, vinger)* tip; *(driehoek)* apex.
topaas topaz.
topconditie at the top of one's form.
topless topless.
toppunt *o.* top, summit; *(meetk.)* apex, vertex *(mv.* vertices); *(zenit)* zenith; *(fig.)* top, culminating point.
topsnelheid top speed.
topzwaar top-heavy.
tor beetle.
toren tower; *(schaakstuk)* rook.

torenhoog as high as a steeple, towering.

torenspits spire.

tornado tornado.

tornen rip (up, open).

torsen bear, carry.

tortelduif turtle-dove.

tosti toasted ham and cheese sandwich.

tot *voegw.* till, until. || *voorz.* till, until, to; *(plaats)* as far as, (up) to; – *en met*, up to and including, as far as... inclusive; – *nu toe*, till now; – *nog toe*, as yet, up to now; – *ziens*, see you again!

totaal *bn.* total, entire. || *o.* total, total amount, total sum.

total loss total loss.

touringcar (motor-)coach.

tournee tour.

touroperator tour operator.

touw *o. (dun)* string; *(stevig)* rope, cord.

touwladder rope ladder.

tovenaar sorcerer, magician.

toveren practise magic; *(goochelen)* conjure.

toverlantaarn magic lantern.

toverslag, *als bij* –, as if by magic.

toxisch toxical.

traag slow, indolent, tardy.

traagheid slowness, indolence; *(natuurk.)* inertness.

traan tear. || *(olie)* train-oil.

traangas *o.* tear-gas.

trachten try, endeavour, attempt.

traditie tradition.

tragedie tragedy.

trainer trainer, coach.

traiteur domestic caterer.

traject *o.* stretch, distance; *(v. spoorweg)* section.

traktaat treaty.

trakteren (op) treat (to), regale (with).

tralie bar.

tram tram(-car).

tramhalte tram-stop, stopping-place.

trance trance.

tranendal *o.* vale of tears.

tranquillizer tranquillizer.

trans *(v. toren)* gallery.

transfer transfer.

transformator transformer.

transfusie transfusion.

transito *o.* transit.

transparant transparent.

transpireren perspire.

transplantatie transplantation.

transport *o.* transport, carriage, conveyance; *(boekhoud.)* amount brought forward.

transportmiddelen *mv.* means of transport.

trant manner, way, style.

trap *(schop)* kick; *(graad)* step, degree; *(al de treden samen)* stairs, staircase.

trapauto pedal car.

trapleuning banisters, handrail.

trapezium *o.* trapezium.

traploper stair-carpet.

trappelen trample; *(v. ongeduld)* stamp.

trappen kick; *(met fiets)* pedal; *erin* –, fall for it, swallow the bait.

trappenhuis *o.* staircase, well.

trapper treadle; *(v. fiets)* pedal.

trapsgewijze gradually, step by step, by degrees.

trauma *o.* trauma.

travellercheque traveller cheque.

travestie travestism.

trechter funnel, hopper; *(v. granaat)* crater.

trede step, pace; *(v. ladder)* rung; *(v. trap)* step.

treden tread, walk, step; *in details* –, enter into details.

treeplank foot board.

treffen *ww.* hit, strike; *(aantreffen)* meet; *(fig.)* touch, move. ‖ *zn. o.* encounter, fight.
treffend striking, moving.
trefwoord *o.* entry, headword.
trefzeker accurate, precise, well-aimed; apt, well-chosen.
trein train.
treinkaartje *o.* train ticket.
treinverbinding train connection.
trek pull, tug, haul; *(aan sigaret)* puff; *(tocht)* draught; *(v. vogels)* migration; *(eetlust)* appetite
trekdier *o.* draught-animal.
trekhaak towing-hook.
trekken draw, pull, tug; drag; *(tochten)* be draughty; *(v. vogels)* migrate.
trekker *(iem. die tocht maakt)* hiker; *(v. geweer)* trigger; tractor.
trekking drawing.
trekpleister vesicatory; *(attractie)* attraction.
trekpop jumping jack.
trekschuit tow-boat.
trektocht hike.
trekvogel migrating bird, bird of passage.
trema *o.* diaeresis.
trend trend.
treurdicht *o.* elegy.
treuren mourn, grieve.
treurig sad, mournful, sorrowful.
treurspel tragedy.
treurwilg weeping-willow.
treuzelaar dawdler, loiterer, slacker.
treuzelen dawdle, loiter.
triatlon triathlon.
tribune tribune, platform; *(v. publiek)* gallery; *(sport)* stand.
tricot *o.* tricot.
triest sad, dreary, melancholy.
triktrak *o.* backgammon.
trillen tremble, shiver; *(v. stem)* vibrate.
trilling vibration, quiver(ing).

trimester *o.* three months; *(in school)* term.
trio *o.* trio.
triomf triumph.
triomferen triumph.
triomftocht triumphal procession.
trippelen trip.
triptiek triptych.
troebel turbid, troubled.
troebelen *mv.* disturbances.
troef trump; *zijn laatste – uitspelen*, play one's last trump.
troep troupe, company; band, gang; pack; troop.
troetelkind *o.* pet, darling.
troffel trowel.
trog trough.
trom drum.
trommel drum; *(doos)* box, tin, case.
trommelrem drum brake.
trommelvlies *o.* ear-drum, tympanic membrane.
trompet trumpet.
tronie face; *(fam.)* phiz.
troon throne.
troonopvolger heir to the throne.
troonsafstand abdication.
troost consolation, comfort; *een bakje –*, a cup of coffee.
troosteloos disconsolate, desolate.
troosten console, comfort.
troostprijs consolation prize.
tropenhelm sun-helmet, topee.
tropisch tropical.
tros bunch, cluster; *(bloeiwijze)* raceme; *(kabel)* hawser.
trots *zn.* pride. ‖ *bn.* proud, haughty.
trotseren defy, face.
trottoir *o.* pavement, footway; *(Am.)* side-walk.
trouw *bn.* faithful, true, trusty. ‖ *zn.* loyalty; fidelity, faithfulness; *te goeder –*, in good faith; *(huwelijk)* wedlock,

marriage.
trouwakte marriage certificate.
trouwdag wedding-day.
trouweloos faithless, perfidious.
trouwen marry, wed.
trouwens for that matter, by the way.
trouwring wedding-ring.
truc trick.
truck truck.
truffel truffle.
trui jersey, sweater.
tsaar czar, tsar.
Tsjech Czech.
Tsjechië Czech Republic.
tube tube.
tuberculeus tuberculous, tubercular.
tuberculose tuberculosis.
tucht discipline.
tuchthuis *o.* house of correction.
tuchtigen chastise, punish.
tuffen motor.
tuig *o.* tools; *(v. schepen)* rigging;
   (v. paarden) harness; *(gespuis)* riffraff.
tuimelaar tumbler; *(dier)* bottlenose
   dolphin.
tuimelen tumble, topple (over).
tuin garden.
tuinboon broad bean.
tuinbouw horticulture.
tuinhuis *o.* summer-house.
tuinieren garden.
tuinkabouter pixy, gnome.
tuinman gardener.
tuinslang garden-hose.
tuit spout, nozzle.
tuk, – *op*, keen on, eager for.
tulband turban; *(gebak)* sponge cake.
tule tulle.
tulp tulip.
tumor tumour.
tumult *o.* tumult.
tunnel tunnel; *(onder spoorweg, straat)*
   subway.

turbine turbine.
turen peer.
turf peat; turf.
Turk Turk.
Turkije Turkey.
turkoois turquoise.
tussen between; *(meer dan twee)*
   among, amidst.
tussenbeide between whiles; – *komen*,
   intervene.
tussendek *o.* between-decks, steerage.
tussendoortje *o.* snack.
tussenkomst intermediary, intercession,
   intervention.
tussenpersoon intermediary, agent,
   middleman.
tussenpoos interval, intermission; *bij*
   tussenpozen, at intervals.
tussenruimte interval, interspace,
   interstice.
tussenschot *o.* partition.
tussenstation *o.* intermediate station.
tussentijds between times; *–e*
   verkiezingen, by-elections.
tussenvoegen insert, interpolate.
tussenwerpsel *o.* interjection.
tutoyeren be on familiar terms with.
twaalf twelve.
twaalfuurtje *o.* lunch.
twee two; *(op kaart, dobbelsteen)* deuce.
tweede second.
tweedehands second-hand.
tweedejaars second-year student; *(Am.)*
   sophomore.
tweederangs second-rate.
tweedracht discord.
tweegevecht *o.* duel, single combat.
tweeklank diphthong.
tweeledig binary, double, binomial;
   (fig.) twofold, dual.
tweeling (pair of) twins; *(sterrenbeeld)*
   Gemini.
tweemaal twice.

tweepersoons for two.
tweepersoonskamer double room.
tweeslachtig bisexual; *(dieren)* amphibious; *(fig.)* ambiguous.
tweespalt discord, dissension.
tweespraak dialogue.
tweesprong cross-roads, bifurcation.
tweestrijd inward struggle.
tweevoud double.
twijfel doubt.
twijfelachtig doubtful, dubious.
twijfelen doubt.

twijg twig.
twintig twenty.
twintigste twentieth.
twist dispute, discord; *(ruzie)* quarrel, dispute, altercation.
twistappel apple of discord.
twisten quarrel, dispute.
twistziek quarrelsome.
type *o.* type.
typen type.
typografie typography.

U

u you.
UFO Unidentified Flying Object, UFO.
ui onion.
uier udder.
uil owl; *–en naar Athene dragen,* carry coals to Newcastle.
uilskuiken *o.* goose, dolt, ninny.
uit *voorz.* out of, from. ‖ *bw.* out.
uitbarsting eruption, outburst, outbreak.
uitbaten conduct, run.
uitbater manager, director.
uitbesteden put out to contract.
uitbetalen pay out.
uitblazen blow out; *(even uitrusten)* breathe (oneself); take breath.
uitblijven stay away; hold off.
uitblinken shine, excel.
uitbouw extension; annex(e).
uitbranden *ov. ww.* burn out. ‖ *onov. ww.* be burnt out.
uitbrander scolding, wigging.
uitbreiden expand, develop, enlarge; *zich* – extend, spread.
uitbreiding spreading, extension, expansion, enlargement.
uitbreken break out.

uitbrengen bring out, utter, emit.
uitbroeden hatch.
uitbuiten exploit.
uitbuiting exploitation.
uitbundig exuberant.
uitdagen challenge, defy.
uitdelen distribute, deal; *(eerlijk verdelen)* give out, hand out.
uitdokteren figure out, work out.
uitdraai print-out.
uitdragen carry out; *(verkondigen)* propagate.
uitdrogen dry up, become dry; *(bron)* run dry.
uitdrukkelijk express, formal, explicit.
uitdrukking expression, term, phrase.
uiteen asunder, apart.
uiteenlopen diverge, differ.
uiteenzetting explanation, exposition.
uiteinde *o.* extremity, end.
uiteindelijk ultimate, eventual.
uiten utter, enounce, give utterance to.
uiterlijk *bn.* external, outward. ‖ *bw.* externally, outwardly; *(op zijn laatst)* at the latest. ‖ *zn. o.* appearance, aspect, look.

uitermate extremely, excessively.
uiterst utmost, extreme.
uitfluiten hiss; catcall.
uitgaan go out, leave.
uitgang exit, issue, way out; *(v. woord)* ending, termination.
uitgangspunt *o.* starting point.
uitgave *(v. geld)* expense, expenditure; *(v. boek)* edition, publication.
uitgebreid extensive, comprehensive.
uitgehongerd famished, starving, ravenous.
uitgelaten exultant, elated, joyful.
uitgeleide *o. iemand – doen,* see sbd. out.
uitgelezen select, choice, picked.
uitgeput exhausted, worn-out; gone, finished.
uitgestorven extinct; deserted.
uitgestrekt extensive, vast.
uitgeven distribute, give out; *(handel)* issue; *(v. geld)* spend; *(boek)* publish; edit.
uitgever publisher.
uitgezocht excellent.
uitgezonderd except, excepted, save.
uitgifte issue.
uitglijden slip, slither.
uithangbord *o.* sign-board.
uithangen hang out; *(zich voordoen als)* play.
uitheems foreign, exotic.
uithollen hollow, excavate; *(ondermijnen)* undermine.
uithongeren famish, starve out.
uithouden hold out; bear, suffer, stand.
uithoudingsvermogen *o.* (power of) endurance.
uithuwelijken give in marriage.
uiting expression, utterance.
uitjouwen hoot (at), boo.
uitkeren pay.
uitkering payment; benefit; *(v. werklozen)* unemployment benefit, dole.

uitkiezen choose, select, pick out.
uitkijken look out.
uitkijkpost observation-post.
uitkleden undress, strip; *zich –,* undress.
uitkloppen beat.
uitkomen come out; break out; *(kaartspel)* lead; *(uit een ei)* come out of the shell; *(v. publicaties)* come out, appear, be published; *(v. waarheid)* become true.
uitkomst relief; issue; *(v. som)* result.
uitlaat exhaust.
uitlaatgassen exhaust gases.
uitlaatklep exhaust-valve.
uitlachen *ov. ww.* laugh at. || *onov. ww.* laugh one's fill.
uitladen unload, discharge.
uitlaten let out, see out; *(weglaten)* omit, leave out; *(kleren)* leave off; *(stoom)* let off.
uitlating remark, utterance, statement.
uitleg explanation, interpretation.
uitleggen explain, make clear.
uitlekken leak out; *(fig.)* filter through, transpire.
uitlenen lend (out)
uitlevering extradition.
uitlokken provoke, invite, call forth, elicit, ask for.
uitloven offer, promise.
uitmaken finish, break off; put out; *(beslissen)* decide, settle; *deel – van,* form part of.
uitmonden flow into, lead in; *(fig.)* end in, result in.
uitmuntend excellent.
uitnodigen invite.
uitnodiging invitation.
uitoefenen exercise; practise; *(ambt)* fill, occupy.
uitpakken unpack, unwrap.
uitpuilen protrude, bulge.
uitputting exhaustion.

uitreiken distribute, give, issue, deliver.
uitrekenen calculate, compute, figure out, reckon up.
uitrekken stretch (out).
uitrichten do.
uitrit exit, way out.
uitroeien weed out, eradicate, eliminate.
uitroep exclamation, cry, shout.
uitroepteken *o.* exclamation mark.
uitrukken pull out, tear (out); *(v. brandweer)* turn out.
uitrusten rest, take a rest; equip, fit out.
uitrusting equipment, outfit.
uitschakelen switch off, cut out; *(fig.)* eliminate.
uitscheiden leave off, stop; excrete.
uitschelden abuse, call names.
uitschieter peak, highlight.
uitschot *o.* refuse, trash; *(volk)* riffraff.
uitschrappen scrape out.
uitschrijven write out, make out.
uitschudden shake out; *(beroven)* strip to the skin.
uitschuifbaar sliding, extensible; telescopic.
uitslag *(v. huid)* eruption, rash; *(schimmel)* mould; *(resultaat)* result, issue, event, outcome.
uitslapen sleep late, lie in.
uitsluiten exclude, shut out.
uitsluitend exclusive.
uitsluiting exclusion.
uitsnijden excise, cut out.
uitspansel *o.* firmament, sky.
uitsparen save, economize; *(openlaten)* leave blank, leave free.
uitspatting dissipation, debauchery, excess.
uitspraak pronunciation; utterance, statement; *(beslissing)* award; *(gerecht)* verdict.
uitspreiden spread (out).

uitstallen expose for sale, display.
uitstalling (shop-window) display.
uitstapje *o.* excursion, trip, tour.
uitstappen get out, step out.
uitsteeksel *o.* protuberance, projection.
uitstek *o. bij –,* pre-eminently.
uitstékend excellent, eminent, first-rate.
uitstekend protruding, prominent.
uitstel *o.* delay, respite; *– van betaling,* extension of payment; *zonder –,* without delay.
uitstellen delay, put off, postpone.
uitsterven die out; become extinct.
uitstorten pour out, pour forth.
uitstoting expulsion.
uitstralen radiate, beam forth.
uitstrekken stretch (forth), extend; *zich –,* stretch oneself; *(leggen)* lie down at full length.
uitstrooien spread, strew, disseminate.
uitsturen send out.
uittocht exodus.
uittrekken draw out, pull off, take off.
uittreksel *o.* extract; *(korte inhoud)* abstract, summary; *(v. burg. stand)* certificate.
uitvaardigen issue; *(wet)* promulgate; enact.
uitvaart funeral (service), obsequies.
uitval *(mil.)* sally, sortie; *(fig.)* outburst, sudden fit of (anger).
uitvechten, *het –,* fight it out.
uitverkocht sold out, out of stock; *(boek)* out of print.
uitverkoop clearance-sale, selling-off.
uitverkoren chosen, elect.
uitvinden invent; *(ontdekken)* find out.
uitvinding invention.
uitvissen fish out; *(fig.)* ferret out.
uitvloeisel *o.* outcome, result, consequence.
uitvlucht pretext, evasion, subterfuge.
uitvoer exportation, export; *ten –*

brengen, execute, put into effect.
uitvoeren export; *(orders)* execute, carry out, perform.
uitvoerend, *-e macht*, the executive.
uitvoerig ample, lenghty; copious; full, detailed.
uitvoering execution, performance; *(v. boek)* get-up; *werk in –*, road works ahead.
uitvoerrechten export duties.
uitvoervergunning export licence.
uitwas *o.* outgrowth, protuberance, excrescence.
uitwedstrijd away game.
uitweg way out, outlet; *(fig.)* loop-hole, solution.
uitweiden, *– over*, digress, expatiate on.
uitwendig external, outward, exterior.
uitwerking working-out, elaboration; *(gevolg)* effect.
uitwerpsel *o.* excrement.
uitwijken turn (step) aside; give way (to); *(auto)* pull out; *(naar een ander land)* go into exile, emigrate.
uitwisselen exchange.
uitwissen wipe out, blot out, efface.
uitwringen wring out.
uitzendbureau *o.* temporary employment agency.
uitzenden send out; *(radio)* broadcast, transmit.
uitzendkracht temporary employee.
uitzet *o.* (bride's) trousseau.
uitzetting expansion, inflation; *(uit*

land) expulsion; *(uit huis)* eviction.
uitzicht *o.* view, outlook; prospect; perspective; *(uiterlijk)* looks.
uitzichtloos hopeless.
uitzien look out; *er –*, look; *– op*, look on; *– naar*, look out for.
uitzinnig distracted, demented, mad.
uitzoeken select, pick out, choose.
uitzondering exception.
uitzonderlijk exceptional; outstanding.
uitzuigen suck (out); *(fig.)* extort money from, sweat.
uitzweten exude, ooze (sweat) out.
ultimatum *o.* ultimatum.
ultra *zn.* extremist. ‖ *bw.* extremely, ultra.
ultraviolet ultraviolet.
unaniem unanimous.
unie union.
uniform *bn.* uniform, similar. ‖ *zn. o.* uniform.
universeel universal, sole.
universiteit university, college.
up-to-date up-to-date.
urgent urgent.
urine urine.
urinoir *o.* public lavatory.
urn urn.
utopie Utopia.
uur *o.* hour.
uurwerk *o.* clock, watch, timepiece; *(radarwerk)* clockwork, works.
uw your; *geheel de –e*, yours faithfully.
uwerzijds on your part, on your behalf.

V

vaag vague, hazy, indefinite.
vaak *zn.* sleepiness. ‖ *bw.* often, frequently.
vaalbleek sallow.

vaandel *o.* flag, standard, colours, ensign.
vaandeldrager standard-bearer.
vaardig skilled, handy, clever.
vaars heifer.

vaart *(kanaal)* canal; *(snelheid)* speed; *(scheepst.)* navigation; *in volle –,* full speed.

vaartuig *o.* vessel.

vaarwater *o.* fairway; *in iem. – zitten,* thwart somebody.

vaarwel! good-bye, farewell.

vaas vase.

vaatdoek dish-cloth.

vaatwasmachine dishwasher.

vaatwerk *o.* crockery.

vacant vacant; *een –e plaats bezetten,* fill up a vacancy.

vacantie holiday(s).

vacantiekolonie holiday colony.

vacature vacancy.

vaccineren vaccinate.

vacht fleece, pelt, fur.

vacuüm vacuum.

vadem fathom.

vader father.

vaderland *o.* fatherland, (native) country

vaderlands *(grond)* native; *(gevoel)* patriotic; *(geschied.)* national.

vaderlijk paternal, fatherly.

vaderschap *o.* paternity, fatherhood.

vadsig indolent, lazy.

vagevuur *o.* purgatory.

vagina vagina.

vak *o.* square, pane; *(v. kast)* partition, compartment; *(beroep)* trade, line; *(v. studie)* subject.

vakantie holiday(s), vacation.

vakbond (trade) union.

vakgebied field of study.

vakkundig skilled, competent.

vakman professional, expert.

val trap; *in de – lopen,* fall into the trap. ‖ *(het vallen)* fall; *ten – brengen,* bring to ruin, overthrow. ‖ *o. (scheepv.)* halyard.

valhelm crash-helmet.

valies *o.* sutcase.

valk falcon, hawk.

vallei valley.

vallen fall, drop, go down.

vallend, *een –e ster,* shooting (falling)star; *–e ziekte,* epilepsy.

valluik *o.* trapdoor.

vals false; *(niet oprecht)* perfidious, treacherous; *–e handtekening,* forged signature; *– spelen,* play out of tune.

valscherm *o.* parachute.

valschermspringer parachute jumper, parachutist.

valsemunter coiner.

valsheid, *– in geschrifte,* forgery.

valstrik gin, snare, trap.

valuta rate of exchange; currency.

vampier vampire.

van *voorz.* of *(ook uitgedrukt door 's),* from, with, by, for.

vanavond tonight, this evening.

vandaag today; these days; *– of morgen,* sooner or later.

vandaan, *waar kom je –?* where do you come from?

vandaar *(oorzaak)* hence, that's why.

vandalisme *o.* vandalism, hooliganism.

vangen catch, capture.

vangst catch, capture.

vanillestokje *o.* stick of vanilla.

vanmiddag this afternoon.

vanmorgen this morning.

vannacht tonight; last night.

vanouds of old.

vanwege *(reden)* on account of, because of; *(namens)* on behalf of, in the name of, from.

vanzelfsprekend self-evident.

varen *ww.* sail, navigate. ‖ *zn.* fern, bracken, brake.

variabel variable.

variatie variation.

variëren vary; *–d tussen,* ranging from.

variété *o.* variety theatre.

variëteit variety.

varken *o.* pig, swine, hog.
varkensvlees *o.* pork.
vast fast, fixed, firm, steady; *–e klanten,* regular customers; *– inkomen,* a fixed salary; *–e massa,* a solid mass.
vastberaden, vastbesloten resolute, firm, determined.
vasteland *o.* continent, mainland.
vasten *ww.* fast. || *zn. (christelijk)* Lent.
vastenavond Shrove-Tuesday, Shrove-tide.
vastentijd time of fasting.
vastgoed *o.* real estate.
vasthechten attach, fasten, fix.
vasthouden hold, hold fast, detain; *– aan,* stick to.
vasthoudend tenacious, persevering.
vastleggen tie up, fasten, chain up; *(in een contract)* lay down.
vastlopen get stuck, jam; *(v. schip)* run aground; *(onderhandelingen)* come to a deadlock.
vastmaken fasten, make fast.
vaststellen *(constateren)* establish, ascertain; *(bepalen)* determine, fix; *(een dag)* appoint; *(med.)* diagnose; *(schade)* assess.
vat *o.* barrel, butt, tun, cask. || hold, grip.
vatbaar, *– voor,* capable of, susceptible to.
Vaticaan *o.* Vatican.
vatten catch, seize; *(begrijpen)* understand.
vazal vassal.
vechten fight.
vechtpartij scuffle, fight, scrap.
vedette vedette, star.
vee *o.* cattle.
veearts veterinary surgeon, vet.
veeg wipe, whisk; *(slag)* slap, box. || *een – teken,* an ominous sign.
veel *(vóór enkelv.)* much, a great deal, a

lot of; *(vóór meerv.)* many; *te –,* too much; too many.
veelal many times, mostly.
veelbelovend promising.
veelbewogen very agitated, eventful, chequered.
veeleer rather, sooner.
veeleisend exigent.
veelkleurig multi-coloured.
veelomvattend comprehensive.
veelsoortig manifold.
veelvoud multiple.
veelvraat glutton.
veelvuldig frequent; manifold.
veelzijdig many-sided, multilateral, versatile.
veem warehouse
veemarkt cattle-market.
veen *o.* peat-bog, peat-moor.
veenbes cranberry.
veer feather; spring. || *o.* ferry, ferry-boat.
veerboot ferry(-boat).
veerkracht elasticity.
veerkrachtig elastic; springy.
veerman ferryman.
veerpont ferryboat.
veertien fourteen; *– dagen, a* fortnight.
veertig forty.
veestapel stock of cattle.
veeteelt cattle-breeding.
vegen sweep, wipe.
vegetariër vegetarian.
vegetatie vegetation.
veilen (sell by) auction.
veilig safe, secure.
veiligheid safety, security; *voor de –,* for safety's sake.
veiligheidsdienst security service.
veiligheidsglas *o.* safety glass.
veiligheidsgordel, veiligheidsriem safety belt, seat belt.
veiligheidsspeld safety-pin.
veiling auction, public sale.

veinzen feign, simulate.
vel *o. (v. mens of dier)* skin, hide; *(papier)* sheet.
veld *o.* field; *– winnen*, gain ground; *uit het – geslagen*, be discomfited.
veldbed *o.* field-bed, camp-bed.
veldfles case-bottle.
veldheer general.
veldkijker field-glass(es).
veldloop cross-country.
veldrijden cyclo-cross.
veldsla corn-salad
veldslag battle.
velen *hij kan het niet –*, he cannot stand it.
velerlei of many kinds (sorts), various, sundry.
velg rim, felly, felloe.
vellen *(bomen)* fell, put down; *(vonnis)* pass.
venijn *o.* venom.
vennoot partner; *beherend –*, managing partner; *stille –*, silent partner.
vennootschap partnership, company; *naamloze –*, limited liability company.
venster *o.* window.
vensterbank window-sill.
vensterglas window-pane.
vent fellow, chap.
venten peddle, hawk.
ventiel *o.* valve.
ventilator ventilator, fan.
ver far, distant; *(verwantschap)* distant, remote.
verachtelijk despicable, contemptible; contemptuous.
verademing relief.
veraf far (away), at a great distance.
verafgelegen remote, distant.
verafgoden idolize.
verafschuwen abhor, loathe.
veralgemenen generalize.
veranda veranda(h).

veranderen *ov. ww.* change, alter; *(geheel)* transform. || *onov. ww. van gedachte –*, change one's mind.
verandering change, alteration, transformation.
veranderlijk changeable, variable; *(wispelturig)* unconstant, fickle.
verantwoordelijk responsible; accountable, answerable.
verantwoordelijkheid responsibility.
verantwoorden answer for, justify.
verassen cremate.
verbaal verbal.
verbaasd astonished, surprised, amazed.
verbaliseren summon sbd.
verband *o. (zwachtel)* bandage, dressing; *(samenhang)* connection; *(betrekking)* relation, context.
verbanddoos first-aid box.
verbandgaas *o.* sterilized gauze.
verbannen exile, banish, expel.
verbasteren degenerate.
verbastering degeneration; *(v. woorden)* corruption.
verbazend astonishing, surprising.
verbazing astonishment, surprise.
verbazingwekkend astonishing, stupendous.
verbeelding imagination, fancy; *(verwaandheid)* conceit, conceitedness.
verbeeldingskracht imagination.
verbergen hide, conceal.
verbeten grim, dogged.
verbeteren make better, improve; *(fouten)* correct.
verbetering improvement, amelioration; correction; *voor – vatbaar*, corrigible.
verbeurdverklaring confiscation.
verbeuren forfeit, confiscate.
verbieden forbid, prohibit, interdict.
verbijsterd bewildered, perplexed.
verbinden connect, join, link (up),

combine; *(wond)* bind up, bandage, dress; *(telecomm.)* connect, put through.
verbinding connection, junction, union, combination; bandaging, dressing.
verbindingsweg connection road.
verbintenis alliance, agreement, engagement.
verbitterd embittered; fierce.
verbleken grow (turn) pale; *(v. kleuren)* fade, pale.
verblijf *o.* residence, stay.
verblijfplaats (place of) abode.
verblijfsvergunning residence permit.
verblijven stay, remain.
verblinden blind, dazzle.
verbloemen disguise, veil, gloze over.
verbluffend staggering, stunning.
verbod *o.* prohibition, interdiction.
verboden forbidden.
verboden forbidden.
verbodsbord prohibition sign.
verbolgen angry, wrathful.
verbond *o.* alliance, league, union; pact.
verborgen hidden, concealed; secret, obscure; occult.
verbouwen *(v. gewassen)* cultivate, raise; *(huis, enz.)* rebuild, convert.
verbouwereerd dumbfounded, perplexed.
verbranden burn, get sunburnt.
verbranding combustion, burning.
verbrassen squander.
verbreden widen, broaden.
verbreiden spread, propagate.
verbreken break (off), burst; sever, cut; *(wetten)* laws.
verbrijzelen smash, shatter, break (go) to pieces.
verbroederen fraternize.
verbrokkelen crumble.
verbruik *o.* *(grondstoffen, stroom. enz.)* consumption; *(krachten)* expenditure.

verbruiken consume, use up, spend.
verbuigen *(gramm.)* decline; bend.
verdacht suspicious, suspect(ed).
verdachtmaking insinuation.
verdagen adjourn, prorogue.
verdamping evaporation.
verdedigen defend; stand up for.
verdediger defender; counsel for the defence.
verdediging defence.
verdeel-en-heerspolitiek policy of divide and rule.
verdeeld divided.
verdeeldheid discord, dissension.
verdeelstekker adapter.
verdelen divide, distribute, share out.
verdelgen destroy, exterminate.
verdeling division, distribution; partition.
verdenking suspicion.
verder *(afstand)* farther, further; *-e inlichtingen,* further information; *en wie –?* and who else? *ga –!* go on! proceed!
verderf *o.* ruin, destruction, perdition.
verderfelijk pernicious, baneful.
verderven pervert, corrupt, ruin.
verdichten *(van gassen)* condense; *(verzinnen)* invent.
verdichtsel *o.* invention, fiction, fable.
verdienen *(geld)* gain; *(z. kost)* earn; *(aandacht)* deserve, merit.
verdienste *(loon)* wages, earnings; *(winst)* profit, gain; *(fig.)* merit, desert.
verdienstelijk deserving, meritorious.
verdieping storey, floor; *(Am.)* story; *op de eerste –,* on the first floor, *(Am.)* on the second floor.
verdierlijken animalize, brutalize.
verdikking thickening.
verdoemen damn.
verdoezelen blur, obscure.
verdonkermanen misappropriate, embezzle.
verdorren wither.

verdorven corrupt, depraved, wicked, perverse.
verdoven benumb, numb; stupefy, stun; *(med.)* anaesthetize.
verdoving stupefaction, stupor, torpor, numbness.
verdovingsmiddel *o.* anaesthetic.
verdraagzaam tolerant, forbearing.
verdraaid distorted, disfigured, deformed.
verdrag *o.* treaty, pact.
verdragen suffer, bear endure, tolerate, stand.
verdriet *o.* sorrow, grief.
verdrieten vex, grieve.
verdrietig sad, sorrowful.
verdrijven drive away, drive out, dissipate, expel; *(d. tijd)* pass (while) away; *(d. vijand)* dislodge.
verdringen push away, crowd out; *elkaar –,* jostle each other.
verdrinken drown; *(zorgen, verdriet)* drink away, drink down.
verdrukking oppression.
verdubbelen redouble.
verduidelijken explain, elucidate, illustrate.
verduisteren *(donker maken)* darken, obscure; *(geld)* embezzle, misappropriate.
verdunnen thin; *(vloeistof)* dilute.
verduurzamen preserve.
verdwalen lose one's way, go astray.
verdwijnen disappear, vanish.
veredelen improve; *(v. dieren)* grade up.
vereenvoudigen simplify; *(wisk.)* reduce.
vereenzamen grow lonely.
vereenzelvigen identify.
vereeuwigen perpetuate, immortalize.
vereffenen *(rekening)* balance, adjust, settle up; *(een schuld, enz.)* square.
vereisen require, demand.
vereiste *o.* requirement, requisite.

verenigbaar compatible.
Verenigde Staten United States.
Verenigd Koninkrijk United Kingdom.
verenigen unite, combine, join; *zich –,* unite, assemble.
vereniging *(het verenigen)* union, combination, joining; *(club)* club, society, association.
vereren honour, revere, worship.
verergeren worsen, grow worse, aggravate.
verering reverence, worship.
verf paint; *(v. kunstschilder)* colour; *(v. stoffen)* dye.
verfijnd refined.
verfijnen refine.
verfkwast paintbrush.
verflauwen *(v. ijver)* flag, slacken; *(v. kleur)* faint, fade.
verfoeilijk detestable, abominable.
verfomfaaien crumple, rumple.
verfraaien embellish, beautify.
verfrissen refresh.
verfrommelen crumple.
verfstoffen dye-stuffs, dyes, colours.
vergaan *ww.* perish, pass away; *(schip)* be wrecked, be lost, founder.
vergaarbak reservoir, receptacle.
vergaderen meet, assemble.
vergadering meeting, assembly.
vergallen *iemand het leven –,* embitter sbd.'s life.
vergankelijk transitory, perishable.
vergaren collect, gather.
vergasten treat, regale.
vergeeflijk pardonable, excusable.
vergeefs *bw.* vainly, in vain. || *bn.* idle, useless, vain, fruitless.
vergeet-mij-niet forget-me-not.
vergeetachtig forgetful.
vergelding requital, retribution.
vergelijk *o.* agreement, accommodation, compromise.

vergelijken compare.
vergelijking comparison; *(wisk.)* equation.
vergemakkelijken facilitate.
vergen require, demand, ask.
vergenoegd contented, satisfied.
vergenoegen content, satisfy.
vergetelheid oblivion.
vergeten *ww.* forget. || *bn.* forgotten.
vergeven forgive, pardon; *(vergiftigen)* poison; *(weggeven)* give away.
vergevensgezind forgiving.
vergewissen, *zich –,* make sure of, ascertain.
vergezellen accompany; attend.
vergezicht *o.* view, prospect, vista.
vergiet *o.* strainer, colander.
vergieten *(bloed, tranen)* shed.
vergif *o.* poison; *(v. dieren)* venom.
vergiffenis pardon, forgiveness.
vergiftigen poison, envenom.
vergissen, *zich –,* mistake, be mistaken.
vergissing mistake, error; *bij –,* by mistake, in mistake.
vergoeden make good, compensate; *(uitgaven)* reimburse.
vergoeding indemnification, compensation, remuneration; *(beloning)* recompense, award.
vergoelijken gloze over, smooth over; *(misdaad)* palliate, extenuate; explain away.
vergrijp *o.* transgression, offence; outrage, crime.
vergrootglas *o.* magnifying-glass.
vergroten enlarge, increase; add to, magnify.
vergroting enlargement; increase; magnification.
verguizen revile, abuse.
vergulden gild.
vergunning permission, allowance; leave, permit; licence.

verhaal *o.* story, tale, recital, narrative, account; *(schadeloosstelling)* redress, remedy.
verhandeling treatise, essay, dissertation.
verharden harden, indurate, become hard.
verheerlijken glorify.
verheffen *(z. hoofd)* lift; *(z. ogen, stem)* raise; *(gedachten)* elevate; *(een persoon)* exalt, extol; *zich –,* rise.
verheffing raising, elevation, exaltation.
verhelen conceal, hide.
verhelpen remedy.
verhemelte *o.* palate, roof.
verheugd glad, pleased, happy.
verheugen gladden, delight; *zich –,* rejoice.
verheven elevated, exalted.
verhevenheid elevation; *(fig.)* sublimity.
verhinderen prevent, hinder.
verhitten heat.
verhogen heighten, raise, increase.
verholen secret, hidden, concealed.
verhongeren starve, die of hunger.
verhoor *o.* hearing, interrogation.
verhoren hear, examine.
verhouding *(getallen)* proportion, ratio; *(personen)* relation, affair.
verhoudingsgewijs comparatively, relatively.
verhuizen remove, move.
verhuizing removal.
verhuren *(huis, enz.)* let; *(fietsen, enz.)* let out on.
verhuurbedrijf *o.* leasing company.
verifiëren verify; *(rekeningen)* audit.
verijdelen frustrate, foil, baffle, defeat.
verjaardag anniversary, birthday.
verjagen drive (chase) away, expel.
verjaren celebrate one's birthday; become superannuated (statute-barred).

verjaringstermijn term of limitation.
verjongen rejuvenate; become young again.
verkalken calcine, calcify.
verkavelen lot, parcel out.
verkeer *o.* traffic; *(omgang)* intercourse.
verkeerd wrong, bad; *de -e kant*, the wrong side.
verkeersader arterial road, thoroughfare.
verkeersagent traffic policeman, policeman on point-duty.
verkeersbord *o.* road sign, traffic sign.
verkeersdrempel speed ramp; *(Am.)* speed bump.
verkeersknooppunt *o.* junction, interchange.
verkeersleider air-traffic controler.
verkeerslicht *o.* traffic light.
verkeersopstopping traffic congestion, traffic jam, traffic block.
verkeersovertreding road offence, traffic offence.
verkeersplein *o.* traffic circus, roundabout.
verkeersregel traffic rule.
verkeerswezen *o. ministerie van –*, Minister of Transport.
verkenning reconnoitring, scouting.
verkeren *(omgaan)* frequent, converse with, court (a girl); *(veranderen)* change, alter.
verkering courtship.
verkiesbaar eligible; *zich – stellen*, stand for election.
verkieslijk preferable (to).
verkiezen *(kiezen)* choose, elect; *(voorkeur)* prefer.
verkiezing choice; *(voorkeur)* preference; *(bij stemming)* election.
verkikkerd *– zijn op*, keen on.
verklaarbaar explicable, explainable.
verklaren explain, elucidate, interpret; declare, certify.

verklaring *(uitleg)* explanation; declaration, statement; *beëdigde –*, affidavit.
verkleden *(vermommen)* disguise; *zich –*, change one's clothes.
verkleinen *(tekening, enz.)* reduce; *(verminderen)* reduce, lessen, diminish.
verkleinwoord *o.* diminutive.
verkleumd benumbed.
verkleuren lose colour, fade, discolour.
verklikker telltale.
verkneukelen, verkneuteren, *zich –*, chuckle, hug o.s.
verknoeien spoil, bungle; waste; *de boel –*, mess things up.
verkoeling cooling; *(fig.)* chill.
verkondigen proclaim; *('t geloof)* preach.
verkoop sale; *– bij opbod*, auction sale; *– bij afslag*, Dutch auction.
verkoopprijs selling price.
verkoopster saleswoman, shop-assistant.
verkopen sell, dispose of; *leugens –*, tell lies
verkoper salesman, shop-assistant.
verkorten shorten, abridge; *(woord)* abbreviate.
verkouden, *– zijn*, have a cold; *– worden*, catch a cold.
verkoudheid cold; *een – opdoen*, catch cold.
verkrachten *(onteren)* rape; *(wet)* violate.
verkreukelen crumple (up), rumple.
verkrijgbaar obtainable, available.
verkrijgen obtain, get, acquire; *(toegang)* gain.
verkwikken refresh.
verkwisten waste, dissipate.
verkwistend extravagant, wasteful.
verlagen lower, reduce, cut down; *(onteren)* debase, degrade.

verlamd paralysed *(ook fig.)*, palsied.

verlammen paralyse *(ook fig)*, cripple.

verlangen ww. desire, want, require; – *naar*, long for. || o. desire, longing.

verlaten ww. leave, quit; abandon, desert; *zich – op*, rely on. || bn. abandoned, deserted; *(afgelegen)* lonely.

verleden bn. last, past; – *tijd (gramm.)* past tense. || o. past; *zijn –*, his past, his antecedents.

verlegen *(v. aard)* shy, timid, abashed, confounded; *u maakt me –*, you make me blush.

verlegenheid shyness, timidity, bashfulness, confusion.

verleidelijk tempting, seductive.

verleider seducer, tempter.

verleiding seduction, temptation.

verlenen grant, give; *(bijstand)* lend, render.

verlengen lenghten, make fonger, prolong; *(paspoort)* renew; *(meetk.)* produce (a line).

verlengsnoer o. extension cord.

verlengstuk o. lengthening-piece.

verlet o. delay, loss of time.

verlevendigen revive, quicken, enliven.

verlicht *(minder donker)* lighted up, enlightened; *(minder zwaar)* lightened, relieved.

verlichten *(d. licht)* light, light up, illuminate; *(het verstand)* enlighten; *(minder zwaar maken)* lighten; *(pijn)* relieve, alleviate.

verlichting lighting, illumination; *(fig.)* enlightment.

verliefd enamoured, amorous, in love.

verlies o. loss, bereavement.

verliezen lose.

verlof o. *(toelating)* leave, permission; *(vergunning)* licence; *(vakantie)* holiday(s).

verlofdag day off.

verlokkelijk tempting, seductive.

verlokken tempt, entice, seduce.

verloochenen deny.

verloofde fiancé(e), affianced, betrothed; *de –n*, the engaged couple.

verloop o.*(v. tijd)* course, lapse, expiration; *(v. ziekte, enz.)* course, progress.

verlopen ww. *(v. tijd)* pass (away), go by; *(v. onderneming)* go down, run to seed; *(v. paspoort)* expire. || bn. *(persoon)* seedy, run-down (business).

verloren lost; – *moeite*, labour lost; *de – zoon*, the prodigal son.

verloren voorwerp o. lost property.

verloskundige obstetrician.

verlossen deliver, release, rescue, set free, save from; *(christelijk)* redeem.

verlossing deliverance, rescue; *(bevalling)* delivery; *(christelijk)* redemption.

verloving engagement, betrothal.

verluchten *(manuscript)* illuminate; *(ventileren)* air, ventilate.

vermaak o. pleasure, amusement, deversion.

vermaard famous, illustrious, renowned.

vermageren make (grow) lean, emaciate.

vermageringskuur reducing cure, slimming course.

vermakelijk amusing, entertaining.

vermaken amuse, divert; *zich –*, amuse (enjoy) o.s.; *(veranderen)* alter.

vermanen exhort, admonish, warn.

vermannen, *zich –*, pull oneself together.

vermeend fancied, pretended, reputed, supposed.

vermeerderen augment, increase; grow, multiply.

vermelden mention, report, record.
vermengen mix, mingle; *(thee, koffie, enz.)* blend; *(metalen)* alloy.
vermenigvuldiging multiplication.
vermetel audacious, daring, bold.
vermijden avoid, shun.
vermiljoen *o.* vermilion.
verminderen lessen, diminish, decrease; *(prijzen)* reduce; *(snelheid)* slacken, slow down.
vermindering diminution, decrease; cut, reduction.
verminkt maimed, mutilated, disabled, crippled.
vermits because, since, as.
vermoedelijk presumable, supposed, probable.
vermoeden *ww.* suspect, suppose, presume. ‖ *o.* suspicion, supposition, presumption.
vermoeid tired, weary, fatigued.
vermogen *o.* fortune, wealth, riches; *(macht)* power; *(techn.)* power, capacity; *verstandelijke –s,* intellectual faculties. ‖ *ww.* be able, have the power to.
vermogend *(rijk)* rich, wealthy; *(invloed)* influential.
vermogensbelasting property tax.
vermommen disguise.
vermoorden murder, kill.
vermorzelen crush, pulverize.
vermurwen soften, mollify.
vernauwen narrow.
vernederen humble, humiliate, mortify; *zich –,* humble o.s.
vernemen hear, understand, learn; *naar wij –,* as we learn.
vernielen destroy.
vernielzucht destructiveness, vandalism.
vernietigen destroy, annihilate, wreck; *(tenietdoen)* annul, nullify.

vernieuwen renew, renovate.
vernieuwing renewal, renovation.
vernikkelen (plate with) nickel.
vernis *o.* varnish; *(fig.)* veneer.
vernuft *o.* genius, ingenuity.
vernuftig ingenious.
veronachtzamen neglect, disregard.
veronderstelling supposition.
verongelijkt wronged, injured.
verongelukken perish; *(v. schepen, vliegt.)* be wrecked, be lost.
verontreinigen defile, pollute.
verontrusten alarm, disturb.
verontschuldigen excuse; *zich –,* excuse o.s., apologize.
verontschuldiging excuse, apology.
verontwaardigd indignant, outraged.
verontwaardiging indignation.
veroordelen *(jur.)* condemn, give judgement against; *(in 't alg.)* condemn; *(afkeuren)* condemn.
veroorloofd allowed, permitted.
veroorloven allow, give leave, permit.
veroorzaken cause, occasion, bring about.
verordening ordinance, regulation.
verouderd obsolete, out of date, archaic.
veroveraar conqueror.
veroveren conquer, capture; *– op,* take from.
verovering conquest, capture.
verpakking packing, packaging.
verpanden pawn.
verpersoonlijken personify.
verpesten infect, poison, contaminate.
verplaatsen move, transpose, displace; *zich –,* move, travel.
verpleegkundige nurse.
verplegen nurse, tend.
verpleging nursing.
verpletteren crush, crash, smash, shatter, dash to pieces.

verplicht due to; obligatory, compulsory; *ik ben u zeer –!* I'm much obliged to you!

verplichten oblige, compel; *zich – tot,* bind o.s. to.

verplichting obligation, commitment; engagement.

verpozen take a rest.

verraad *o.* treason, treachery, betrayal.

verrader traitor, betrayer.

verraderlijk treacherous, traitorous, perfidious.

verrassing surprise.

verregaand excessive, extreme.

verreikend far-reaching; sweeping.

verrekijker telescope, binoculars.

verreweg by far, far and away.

verrichten do, perform, execute.

verrichting action, performance, transaction, operation.

verrijken enrich.

verrijzenis resurrection.

verroeren stir, move, budge.

verroesten rust.

verrotten rot, putrefy.

verrukkelijk delightful, ravishing, charming, enchanting.

vers *o. (regel)* verse; *(strofe)* stanza, *(v. twee regels)* couplet; *(gedicht)* poem; *(v.d. bijbel)* verse. ‖ *bn.* fresh, new.

verschaffen furnish, procure, provide with.

verschalen go stale, go flat.

verschalken outwit.

verschansen entrench.

verscheiden *telw.* several. ‖ *bn.* various, diverse, different. ‖ *ww.* pass over (away), depart this life. ‖ *o.* death, decease, passing over (away).

verscheuren tear (up), tear to pieces; *(verslinden)* devour, mangle.

verschiet *o.* distance, perspective; *in het –,* ahead.

verschieten *(schrikken)* be frightened; shoot, use up; *(v. kleuren)* fade, loose colour; *(v. persoon)* turn pale.

verschijnen appear; make one's appearance; *(boek)* be published.

verschijning appearance; *(v. boek ook)* publication; *(v. geest)* apparition, vision; *(v. persoon)* figure.

verschijnsel *o.* phenomenon *(mv.* phenomena); symptom.

verschil *o.* difference; distinction.

verschillen differ, vary, be different.

verschillend different, differing, various.

verschonen put clean sheets on, change (the nappy); *(fig.)* excuse.

verschoppeling(e) outcast, pariah.

verschrikkelijk frightful, dreadful, terrible

verschrikking fright, terror.

verschroeien scorch, singe.

verschrompelen shrivel up, wrinkle, shrink.

verschuilen conceal, hide, shelter.

verschuiven remove, move, shift; *(uitstellen)* put off.

verschuldigd indebted, due; *iem. veel – zijn,* be greatly indebted to a.p.

versie version.

versieren adorn, embellish, beautify, decorate.

versiering adornment, embellishment, decoration.

verslaafd, *– aan, (gewoonte)* enslaved; *(drank)* addicted to.

verslaan beat, defeat; *(rapport uitbrengen)* report, cover.

verslag *o.* report, account.

verslagen defeated, beaten; *(terneergeslagen)* dejected.

verslaggever reporter.

verslapen sleep away; *zich –,* oversleep o.s.

verslappen slacken; *(v. spieren)* relax.

versleten worn out, threadbare;
  (v. persoon) worn out.
verslikken, *zich* –, choke o.s., swallow
  the wrong way.
verslinden devour; *(fig.)* swallow up.
versmachten languish, pine away;
  suffocate, choke.
versmaden disdain, despise scorn.
versmelten melt together; *(metaal)*
  fuse; *(v. maatschappijen)* amalgamate;
  (kleuren) blend.
versnapering snack.
versnellen accelerate, quicken.
versnelling acceleration; *(v. fiets, auto)*
  gear, speed; *hoogste (laagste,
  veranderlijke)* –, top (lowest, variable)
  gear.
versnellingsbak gear-box, gear-case.
versnipperen cut into bits; *(tijd,
  krachten)* fritter away.
verspelen *(geld)* gamble away; *(door
  eigen schuld)* lose.
versperren block; obstruct, block up;
  (ingang) bar.
versperring obstruction, blocking up.
verspillen squander, waste, dissipate.
versplinteren splinter, shiver, splinter.
verspreiden disperse, spread; scatter;
  distribute.
verspreking slip of the tongue, slip.
verstaan understand, know.
verstaanbaar understandable,
  intelligible.
verstand *o.* understanding, intellect,
  mind; *gezond* –, common sense.
verstandhouding understanding.
verstandig intelligent, sane, wise.
verstandskies wisdom-tooth.
verstek *o. (jur.) bij* –, by default.
versteld, – *staan,* be startled, perplexed;
  (vermaakt) mended, patched.
verstellen *(kleren)* mend, patch, repair;
  (instrument, enz.) adjust.

verstenen petrify, fossilize.
versterken strengthen, fortify; reinforce
  (licht) intensify; *(geluid)* amplify.
verstijven stiffen.
verstikken suffocate, stifle, choke.
verstoken *bn.* – *van,* destitute of. || *ww.*
  burn, consume.
verstokt *(v. hart)* obdurate; *(zondaar)*
  hardened; *(drinker)* confirmed.
verstomd speechless, struck dumb.
verstoord disturbed; annoyed, angry.
verstoppen *(opstoppen)* stop up;
  (dichtstoppen) clog; *(verbergen)* hide,
  conceal, put away.
verstopping stoppage; *(med.)*
  constipation.
verstoren disturb, trouble; *(iem.
  plannen)* interfere with; *(ontstemmen)*
  vex, annoy, offend.
verstoten *(zijn echtgenoot)* repudiate;
  (zijn kind) disown.
verstrekken procure, provide, furnish.
vérstrekkend far-reaching.
verstrijken expire, elapse.
verstrikken ensnare, snare, entrap.
verstrooid scattered, dispersed; *(fig.)*
  absent-minded.
verstrooidheid absence of mind.
verstuiken sprain.
verstuiven be blown away, disperse;
  (vloeistof) spray.
versuft stunned, dull.
vertakking branching, ramification.
vertalen translate.
vertaling translation.
verte distance; *in de verste* – *niet,* not in
  the least.
vertederen soften, mollify.
verteerbaar digestible.
vertegenwoordigen represent.
vertegenwoordiging representation.
vertellen tell, relate, narrate; *zich* –,
  miscount.

vertelling story, tale, narration.
verteren *(geld)* spend; *(voedsel)* digest; *(v. vuur)* consume; *(v. hartstocht)* eat up.
vertering *(uitgaven)* expenses; *(v. voedsel)* digestion; *(verbruik)* consumption.
verticaal vertical; *(bij kruiswoordraadsel)* down.
vertier *o.* amusement.
vertikken, *het –,* refuse.
vertoeven reside, sojourn, stay.
vertolken interpret; *(een mening)* voice.
vertoning *(ton.)* representation, performance; *(film)* show, exhibition.
vertoon *o.* *op – van,* on presentation of; *(praal)* show, ostentation.
vertoornd angry, wrathful.
vertraging slackening, slowing down; delay.
vertrek *o.* room, apartment; *(afreis)* departure.
vertrekken depart, start, leave; *hij vertrok geen spier,* he did not move a muscle.
vertroetelen coddle, pamper, pet.
vertroosting consolation, solace, comfort.
vertrouwd reliable, trustworthy, safe.
vertrouwelijk confidential, private.
vertrouweling(e) confidant(e).
vertrouwen *ww.* trust; *– op,* rely on; *op God –,* trust in God. II *zn. o.* trust, confidence, faith.
vertrouwenskwestie matter of confidence.
vertwijfeling despair, desperation.
vervaard alarmed, afraid; *voor geen kleintje –,* not easily frightened.
vervaardigen make, manufacture.
vervaarlijk frightful, tremendous, awful.
verval *o.* decay, decline; *(rivier)* fall, drop.

vervaldag day of payment, due date.
vervallen *ww.* decay, go to ruin; expire; *(wegvallen)* be cancelled. II *bn.* ruinous, ramshackle, broken down; expired.
vervalsen falsify, forge; *(namaken)* counterfeit, fake.
vervangen take (fill, supply) the place of, replace; *(aflossen)* relieve.
vervelen bore, tire, annoy.
vervelend boring, tiresome, tedious.
verveling boredom, tiresomeness, ennui.
vervellen change one's skin, peel.
verven *(huis)* paint; *(stoffen, haar)* dye.
verversing refreshment.
vervliegen evaporate, volatilize.
vervloeken curse, damn, execrate; *(m. banvloek)* anathematize.
vervoeging conjugation.
vervoer *o.* transport, transit, carriage; *openbaar –,* public transport.
vervoeren transport, convey, carry.
vervoering transport, rapture, ecstasy.
vervoermiddel *o.* (means of) transport.
vervolg *o.* continuation, sequel; *(toekomst)* future.
vervolgen *(voortzetten)* continue, proceed on; *(achtervolgen)* pursue, chase; persecute; *(gerechtelijk)* prosecute.
vervolgens then, further, afterwards.
vervolging pursuit; persecution; prosecution.
vervolgingswaanzin persecution mania.
vervolgverhaal *o.* serial (story).
vervreemden *(goederen)* alienate; *(v. personen)* alienate, estrange from.
vervroegen fix at an earlier time.
vervullen *(een ruimte)* fill; *(belofte, enz.)* fulfil; *zijn plicht –,* perform one's duty.
verwaand conceited, cocky.
verwaardigen *zich – om,* condescend, deign to...

verwaarlozen neglect; *te –*, negligible.
verwachten expect; anticipate.
verwachting expectation; *zij is in –*, she's pregnant.
verwant allied, kindred, affined.
verwantschap relationship, kinship; *(v. bloed, ook scheik.)* affinity.
verward (en)tangled, confused, disordered; *(haren)* tousled.
verwarmen heat, warm.
verwarming heating, warming; *centrale –*, central heating.
verwarren (en)tangle, confuse disorder; *namen met elkaar –*, mix up names.
verwarring entanglement, confusion; muddle; *in – raken*, get confused.
verweerd weathered, weather-beaten.
verweerschrift *o.* apology, (written) defence.
verwekken *(kinderen)* procreate, beget; *(onrust, misnoegen)* rouse, excite.
verwelken fade, wither.
verwelkomen (bid) welcome.
verwennen spoil, indulge (too much).
verwensing curse.
verweren, *zich –*, defend oneself; weather.
verwerken *(grondstoffen)* work up; *(voedsel, ook fig.)* digest, assimilate.
verwerpelijk reprehensible, blameworhty.
verwerven obtain, acquire, win.
verwezenlijken realize.
verwijden widen.
verwijderen remove, get out of the way; *zich –*, withdraw, go away, move away.
verwijdering removal, estrangement.
verwijfd effeminate.
verwijt *o.* reproach, reproof, blame.
verwijten reproach, upbraid.
verwijzen refer.
verwijzing reference.

verwikkeling complication, entanglement; *(v. toneelstuk)* plot.
verwilderd wild, neglected; *(v. tuin)* overgrown.
verwisselen (inter)change, exchange; *(twee termen)* commute, alternate.
verwittigen inform, warn, caution.
verwoed fierce, furious.
verwoesting destruction, devastation, ruin.
verwonden wound, hurt.
verwondering astonishment, surprise, wonder.
verwonderlijk surprising, astonishing.
verwonding wound, injury.
verworpen reprobate.
verwringen distort, twist.
verzachten soften; *(fig.)* alleviate, mitigate, soothe; *(pijn, leed)* relieve.
verzadigen satiate, satisfy; *(scheik.)* saturate.
verzaken *(zijn geloof)* renounce, forsake; *(kaartspel)* revoke; *(zijn plicht)* neglect.
verzakken sink, subside, sag.
verzamelen collect, gather; compile, assemble; store up.
verzameling collection, gathering, compilation.
verzanden silt up; *(fig.)* come to a dead end.
verzegelen seal (up); *(gerechtelijk)* put under seal.
verzeilen *hoe kom je hier verzeild*, what brings you here.
verzekeren assure; *(waarborgen)* ensure, assure; *(assureren)* insure, assure.
verzekering assurance, insurance.
verzekeringsmaatschappij insurance company.
verzekeringspolis insurance policy.
verzenden send (off), despatch, forward.

verzending sending, despatch, forwarding.
verzengen singe, scorch.
verzet *o.* resistance, opposition; *(ontspanning)* distraction, recreation, diversion.
verziend far-, (long-)sighted, presbyopic.
verzinken sink down (away); *in gedachten verzonken (fig.)*, lost in thought.
verzinnen invent, contrive, devise.
verzinsel *o.* invention.
verzoek *o.* request, petition.
verzoeken request, beg; *(uitnodigen)* invite, ask; *(bekoren)* tempt.
verzoeking temptation.
verzoekschrift *o.* petition.
verzoenen conciliate, reconcile.
verzoening reconciliation.
verzoeten sweeten.
verzorgen care for, attend to, look after.
verzorging care.
verzot, – *op*, fond of, mad on.
verzuchting sigh; *(klacht)* lamentation.
verzuim *o.* neglect, omission; *(op school)* non-attendance; *(v. werk)* absenteeism.
verzuimen neglect, omit; *(school, kerk, enz.)* lose, miss.
verzuren *ov. ww.* (make) sour. ‖ *onov. ww.* (grow) sour.
verzwakken weaken, enfeeble.
verzwakking weakening, enfeeblement.
verzwaren make heavier; aggravate.
verzwelgen swallow up.
verzwijgen conceal; *iets* –, not tell, keep it a secret.
verzwikken sprain.
vesper vespers, evensong.
vest *o.* waistcoat, cardigan; jacket.
vestiaire cloakroom.
vestiaire cloakroom.

vestibule vestibule, hall.
vestigen establish, set up; *de aandacht op zich* –, draw (call) attention upon o.s.
vestiging establishment, settlement.
vesting fortress.
vet *bn.* fat; *(vuil)* greasy; *(v. lettersoort)* bold. ‖ *o.* fat; *(smeer)* grease.
vete feud, enmity.
veter boot-lace, shoe-lace.
veteraan veteran.
vetmesten fatten (up).
veto *o.* veto.
vetplant succulent
vetvlek grease (greasy) spot.
veulen *o.* foal; *(mannetje)* colt; *(wijfje)* filly.
vezel fibre, thread, filament.
vezelstof fibre.
via via, by way of; through.
viaduct *m. en o.* viaduct; *(v. snelwegen)* flyover.
vibrator vibrator.
vicaris vicar.
vice-president vice-president.
video video.
videoband video tape.
videocamera videocamera.
videotheek video shop.
vief lively, smart.
vier four.
vierde *bn.* fourth. ‖ *o.* fourth (part).
vieren celebrate; *Kerstmis* –, keep Christmas; *(touw)* veer out, ease off.
vierhoek quadrangle.
vierkant *o.* square. ‖ *bn.* square; *(stoer)* *een –e kerel*, a blunt fellow.
vierkantswortel square root.
viersprong cross-roads.
viertaktmotor four-stroke engine.
viervoeter quadruped.
vies dirty, filthy, nasty; *(kieskeurig)* particular, fastidious, dainty.

viezerik dirty Dick.
vijand enemy.
vijandelijk hostile.
vijandig hostile, inimical.
vijandschap enmity.
vijf five.
vijfde fifth. ‖ *o.* fifth (part).
vijfkamp pentathlon.
vijftien fifteen.
vijg fig.
vijl file.
vijlen file.
vijlsel *o.* filings.
vijver pond.
vijzel *(stampvat)* mortar; *(hefschroef)* jack.
vilder flayer.
villa villa, cottage.
villen skin, flay, fleece.
vilt *o.* felt.
viltstift felt-tip, felt(-tip) pen.
vin fin.
vinden find, come across; think, feel.
vindingrijk inventive, ingenious.
vinger finger.
vingerafdruk finger-print.
vingerdoekje *o.* small napkin.
vingerhoed thimble.
vingervlug deft, adept.
vingerwijzing hint.
vink finch.
vinnig sharp, biting, cutting.
violet violet.
violist violinist, violin-player.
viool violin; *(fam.)* fiddle.
viooltje *o.* violet.
virtueel virtual.
virtuoos virtuoso *(mv. virtuosi)*.
vis fish; *(dierenriem)* Pisces.
vishengel fishing rod.
visie vision.
visioen *o.* vision.
visite visit, call; *we hebben –,* we have

visitors (company); *een – afleggen bij,* pay a visit to, give a call to.
visitekaartje *o.* visiting-card.
visrijk abounding in fish.
vissen fish; *(hengelen)* angle.
visser angler; *(v. beroep)* fisherman.
visserij fishery, fishing-industry.
visueel visual.
visum *o.* visa.
visumplicht visa requirement.
visvrouw fishwife (-woman).
vitaal vital.
vitamine vitamin.
vitriool *m. en o.* vitriol.
vitten carp, cavil, find fault.
vitter caviller, fault-finder.
vivisectie vivisection.
vizier *o. (v. helm)* visor; *(Turks minister)* vizi(e)r.
vla custard.
vlaag *(regen)* shower; *(fig.)* fit.
Vlaams Flemish; *–e gaai,* jay.
Vlaanderen *o.* Flanders.
vlag flag; *(v. schepen)* colours; *(fig.)* standard.
vlaggenstok *o.* flagstaff.
vlak *o.* level, plane; area, space; *(oppervlak)* surface. ‖ *bn.* flat, level, smooth. ‖ *bw.* flatly, right.
vlakgom india-rubber, (ink-)eraser.
vlakte plain, level.
vlam flame; *(sterk)* blaze.
Vlaming Fleming.
vlas *o.* flax.
vlecht braid, tress, plait.
vlechten *(haar, stro, enz.)* plait, braid; twist, twine.
vlechtwerk *o.* wicker-work, basket-work.
vleermuis bat.
vlees *o.(algem.)* flesh; *(gekookt)* meat; *(v. vrucht)* pulp, flesh.
vleesetend carnivorous.
vleeswaren meats and sausages.

vleet herring-net; *bij de –*, in plenty, lots of.
vlegel flail; *(fig.)* brat.
vleiend flattering, wheedling.
vleier flatterer, coaxer.
vlek blot, spot, stain.
vlekkeloos spotless, stainless; immaculate.
vlekkenmiddel *o.* stain remover.
vlekkenwater *o.* stain-remover.
vleselijk carnal; *–e gemeenschap*, sexual intercourse.
vleugel wing; *(v. deur)* leaf; *(piano)* grand piano.
vleugelschroef thumb-screw, wing-screw.
vleugelspeler wing.
vlezig fleshy, meaty; pulpy.
vlieg fly.
vliegen fly.
vliegenraam *o.* mosquito-blind, mosquito-screen.
vliegensvlug as quick as lightning.
vlieger *(speelgoed)* kite; *die – gaat niet op*, that cock won't fight, that cat won't jump; *(persoon)* aviator, flier, flyer, airman.
vliegtuig *o.* aeroplane, (air)plane.
vliegtuigkaper hijacker
vliegveld *o.* airport.
vliegwiel *o.* fly-wheel.
vlier elder.
vliering garret, loft, attic.
vlies *o.(v. oog, op wond, enz.)* film, membrane, pellicule; *(op melk)* skin.
vliet rill, brook.
vlijen lay down, arrange.
vlijmscherp razorsharp, sharp as a razor.
vlijtig diligent, industrious, assiduous.
vlinder butterfly.
vlinderdas bow-tie.
vlo, vlooi flea.
vloed *(getij)* flood-tide, flow, flux; *(rivier)*

stream, river; *(v. tranen)* flood; *(v. woorden)* flow.
vloedgolf tidal wave.
vloeibaar liquid, fluid.
vloeien flow, stream; *(in 't papier trekken)* run; *(m. vloeipapier)* blot.
vloeiend flowing, fluent; *een –e stijl*, a smooth style.
vloeipapier *o.* blotting-paper.
vloeistof liquid.
vloek *(vloekwoord)* oath, curse, swear (-word); *(vervloeking)* malediction, curse, imprecation.
vloeken swear, curse.
vloer floor.
vloerbedekking floor-covering.
vloerkleed *o.* carpet.
vlok *(sneeuw)* flake; *(wol)* flock.
vlooienmarkt flea market.
vloot fleet, navy.
vlot *bn. (drijvend)* afloat; *(fig.)* fluent, smooth. || *o.* raft, float.
vlotten float; go smoothly.
vlucht *(het vluchten)* flight, escape; *(het vliegen)* flight; *(een troep vogels)* flight, flock.
vluchteling fugitive; *(uitgewekene)* refugee.
vluchten fly, flee.
vluchtheuvel island, refuge.
vluchtig volatile, cursory (reading); hasty, fleeting.
vluchtmisdrijf *o.* hit-and-run.
vlug quick, fast, rapid; *(handig)* nimble; *(v. verstand)* nimble, quick.
vlugschrift *o.* pamphlet.
vocht *o.* moisture, damp; *(vloeistof)* fluid, liquid.
vochtig moist, damp, humid.
vochtigheidsgraad humidity.
vod rag, tatter; duster, cloth.
voddenman ragman, rag-and-bone man.

voeden feed, nourish, foster; *(een kind)* nurse, breast-feed.

voederen feed.

voeding *(voedsel)* food, nourishment; *(handeling)* feeding, nourishing.

voedingsbodem medium; breeding ground.

voedsel *o.* food, nourishment.

voedster nurse, foster-mother.

voedzaam nourishing, nutritive, nutritious.

voeg joint, seam.

voegen *(muren)* joint, point, flush; *zich – naar*, comply with.

voegwoord *o.* conjunction.

voelbaar perceptible, palpable.

voelen feel, sense.

voelhoorn, voelhoren feeler, antenna.

voeling feeling, touch.

voeren *(voederen)* feed, fodder; *(vervoeren)* carry, convey, lead; *(een kleed, enz.)* line.

voering lining.

voerman driver, coachman, waggoner.

voertaal official language.

voertuig *o.* vehicle, carriage.

voet foot *(mv. feet); op staande –,* instantly, on the spot.

voetballen play (at) football.

voetenbank *o.* footstool.

voetganger pedestrian.

voetlicht *o.* footlights.

voetnoot foot-note.

voetpad *o.* footpath.

voetstap footstep, step.

voetstuk *o.* pedestal.

voetzoeker squib, cracker.

vogel bird; *een slimme –,* a sly dog.

vogelkooi bird-cage.

vogelverschrikker scarecrow.

vogelvlucht bird's-eye view.

vogelvrij outlawed.

vol full, filled.

volautomatisch fully automatic.

volbloed *bn.* thoroughbred, full-blooded.

volbrengen fulfil, accomplish, perform, achieve.

voldaan satisfied, content; *(o. rekening)* received, paid.

voldoende satisfactory, sufficient.

voldoening satisfaction; *(rekening)* settlement, payment.

voldongen, *– feit,* accomplished fact.

voldragen mature, full-term.

volgeling(e) follower, adherent.

volgen follow; follow up, pursue; *(lessen)* attend.

volgende following, next.

volgens according to.

volgorde order, sequence.

volgzaam docile, tractable.

volharden persist, persevere.

volharding perseverance, persistency.

volhouden *ov. ww.* maintain, keep up. || *onov. ww.* persevere, persist, hold out.

volk *o.* people, nation.

Volkenbond League of Nations.

volkenrecht *o.* international law.

volkomen perfect, complete.

volkorenbrood *o.* wholemeal bread.

volksdansen folk dancing.

volksgeloof *o.* popular belief.

volksgzondheid public health.

volkslied *o.* national anthem (song); popular song.

volksstam tribe, race.

volkstaal popular language, vulgar tongue.

volksvertegenwoordiger representative (of the people), member of Parliament.

volledig complete, full.

volledigheidshalve for the sake of completeness.

volleerd finished, proficient, full-fledged.
vollemaan full moon.
volleybal *o.* volleyball.
volmaakt perfect.
volmacht full powers, procuration; *bij –,* by proxy.
volmondig frank, unqualified.
volop plenty (of), in plenty.
volslagen full, complete, total.
volstaan suffice, be sufficient.
volstrekt absolute.
volt volt.
voltage voltage.
voltallig complete, full, plenary.
voltijds full-time.
voltooien complete, finish.
voltooiing completion.
voltrekking execution.
voluit in full.
volume *o.* volume, size, bulk.
volwaardig full, adequate.
volwassen full-grown, grown-up, adult.
volzin sentence, period.
vondeling foundling.
vondst find, discovery, invention.
vonk spark.
vonken sparkle, spark.
vonnis *o.* sentence, judgment.
vonnissen sentence, condemn.
voogd(es) guardian.
voogdij guardianship.
voor *zn.* furrow. || *bw.* in front; *mijn uurwerk is –,* my watch is fast. || *voorz. (in plaats, ten behoeve van)* for; *(vóór)* before, in front of; *(geleden)* ago; *(fig.)* for. || *voegw.* before.
vooraan in front.
vooraf beforehand, previously.
voorafgaand preceding, foregoing; *het –e,* what precedes.
vooral especially, above all (things).
voorarrest *o.* detention under remand.
voorbaat *bij – dank,* thanking you in anticipation, thanks in advance.
voorbarig premature, rash.
voorbedacht premeditated.
voorbeeld *o.* example, model; instance; *bij–,* for instance, e.g.
voorbeeldig exemplary.
voorbehoedmiddel *o.* preservative, contraceptive.
voorbehoud *o.* proviso, reserve, reservation; *onder alle –,* with all reserve.
voorbereiden prepare, get ready; *zich –,* prepare o.s.
voorbereiding preparation.
voorbericht *o.* preface, forword.
voorbeschikking predestination, destiny.
voorbestemmen predestinate, predestine.
voorbij *bw.* past; *het huis –,* past the house. || *voorz.* beyond, past. || *bn.* past.
voorbijgaan *onov. ww.* go (pass) by, pass; *(v. tijd)* go by, pass. || *ov. ww.* pass by. || *zn. in het –,* in passing.
voorbijganger passer-by.
voorbijstreven outstrip.
voorbode forerunner, foretoken.
voordat before.
voordeel *o.* advantage, benefit; profit.
voordelig profitable, advantageous; economical; low-budget.
voordeur front door, streetdoor.
voordoen show; *(schort)* put on; *zich –,* offer, present itself; arise, occur.
voordracht *(wijze)* utterance, diction; *(h. voorgedragene)* lecture, discourse, speech, recital; *(v. kandidaten)* nomination, short list.
voordragen *(gedicht)* recite; *(kandidaat)* propose, nominate.
voorgaan go before, precede; *(voorbeeld geven)* set an example.

voorganger predecessor; leader.
voorgenomen purposed, intented, contemplated.
voorgerecht *o.* entrée.
voorgevel front, façade.
voorgeven pretend, profess to be; *(bij spel)* give odds.
voorgevoel *o.* presentiment.
voorgoed for good.
voorgrond foreground, front.
voorhanden available, on hand, in stock, in store.
voorheen formerly, before.
voorhistorisch prehistoric.
voorhoede advance guard, vanguard; *(fig.)* forefront; *(voetb.)* forwards.
voorhoofd *o.* forehead.
voorin in the front; *(in boek)* at the beginning.
vooringenomen prepossessed, prejudiced, biassed.
voorjaar *o.* spring.
voorkamer front room (parlour).
voorkant front, face.
voorkennis prescience, foreknowledge.
voorkeur preference; *de – geven aan,* prefer *(boven,* to).
voorkomen get ahead, come round; *(recht)* come on, come up for trial, appear; *(bestaan)* occur, be found; *(gebeuren)* happen, occur; *(lijken)* appear, seem. || *zn. o.* appearance, aspect, look.
voorkomen prevent, preclude.
voorkomend obliging, polite.
voorkomend occurring; *zelden –,* of rare occurrence.
voorlaatst last but one; penultimate.
voorleggen put (place, lay) before; submit.
voorlezen read to; read out.
voorlichten light; *(fig.)* enlighten, advise, instruct.

voorliefde predilection, liking, partiality.
voorloper precursor, forerunner.
voorlopig provisional.
voormalig former, late.
voormeld above-mentioned, aforenamed.
voormiddag morning, forenoon.
voorn roach.
voornaam *zn.* first name, Christian name. || *bn.* distinguished, prominent.
voornaamwoord *o.* pronoun.
voornamelijk chiefly, principally, mainly.
voornemen *zn. o.* intention, resolution. || *ww. zich –,* intend, resolve.
voornemens zijn intend (to).
voornoemd above-mentioned, aforesaid.
vooroordeel *o.* prejudice, bias.
voorop in front.
vooropstellen premise.
voorouders ancestors, forefathers.
voorover (bending) forward, face down.
voorpagina front page.
voorpoot foreleg, front paw.
voorpost outpost.
voorproefje *o.* foretaste.
voorraad stock, supply, store.
voorradig in stock, on hand, available.
voorrang precedence, priority; *(in verkeer)* right of way.
voorrangsweg major road.
voorrecht *o.* privilege, prerogative.
voorronde qualifying round.
voorruit windscreen; am. windshield.
voorschieten advance (money).
voorschijn *te– komen,* appear, come out, make one's appearance; *te – brengen,* produce, bring to light.
voorschot *o.* advanced money, advance, loan.
voorschrift *o.* prescription, precept, instruction, direction.
voorschrijven write for; *(fig.)* prescribe; dictate.

voorsorteren move into the correct lane.

voorspel *o. (muz.)* prelude, overture; *(ton.)* prologue; *(seksueel)* foreplay.

voorspellen prophesy, foretell, predict.

voorspelling prophecy, prediction, prognostication; *(v. weer)* forecast.

voorspiegelen, *iem. iets –,* hold out hope (promises) to sbd.

voorspoed prosperity; *in – en tegenspoed,* in storm or shine.

voorspoedig prosperous, successful.

voorspraak intercession, mediation.

voorsprong start, lead.

voorstaan *ov. ww. (een mening, enz.)* advocate, defend, champion. ‖ *onov. ww.* stand in front; lead.

voorstad suburb.

voorstander advocate, defender, champion; supporter.

voorste foremost, first, front.

voorstel *o.* proposal; proposition; *(wet)* bill; *een – indienen,* hand in a motion.

voorstellen represent, (im)personate; *(een voorstel doen)* propose, suggest; *(ter kennismaking)* introduce; *zich –,* imagine, fancy.

voorstelling idea, notion, image; representation; *(vertoning)* performance; introduction, presentation.

voorsteven stem.

voortaan in future, henceforward, henceforth.

voortbrengen produce, bring forth.

voortbrengsel *o.* product, production.

voortdurend continual; continuous, lasting.

voorteken *o.* presage, indication, omen.

voortgaan go on, continue proceed with.

voortgang progress.

voortijdig premature.

voortmaken make haste, hurry up.

voortplanten carry on, propagate,

spread; *zich –,* breed, propagate; *(het licht, geluid)* travel.

voortplanting propagation; *(v. mens)* reproduction, procreation ; *(v. geluid)* transmission.

voortreffelijk excellent, first-rate.

voortrekken, *iem. –,* prefer sbd. above others.

voortspruiten proceed (arise, result) from.

voortstuwen propel, drive.

voortvarend energetic.

voortvloeien flow on; result from.

voortvluchtig fugitive.

voortzetten continue, pursue, carry on, go on with; *(reis)* proceed on.

voortzetting continuation.

vooruit forward; before, beforehand, in advance; *zijn tijd – zijn,* be ahead of the times.

vooruitbetalen pay in advance, prepay.

vooruitgang progress, improvement.

vooruitstrevend progressive.

vooruitzicht *o.* prospect, outlook; *goede –en hebben,* have good prospects.

voorval *o.* event, incident, occurrence.

voorvoegsel *o.* prefix.

voorwaarde condition, stipulation.

voorwaardelijk conditional.

voorwaarts forwards, onward.

voorwenden pretend, feign, affect, simulate.

voorwendsel *o.* pretext, blind, pretence.

voorwerp *o.* object, thing, article; *(gramm.)* object; *gevonden –en,* lost property.

voorwiel *o.* front-wheel.

voorwielaandrijving front(-wheel) drive.

voorwoord preface, foreword.

voorzet pass, ball; first move.

voorzetsel *o.* preposition.

voorzetten put before; *(klok)* put on (forward, ahead); *(voetbal)* centre.

voorzichtig careful, prudent, cautious; –! look out! *(op verpakking)* with care!
voorzichtigheid prudence, caution, care.
voorzichtigheidshalve by way of precaution.
voorzien foresee; – *van*, provide with.
voorzienigheid providence.
voorzijde front(age), front side, face.
voorzitter chairman, president; Speaker (of the House of Commons).
voorzorg precaution, provision.
voorzorgsmaatregel precautionary measure.
vorderen *ov. ww.* demand, claim, require. ‖ *onov. ww.* advance, make progress (headway), get on.
vordering claim, demand; progress, improvement.
vore furrow.
voren, *naar –*, to the front; *te–*, beforehand; *naar – brengen*, put forward, advance; *van te–*, before, previously; *van – af aan beginnen*, start afresh.
vorig former, previous; *–e maand*, last month.
vork fork.
vorkheftruck fork-lift.
vorm form; *(gestalte)* form, shape; *(gietmal)* mould; *(gramm.)* form, voice (active, passive).
vormelijk formal, ceremonious.
vormen form, fashion, shape, mould, model.
vorming forming, formation, shaping; *(fig.)* education, cultivation.
vorsen investigate, search.
vorst monarch, sovereign, prince. ‖ *(vriezen)* frost.
vorstelijk royal, princely.
vorstendom *o.* principality.
vorstin queen, empress, princess, monarch.

vos fox; *(mannetje)* dog-fox; *(wijfje)* bitch-fox, vixen; *(paard)* sorrel.
voucher voucher.
vouw fold; *(in broek)* crease.
vouwblad *o.* folder.
vouwen fold.
vouwfiets folding bicycle.
vouwstoel folding-chair, camp-stool.
vraag question, query; *(handel)* demand.
vraagbaak vade-mecum; *(persoon)* oracle.
vraaggesprek *o.* interview.
vraagstuk *o.* problem.
vraagteken *o.* question-mark; query.
vraatzuchtig voracious, gluttonous.
vracht freight; *(last)* load.
vrachtauto lorry, van; *(Am.)* truck.
vrachtbrief way-bill; consignment note.
vrachtrijder carrier.
vragen ask.
vrede peace; *– sluiten*, make peace.
vredegerecht *o.* magistrate's court.
vredelievend peaceable, peaceful, peace-loving.
vredesmacht peace-keeping force.
vredig peaceful, quiet.
vreedzaam peaceable.
vreemd strange; *(buitenlands)* foreign; *(uitheems)* exotic; *(zonderling)* strange, funny, queer.
vreemdeling stranger; foreigner.
vreemdelingenverkeer *o.* tourist traffic, tourism.
vrees fear, apprehension, dread.
vreesachtig timid, timorous.
vrek miser, skinflint, niggard.
vrekkig miserly, stingy.
vreselijk dreadful, frightful, terrible.
vreten *(v. dier)* eat, feed on; *(v. mens)* gorge, stuff oneself.
vreugde joy, gladness.
vrezen fear, be afraid of, apprehend; *het ergste –*, fear the worst.

vriend friend; pal, mate, bud; boyfriend.
vriendelijk kind, friendly, affable.
vriendendienst kind turn.
vriendjespolitiek favouritism.
vriendschap friendship.
vriespunt o. freezing-point.
vriesweer frosty weather.
vriezen freeze.
vrij bn. free. || bw. *(tamelijk)* rather, pretty, fairly; freely.
vrijaf, – *hebben*, have a holiday.
vrijblijvend without engagement.
vrijdag Friday.
vrijdenker free-thinker.
vrijen make love, sleep .
vrijer suitor, lover, sweetheart.
vrijetijdsbesteding leisure activity.
vrijgeleide o. safe-conduct.
vrijgevig liberal, generous.
vrijgezel bachelor.
vrijhandel free trade.
vrijhaven free port.
vrijheid liberty, freedom.
Vrijheidsbeeld Statue of Liberty.
vrijkaart free ticket (pass).
vrijlaten release, set at liberty, let off; emancipate.
vrijmetselaar freemason.
vrijmoedig free, frank, bold.
vrijpleiten exonerate, exculpate.
vrijpostig bold, forward, free.
vrijspraak acquittal.
vrijstelling exemption, freedom.
vrijster spinster; *oude* –, old maid.
vrijwaren safeguard against, guarantee (protect, secure) from.
vrijwel pretty good, rather well, fairly.
vrijwillig voluntary, free.
vrijwilliger volunteer.
vrijzinnig liberal.
vroedvrouw midwife.
vroeg bn. early. || bw. early, at an early hour.

vroeger bn. earlier, former, previous. || bw. earlier, sooner, of old, of times gone by.
vroegtijdig early, untimely; *(dood)* premature.
vrolijk merry, gay, cheerful.
vroom devout, pious.
vroomheid devoutness, piety, devotion.
vrouw woman; *(echtgenote)* wife, lady; *(kaartspel)* queen.
vrouwelijk *(dier, plant, geslacht)* female; *(eigenschappen)* feminine, womanly; *(gramm.)* feminine.
vrouwenarts gynaecologist.
vrouwenbeweging women's rights movement.
vrouwvriendelijk pro-women, non-sexist.
vrucht fruit.
vruchtbaar fruitful, fertile.
vruchteloos fruitless, futile, vain.
vruchtensap o. fruit juice.
vruchtentaart fruit tart.
vruchtgebruik o. usufruct.
vruchtwater o. amniotic fluid.
vuil bn. dirty, grimy, grubby; *(obsceen)* obscene; *(vies)* filthy. || o. dirt.
vuilak dirty (nasty) fellow.
vuilnis refuse, dirt, rubbish; *(Am.)* garbage.
vuilnisbak dustbin, ashbin.
vuilnisman dustman.
vuilniswagen dust-cart, refuse lorry.
vuilniszak rubbish bag; Am. garbage bag.
vuilverbranding refuse incineration.
vuist fist; *voor de* – *spreken*, speak off-hand, extemporize.
vuistregel rule of thumb.
vuistslag blow with the fist.
vulgair vulgar.
vulkaan volcano.
vullen fill; *(holle tand)* fill, stop; *(accu)* fill, charge.

vulpen fountain-pen.
vulpotlood *o.* propelling pencil.
vulsel *o.* filling.
vuns, vunzig dirty, wasty.
vuren fire at (on).
vurenhout *o.* deal.
vurig *(ogen)* fiery; *(stralen)* ardent; *(wensen)* fervid; *(bede)* fervent.
vuur *o.* fire; *(fig.)* ardour.
vuurdoop baptism of fire.
vuurpijl rocket.

vuurproef fire-ordeal; *de – doorstaan,* stand the test.
vuurrood fiery red, flaming red, red as fire.
vuurspuwend fire-spitting.
vuursteen flint.
vuurtoren lighthouse.
vuurvast fire-proof; *-e steen,* fire-brick.
vuurwapen *o.* fire-arm.
vuurwerk *o.* fireworks.
V.V.V. tourist information office.

W

waadvogel wading-bird.
waag balance; weighing-house.
waaghals dare-devil.
waagstuk *o.* risky undertaking, venture.
waaien blow; flutter.
waaier fan.
waakhond watch-dog, house-dog.
waakvlam pilot light.
waakzaam watchful, wakeful, vigilant.
Waal Walloon.
waan delusion, erroneous idea.
waanwijs opinionated, (self-)conceited.
waanzin madness, insanity.
waar *bw. en voegw.* where. ‖ *bn.* true. ‖ *zn.* commodity, wares, goods.
waaraan on which, to which.
waarachtig real, true.
waarbij by which, by what, whereby.
waarborg guarantee, warrant, security.
waarborgen guarantee, warrant.
waarborgsom security; deposit.
waard host, inn-keeper, landlord. ‖ *(tussen rivieren)* holm. ‖ *bn.* worth, *mijn –e (vriend),* dear friend.
waarde worth, value.
waardebon gift token.
waardeloos worthless.

waardeoordeel *o.* value judgement.
waardepapier *o.* security.
waarderen value, estimate, rate; *(fig.)* appreciate, esteem.
waardering valuation, estimation; *(op prijs stellen)* appreciation, esteem.
waardevermeerdering fall in value, depreciation.
waardevol valuable, of (great) value.
waardig worthy; dignified.
waardigheid dignity; *(innerlijk)* worthiness.
waardin hostess, landlady.
waardoor through which; by which, whereby.
waarheen where (... to), to what place.
waarheid truth.
waarheidlievend truthful, truthloving, veracious.
waarin wherein, in which.
waarlijk truly; indeed, really.
waarmee with which.
waarmerk *o.* stamp; *(v. goud)* (hall-)mark.
waarnemen observe, perceive; fill a place.
waarnemend temporary, deputy, acting.

waarneming perception, observation; *(vervulling)* performance.
waarnemingspost observation post.
waarom why.
waaronder under which; *(waartussen)* among which, including.
waarop on which; *(waarna)* whereupon.
waarschijnlijk probable, likely.
waarschuwen warn, caution; admonish; let know, tell; call.
waarschuwing warning, caution, admonition; *(v. betaling)* summons for payment.
waartoe for which.
waaruit from which; *(dicht.)* whence.
waarvan of which.
waarzegger fortune-teller, soothsayer.
waas *o.* haze; *(v. ogen)* mist.
wacht watch, guard.
wachten wait (for), await, *(verwachten)* expect; *zich – voor*, be on one's guard against.
wachtkamer waiting-room.
wachtlijst waiting-list.
wachtmeester sergeant.
wachttoren watch-tower.
wachtwoord *o.* password, parole; *(leus)* watchword.
wad *o.* shoal, mud-flat.
waden wade.
wafel wafer, waffle.
wagen *zn.* car, vehicle; waggon, cart. ‖ *ww.* risk, venture, dare.
wagenwijd very wide.
wagenziek carsick, trainsick.
waggelen totter, stagger; *(v. gans)* waddle.
wak *o.* blow-hole (in ice).
waken wake, watch.
wakker awake; vigilant, alert; *(levendig, flink)* brisk, spry, smart; *iem. – maken*, wake (up) sbd., awaken sbd.

wal wall, rampart; *(oever)* coast, shore, bank; *(v. de ogen)* bag.
walgelijk loathsome, disgusting.
walgen loathe, be digusted.
walging loathing, disgust.
walkman walkman.
walmen smoke.
walnoot walnut.
wals waltz; *(rol)* roller, cylinder.
walsen waltz; *(weg)* roll.
walvis whale.
wanbegrip *o.* false notion.
wanbeheer mismanagement.
wand wall; *(rots)* face.
wandelaar walker.
wandelen walk, take a walk.
wandeling walk, stroll.
wandelstok walking-stick, cane.
wandelwagen push chair.
wandluis bug.
wanen fancy, think.
wang cheek.
wangedrag *o.* bad conduct, misconduct.
wanhoop despair.
wanhopig desperate, despairing.
wankel unstable, unsteady, rickety; *(gezondheid)* delicate.
wankelen totter, shake; *(fig.)* waver, vacillate.
wankelmoedig wavering, vacillating, irresolute.
wanklank dissonance; discordant sound; *(fig.)* jarring note.
wanneer *bw.* when. ‖ *voegw.* when, if.
wanorde disorder, confusion.
wanordelijk disorderly, in disorder.
wansmaak bad taste.
wanstaltig deformed, misshapen.
want *o. (scheepv.)* rigging. ‖ *(handschoen)* mitten. ‖ *voegw.* for.
wantoestand abuse.
wantrouwen *o.* distrust, suspicion. ‖ *ww.* distrust, suspect.

WAO Disability Insurance Act.
wapen *o.* weapon, arm; *(wapen schild)* (coat of) arms.
wapenbroeder brother (comrade) in arms.
wapenen arm; *zich – tegen*, arm against.
wapenhandel trade in arms.
wapenstilstand armistice.
wapperen wave, flutter, float.
war *in de –*, in a tangle, confused, entangled.
warboel confusion, muddle, mess, mix-up.
warenhuis *o.* department store.
warhoofd muddle-head, scatter-brain.
warm warm, hot.
warmen warm; *zich –*, warm oneself.
warmte warmth; heat; ardour.
warmtebron source of heat.
warmtegeleider conductor of heat.
warrelen whirl.
wars, *– van*, averse to (from).
wartaal gibberish, incoherent talk.
was rise, growth. || *o.* wax. || wash, laundry.
wasbeer raccoon.
wasdom growth.
wasem steam, vapour.
wasgoed *o.* washing, laundry.
washandje *o.* washing-glove, flannel.
wasinrichting laundry.
waskaars wax-candle, taper.
wasknijper clothes-peg.
waslijn clothes-line.
waslijst wash-list.
wasmachine washing-machine.
wasmiddel *o.* detergent.
wassen wash, wash up; *zich –*, wash oneself. || *ww.* grow, rise, increase. || *bn.* wax(en).
wassenbeeldenmuseum *o.* waxwork show, waxworks.
wasserij laundry(-works).

wastafel wash-hand stand.
wastobbe washing-tub.
wasverzachter softener.
wat *vrag. vnw.* what; *onbep. vnw.* something, anything, some, any; *betrekk. vnw.* what, which, that. || *bw.* a little; *(erg)* very.
water *o.* water; *stille –s hebben diepe gronden*, still waters run deep; *in het – vallen*, fall through.
waterafstotend water-repellent.
waterbed water bed.
waterbouwkunde hydraulic engineering, hydraulics.
waterdamp (water-)vapour.
waterdicht waterproof, watertight; impermeable to water.
wateren make water, urinate.
waterfiets pedal boot.
waterhoofd *o.* hydrocephalus.
waterjuffer dragon-fly.
waterkanon *o.* water-cannon.
waterkans littke chance.
waterkering weir, dam.
waterkers watercress.
waterlanders tears.
waterleiding waterworks; water company.
waterloop watercourse.
waterman *(astron.)* Aquarius.
watermerk *o.* watermark.
watermolen water-mill.
waternood want of water.
waterpas *o.* water-level. || *bn.* level.
waterplas puddle.
waterput (draw-)well.
waterschade damage caused by water.
waterschuw afraid of water, hydrophobic.
waterskiën water-ski.
watersnood inundation, flood(s).
waterstof hydrogen.
waterval waterfall; cataract, fall, cascade.
watervliegtuig *o.* hydroplane; seaplane.

watervrees hydrophobia.
waterweg waterway, waterroute.
waterzonnetje *o.* watery sun.
watten wadding; cotton-wool.
wazig hazy.
wc lavatory , loo.
web *o.* web.
wedde pay, salary.
wedden bet, (lay a) wager.
weddenschap wager, bet.
wederdienst service in return.
wederdoper anabaptist.
wedergeboorte re-birth; regeneration.
wederhelft better half.
wederkerend *(gramm.)* reflexive.
wederom again, anew, once more.
wederopbouw rebuilding; *(fig.)* reconstruction.
wedervaren *ww.* befall, happen to. ‖ *o.* adventure, experience.
wederwaardigheid vicissitude.
wederzijds mutual.
wedijver emulation, competition, rivalry.
wedloop race.
wedstrijd match, competition.
weduwe widow.
weduwnaar widower.
wee *o.* woe, pain; *de weeën,* labour pains. ‖ *bn.* sickly; *(v. honger)* faint.
weefgetouw *o.* (weaving-)loom.
weefsel *o.* tissue, texture, weave.
weegbrug weigh-bridge.
weegschaal (pair of) scales, balance; *(astron.)* Libra.
week *bn.* soft; tender, weak. ‖ *zn.* week. ‖ *in de – zetten,* put in soak.
weekblad *o.* weekly (paper).
weekdier *o.* mollusc.
weekend *o.* weekend.
weekhartig soft- (tender)hearted.
weeklacht lament(ation), wailing.
weelde luxury; *(overvloed)* wealth, opulence; luxuriance.

weelderig luxurious; *(v. groei)* luxuriant; *(vol van vorm)* opulent.
weemoedig sad, melancholy.
weer *o.* weather. ‖ *bw.* again, once more; *heen en –,* to and fro.
weerbaar capable to bear arms.
weerbarstig refractory, unruly.
weerbericht *o.* weather report.
weerga equal, match; *zonder –,* matchless; without precedent, unrivalled.
weergalm echo.
weergalmen resound, reverberate, re-echo.
weergeven return, restore; *(fig.)* render, reproduce.
weerhaak barbed hook, barb.
weerhaan weathercock.
weerhouden hold back; *(tranen)* restrain; check.
weerkaatsen reflect, reverberate.
weerklank echo; response.
weerklinken ring again; resound.
weerkundig meteorological.
weerleggen refute.
weerlicht *o.* summer (heat, sheet) lightning.
weerloos helpless, defenceless.
weerschijn reflection, reflex.
weersgesteldheid state of weather; weather conditions.
weerskanten, *van –,* on both sides, from either side.
weerspannig rebellious, refractory, recalcitrant.
weerspiegelen reflect, mirror.
weerstaan resist, withstand.
weerstand resistance.
weerstandsvermogen *o.* resisting power; power of endurance, resistance.
weerwil, *in – van,* in spite of, notwithstanding.

weerwraak revenge.
weerzien *ww.* see again. || *zn. o.* meeting again.
wees orphan.
weeshuis *o.* orphanage.
weetgierig eager to learn.
weg *bw.* away; gone; lost; – *is weg*, what is gone is gone; – *met*, down with. || *tw.* –! *jullie!* get away! off! || *zn.* way, road, course, path.
wegblijven stay away.
wegbrengen carry away, remove.
wegcijferen eliminate, set aside.
wegcode traffic regulations.
wegdek *o.* road surface.
wegebben ebb away.
wegen weigh, scale.
wegenkaart road map.
wegennet *o.* road network, road system.
wegens on account of, for, because of.
wegenwacht Automobile Association, AA, RAC.
weggaan go away, leave.
weggooien throw away; waste.
wegjagen drive away (off); turn out; *(school, ambt)* expel.
wegkomen get (come) away.
wegkwijnen languish, pine away.
weglaten omit, leave out.
weglatingsteken *o.* apostrophe.
weglopen run away, make off.
wegmoffelen spirit (away).
wegpiraat road hog.
wegrestaurant *o.* road-house.
wegslepen drag away.
wegsmelten melt away.
wegsplitsing bifurcation.
wegsterven die away; *(v. geluid)* fade out.
wegvoeren carry away; carry off; lead away.
wegwerker roadman; *(bij spoorweg)* surfaceman.
wegwerpartikel *o.* disposable.

wegwijzer guide; signpost, fingerpost.
weide meadow.
weids stately, grandiose.
weifelen waver, hesitate, vacillate.
weifeling wavering, hesitation, vacillation.
weigeren refuse; deny; reject, decline; *(machine)* fail.
weigering refusal, denial, rebuff; *(machines)* failure.
weiland *o.* pasture, grass-land.
weinig little; *(mv.)* few.
wekelijks weekly.
weken soak; soften, macerate.
wekken (a)wake, awaken, rouse; *(fig. ook.)* evoke, create, provoke, raise.
wekker alarm-clock.
wekkerradio radio alarm.
wel *zn.* spring, fountain. || *zn. o.* welbeing; *het – en wee*, the weal and woe. || *bw.* well, rightly; very, indeed, truly, surely, no less. || *bn.* well.
welbehagen *o.* pleasure.
welbekend well-known.
welbespraakt fluent, well-spoken.
welbesteed well-spent, well-used.
weldaad benefaction, benefit.
weldadig beneficent, benevolent; charitable.
weldoener benefactor.
weldra soon, shortly.
weleer formerly, in old times.
welgelegen well-situated.
welgemanierd well-bred, well-mannered.
welgesteld well-to-do, well of.
welgevallen *o.* pleasure.
welgevallig pleasing, agreeable.
welig luxuriant.
weliswaar it is true.
welk what; which; *(betrekkelijk)* who, which, that.
welkom welcome.

wellevend well-mannerd, polite.
wellicht perhaps.
wellust *(ongustig)* sensuality, lust, voluptuousness.
welnemen o. permission, leave.
welnu well then.
welopgevoed wellbred.
welp o. cub, whelp.
welslagen o. success.
welsprekend eloquent.
welstand well-being, welfare; health.
welterusten good night, sleep well.
welvaart wealth.
welvaren prosper, thrive; be in good health.
welvarend prosperous, thriving; *(gezond)* healthy.
welven vault, arch.
welving vaulting.
welwillend benevolent, kind, sympathetic.
welzijn o. well-being, welfare; health.
welzijnszorg welfare.
wemelen – *van*, swarm with, crawl with.
wenden turn.
wending turn.
wenen weep, cry.
wenk hint, wink, nod.
wennen habituate, accustom (to).
wens desire, wish.
wenselijk desirable.
wensen wish, desire, want.
wentelen turn over, revolve, roll.
wenteltrap winding (spiral) staircase.
wereld world, universe.
wereldburger cosmopolitan.
werelddeel o. continent, part of the world.
wereldoorlog world war.
werelds wordly.
wereldschokkend world-shaking.
wereldvreemd unworldly.

weren prevent, avert; keep out; *zich –*, exert, defend o.s.
werf shipyard, dockyard; building-site.
werk o. work, labour, job; *alles in het – stellen*, leave no stone unturned, do one's utmost.
werkdag work-day.
werkelijk real, actual.
werkelijkheid reality.
werken work; *(uitwerking hebben)* act, operate, be effective.
werkgeheugen o. main storage, main memory.
werkgever employer.
werking working, action, operation.
werkkracht active power, energy; hand, workman.
werkkring sphere of action (of activity).
werklooosheidsuitkering unemployment benefit, dole.
werkloos out of work, unemployed; inactive, idle.
werkman workman, labourer, mechanic.
werkplaats work-shop, workroom.
werkster woman worker; charwoman.
werkstudent working student.
werktuig o. tool, instrument.
werktuigkunde mechanics.
werktuiglijk mechanical, automatic.
werkwoord o. verb.
werkzaam active, industrious, laborious.
werpen throw, cart, toss, fling.
wervel vertebra; *(mv. vertebrae)*.
wervelkolom spinal column.
wervelwind whirlwind.
werven enlist, enrol; *(stemmen, klanten)* canvass.
wesp wasp.
west west.
westelijk western, westerly.
westen o. west.
westers western, occidental.

wet law; *(speciale wet)* act.
wetboek *o.* code (of law.)
weten know; be aware of; *te –*, namely.
wetenschap science, learning; *(kennis)* knowledge.
wetenswaardig worth knowing.
wetgeving legislation.
wethouder alderman.
wetsontwerp *o.* bill.
wettelijk legal, statutory, legitimate.
wetten whet, sharpen.
wettigen legitimate, legalize; *(rechtvaardigen)* justify.
weven weave.
weverij weaving-mill.
wezel weasel.
wezenlijk real, essential, substantial.
wezenloos vacant, vacuous, blank.
whisky whisky.
wichelroede diving-rod.
wicht *o.* baby, child; *(meisje)* creature.
wie who.
wieden weed.
wieg cradle.
wiegen rock.
wiegendood cot death.
wiek *(v. molen)* sail, vane, wing; *(v. vogel)* wing; *in zijn – geschoten zijn*, be affronted.
wiel *o.* wheel.
wielersport cycling.
wielersport cycling.
wielrenner racing cyclist.
wier *o.* sea-weed.
wierook incense, frankincense.
wig wedge.
wij we.
wijd wide, large, spacious, ample.
wijdbeens with legs apart.
wijden consecrate, ordain; *– aan*, devote to.
wijding consecration, ordination; devotion.

wijdlopig prolix, diffuse.
wijdte width, breadth; *(v. spoorweg)* gauge.
wijk district, quarter, ward; *de – nemen*, take flight.
wijkagent community policeman.
wijken give way, give ground, yield.
wijkverpleging district-nursing.
wijlen *bn.* late, deceased.
wijn wine; *klare – schenken*, speak frankly.
wijngaard vineyard.
wijnhandel wine-trade, wine-shop.
wijnkaart wine-list.
wijnkelder wine-vault, wine-cellar.
wijnoogst vintage.
wijnstok vine.
wijs manner, way; *(melodie)* melody, tune; *(gramm.)* mood. || *bn.* wise.
wijsgeer philosopher.
wijsheid wisdom.
wijsneus wiseacre, know-all.
wijsvinger forefinger, index finger.
wijten, *– aan*, impute, *(verwijten)* blame for; *te – aan*, owing to, due to.
wijwater *o.* holy water.
wijze wise man, sage. || *zie* **wijs.**
wijzen show, point out.
wijzer indicator; *(v. klok)* hand; *(handwijzer)* finger-post.
wijzerplaat dial-plate; clock face.
wijzigen modify, change, alter.
wijziging modification, change, alteration.
wikkelen wrap (up), envelop, enfold (in).
wikken weigh; *– en wegen*, weigh the pros and cons.
wil will, desire, wish.
wild *bn.* wild, savage; *(jongen)* unruly; fierce. || *o.* game, quarry.
wildbraad *o.* game.
wildernis wilderness, waste.
wildgroei unchecked growth.

wildpark game preserve, deer park.
wilg willow.
willekeur arbitrariness.
willekeurig arbitrary; *(v. spier)* voluntary.
willen wish, want, desire, like; will, be
willing.
willig willing; *(hand.)* firm.
willoos will-less.
wilskracht will-power, energy.
wimper (eye)lash.
wind wind.
windbuil wind-bag, gasbag.
winden wind, twist.
winderig windy.
windhond greyhound.
windhoos wind-spout, tornado.
windjack *o.* wind-cheater.
windkracht wind-force.
windmolen windmill.
windroos compass-card.
windscherm *o.* wind-screen.
windstil calm, windless.
windstreek point of the compass.
windsurfen windsurf.
windvlaag gust of wind, squall.
windwijzer weathercock, weather-vane.
winkel shop.
winkelbediende shop-assistant.
winkelcentrum *o.* shopping-centre.
winkelcentrum shopping-centre
winkeldiefstal shoplifting.
winkelen shop.
winkelgalerij arcade.
winkelhaak square; (scheur) tear.
winkelier shopkeeper; shopman.
winkelraam *o.* shop-window.
winnen win, gain, make; *de aanhouder
wint*, perseverance kills the game.
winst gain, profit(s), benefit.
winstbejag *o.* pursuit of gain.
winstgevend lucrative, profitable.
winstmarge profit margin.
winstuitkering distribution of profits.

winter winter.
winterhanden chilblained hands.
winterjas winter-overcoat.
winterkoninkje wren.
winterslaap winter sleep.
wintersport winter sports.
wintertijd winter-time.
wip skip; *in een –*, in no time.
‖ *(speeltuin)* seesaw; *op de – zitten*,
hold the balance.
wipneus turned-up nose.
wippen whip, whish, skip; seesaw; turn
out, unseat.
wis sure, certain.
wiskunde mathematics, maths.
wispelturig inconstant, fickle.
wissel *(spoorweg)* switch, points; *(hand.)*
bill.
wisselen exchange; bandy; *(geld)* change;
van gedachten –, exchange views.
wisselgeld change.
wisselkantoor *o.* exchange-office.
wisselkoers rate of exchange.
wisselstroom alternating current.
wisselvallig uncertain, precarious.
wisselwerking interaction.
wissen wipe; erase.
wit *bn.* white; *–te Donderdag*, Maundy
Thursday. ‖ *o.* white.
witheet white-hot; boiling.
witkalk whitewash.
Wit-Rusland Belorussia.
wittebrood *o.* white bread;
a white loaf.
wittebroodsweken honeymoon.
witte kool white cabbage.
witten whitewash.
witwassen *(v. zwart geld)* launder.
wodka vodka.
woede rage, fury.
woedend furious.
woekeraar usurer.
woekerwinst exorbitant profit.

woelen *(in bed)* toss (and turn), about; *(in de grond)* grub, burrow.
woelig turbulent; *(kind)* restless.
woensdag Wednesday.
woerd drake.
woest wild, savage, furious; *(onbebouwd)* waste.
woesteling brute.
woestenij waste, wilderness.
woestijn desert.
wok wok.
wol wool.
wolf wolf.
wolk cloud.
wolkbreuk cloud-burst.
wolkenkrabber skyscraper.
wollig woolly.
wolvin she-wolf.
wond wound, sore.
wonder *o.* wonder, marvel, miracle; prodigy.
wonderbaarlijk miraculous, marvellous.
wonderlijk strange, queer.
wonen live, reside, dwell.
woning dwelling, house, residence.
woningruil exchange of houses.
woonachtig resident, living.
woonkamer living-room, sitting-room.
woonplaats dwelling-place, home, domicile, residence.
woord *o.* word, term.
woordblind word-blind, dyslexic.
woordbreuk breach of promise (faith).
woordelijk literal, verbal; verbatim.
woordenboek *o.* dictionary.
woordenlijst word-list, vocabulary.
woordenschat vocabulary.
woordenstrijd verbal dispute.
woordenvloed flow of words.
woordenwisseling altercation, dispute.
woordspeling play upon words, pun.
woordvoerder spokesman, mouthpiece.
worden become, turn, get, grow, go, fall.

wording origin, genesis.
worm worm; *(made)* maggot, grub.
wormstekig worm-eaten, wormy.
worp throw; *(v. dieren)* litter.
worst sausage.
worstelaar wrestler.
worstelen wrestle; struggle.
worstenbroodje *o.* sausage-roll.
wortel root; *(peen)* carrot.
wortelteken *o.* radical sign.
worteltrekking extraction of roots.
woud *o.* forest.
wouw kite.
wraak vengeance, revenge; *om –
schreeuwen*, cry for revenge.
wraakzuchtig vindictive, revengeful.
wrak *bn.* crazy, *(waren)* rickety, unsound. ‖ *zn. o.* wreck.
wrakstuk wreckage.
wrang sour, tart, acid.
wrat wart.
wreed cruel, ferocious.
wreedaard cruel man.
wreef instep.
wreken revenge; avenge.
wrevel spite, peevishness, resentment.
wrijven rub, bray.
wrijving friction, rubbing.
wrikken jerk.
wringen wring, twist.
wroeging remorse, contrition, compunction.
wroeten root, grub; *(hard werken)* toil, drudge.
wrok grudge, rancour, resentment; *– koesteren jegens iem.*, bear sbd. a grudge.
wrong *(v. haar)* coil.
wuft frivolous, fickle.
wuiven wave.
wulps wanton, lascivious.
wurgen strangle, throttle.
wurggreep stranglehold.

X

x-as x-axis.
x-benen knock-kneed legs.
X-chromosoom *o.* x-chromosome.

xenofobie xenophobia.
xylofoon xylophone.

Y

y-as y-axis.
Y-chromosoom *o.* y-chromosome.
yen yen.

yoga yoga.
yoghurt yog(h)urt.
yup yup.

Z

zaad *o.* seed, sperm.
zaadbal testicle.
zaaddodend spermicidal.
zaadlozing ejaculation.
zaag saw.
zaagsel *o.* sawdust.
zaaien sow.
zaak thing, matter, affair, cause; *(hand.)* business, concern, trade; *(recht)* case, lawsuit; *dat is uw –*, that's your affair (business); *zaken zijn zaken*, business is business.
zaakgelastigde agent, proxy; *(diplomatie)* chargé d'affaires.
zaakwaarnemer solicitor.
zaal hall, room; *(ton.)* auditorium; *(zieken–)* ward.
zacht soft, smooth, gentle, mild.
zachtaardig gentle, mild.
zachtjes softly, gently.
zachtmoedig gentle, meek.
zadel *m. en o.* saddle.
zadelpijn saddle-soreness.
zagen saw; *(viool)* scrape.
zak sack, pocket, bag.
zakdoek (pocket) handkerchief.
zakelijk essential, business-like; matter-

of-fact, objective.
zakenman business-man.
zakgeld *o.* pocket-money.
zakken fall, sag, sink; *(v. student)* fail; *(bij zang)* go flat.
zakkenroller pickpocket.
zaklantaarn electric torch.
zakmes *o.* pocket-knife, penknife.
zalf ointment, salve, unguent.
zalig blessed, blissful; *(heerlijk)* divine, heavenly, delicious.
zaliger late, deceased.
zalm salmon.
zalvend unctuous, oily, soapy.
zand *o.* sand.
zandbank sand-bank, shallow.
zandloper hour-glass, sand-glass.
zandsteen sandstone.
zang singing, song.
zanger singer, vocalist.
zangeres (female) singer, vocalist.
zangles singing-lesson.
zangvereniging choral society.
zangvogel singing-bird, song-bird.
zaniken bother, nag.
zappen zap.
zat satiated; *(dronken)* drunk.

zaterdag Saturday.

zebrapad *o.* zebra crossing.

zede usage, custom.

zedelijk moral.

zedelijkheid morality.

zedeloos immoral, profligate.

zedenleer morality, ethics.

zedig modest, demure.

zee sea, ocean; *naar – gaan,* go to the seaside *recht door –,* straight (forward).

zeebonk (Jack-)tar.

zeedijk sea-bank, sea-dike.

zeef sieve; riddle.

zeehond seal.

zeemacht naval forces, navy.

zeeman seaman, sailor, mariner.

zeemeermin mermaid.

zeemeeuw seamew, (sea-)gull.

zeemleer *o.* chamois-leather, shammy.

zee-engte strait(s).

zeep soap.

zeepaardje *o.* sea-horse.

zeepbakje *o.* soap-dish.

zeeppoeder soap-powder.

zeepsop *o.* soap-suds.

zeer *o.* sore, ache. || *bn.* sore. || *bw.* very, much.

zeereis sea-voyage, sea-journey.

zeerover pirate, corsair.

zeespiegel sea-level.

zeewaardig seaworthy.

zeewezen *o.* maritime affairs.

zeewier *o.* seaweed.

zeeziek seasick.

zeezout *o.* sea-salt.

zege victory, triumph.

zegel *o.* seal, stamp.

zegelen stamp, seal.

zegellak *o.* sealing-wax.

zegen blessing, benediction.

zegenen bless.

zegepraal triumph.

zegevieren triumph.

zeggen say, tell; *dat wil niet – dat,* that does not mean that. || *o.* saying; *volgens zijn –,* according to what he says..

zegsman informant, authority.

zegswijze expression, phrase.

zeil *o.* sail; *(om toe te dekken)* tarpaulin, tilt; *(zonnescherm)* awning; *(op vloer)* floor-cloth.

zeilboot sailing-boat.

zeildoek *o.* sailcloth, canvas.

zeilen sail.

zeilplank sailboard.

zeilschip *o.* sailing-vessel.

zeis scythe.

zeker sure, certain; *(betrouwbaar)* safe, secure.

zekerheid certainty, certitude, safety; *(borg)* security.

zekerheidshalve for savety('s sake).

zekering fuse.

zelden seldom, rarely.

zeldzaam rare.

zelf self.

zelfbediening self-service.

zelfbeheersing self-possession, self-control.

zelfbehoud *o.* self-preservation.

zelfbevrediging masturbation.

zelfbewust self-assured.

zelfde same.

zelfkant selvedge, selvage; *(fig.) (v. maatschappij)* fringe.

zelfmoord suicide, self-murder.

zelfopoffering self-sacrifice.

zelfportret *o.* self-portrait.

zelfrespect *o.* self-esteem.

zelfs even.

zelfstandig independent; *(gramm.)* nominal.

zelfverdediging self-defence.

zelfverloochening self-denial.

zelfvertrouwen *o.* self-confidence, self-reliance.
zelfverzekerd self-confident.
zelfvoldaanheid self-complacency.
zelfzucht egoism, selfishness.
zemelen bran.
zendeling missionary.
zenden send forward, dispatch, consign.
zender sender, transmitter; transmitting station, broadcasting station.
zending sending, forwarding, dispatch; consignment, shipment; *(missie)* mission.
zendtijd broadcasting time.
zengen scorch, singe.
zenuw nerve.
zenuwachtig nervous, nervy.
zenuwinrichting *o.* mental home.
zenuwinzinking nervous breakdown.
zenuwslopend nerve-racking.
zenuwziekte nervous disease.
zerk slab, tombstone.
zes six.
zesde sixth.
zestig sixty.
zet push, shove; *(sprong)* bound, leap; *(spel)* move.
zetel seat, chair; *(verblijf)* see.
zetelen reside, sit.
zetmeel *o.* starch, farina.
zetten set, put; *(in drukkerij)* set up, compose; *(thee)* make; *(spel)* move.
zeug sow.
zeuren whine, nag.
zeurkous bore.
zeven *ww.* sift, sieve, screen. ‖ *telw.* seven.
zeventien seventeen.
zeventig seventy.
zich oneself, himself, themselves, herself, itself.
zicht *o.* sight; visibility.
zichtbaar visible; perceptible.

ziedaar there.
zieden boil, seethe.
ziek ill, sick; diseased.
ziekelijk sickly; *(gevoel, opvatting)* morbid.
ziekenauto ambulance.
ziekenfonds *o.* National Health Service.
ziekenhuis *o.* hospital, infirmary.
ziekenverpleging nursing.
ziekte illness, disease.
ziel soul, spirit; *geen levende –*, not a living soul.
zielig pitiful, pitiable.
zielloos soulless; *(dood)* lifeless.
zielsgelukkig radiant, blissful.
zieltogen be dying.
zien see, perceive; look.
zienderogen visibly.
zienswijze opinion, view.
zier whit, atom; *het is geen – waard*, it is not worth a pin.
zigzag zigzag.
zij she, *mv.* they.
zijde side, flank; *(stof)* silk.
zijdelings *bn. een –e blik*, a sidelong look. ‖ *bw.* sideways, sidelong, indirectly.
zijden silk; *(fig.)* silken.
zijderups silkworm.
zijn *ww.* be, exist; *(als hulpww.)* have, be; *wat is er?* what is it? what's the matter? ‖ *vnw. de –e*, his.
zijspoor *o.* side-track, shunt, siding.
zijstraat side-street, by-street, off-street.
zijwaarts lateral, sideward.
zijweg side-way, by-way.
zilt saltish, briny.
zilver *o.* silver.
zilveren silver.
zilverpapier *o.* silver-paper.
zilverwerk *o.* silverware, plate.
zin sense, mind; *(volzin)* sentence; *(betekenis)* sense, meaning.

zindelijk clean, cleanly, neat, tidy; *(v. kind)* trained.

zingen sing.

zink *o.* zinc.

zinken *bn.* zinc. ‖ *ww.* sink.

zinloos senseless, meaningless.

zinloos senseless.

zinnebeeld *o.* symbol, emblem.

zinnelijk of the senses; sensual.

zinneloos insane, mad.

zinnen ponder, meditate, muse, brood.

zinsdeel *o.* part of a sentence.

zinspeling allusion, hint.

zinspreuk motto, device.

zinsverbijstering mental derangement.

zintuig *o.* organ of sense, sense-organ.

zitbad *o.* sitz-bath.

zitplaats seat.

zitten sit; *ga –,* sit down, take a seat; *blijven –,* remain seated.

zittenblijver non-promoted pupil.

zittend sitting, seated.

zitting session; sitting; *(v. een stoel)* seat, bottom.

zitvlak *o.* seat, bottom.

zo *bw.* so, like this, like that, such, thus. ‖ *voegw. (vergelijkend)* as; *(voorwaardelijk)* if.

zoals as; such as, like.

zodanig such.

zodat so that.

zode sod, turf.

zodra as soon as.

zoeken look for, seek, search.

zoeklicht *o.* searchlight.

zoel mild, balmy.

zoemen hum, buzz.

zoen kiss.

zoenen kiss.

zoenoffer *o.* expiatory sacrifice.

zoet sweet; *(gehoorzaam)* good.

zoethout *o.* liquorice.

zoetstof sweetening.

zoëven just now; a moment ago.

zoeven whiz.

zog *o.* (mother's) milk; *(v. schip)* wake.

zogen suckle, nurse.

zogenaamd so-called; would-be, self-styled.

zoiets such a thing, such things.

zolang so long as; meanwhile.

zolder loft, garret.

zolderkamer attic (room), garret.

zomen hem.

zomer summer.

zomerhuisje summer-cottage.

zomersproeten freckles.

zomertijd summer-time; *(uurverandering)* daylight-saving time.

zon sun.

zonaal zonal.

zondaar sinner.

zondag Sunday.

zondagsrijder weekend driver.

zonde sin.

zondebok scapegoat.

zonder without.

zonderling singular, odd, eccentric, queer.

zondeval the fall of man.

zondig sinful.

zondigen sin.

zondvloed deluge, flood.

zone zone.

zonne-energie solar power.

zonnebaden sun-bathe.

zonnebank sunbed, solarium.

zonnebloem sunflower.

zonnebrandolie tanning oil.

zonnebril sun-glasses.

zonnebril sun-glasses.

zonnehoed sun-hat.

zonnescherm *o.* sun-shade, parasol; *(voor de ramen)* sun-blind; *(voor winkel)* awning.

zonneschijn sunshine.

zonnesteek sunstroke.

zonnestelsel *o.* solar system.

zonnevlek sun-spot, solar spot.

zonnewijzer sun-dial.

zonnig sunny, sunshiny.

zonovergoten sun-drenched.

zonsondergang sunset, sundown.

zonsopgang sunrise.

zonsverduistering eclipse of the sun.

zoogdier *o.* mammal (*mv. ook:* mammalia).

zool sole.

zoölogie zoology.

zoom hem; (*rand*) edge, border; (*fig.*) fringe.

zoon son.

zorg solicitude, anxiety, care, trouble; (*last*) worry.

zorgeloos careless, improvident; care-free.

zorgen care; – *voor*, take care of, look after; provide, supply.

zorglijk precarious, critical.

zorgvuldig careful.

zorgwekkend alarming.

zot *zn.* jester, fool; lunatic, madman. || *bn.* foolish, silly; insane, lunatic.

zout *zn. o.* salt. || *bn.* salt, saltish, briny, salted.

zoutarm salt-poor, low-salt.

zoutvaatje *o.* salt cellar.

zoutzuur *o.* hydrochloric acid.

zoveel *telw.* so (as) much, so (as) many. || *bw.* thus (that) much, so much.

zowat about.

zowel as well.

zucht sigh, roan. || (*begeerte*) desire, appetite; – *naar vrijheid*, desire for liberty.

zuchten sigh; moan, groan.

zuidelijk *bn.* southern, southerly.

zuiden *o.* south.

zuidpool south pole, antarctic pole.

zuigeling baby, infant.

zuigen suck; *iets uit zijn duim* –, invent a story.

zuiger (*pomp*) piston, plunger.

zuigfles feeding-bottle, baby's bottle.

zuil pillar, column.

zuinig sparing, saving, economical.

zuipen booze, swig.

zuivel *m. en o.* dairy-produce (products).

zuiver pure, clean, correct, clear.

zuiveren clean; cleanse, purify; (*fig.*) purge.

zuivering cleaning, cleansing, purification, purgation.

zuiveringszout *o.* bicarbonate of soda.

zulk such.

zulks such a thing, that, the same.

zullen shall; will.

zult *o.* meat pickled in vinegar.

zuring sorrel.

zus *zn.* sister. || *bw.* thus, in that manner.

zuur *bn.* sour; acid, tart. || *bw.* – *verdiend geld*, hard-earned money. || *o.* pickles; (*scheik.*) acid.

zuurdesem leaven.

zuurkool sauerkraut.

zuurstof oxygen.

zwaaien sway, swing, flourish.

zwaailicht *o.* flashing light.

zwaan swan.

zwaar heavy; ponderous, strong.

zwaard *o.* sword.

zwaardvis sword-fish.

zwaarlijvig corpulent, stout, obese.

zwaarmoedig melancholy, melancholic.

zwaarte weight, heaviness.

zwaartekracht gravity, gravitation.

zwaartepunt *o.* centre of gravity; (*fig.*) main point, emphasis.

zwaartillend gloomy, pessimistic.

zwaarwichtig weighty, ponderous.

zwabber swab, mop.
zwabberen swab, mop.
zwachtel bandage, swathe.
zwager brother-in-law.
zwak *bn.* weak; feeble, mild, faint. || *zn. o.* weakness; *een – hebben voor*, have a weak spot for.
zwakzinnig mentally deficient.
zwalken drift about, wander about.
zwaluw swallow.
zwaluwstaart swallow-tail; *(bij timmerwerk)* dovetail.
zwam *o.* fungus (*mv.* fungi).
zwanenzang swan-song.
zwang vogue, use; *in – zijn*, be the vogue.
zwanger pregnant.
zwangerschap pregnancy.
zwangerschapsonderbreking termination of pregnancy, induced abortion.
zwangerschapsverlof *o.* maternity leave.
zwart black; *alles – inzien*, look at the gloomy side of things.
zwartgallig melancholy, ill-tempered.
zwartkijker pessimist; TV licence dodger.
zwartmaken blacken.
zwartrijder fare dodger.
zwartwerker person who works without declaring the income.
zwavel sulphur.
zwavelzuur *o.* sulphuric acid.
Zweden Sweden.
zweefvliegtuig *o.* glide.
zweem semblance, trace; shade, touch.
zweep whip.
zweepslag lash.
zweer ulcer, sore.
zweet *o.* sweat, perspiration; *het klamme –*, the cold perspiration.

zweetvoeten perspiring feet.
zwelgen swill, quaff.
zwellen swell.
zwelling swelling.
zwembroek bathing-trunks.
zwemmen swim.
zwempak swim-suit, bathing suit.
zwemvest life-jacket.
zwemvlies *o.* web; *(v. duiker)* flipper.
zwendelaar swindler, sharper.
zwendelarij swindling, swindle.
zwenken turn to the right (left), swing round; swerve.
zweren *(eed)* swear; *(etteren)* ulcerate, fester.
zwerfafval *o.* litter.
zwerfvuil litter.
zwerm swarm.
zwermen swarm.
zwerven rove, ramble, wander.
zwerver vagabond, tramp, wanderer.
zwetsen boast, brag.
zweven float; be suspended; hover (over).
zwezerik sweetbread.
zwichten yield, give way, succumb to.
zwier flourish; *(gratie)* dash, grace, elegance.
zwierig stylish, smart, dashy.
zwijgen *ww.* be silent, keep silence. || *zn.o.* silence.
zwijger silent person.
zwijgplicht oath of secrecy.
zwijgzaam silent, taciturn.
zwijm *in – vallen*, faint, swoon.
zwijn *o.* pig, hog, swine.
zwijnenstal piggery, pigsty.
zwikken sprain.
Zwitserland Switzerland.
zwoegen toil, drudge.
zwoel sultry.
zwoerd rind.

Appendix

De tijd

Het is drie uur	It is three o'clock
Het is twaalf uur	It is twelve o'clock
Half zeven	Half past six
Half een	Half past twelve
Kwart over zeven	A quarter past seven
Kwart voor drie	A quarter to three
Vijf (minuten) over twee	Five (minutes) past two
Tien (minuten) voor acht	Ten (minutes) to eight
Tien (minuten) over half zes	Twenty (minutes) to six
Vier (minuten) voor half negen	Twenty-six (minutes) past eight
's ochtends	a.m.; ante meridiem
's avonds	p.m.; post meridiem
ochtend	morning
middag (12 u)	noon
middag (na 12 u)	afternoon
avond	evening
middernacht	midnight
nacht	night

De dagen

maandag	Monday
dinsdag	Tuesday
woensdag	Wednesday
donderdag	Thursday
vrijdag	Friday
zaterdag	Saturday
zondag	Sunday

De maanden

januari	January
februari	February
maart	March
april	April
mei	May
juni	June

juli	July
augustus	August
september	September
oktober	October
november	November
december	December

De seizoenen

lente	spring
zomer	summer
herfst	autumm, *(Am.)* fall
winter	winter

De telwoorden

een	one	eerste	first
twee	two	tweede	second
drie	three	derde	third
vier	four	vierde	fourth
vijf	five	vijfde	fifth
zes	six	zesde	sixth
zeven	seven	zevende	seventh
acht	eight	achtste	eighth
negen	nine	negende	ninth
tien	ten	tiende	tenth
elf	eleven	elfde	eleventh
twaalf	twelve	twaalfde	twelfth
dertien	thirteen	dertiende	thirteenth
veertien	fourteen	veertiende	fourteenth
vijftien	fifteen	vijftiende	fifteenth
zestien	sixteen	zestiende	sixteenth
zeventien	seventeen	zeventiende	seventeenth
achttien	eighteen	achttiende	eighteenth
negentien	nineteen	negentiende	nineteenth
twintig	twenty	twintigste	twentieth
eenentwintig	twenty-one	eenentwintigste	twenty-first
tweeëntwintig	twenty-two	tweeëntwintigste	twenty-second
dertig	thirty	dertigste	thirtieth
veertig	forty	veertigste	fortieth
vijftig	fifty	vijftigste	fiftieth

zestig	sixty	zestigste	sixtieth
zeventig	seventy	zeventigste	seventieth
tachtig	eighty	tachtigste	eightieth
negentig	ninety	negentigste	ninetieth
honderd	a/one hundred	honderdste	hundredth
duizend	a/one thousand	duizendste	thousandth
miljoen	a/one million		
biljoen	a/one billion; *(Am.)* trillion		
miljard	a/one thousand million; *(Am.)* billion		